**AUTEURS ET DIRECTEURS DES COLLECTIONS**
Dominique AUZIAS & Jean-Paul LABOURDETTE

**DIRECTEUR DES EDITIONS VOYAGE**
Stéphan SZEREMETA

**RESPONSABLES EDITORIAUX VOYAGE**
Patrick MARINGE et Morgane VESLIN

**EDITION** © 01 53 69 70 18
Caroline MICHELOT, Maïssa BENMILOUD, Emmanuelle BLUMAN, Audrey BOURSET, Marjorie JUNG, Sophie CUCHEVAL, Cédric COUSSEAU, Nora GRUNDMAN, Nolwenn ROUSSIER et Pierre-Yves SOUCHET

**ENQUETE ET REDACTION**
Saliha HADJ-DJILANI

**MAQUETTE & MONTAGE**
Sophie LECHERTIER, Delphine PAGANO, Julie BORDES, Élodie CARY et Élodie CLAVIER

**CARTOGRAPHIE**
Philippe PARAIRE, Thomas TISSIER

**PHOTOTHEQUE** © 01 53 69 65 26
Elodie SCHUCK

**REGIE INTERNATIONALE** © 01 53 69 65 34
Karine VIROT, Camille ESMIEU et Virginie BOSCREDON

**PUBLICITE** © 01 53 69 70 61
Olivier AZPIROZ, Caroline GENTELET, Perrine de CARNE-MARCEIN et Aurélien MILTENBERGER

**INTERNET**
Hélène GENIN assistée de Mélanie ARGOUAC'H et Mathilde BALITOUT

**RELATIONS PRESSE** © 01 53 69 70 19
Jean-Mary MARCHAL

**DIFFUSION** © 01 53 69 70 06
Eric MARTIN, Bénédicte MOULET, Jean-Pierre GHEZ, Antoine REYDELLET et Nathalie GONCALVES

**DIRECTEUR ADMINISTRATIF ET FINANCIER**
Gérard BRODIN

**RESPONSABLE COMPTABILITE**
Isabelle BAFOURD assistée de Bérénice BAUMONT, Angélique HELMLINGER et Elisabeth de OLIVEIRA

**DIRECTRICE DES RESSOURCES HUMAINES**
Dina BOURDEAU assistée de Sandrine DELEE et Sandra MORAIS

© SALIHA HADJ-DJILANI

**LE PETIT FUTE HAWAÏ 2010-2011**
**1re édition**

NOUVELLES ÉDITIONS DE L'UNIVERSITÉ©
Dominique AUZIAS & Associés©
18, rue des Volontaires - 75015 Paris
Tél. : 33 1 53 69 70 00 - Fax : 33 1 53 69 70 62

ISBN - 9782746926172
Imprimé en France par
IMPRIMERIE CHIRAT - 42540 Saint-Just-la-Pendue

**Pour nous contacter par email, indiquez le nom de famille en minuscule suivi de @petitfute.com**
**Pour le courrier des lecteurs : country@petitfute.com**

Oui, le paradis existe ! Et Hawaii en est l'écrin. Eaux turquoise, sable blanc, cocotiers, ukulélé, colliers de fleurs, climat exceptionnel... Comment ne pas trouver son bonheur dans cette destination aussi sublime que multiple ! À 17 heures de vol de Paris, au milieu du Pacifique nord, c'est un archipel polynésien qui compte 8 îles et une centaine d'îlots. Six d'entre elles se visitent, les autres étant privées ou inhabitées. Chacune a son identité propre, son surnom. Oahu, « la plus populaire » et la plus connue, offre la folie urbaine de la très américaine Honolulu mais aussi la douceur de vivre de Haleiwa, capitale des surfeurs, sans oublier Pearl Harbor. C'est aussi la terre natale de Barack Obama, le seul président américain né à Hawaii ! Le King Elvis Presley, lui-même tombé amoureux de l'archipel, a donné à Honolulu, le 14 janvier 1973, le premier concert retransmis par satellite et regardé simultanément par 1 milliard de spectateurs dans 43 pays... Quant à Maui, « l'île de la vallée », entre son volcan endormi et sa féerique route de Hana, c'est un jardin tropical à ciel ouvert. Hawaii, LA « Big Island », réunit le plus haut sommet du Pacifique et le volcan le plus actif du monde. Plus paisible, Kauai, « l'île jardin », est un festival de couleurs où l'émeraude de la Na Pali Coast côtoie l'ocre du Waimea Canyon. Lanai, « l'enjôleuse », et Molokai « l'authentique », de taille plus modeste, restent d'incontournables perles sauvages. Grâce à sa prodigieuse diversité, Hawaii offre enfin une multitude d'activités dans un cadre idyllique.

Saliha Hadj-Djilani

**REMERCIEMENTS.** *Merci aux établissements suivants pour leur accueil et leur hospitalité : Hyatt Regency Waikiki Beach Resort & Spa, Banana's Bungalow, Rainbow's End Surf Hostel, Arnott's Lodge, Belle Vue Kona, Grand Hyatt Kauai Resort & Spa. Merci aux responsables des offices du tourisme : Stéphanie Grosser, Christine Klein, Lisa Mock, Edie Hafdahl, Jessica Ferracane, Wendy Tenn, Waynette Kwon et Jennifer Robillard Velasco, Diane Nichols. Merci à ma mère, mon père, mes frères et mes sœurs. Merci à Alain-Sam et à mes amis Laurence, Florian, Lionelle, Katya, sans oublier Sami et Jacqueline. Merci aux Hawaiiens d'adoption David Lewin, Beckee Morrison, Barefoot Bob pour m'avoir fait découvrir un archipel merveilleux au peuple accueillant et chaleureux.*

Ce guide a été fabriqué chez un imprimeur bénéficiant du label IMPRIM'VERT.
Cette démarche implique le respect de nombreux critères contribuant à préserver l'environnement.

# Sommaire

## INVITATION AU VOYAGE


Les plus d'Hawaii ........ 7
Fiche technique ........ 9
Idées de séjour ........ 11


## DÉCOUVERTE


Hawaii en 30 mots-clés ........ 20
Survol du pays ........ 27
- Géographie ........ 27
- Géologie ........ 29
- Climat ........ 30
- Environnement et écologie ........ 30
- Parcs nationaux ........ 32
- Faune et flore ........ 32

Histoire ........ 34
Politique et économie ........ 41
Population et langues ........ 44
Mode de vie ........ 46
Arts et culture ........ 49
- Architecture ........ 49
- Cinéma ........ 49
- Danse ........ 50
- Littérature ........ 50
- Médias ........ 50
- Musique ........ 51
- Peinture et arts graphiques ........ 52
- Festivités et jours fériés ........ 52

Cuisine hawaiienne ........ 53
Jeux, loisirs et sports ........ 55

*Instrumentiste portant un lei (collier) de coquillages et une conque.*


Enfants du pays ........ 57
Lexique ........ 59
L'anglais pour les globe-trotters ........ 61


## OAHU


Honolulu ........ 85
- Pratique ........ 85
- Quartiers – Orientation ........ 89
- Hébergement ........ 93
- Restaurants ........ 98
- Sortir ........ 101
- Points d'intérêt ........ 102
- Shopping ........ 107
- Sports et loisirs ........ 108

Le centre d'Oahu ........ 110
- Pearl Harbor ........ 110
- Le plateau central ........ 112

La pointe sud-est de l'île ........ 113
- La route des plages : de Hanauma Bay à Makapuu Beach ........ 113
- Waimanalo ........ 115

La côte au vent ........ 116
- Kailua ........ 116
- De Kaneohe à Kahuku ........ 118

La côte nord ........ 122
- De Waimea à Sunset Beach ........ 122
- Haleiwa ........ 124
- De Waialua à Kaena Point ........ 128

La côte sous le vent ........ 129


## BIG ISLAND


La côte de Kona ........ 139
- Kailua-Kona ........ 139
- La côte au sud de Kailua-Kona ........ 145

La pointe sud de l'île ........ 151
- Hawaii Volcanoes National Park ........ 154

La région de Puna ........ 162
- Volcano ........ 162
- Pahoa ........ 163

Hilo ........ 165
Le Mauna Kea ........ 170
La côte Hamakua ........ 172
- De Pepeekeo Drive à Waipio Valley ........ 172
- Waipio Valley ........ 173
- Waimea ........ 174

La côte de Kohala ........ 177

Le Nord de la côte .............................. 177
Le Sud de la côte .............................. 179

## MAUI

**L'Ouest de l'île** .............................. **187**
Lahaina .............................. 187
La côte au sud de Lahaina .............................. 197
Kaanapali .............................. 197
Honokowai, Kahana et Napili .............................. 198
Kapalua .............................. 200
De Kapalua à Wailuku .............................. 201
**La plaine centrale** .............................. **202**
Kahului .............................. 202
Wailuku .............................. 204
Puunene .............................. 206
Lao Valley Road .............................. 206
**Le Sud de l'île** .............................. **207**
Maalaea .............................. 207
Kihei .............................. 208
Wailea .............................. 210
Makena .............................. 212
**La côte nord** .............................. **213**
Paia .............................. 213
Haiku .............................. 215
**L'Est de l'île** .............................. **216**
La route de Hana .............................. 216
Hana .............................. 217
Au-delà de Hana .............................. 218
**L'arrière-pays** .............................. **219**
Haleakala National Park .............................. 219
Pukalani .............................. 223
Makawao .............................. 223
La route de Kula .............................. 224
Polipoli Spring State Recreation Area ... 225

## LANAI

**Lanai City** .............................. **230**
**Le Nord de l'île** .............................. **235**
**L'Est de l'île** .............................. **236**
**Le Sud de l'île** .............................. **237**

## MOLOKAI

**Le centre de l'île** .............................. **243**
Kaunakakai .............................. 243
Kalaupapa .............................. 249

© KAUAI VISITORS BUREAU

*Makua beach à Kauai.*

**L'Ouest de l'île** .............................. **253**
Maunaloa .............................. 253
**La côte ouest** .............................. **253**
**L'Est de l'île** .............................. **254**
De la forêt de Kamakou à la pointe est . 254
**Le côte sud-est** .............................. **255**

## KAUAI

**La côte est** .............................. **261**
Lihue .............................. 261
Wailua State Park .............................. 266
Kapaa .............................. 269
**La côte nord** .............................. **271**
Kilauea .............................. 271
Princeville .............................. 272
Hanalei .............................. 273
Haena .............................. 275
Na Pali Coast .............................. 276
**La côte sud** .............................. **278**
Poipu .............................. 278
Koloa .............................. 280
**La côte ouest** .............................. **281**
De Kalaheo à Waimea .............................. 281
Waimea Canyon State Park .............................. 282
Kokee State Park .............................. 283

## ORGANISER SON SÉJOUR

**Pense futé** .............................. **286**
**S'informer** .............................. **306**
**Comment partir ?** .............................. **321**
**Séjourner** .............................. **328**
**Index** .............................. **333**

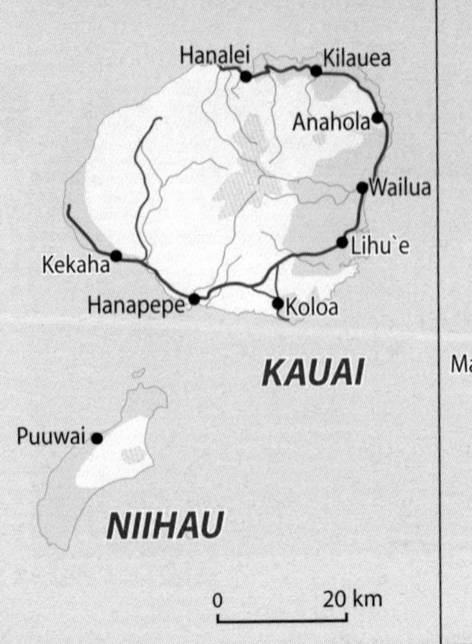


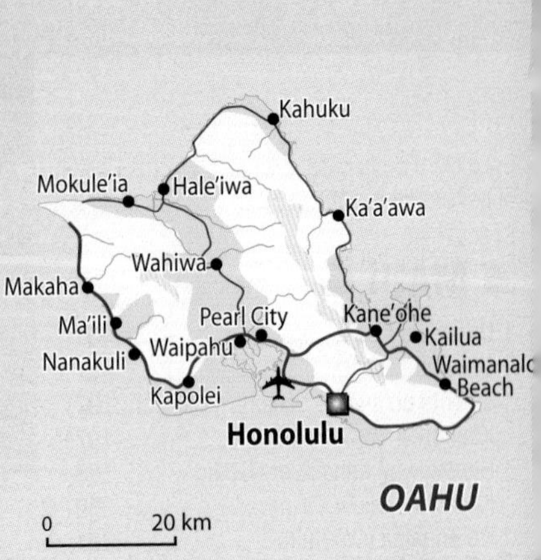


# Hawaii

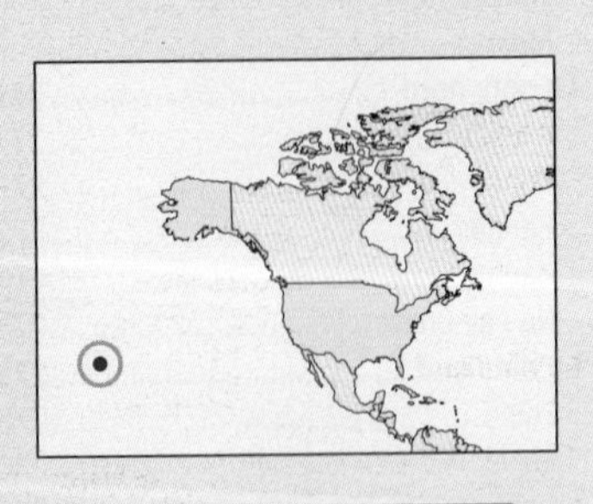

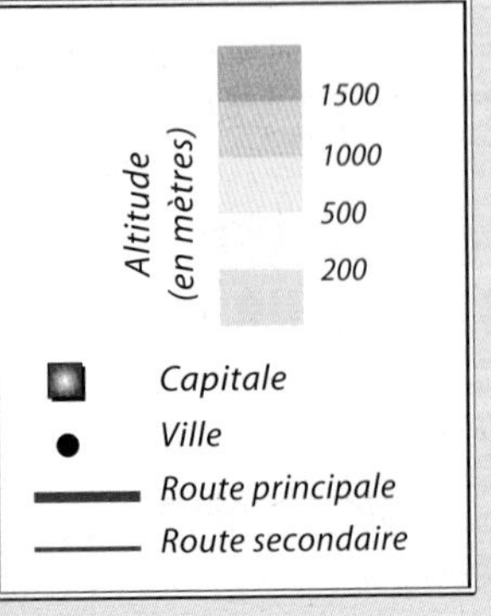


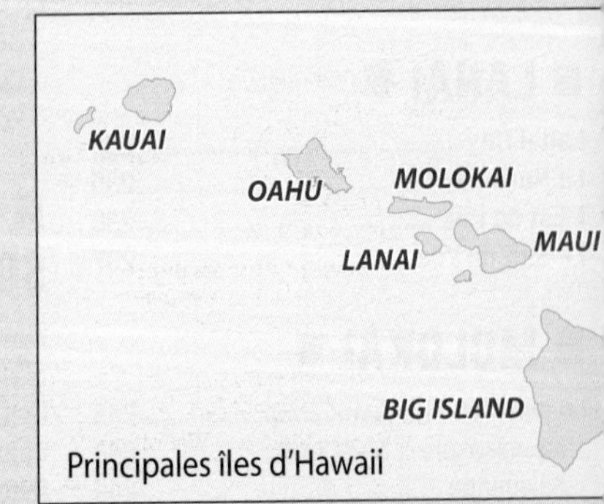

Principales îles d'Hawaii

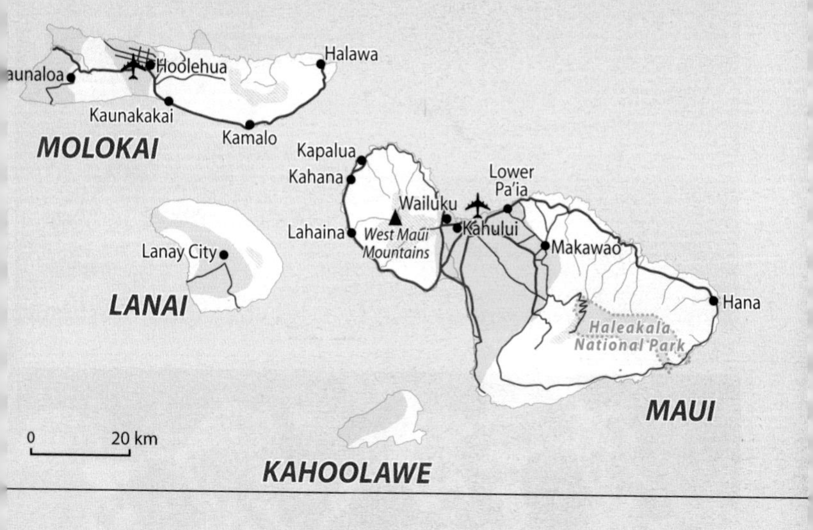

aunaloa
Hoolehua
Halawa
Kaunakakai
Kamalo
MOLOKAI
Kapalua
Kahana
Lower
Pa'ia
Wailuku
Lahaina
West Maui
Mountains
Kahului
Makawao
Lanay City
LANAI
Hana
Haleakala
National Park
MAUI
0
20 km
KAHOOLAWE


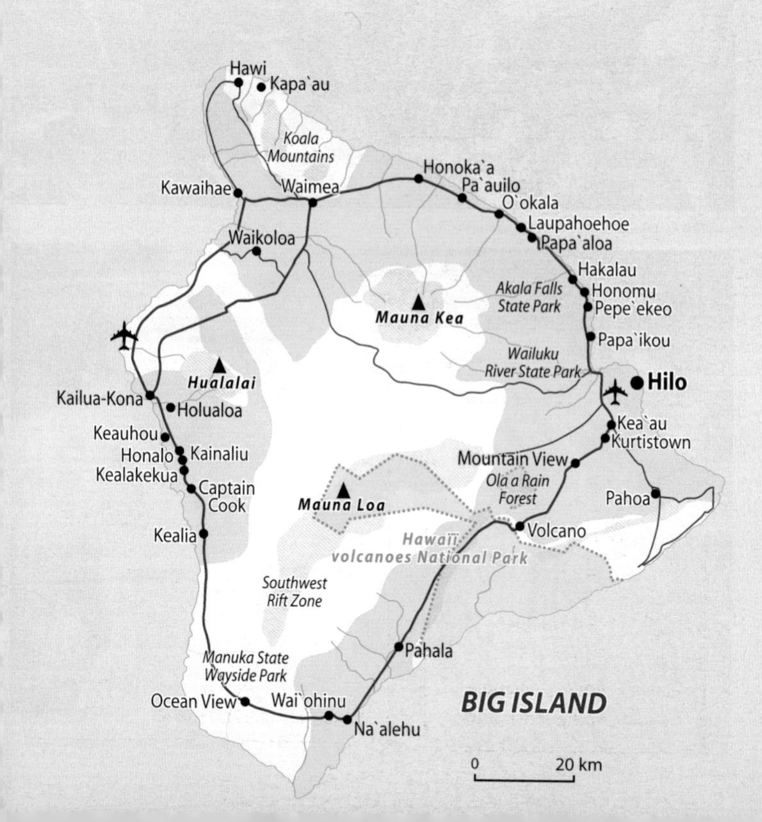

Hawi
Kapa`au
Koala
Mountains
Honoka`a
Kawaihae
Waimea
Pa`auilo
O`okala
Laupahoehoe
Papa`aloa
Waikoloa
Hakalau
Akala Falls
State Park
Honomu
Pepe`ekeo
Mauna Kea
Papa`ikou
Hualalai
Wailuku
River State Park
Hilo
Kailua-Kona
Holualoa
Kea`au
Keauhou
Kurtistown
Honalo
Kainaliu
Mountain View
Kealakekua
Captain
Cook
Ola a Rain
Forest
Pahoa
Mauna Loa
Volcano
Kealia
Hawaii
volcanoes National Park
Southwest
Rift Zone
Pahala
Manuka State
Wayside Park
Ocean View
Wai`ohinu
BIG ISLAND
Na`alehu
0
20 km

*Plage hawaiienne.*

*Souffleurs de conques lors de la célébration du 1er mai.*

*Jeunes keiki dansant le hula.*

# Les plus d'Hawaii



## Le sens de l'Aloha

Les Hawaiiens ont un sens de l'accueil et de l'hospitalité légendaires qu'on appelle « *Aloha Spirit* », ou « sens de l'*Aloha* ». Dès son arrivée, à l'aéroport ou à l'hôtel, le voyageur se voit ainsi remettre un magnifique collier de fleurs, ou « *lei* », accompagné d'une franche accolade et du fameux « *Aloha !* ». Comme c'est agréable après toutes ces heures de voyage d'être si bien accueilli ! La détente et le bien-être vous envahissent, alors que vous venez tout juste d'atterrir. Et à l'autre bout du monde, on se sent déjà chez soi. Magique.

## Un creuset de cultures

Hawaii, qui fait partie du triangle polynésien, doit sa culture multiple à une population aux origines étonnamment diverses. Afin de subvenir aux besoins en main-d'œuvre de l'industrie sucrière, en plein essor au XIXe siècle, l'archipel a accueilli plusieurs vagues migratoires et ces travailleurs se sont durablement installés à Hawaii. La plupart des habitants sont les descendants directs de ces hommes et de ces femmes qui venaient de Chine, du Japon, des Philippines, de Corée, du Portugal ou même de Porto Rico... Et point de ghetto à Hawaii, comme sur le continent américain ! Tout Hawaiien est issu d'un mélange ethnique, de quatre origines différentes au minimum, et parfois c'est à y perdre son latin. Certains sont d'ailleurs bien incapables d'être précis sur le sujet. Peu importe ! Ce qui compte c'est d'être hawaiien après tout.

## Un climat exceptionnel

Il fait bon toute l'année à Hawaii. Grâce à des alizés doux, un soleil éblouissant et des températures clémentes (entre 25 °C et 30 °C), Hawaii est la destination de toutes les saisons. Pour autant, la monotonie n'est pas l'apanage du climat de l'archipel qui comprend tout de même 11 des 13 zones climatiques du monde. Une variation qui dépend de l'élévation, du relief, de l'exposition aux vents, des précipitations sur les différentes îles... C'est ainsi qu'au sommet du Mauna Kea, à Big Island, ou au cratère du Haleakala, à Maui, les températures glaciales correspondent au climat polaire ! Parallèlement, sur le littoral de ces deux mêmes îles, il règne pourtant une chaleur tropicale et on bronze sur le sable chaud.

## Une nature prodigieuse

Les superlatifs manquent pour décrire la généreuse nature hawaiienne... Les scénaristes de « *Lost* » – série tournée intégralement à Hawaii – ne s'y sont pas trompés : bien qu'habitées, ces îles sont encore aujourd'hui des terres intactes et pures. Une sorte de paradis perdu qui ne pouvait qu'être un nouveau départ pour les rescapés d'un crash aérien, coupés du monde à tout jamais. Mais la réalité dépasse la fiction car les images de la série ne rendent pas justice à la beauté des paysages de l'archipel. Il faut être sur place et partir à la découverte de ces contrées pour mesurer à quel point Hawaii est magnifique. Les plages sont sublimes et parmi les plus belles du monde, à l'image de Lanikai Beach, une des plages préférées du président Barack Obama, dont la résidence secondaire est toute proche. Quant aux multiples reliefs créés par l'activité volcanique et creusés par des cours d'eau abondants, ils ravissent le voyageur. Comment ne pas être charmé par la verdoyante et acérée Na Pali Coast à Kauai ou encore par le relief lunaire de la caldera du volcan Kilauea, à Big Island ? Sans oublier l'incroyable diversité de la faune et de la flore sur toutes les îles... À titre indicatif, les eaux d'Hawaii contiennent, à elles seules 110 espèces de poissons qu'on ne trouve nulle part ailleurs.

*Hapuu (fougère d'Hawaii) native de la plupart des îles d'Hawaii.*

*Ke Iki Beach, plage de sable blanc de la côte nord - Oahu.*

# Fiche technique

## Argent

- **Monnaie :** le dollar US (US$ ou $)
- **Taux de change :** il est variable. Le cours actuel est d'environ 1,40 $ pour 1 €. 1 $ équivaut à 0,71 €. On accepte (Visa/Mastercard/American Express) et on trouve des distributeurs 24h/24 presqu'à tous les coins de rue. Retirez plutôt d'importantes sommes pour ne payer qu'une fois la commission de votre banque.

## Idées de budget

- **Hébergement.** Petit budget : 25 $ - 50 $ par jour. Budget moyen : 70 $. Gros budget : 100 - 150 $.
- **Restauration.** Petit budget : 40 $ par jour. Budget moyen : 60 $. Gros budget : 80 $.
- **Transports.** Bus : de 1 $ à 2,25 $ le ticket selon les îles. Gratuit à Big Island.Voiture : location de 30 $ à 40 $ par jour. Vol A/R inter-îles : entre 80 $ et 150 $.

## Hawaii en bref

### L'état

État américain depuis le 21 août 1959. Le 50e et dernier État à avoir été intégré dans l'Union et qui vient de fêter le cinquantenaire de son appartenance aux États-Unis !

- **Surnom :** *the Aloha State* (l'État de l'Aloha)
- **Devise :** « *Ua mau ke ea o ka aina i ka pono* » (hawaiien), ce qui signifie : « La vie du pays se perpétue dans la vertu ». Cette devise figure sur les pièces de 25 cents ; elles ne sont émises que depuis 2008.
- **Capitale :** Honolulu – Oahu.
- **Superficie :** 16 638 km² avec les 8 îles principales, soit Oahu, Maui, Lanai, Molokai, Kahoolawe, Kauai, Nihau et Big Island.
- **Langues officielles :** l'anglais et le hawaiien.
- **Autres langues parlées :** le pidgin, le créole local, qui a été inventé par les ouvriers qui travaillaient dans les plantations de canne à sucre au XIXe siècle. Il reste très implanté et parlé par la plupart des habitants, qui le maîtrisent souvent mieux que le hawaiien.

### Le drapeau hawaiien

Le drapeau d'Hawaii, aussi appelé « *Ka Hae Hawai'i* », est le drapeau officiel de l'État américain d'Hawaii. En haut du drapeau, à gauche, se trouve l'Union Jack – le drapeau anglais – rappel de l'époque, de 1794 à 1843, où Hawaii était assimilée à un protectorat britannique.
Il a été le drapeau d'Hawaii jusqu'en 1816, date à laquelle ont été ajoutées huit bandes horizontales bleues, blanches et rouges.
Elles symbolisent les huit îles principales de l'archipel : Oahu, Maui, Lanai, Molokai, Kauai, Kahoolawe et Niihau.

### La population

- **Population totale :** 1 275 000 habitants (2005), répartis sur 7 des 8 îles principales de l'archipel (seule Kahoolawe est inhabitée). 70 % de la population se concentre sur Oahu qui compte 900 000 habitants.
- **Densité :** la densité globale de l'archipel est de 42,75 habitants par km² mais elle varie considérablement selon les îles. Oahu : 596 habitants par km². Big Island : 16 habitants par km². Maui : 83 habitants par km². Kauai : 53 habitants par km². Molokai : 12 habitants par km². Lanai : 12 habitants par km². Nihau : 1 habitant par km².
- **Origines ethniques :** Hawaiiens : 9 % dont 20 % d'origines hawaiiennes mais dont le groupe ethnique dominant est autre. Blancs : 26,8 % (chiffre en augmentation constante en raison de l'installation des retraités américains). Asiatiques : 41,5 %. Afro-Américains : 1,8 %. Latino-Américains : 7,2 %. Avec deux origines ou plus : 20,1 %.

*Pause détente autour d'une spécialité d'Hawaii : la* shave-ice.

### L'économie

- **PIB d'Hawaii :** 63,5 milliards de dollars (2009). Un tiers est fourni par l'industrie du tourisme.
- **Pourcentage du PIB des États-Unis :** 0,4 %
- **Taux de croissance moyen :** 0,8 % (entre 2000 et 2008)
- **Taux de chômage :** 7,4 % (2008)

## Téléphone

- **Indicatif du pays :** 808. Les numéros sont composés de 10 chiffres (indicatif inclus).
- **Pour joindre Hawaii depuis la France :** composer le 001 (indicatif des États-Unis) puis le numéro de 10 chiffres.
- **Pour joindre la France depuis Hawaii :** composer le 00 33 puis le numéro sans le premier 0 (ex. : 00+33+1+48 87 43 21)

On peut téléphoner des cabines avec des cartes prépayées (qu'on achète dans les supermarchés ou les épiceries) mais aussi avec des pièces (mais il faut en prévoir un paquet et en glisser dans la fente aussi vite que l'éclair !).

## Décalage horaire

12h en moins par rapport à l'heure française. Ex : quand il est minuit à Paris, il est 12h à Hawaii. En hiver, compter seulement 11h de décalage car Hawaii n'observe pas le passage de l'heure d'été à l'heure d'hiver, contrairement à la France.

## Climat et saisonnalité

Les températures sont clémentes tout au long de l'année à Hawaii, même si on distingue deux saisons principales. L'hiver, avec 25 °C en moyenne et quelques averses, puis l'été, plus chaud et plus sec, avec 30 °C environ.
Sur chaque île, le climat peut cependant varier considérablement en fonction de la côte sur laquelle on se trouve. La règle est toujours la même : la côte nord et est, dite « au vent », est assez humide (en raison des alizés porteurs de pluie), tandis que la côte ouest et sud, dite « sous le vent », est ensoleillée et sèche. Ce n'est pas un hasard si la plupart des complexes touristiques sont installés sur la côte « sous le vent » !
En fonction des activités qu'on souhaite pratiquer pendant ses vacances, on peut choisir l'hiver ou l'été. L'hiver, la mer est agitée en général, et c'est la saison du surf qui bat notamment son plein à Oahu. L'été, la mer est beaucoup plus calme et propice à la baignade, au snorkeling ou aux balades en kayak.

**Honolulu**

| Janvier | Février | Mars | Avril | Mai | Juin | Juillet | Août | Sept. | Octobre | Nov. | Déc. |
|---|---|---|---|---|---|---|---|---|---|---|---|
| 19°/ 26° | 19°/ 26° | 19°/ 26° | 20°/ 27° | 21°/ 28° | 22°/ 29° | 23°/ 29° | 23°/ 29° | 23°/ 30° | 22°/ 29° | 21°/ 28° | 20°/ 26° |

# Idées de séjour

*Même si les six îles accessibles d'Hawaii sont proches et bien desservies par les vols inter-îles, il faut au moins trois semaines pour les visiter toutes. Elles ont chacune leur identité propre ainsi que des sites magnifiques à visiter sans oublier leurs nombreuses plages paradisiaques... Donc sur chacune d'entre elles, on a envie de s'attarder toujours plus. Cependant en fonction des activités que l'on souhaite pratiquer, certaines sont à visiter en priorité. C'est ainsi que les fêtards, les passionnés de surf ou de bronzette trouveront leur bonheur à Oahu tandis que les assoiffés d'aventure préfèreront partir en randonnée à travers les grands espaces volcaniques de Big Island ou dans le Waimea Canyon à Kauai. L'hiver et l'été correspondent aux deux hautes saisons touristiques d'Hawaii. Il est beaucoup moins cher de voyager à l'automne et au printemps. C'est d'autant plus judicieux que le climat est clément toute l'année à Hawaii !*

## Séjour court : une semaine, une île

Si on reste une semaine, il vaut mieux se concentrer sur l'une des quatre îles les plus importantes : Oahu, Maui, Big Island ou Kauai. En raison du décalage horaire assez éprouvant, on n'a en effet pas envie de reprendre l'avion tout de suite pour s'envoler ailleurs. Et, surtout, une semaine suffit tout juste à véritablement visiter chacune de ces quatre îles.

### Une semaine à Oahu

Il est judicieux de réserver un hôtel à Waikiki afin d'y dormir toute la semaine. En étant basé à Waikiki, on peut en effet facilement sillonner toute l'île et visiter une partie différente d'Oahu chaque jour (bonne desserte routière et trajets courts).

- **Jour 1 : Waikiki.** Arrivée à l'aéroport de Honolulu, la veille ou tôt le matin. Passer la journée sur les différentes plages de Waikiki et prendre un cours de surf. À 18h30, rendez-vous à Kuhio Beach pour assister au spectacle (gratuit) de *hula* et s'initier à cette danse. Ensuite, s'orienter vers l'un des bars très animés du coin et déguster ses premiers *pupus* (en-cas salés hawaiiens) accompagnés d'un *mai-tai*.

- **Jour 2 : Chinatown et le centre historique de Honolulu.** Le matin à Chinatown. Balade dans Chinatown et shopping. Déjeuner dans un des restaurants asiatiques sur place. L'après-midi au centre historique. Découverte des monuments et musées du centre historique

- **Jour 3 : Hanauma Bay.** Passer la journée sur la baie cristalline de Hanauma. Activités : baignade, bronzette et surtout snorkeling (un des meilleurs spots de l'archipel) ! En soirée : aller à un *luau.* Il faut assister à un *luau* (dîner-spectacle traditionnel hawaiien) au moins une fois lors de son séjour car il donne un aperçu à la fois culturel et culinaire de l'archipel. La concurrence est rude entre organisateurs de luau, mais le meilleur est de loin le « Paradise Cove Luau » (voir « Oahu / Côte sous le vent »).

- **Jour 4 : le mémorial de Pearl Harbor et le Bishop Museum.** Le matin à Pearl Harbor. Arrivée tôt le matin, entre 7h30 et 8h, pour éviter les longues files d'attente. Visite de l'Arizona Memorial, du USS Bowfin Submarine Museum and Park et du Battleship USS Missouri Memorial. Retour à Honolulu en fin de matinée et déjeuner dans le centre historique. L'après-midi au Bishop Museum. Visite du Hawaiian Hall, Polynesian Hall et du Science Adventure Center.

- **Jour 5 : la côte nord.** Le matin : découverte de la ville de Haleiwa. Shopping dans les boutiques de surf et les galeries d'art (ne pas manquer celle de Ron Artis), visite du North Shore Surf and Cultural Museum et de l'église Liliuokalani, dégustation d'une *shave-ice* chez Aoki's ou Matsumoto. Baignade et déjeuner sur place. L'après-midi : la route des plages de Waimea à Sunset Beach. Une halte à Ehukai Beach, Sunset Beach et Waimea Beach : trois spots de surf mondialement connus où se déroulent, chaque hiver, des épreuves du championnat de surf « Triple Crown of Surfing »

- **Jour 6 : la côte est.** Le matin à Waimanalo. Promenade dans le charmant centre-ville et baignade à Waimanalo Beach Park. Déjeuner à Keneke's, un fast-food hawaiien à deux pas de la plage. L'après-midi à Kailua. Balade en ville. Baignade à Kailua Beach Park puis à la paradisiaque Lanikai Beach. À 16h : remonter la côte est vers le nord. Visite du temple japonais Byodo In (fermeture à 17h30) puis dégustation de crevettes grillées dans un des « *shrimp trucks* » (camions à crevettes) autour de Kahuku.

**Jour 7 : Diamond Head et les hauteurs de Honolulu.** Le matin à Diamond Head. Randonnée à Diamond Head, vers 7h du matin pour éviter la chaleur et la foule. À midi : le quartier d'Ala Moana. Déjeuner et shopping dans l'Ala Moana Shopping Center. L'après-midi dans les hauteurs de Honolulu. Visite du Contemporary Museum, balade au parc Lyon Arboretum et randonnée jusqu'aux chutes d'eau de Manoa.

## Une semaine à Maui

**Jour 1 : Lahaina.** Arrivée à l'aéroport de Kahului tôt le matin ou la veille. Prendre un hôtel à Lahaina le premier jour car c'est une ville où on peut tout faire à pied et l'un des rares endroits de Maui où la vie nocturne est animée. La journée sera consacrée à la visite des musées et des monuments historiques, au shopping dans les boutiques des charmantes ruelles du centre-ville, avec en prime une séance de *whale-watching* (observation des baleines) si c'est la saison (de décembre à avril ; prévoir 4 heures de temps disponible). Pour déjeuner ou dîner, Lahaina compte aussi bien des restaurants bon marché que des bonnes tables.

**Jour 2 : plages de Kaanapali.** Passer la journée sur la superbe côte de Kaanapali, à la découverte de ses plages de rêve où l'on peut se baigner sans danger et faire du snorkeling (Black Rock Beach est un excellent spot). Déjeuner au Whalers Village, à proximité, où l'on en profitera pour faire les magasins. Le soir, il serait judicieux de dormir à Lahaina, qui n'est qu'à 15 minutes de route et où les hôtels sont beaucoup moins chers qu'à Kaanapali.

**Jour 3 : Llao Valley et environs.** Le matin, randonnée à travers la jolie et verdoyante Iao Valley, surplombée par l'étonnant pic, le « Iao Needle », résultat de l'érosion volcanique pendant plusieurs milliers d'années. Vers midi, pique-nique aux Tropical Gardens of Maui (Jardin botanique aux plantes endémiques d'Hawaii). L'après-midi, visite du Kepaniwai Park & Hawaii Nature Center, qui, à travers sculptures et pavillons, rend hommage à tous les groupes de migrants venus s'installer à Maui et plus généralement à Hawaii. Le soir, aller à Kihei, où l'on trouvera un appartement ou un Bed &Breakfast pour la nuit. Dîner et sortie au Kihei Kalama Village, où se trouvent tous les restaurants et bars.

**Jour 4 : Makena.** Passer la journée sur les sublimes plages de Makena (Black Sand Beach et Big Beach sont incontournables !). Pique-nique sur place ou déjeuner au centre commercial de Wailea, au nord (à 15 minutes de route). Vers 17h, prendre la route vers le nord et poser ses valises dans un des hôtels de Wailuku (au centre de l'île) ou de Paia, sur la côte nord. Dîner en ville à Paia ou Wailuku.

**Jour 5 : la côte nord.** Que l'on ait dormi à Wailuku ou Paia la veille, une visite du centre-ville s'impose le lendemain matin, avec, dans tous les cas, une séance de shopping et de découverte des galeries d'art (si on est à Wailuku). L'après-midi, faire un tour sur les plages près de Paia et ne pas manquer Hookipa Beach, qui est LA plage des véliplanchistes (vagues jusqu'à 10 m de haut !). Nuit à Paia.

**Jour 6 : la route de Hana.** Départ tôt de Paia. On appelle « route de Hana », une longue route sinueuse parsemée de spectacles naturels à couper le souffle, entre chutes d'eaux majestueuses et plages secrètes, forêts exotiques odorantes et panoramas superbes. Cette route commence à Paia pour se terminer à Hana. Il faut environ 3 heures pour la parcourir en comptant les différents arrêts. Prendre la journée pour l'aller-retour Paia/Hana car même si on ne s'arrête pas au retour, le trafic est lent et encombré. Le soir, dormir à Wailuku ou sur la route de Kula afin d'être à proximité des sites à visiter le lendemain.

**Jour 7 : le volcan Haleakala et la route de Kula.** Le matin : le volcan Haleakala. Il faut prévoir de partir tôt de son hôtel pour pouvoir assister au lever de soleil sur le volcan Haleakala, entre 5h45 et 7h. Le Haleakala, « maison du soleil » en hawaiien, est un volcan endormi (3 055 m d'altitude) qui occupe les deux tiers de Maui. En partant de Kahului, il faut 2 heures pour parcourir les 38 miles (61 km) qui mènent au cratère. La montée en voiture est raide et sinueuse. S'armer de patience car on n'aperçoit le cratère que sur la fin du trajet et après de multiples étapes. L'après-midi : la route de Kula. Déjeuner au « Grandma's Coffee House » sur la Kula Highway, un restaurant pittoresque, très fréquenté par les cow-boys hawaiiens. La route de Kula traverse tout le centre de l'île et termine sa course dans les plaines d'Ulupakua. Les immanquables : l'Ulupakua Ranch, les vignes Tedeschi et les champs de lavande « Alii Kula Lavender ». Dormir à Wailuku ou Kahului, pour être près de l'aéroport pour son vol le lendemain.

## Une semaine à Big Island

**▸ Jour 1 : Kailua-Kona.** Prendre un vol qui atterrit à l'aéroport de Kona et réserver un hôtel à Kailua-Kona pour y passer la première nuit. Visite du centre-ville le matin : musées, monuments historiques et shopping. Déjeuner dans l'un des restaurants en bord de mer. L'après-midi, faire une excursion en mer à partir de Kailua Pier (kayak, plongée sous-marine, snorkeling ou nage avec les dauphins). Le soir, dîner dans l'un des restaurants en ville ou assister au *luau* « Island Breeze Luau » (dîner-spectacle traditionnel hawaiien).

**▸ Jour 2 : la côte au sud de Kailua-Kona.** Réserver un hôtel pour deux nuits à Captain Cook ou Kealakekua (villages côtiers). La côte au sud de Kailua-Kona est la partie la plus ensoleillée de l'île et qui regorge d'activités les plus diverses. C'est pourquoi, il faut prévoir 2 jours dans cette région… Le matin, faire du snorkeling à Kealakekua Bay. Déjeuner à l'« Aloha Angel Café » pour profiter de la vue imprenable sur la baie. L'après-midi, visite du Puuhonua O Honaunau National Historical Park (très intéressant) et de la « Kona Coffee Historical Farm » (musée vivant sur l'histoire des pionniers du café). Le soir, dîner chez « Paparoni's » (restaurant italien), à Captain Cook, ou au « Teshima » (restaurant japonais), à Honalo.

**▸ Jour 3 : la côte au sud de Kailua-Kona.** Le matin, visite du jardin éducatif Fruit Park, de la Kona Pacific Farmers (la plus importante coopérative de café Kona des États-Unis), de l'église Saint-Benedict et du musée Greenwell Store (sur l'économie locale au XIXe siècle, à travers une boutique d'époque classée monument historique). L'après-midi, une excursion en kayak sur Kealakekua Bay.

**▸ Jour 4 : le parc national des Volcans d'Hawaii.** Quitter son hôtel sur la côte sud de Kailua-Kona à 6h du matin, car le trajet jusqu'à l'entrée du parc national des Volcans dure 2 heures et qu'il faut prévoir une journée entière pour la visite. Principaux arrêts à faire, dans l'ordre : Kilauea Visitor's Center (centre d'information), Kilauea Caldera (point de vue sur la caldera du volcan), Thomas A. Jaggar Museum (musée sur les volcans de Big Island), les pétroglyphes de Puu Loa et la coulée de lave au bout de la Chain of Craters Road. Prévoir de pique-niquer et préparer son repas la veille (zéro supérette dans le coin !). En début de soirée, aller à Hilo, où l'on aura réservé au préalable un hébergement pour la nuit.

**▸ Jour 5 : Hilo.** On conseille de passer au moins 3 nuits à Hilo, la ville étant idéalement située, à seulement 45 minutes du parc national des Volcans visité la veille et à 1h30 du Mauna Kea, qu'on peut visiter le surlendemain.

INVITATION AU VOYAGE

*Côte de Kohala.*

En raison de l'altitude importante des deux sites et de la bonne condition physique qu'ils nécessitent, il est prudent de prendre un jour de repos entre les deux visites (d'où les 3 nuits !). Consacrer cette journée à la visite de la paisible et authentique Hilo, un site incontournable. Le matin, Imiloa Astronomy Center (musée à voir impérativement avant d'aller au Mauna Kea), Pacific Tsunami Museum (sur l'histoire des tsunamis à Hilo, Hawaii et dans le monde), shopping dans le centre-ville. L'après-midi, Banyan Drive (superbe route bordée de banians), Liliuokalani Gardens (jardins japonais), Lyman Museum. Soirée, dîner en ville mais se coucher tôt pour être en forme en vue de l'ascension du Mauna Kea, le lendemain.

**Jour 6 : le Mauna Kea.** Le Mauna Kea est une des plus hautes montagnes du monde (4 205 m) et son atmosphère est si pure que le plus important observatoire d'astronomie de la planète a été installé à son sommet (13 télescopes). Deux attractions touristiques majeures sur place : le spectacle du coucher de soleil dont la beauté est unique au monde et la séance d'observation des étoiles (précision et clarté exceptionnelles). Le matin, s'arrêter aux Rainbow Falls (chutes d'eau) et visiter les Kaumana Caves (grottes) situées sur la route qui va au Mauna Kea. L'après-midi, prendre la route de Saddle Road (la seule qui mène au Mauna Kea) en début d'après-midi, afin de prendre le temps de faire différents arrêts pour s'acclimater à l'altitude. Entre 17h et 18h, contempler le sublime coucher de soleil sur le Mauna Kea. En profiter pour se restaurer et se réhydrater. De 18h à 21h, faire une séance d'observation des étoiles avec une agence touristique ou l'Onizuka Visitor's Center. Vers 22h, retour à Hilo. Dernière nuit sur place.

**Jour 7 : Waimea.** Quitter Hilo tôt le matin afin d'avoir le plus de temps possible à Waimea. Cette ville mérite le détour car elle contraste avec le reste de Big Island : c'est, avant tout, une terre d'élevage et de terroirs où la culture cow-boy est implantée depuis longtemps. Le matin, visite du Parker Ranch Museum et des Parker Ranch Historic Homes. Shopping au Park Ranch Center et déjeuner en ville. L'après-midi, balade à cheval organisée dans un des ranchs sur place. Le retour. En fonction de son vol retour, prendre la route pour l'aéroport en fin d'après-midi ou le lendemain matin (avec nuit à Waimea en ce cas).

## Une semaine à Kauai

**Jour 1 : Lihue.** Arriver à l'aéroport de Lihue la veille ou le matin même. Il est conseillé de prendre un hôtel à Lihue même, pour les 2 premières nuits, afin de consacrer une journée à la visite de la ville et une autre aux plages environnantes. Le matin, visite du Kauai Museum et du Grove Farm Homestead Museum. Vers midi, aller au port de Lihue, le Nawiliwili Harbor, et se baigner à Kalapaki Beach. Choisir un des restaurants du port pour déjeuner et profiter d'une magnifique vue sur la mer. L'après-midi, visiter la Kilohana Plantation (ancienne maison de propriétaire de plantation sucrière) puis aller faire un tour aux Wailua Falls (chutes d'eau). En soirée, dîner puis prendre un verre au port de Lihue car la vie nocturne y est animée.

**Jour 2 : Poipu.** Passer la journée sur les divines plages de sable fin de la luxueuse station balnéaire de Poipu. En début de soirée, aller assister au *luau* « Havaiki Nui » (dîner-spectacle traditionnel hawaiien) puis prendre un verre au Stevenson's Library, le seul bar digne de ce nom à Poipu ! Retour à Lihue.

**Jour 3 : Wailua State Park.** Le matin, balade dans le Poliahu Heiau (ruines de temple), arrêt au point de vue sur les Opaekaa Falls et visite du Kamokila Hawaiian Village (reconstitution d'un village hawaiien traditionnel). L'après-midi, excursion en kayak sur la Wailua River. Un stop à la Fern Grotto (grotte) et baignade. En début de soirée, prendre la Highway 56 vers le nord et dormir à Kapaa où les hébergements sont assez bon marché.

**Jour 4 : la côte nord, de Hanalei à Haena.** Partir tôt de Kapaa et compter 1 heure pour arriver à Hanalei. Prévoir deux nuits à Hanalei. Le matin, baignade sur les différentes plages de Hanalei, avec, pourquoi pas, une initiation au surf ou à la planche à voile (se reporter à « Kauai » pour les adresses). Shopping au Hanalei Center et au Ching Young Village. L'après-midi, reprendre la Highway 56 en direction de l'ouest pour arriver jusqu'à Haena où s'achève la route. Nager et bronzer sur les superbes plages autour de Haena. En début de soirée, rentrer dîner et dormir à Hanalei.

**Jour 5 : Na Pali Coast.** Les montagnes verdoyantes et acérées de la sublime Na Pali ne sont pas accessibles par la route. Trois moyens pour s'y rendre : à pied, par la mer ou par les airs. Si on choisit de faire la randonnée, il faut y consacrer la journée. C'est le même cas de figure si on y va en kayak ou en bateau. Seul le survol en hélicoptère ne prend qu'une heure, mais il serait dommage de s'en contenter. En fin de journée, rentrer à Hanalei. Dîner et nuit là-bas.

**Jour 6 : Waimea Canyon.** Partir tôt le matin de Hanalei. La matinée sera consacrée aux 3h30 de trajet jusqu'au Waimea Canyon. Le Waimea Canyon est un immanquable de Kauai ! Avec ses montagnes rougeâtres au relief irréel, il a été surnommé le Grand Canyon du Pacifique... On parcourt le parc en voiture. Faire un arrêt aux deus plus beaux points de vue sur le canyon : le Waimea Lookout et le Puu Hina Hina Lookout. Compléter cette approche par une randonnée dans le canyon (de 1h30 à 3h selon sa forme). Prévoir un pique-nique. Le soir, dormir à l'auberge/camping YMCA de la forêt de Kokee pour être sur place le lendemain (à réserver à l'avance). Sinon, aller dans un hôtel plus au sud, à Poipu ou à Koloa (à 1h30 de route du canyon et 2h de la forêt).

**Jour 7 : la forêt de Kokee.** Après avoir visité le Kokee Museum, consacrer sa journée aux randonnées dans la forêt tropicale de Kokee. Faire les randonnées guidées de préférence. Prévoir des provisions pour le déjeuner. Rentrer à Lihue en début de soirée et dormir sur place afin d'être près de l'aéroport pour son vol retour du lendemain.

## Séjour long : deux îles en deux semaines

### Une semaine à Oahu et une semaine à Kauai

Combiner Oahu et Kauai en un séjour de deux semaines permet d'allier l'ambiance festive et urbaine d'Oahu à celle plus naturelle et paisible de Kauai. Sans oublier les superbes plages nombreuses sur les deux îles. Cette formule conviendra particulièrement aux touristes à la fois fêtards et avides d'aventure. Commencer par l'effervescente Oahu et se ressourcer à Kauai. Suivre successivement le programme d'une semaine à Oahu puis celui d'une semaine à Kauai (voir « Une semaine, une île »).

### Une semaine à Big Island et une semaine à Kauai ou Maui

Ce type de séjour s'adresse avant tout aux amoureux de la nature et aux passionnés de randonnée. Le farniente sur les multiples plages des deux îles reste en outre tout à fait possible pour une pause paradisiaque de temps en temps ! Suivre successivement le programme d'une semaine à Big Island puis celui d'une semaine à Kauai (voir « Une semaine, une île »).

### Une semaine à Maui et une semaine partagée entre Molokai et Lanai

Un séjour d'une semaine à Maui permet déjà de bien découvrir l'île elle-même. La deuxième semaine, on peut donc aisément se consacrer à ses îles « sœurs » qui font partie du même comté, à savoir Lanai et Molokai. Dans la mesure où elles sont facilement desservies en ferry à partir du port de Lahaina, à Maui, il est conseillé de combiner leur visite avec celle de Maui (les vols vers Lanai et Molokai sont assez rares à partir des autres îles et beaucoup plus coûteux !). Le seul inconvénient majeur c'est, qu'aussi fou que cela puisse paraître, les ferries n'assurent pas de liaison entre Lanai et Molokai. Donc, si on veut visiter les deux îles, on est obligé de retourner à Lahaina pour prendre un bateau vers l'une ou l'autre île. Que l'on choisisse de visiter Lanai ou Molokai en premier, il est préférable de prévoir de dormir une nuit à Lahaina pour se reposer avant d'entreprendre de visiter la deuxième île. D'autant plus que les bateaux partent dès le petit matin et qu'on est ainsi déjà sur place, avec des heures de sommeil en plus et du stress en moins ! Pour la première semaine, se reporter au programme de visite à Maui présenté un peu plus haut. Quant à la deuxième semaine, qu'il convient de partager entre Lanai et Molokai, le séjour pourrait s'organiser comme suit :

**Jour 1 : Lanai.** De Maui à Lanai. Après avoir fait la route de Kula à Maui la veille, il faut aller dormir dans un hôtel à Lahaina afin de pouvoir prendre un des premiers ferries de la compagnie « Expeditions Ferry », qui partent pour Lanai dès 6h45 du matin (durée de la traversée : 45 minutes. Réserver à l'avance). Arrivée en début de matinée à Manele Harbor (port), à Lanai. Prendre le shuttle et se faire déposer à Lanai City. Récupérer son véhicule de location : choisir un 4X4 car c'est le seul moyen d'accéder au nord et au sud de l'île. Prendre un hôtel dans Lanai City même. Le matin à Lanai City : visite du musée Lanai Culture and Heritage Center puis shopping dans les boutiques d'artisanat et les galeries d'art. Déjeuner dans un restaurant du centre-ville. L'après-midi entre randonnée et plage : faire le sentier de randonnée du Munro Trail puis aller se baigner dans les eaux de la magnifique Hulopoe Beach, histoire de se rafraîchir. Le soir : aller prendre l'apéro au bar lounge du Four Seasons Lodge Resort at Koele, tout en assistant à leur spectacle de *hula* (gratuit). Dîner en ville avant 21h car après tout ferme. Nuit sur place.

**Jour 2 : Lanai.** Une journée consacrée au nord de l'île (4X4 obligatoire). Le matin : visiter successivement le Garden of the Gods et la Kanepuu Preserve, qui sont deux sites naturels, superbes et préservés. Prévoir un pique-nique (ni supérette ni restaurant dans le coin). L'après-midi : aller se baigner et bronzer à Poihua Beach et Shipwreck Beach. Le soir : retour à Lanai City. Dîner et nuit sur place.

**Jour 3 : Lanai.** Le matin dans l'est de l'île (4X4 obligatoire). Partir à la découverte de l'ancien village de Kemoku puis de l'étang de Naha. Prévoir un pique-nique. L'après-midi dans le sud de l'île : visiter le site archéologique de Kaunolu puis aller observer les mystérieux pétroglyphes de Luahiwa. Vers 17h, retour à Lanai City et direction Manele Harbor (port). Le dernier bateau pour Maui étant à 18h45, il faut prévoir d'être au port à 18h au plus tard, l'enregistrement se faisant 30 minutes avant le départ. Retour sur Maui : si vous avez pris le dernier bateau, vous arriverez à 19h30 à Lahaina. Vu l'heure tardive, il vaut mieux avoir prévu de dormir à Lahaina ce soir-là, d'autant plus que les départs pour Molokai ont lieu très tôt le lendemain matin du port de Lahaina.

**Jour 4 : Molokai.** De Maui à Molokai. Départ du port de Lahaina par le ferry *Molokai Princess,* à 7h15 (tous les jours, sauf le dimanche). Se présenter à l'enregistrement 30 minutes avant le départ, au plus tard. Durée du trajet : 90 minutes. Prendre un petit déjeuner léger en raison des forts courants dans le canal qui peuvent donner la nausée. L'arrivée à Kaunakakai. Arrivée au port de Kaunakakai à 8h45. Si vous avez réservé votre voiture de location à l'avance (fortement conseillé), une navette du loueur vous acheminera directement du port à l'agence (la plupart à l'aéroport). Le matin à Kaunakakai. Poser ses valises en ville, à l'hôtel Molokai (le seul de l'île) ou dans un Bed & Breakfast. Réserver toutes les nuits au même endroit : l'île est bien desservie à partir de Kaunakakai et on est déjà près du port pour le ferry du retour... Prendre le temps de se promener dans le centre-ville, flâner, faire les boutiques. Immersion totale dans la culture locale. L'après-midi aux environs de Kaunakakai (partie 1). Prendre ensuite la route 470 vers le nord et s'arrêter une heure pour visiter l'exploitation de café « Coffees of Hawaii ». Se rendre ensuite à la « Purdy's Natural Macadamia Nut Farm », une ferme pédagogique autour de la noix de macadamia. Vers 17h, redescendre vers Kaunakakai et aller à la Kapuaiwa Coconut Grove (immense cocoteraie) pour prendre

*Coucher de soleil sur la côte ouest de Molokai.*

des photos à la fois insolites et magnifiques au moment du coucher de soleil (entre 17h et 18h). En soirée : dîner puis prendre un verre à Kaunakakai (avant 22h car après tout est fermé). Nuit sur place.

▶ **Jour 5 : Molokai.** Le matin aux environs de Kaunakakai (partie 2). À partir de Kaunakakai, rouler jusqu'au bout de la route 470 vers le nord. Un peu avant la fin, sur la gauche, on aperçoit le R. W. Meyer Sugar Mill and Museum and Molokai Museum (musée consacré à une ancienne exploitation de sucre et à l'histoire de Molokai), qui mérite une visite. Aller ensuite se balader dans la forêt de Palaau (tout au bout de la 470) ; faire un stop au Kalaupapa Lookout (point de vue panoramique sur la péninsule de Kalaupapa, avec panneaux explicatifs) et au Kauleonanahoa (ou le phallus de Nanahoa), une énorme pierre de forme phallique, entourée de légendes. L'après-midi à l'ouest de l'île : faire une halte au village de Mauna Loa pour visiter l'étonnante Big Wind Kite Factory, qui est à la fois un atelier de confection de cerfs-volants artisanaux (en vente) et une boutique de souvenirs. Allez ensuite vous prélasser à Papohaku Beach, une grande plage de sable doré. Le soir : rentrer à Kaunakakai. Tester un nouveau restaurant pour dîner puis rentrer dormir à l'hôtel.

▶ **Jour 6 : Molokai.** La journée à Kalaupapa. La descente, à pied où à dos de mule, de la montagne qui surplombe la péninsule de Kalaupapa pour en atteindre le village, est l'attraction majeure de l'île. Kalaupapa a pourtant vécu coupée du monde pendant près d'un siècle car le site accueillait une communauté d'hommes et de femmes souffrant de la lèpre. Les malades (mais qui ne sont plus contagieux) et leurs descendants y résident encore aujourd'hui. Un véritable must, cette descente à dos de mule prend 7h, mais c'est une expérience inoubliable.

▶ **Jour 7 : Molokai.** La journée sur la côte sud-est de Molokai. Le matin : à partir de Kaunakakai, prendre la route 450 qui longe la côte vers l'est. S'arrêter aux différents points d'intérêt : l'étang de Kalokoeli, l'église Saint-Joseph, le Smith Bronte Landing (lieu d'atterrissage catastrophe du premier vol USA/Hawaii) et l'église Lady of Sorrows. Prévoir un pique-nique pour déjeuner. Début d'après-midi : aller nager dans les eaux transparentes du Waialua Beach Park. Retour en ferry à Lahaina, sur Maui, pour prendre l'avion à l'aéroport de Kahului.

## Séjour long : 3 semaines à un mois

Si on a la chance de passer trois semaines à Hawaii, on peut alors faire 3 îles ! Dans un cas bien précis, il est même possible d'en faire 5.

Il suffit d'opter pour 15 jours Maui/Lanai/Molokai et d'y ajouter le séjour « Une semaine, une île » d'Oahu, Big Island ou Kauai. On arrive alors à un florilège d'îles toutes très différentes, ce qui donne déjà un bel aperçu de l'archipel à la fin du voyage !

### Séjour de 3 semaines

Il suffit de combiner une formule deux semaines/deux îles et d'y ajouter un séjour une semaine, une île.

### Séjour de 4 semaines

Deux séjours de « deux semaines, deux îles », afin de découvrir 4 îles différentes en un mois (6 si on prend les 2 semaines Maui/Lanai/Molokai).

## Séjours thématiques

Les séjours thématiques suivants étant assez courts et se déroulant sur plusieurs îles, il conviendra de les intégrer dans un séjour de deux à trois semaines minimum.

### Les volcans d'Hawaii

Hawaii compte des volcans éteints à Maui et Oahu, ainsi qu'un volcan en activité à Big Island. C'est donc sur ces trois îles que le séjour doit s'organiser. Un bref passage à Oahu pour une randonnée à Diamond Head, avant de sauter sur l'île de Maui pour arpenter le parc national du volcan Haleakala et monter au cratère du Haleakala pour assister au lever du soleil (un must !). Enfin, sur Big Island, le parc national des Volcans permet de parcourir la route « Crater Rim Drive » et s'arrêter aux nombreux points d'intérêt.

### Farniente à la plage et sports nautiques

De tout l'archipel, c'est sans doute à Oahu et à Maui que les sports nautiques et le farniente peuvent se pratiquer le plus aisément. Sur Oahu, on ne peut imaginer commencer son voyage par les célèbres plages de Waikiki, avec un cours d'initiation au surf au programme. Puis, direction l'ouest pour une journée sur la baie cristalline de Hanauma Bay avec baignade, bronzette et, surtout, snorkeling car c'est un des meilleurs spots de l'archipel !

## Elvis Presley et Hawaii

Toutes générations confondues, on a tous gardé en tête l'image du King vêtu d'une chemise hawaiienne, un collier de fleurs au cou et un ukulélé à la main... De fait, l'artiste a durablement popularisé l'archipel comme destination touristique aux États-Unis mais aussi à travers le monde. C'est ainsi que, le 14 janvier 1973, il donne à Honolulu le premier concert de l'histoire retransmis par satellite. L'impact médiatique mondial qui s'ensuit est énorme : le concert est regardé simultanément par 1 milliard de spectateurs dans 43 pays !

C'est à la fin des années 1950 qu'Elvis découvre l'archipel et en tombe immédiatement amoureux. Dès lors et jusqu'à la fin de sa vie, il n'aura de cesse d'y retourner, pour raisons professionnelles mais aussi pour y passer des vacances.

Il a notamment joué dans trois films tournés sur place où il tient le rôle principal : *Blue Hawaii* (1961), *Girls Girls Girls* (1962) et *Paradise Hawaiian Style* (1966).

Un fan américain d'Elvis, Martin Nolet, a recensé absolument tous les endroits de l'archipel fréquentés par le chanteur sur son site www.elvisinhawaii.com, photos d'archives à l'appui.

On enchaîne par la route des plages du littoral de la pointe sud-ouest d'Oahu, de Hanauma Bay à Makapuu Beach. Les boogie-boarders confirmés pourront s'éclater à Sandy Beach ou à Makapuu Beach. Sur la côte est, on trouve deux immanquables : Waimanalo Beach, qui est un très bon spot de boogie-board et snorkeling, et Kailua Beach, dont l'exposition aux vents est idéale pour la pratique du surf et de la planche à voile. Les meilleures plages de surf du monde, se concentrent toutes sur la côte nord. Parmi les plus connues : Ehukai Beach, Sunset Beach et Waimea Beach où se déroulent, chaque hiver, des épreuves du championnat de surf international « Triple Crown of Surfing ».

Sur l'île de Maui, on commencera par la superbe côte de Kaanapali, à la découverte de ses merveilleuses plages où l'on peut se baigner sans danger et faire du snorkeling (Black Rock Beach est un excellent spot). Quant aux plages de Makena, Black Sand Beach et Big Beach, leur sable moelleux, doré et confortable est parfait pour le farniente et la bronzette. Mais attention aux courants forts !

Aux environs de Paia, Hookipa Beach est LA plage réservée aux véliplanchistes pros (même si on n'y connaît rien, le spectacle mérite le détour !)

### Sur les traces d'Elvis

Le séjour se déroulera essentiellement sur l'île d'Oahu, avec une expédition à Kauai. À l'arrivée à Honolulu, faire un tour à l'hôtel Hilton Hawaiian Village où Elvis a donné son concert « *Aloha from Hawaii* », en 1973, puis se rendre dans le quartier d'Ala Moana Boulevard. Monter dans l'Aloha Tower pour avoir une vue panoramique sur Honolulu et redescendre pour aller se baigner à Ala Moana Beach où ont été tournées des séquences du film *Blue Hawaii* (1961).

On passera aussi une journée sur la baie cristalline de Hanauma car c'est là qu'ont été tournées de nombreuses scènes de *Blue Hawaii* (1961). Puis visite du Memorial de Pearl Harbor où Elvis a donné un concert en 1961, avant de se rendre sur les hauteurs de Honolulu pour visiter le musée d'Art et suivre la Tantalus Drive que le King traverse dans *Blue Hawaii* (1961).

On ira ensuite sur la côte est pour faire une balade à cheval au Kualoa Ranch. Juste en face, se trouve l'îlot Mokolii, aussi appelé « Chinaman's Hat » en raison de sa forme conique : c'est là qu'a eu lieu une partie du tournage de *Paradise Hawaiian Style*. Visiter le Polynesian Cultural Center à Laie et assister au spectacle. De nombreuses scènes de *Paradise Hawaiian Style* y ont été tournées, notamment celle où Elvis interprète « *This is my heaven* ».

On change d'île, mais pas de thème : sur Kauai, prendre la route et longer la côte est vers le nord jusqu'au Wailua State Park. Visiter le Kamokila Hawaiian Village et louer un kayak pour faire une balade sur la rivière Wailua jusqu'à la Fern Grotto (grotte). Cette rivière figure dans plusieurs séquences du film *Blue Hawaii* (1961). Sur le chemin du retour vers Lihue, aller se rafraîchir à Lydgate Beach, que l'on voit aussi dans le film. Retourner sur la côte est, au nord de Lihue, et consacrer sa journée aux superbes plages qui s'étendent de Kapaa à Kilauea. L'une d'elles, Anahola Beach, figure aussi dans *Blue Hawaii* (1961).

# DÉCOUVERTE

*Portrait de jeunes filles avec des lei.*

# Hawaii en 30 mots-clés

## Aloha

Le sens premier d'*Aloha* en hawaiien est « amour » ou « affection ». Dans le langage courant, il signifie le plus souvent « bonjour », mais aussi « bienvenue » ou « au revoir ». On parle d'« *Aloha Spirit* » pour qualifier l'esprit chaleureux des Hawaiiens et leur sens spontané de l'hospitalité, tant et si bien que l'État de Hawaii a été surnommé l'« *Aloha State* ». Ces deux mots figurent d'ailleurs sur les plaques d'immatriculation des véhicules.

## Café

Hawaii est le seul État américain à produire du café sur son sol et à le commercialiser. 6 500 ha de terres sont consacrés à sa culture à travers l'archipel et près de 3 000 t de grains de café y sont produits chaque année.
C'est grâce aux plants de caféiers que le chef Boki, gouverneur de Honolulu, rapporta de son voyage au Brésil (1813) que la culture du café s'est implantée à Oahu avant de s'étendre aux autres îles de Hawaii. Et c'est sur la côte ouest de Big Island qu'est produit le café Kona – du nom de la région où on le cultive – le plus célèbre de l'archipel et le mieux exporté. Si le café n'est aujourd'hui plus cultivé à Oahu et Maui, il l'est toujours à Kauai et Molokai où, tout comme à Big Island, on peut visiter des champs de caféiers.

## Capitaine Cook

Le capitaine anglais James Cook, navigateur et explorateur, a découvert l'archipel de Hawaii en 1778. Il l'appela les « îles Sandwich » en l'honneur du comte britannique Sandwich. D'abord pris pour un dieu par les îliens, Cook sera assassiné au cours d'une bataille entre Britanniques et Hawaiiens – qui se sont entre-temps rendu compte de leur méprise ! – en 1779, à Kealakekua Bay, sur l'île de Big Island, où se trouve aujourd'hui le monument à sa mémoire.

## Chinatown

La communauté asiatique de Hawaii est importante et variée. Près de 40 % de sa population est d'origine asiatique ! Cette « minorité » est particulièrement visible à Honolulu, où Chinois, Coréens, Philippins, Japonais, Indiens et Thaïlandais se côtoient dans ce qu'on a appelé le « Chinatown » de Honolulu. Temples bouddhistes, échoppes pittoresques et restaurants en tout genre s'enchevêtrent dans cette petite Asie inattendue, comme surgie de nulle part, au milieu d'une ville qu'on aurait pu croire avant tout américaine et polynésienne.
Créé au milieu du XIXe siècle, à l'époque de l'arrivée des travailleurs de plantation chinois, le Chinatown n'a cessé de se développer au fur et à mesure des vagues successives de migrants. Les Japonais sont, avec les Philippins, les derniers arrivés sur l'archipel, mais ils constituent le groupe d'origine asiatique le plus important à Hawaii.

## Duke Kahanamoku, ou le « surf spirit »

Le surf est né à Hawaii, où il est un véritable sport national. Pratiqué dès le XVe siècle par la plupart des Hawaiiens, il sera décrié par les missionnaires au XIXe siècle qui trouveront la quasi-nudité des surfeurs indécente. Il sera donc interdit et manquera de disparaître.
Au début du XXe siècle, Duke Kahanamoku, nageur et surfeur hors pair, va pourtant réussir à le réhabiliter. Après avoir remporté plusieurs médailles aux Jeux olympiques de Stockholm, en 1912, il exporte le « surf spirit » en Australie, où ce sport rencontre un succès immédiat. Le surf gagne ensuite les États-Unis et devient une véritable industrie, dans les années 1960. Auréolé de toutes ses victoires, Duke est devenu une vraie icône pour les Hawaiiens d'aujourd'hui et, plus généralement, pour tous les passionnés de surf à travers le monde.

## Heiau

Un *heiau* est un temple dédié à un dieu de la religion hawaiienne (souvent Lono, le dieu de la moisson), qui était polythéiste et riche d'une mythologie comparable à celle de la Grèce. Malheureusement, on ne peut visiter aucun *heiau* car la plupart sont en ruine. C'est qu'au moment de l'évangélisation officielle de Hawaii, en 1819, le roi Kamehameha II a fait détruire tous les *heiau* et les idoles de l'archipel afin de rendre pérenne la disparition d'une religion ancestrale. Ce n'est qu'à partir du XX$^{e}$ siècle que les sites des *heiau* ont été progressivement réhabilités et protégés

## Hula

À l'origine destinée à célébrer les dieux, le *hula* est la danse hawaiienne par excellence. Au rythme des tambours et ukulélés, les vahinés parées de colliers de fleurs et d'une jupe de raphia font onduler leurs hanches et leurs bras de façon gracieuse, tout en gardant buste et tête bien droits. Les hommes, vêtus d'un simple pantalon, dansent aussi le *hula*, mais de façon plus dynamique, affirmant par là leur virilité. Seuls ces derniers ont le droit de chanter. Il existe aujourd'hui deux écoles distinctes de *hula* : le « *Kahiko Hula* », qui obéit aux codifications polynésiennes d'origine, et le « *Hula Auana* », de style plus moderne et qui s'est particulièrement répandu avec le développement du tourisme au XX$^{e}$ siècle. Cependant, les missionnaires protestants, qui s'installent à Hawaii au XIX$^{e}$ siècle, dénoncent cette danse qu'ils trouvent païenne et indécente. Sous leur influence, la royauté de Hawaii décide de la faire interdire. Le hula est alors dansé dans la clandestinité, essentiellement en famille, ce qui permet à cette danse d'être transmise de génération en génération. Véritable atout touristique national, le *hula* est aujourd'hui célébré chaque année sur l'archipel à travers deux événements majeurs : le Merrie Monarch Festival et le King Kamehameha Traditional Event and Chant Competition.

## Humuhumunukunukuapuaa

Quel mot long et étrange, n'est-ce pas ? Pour arriver à le prononcer, le secret, c'est de procéder syllabe par syllabe. Un nom à connaître car c'est celui du poisson officiel de Hawaii.
Il s'agit du *Rhinecanthus rectangulus,* ou baliste écharpe, une espèce endémique des eaux de l'archipel et qui vit principalement sur les récifs de corail. Son appellation hawaiienne signifie « nez de cochon », faisant allusion à l'éperon bizarre qu'il porte derrière la tête. Il est également reconnaissable à son corps orange et brun sur le dessus et blanc au niveau de la tête et du ventre.

## Kapa

C'est l'étoffe introduite par les premiers Polynésiens venus à Hawaii et qui servait à confectionner le pagne des hommes et les jupes des femmes.

DÉCOUVERTE

*Danseuse de hula.*

On l'obtenait en battant l'écorce des jeunes arbres préalablement ramollie dans de l'eau salée. Le matériau était ensuite retravaillé à plat et orné de motifs.
Le *kapa* était répandu à travers tout le triangle polynésien, mais c'est seulement à Hawaii qu'il était teinté au moyen de colorants, à base de plantes notamment. Ce tissu est encore fabriqué aujourd'hui et les natifs hawaiiens (d'origine polynésienne) organisent régulièrement des ateliers pour perpétuer cet art ancestral.

## Kapu

Vous verrez souvent le mot « *Kapu* » sur des panneaux au bord de la route ou à l'entrée de certains sentiers dans les parcs naturels nationaux. Ce mot hawaiien signifie « interdit ». Cette idée d'interdit qu'on retrouve sur tout le triangle polynésien – on dit « *tabu* » en tahitien d'où le mot français « tabou » –, est d'origine religieuse. Jusqu'à l'abolition de la religion hawaiienne, en 1819, les kapu régissaient véritablement la société. Entre autres *kapu* célèbres, on sait que les hommes et les femmes ne pouvaient pas manger ensemble et que les pauvres ne pouvaient approcher les nobles, ou « *alii* ». Ne pas respecter un *kapu*, c'était briser l'ordre établi par les dieux. Les coupables d'un tel acte étaient mis à mort par strangulation afin que la communauté ne subisse pas de vengeance des dieux par la faute du pécheur (tsunamis, éruption volcanique, tremblement de terre, etc.). Certains parvenaient cependant à prendre la fuite, échappant ainsi à la condamnation sans appel de leurs semblables, en se bannissant de leur village à tout jamais.

*Lei (collier) d'orchidées.*

## Kamaina

Ce mot signifie « enfant de la terre » et désigne les Hawaiiens de naissance. Il est appliqué par extension à tous les résidents de l'archipel, par opposition aux « *malihini* », les touristes qui viennent à Hawaii pour la première fois (à partir de la deuxième fois, on dit juste « touriste », d'après un local !), et aux « *haole* », les étrangers. Les « *kamaina* », qui peuvent présenter un justificatif de domicile, ont ainsi droit à des réductions importantes sur presque tous les tickets d'entrée des musées et autres attractions sur l'archipel.

## Kukui

Originaire d'Asie du Sud-Est et très certainement introduit dans l'archipel par les Polynésiens, le *kukui* est l'arbre officiel de Hawaii. Presque tout peut servir dans cet arbre précieux. Les Hawaiiens utilisaient ses noix pour produire le pigment noir des tatouages ou encore de l'huile pour alimenter les lampes. De nos jours, les noix de *kukui* servent à composer des *lei* ou à orner des objets artisanaux. L'huile qui en est issue est également utilisée en cosmétologie car elle aurait des propriétés hydratantes et des vertus anti-âge.

## Lei

Le *lei* est un collier de coquillages ou de fleurs qui, dans toute la Polynésie, est offert en guise de bienvenue ou des adieux, mais, avant tout, en signe d'affection envers une personne étrangère ou un proche. Tout voyageur qui vient pour la première fois à Hawaii et qui, dès son arrivée à l'aéroport, se voit offrir un magnifique collier de fleurs, n'oubliera plus le parfum raffiné du jasmin, de l'*ohia Lehua,* du frangipanier…
On offre également des *lei* à l'occasion des cérémonies importantes, telles qu'une naissance ou une remise de diplôme. Chacune des îles de l'archipel a en outre

son *lei* officiel et ses propres fleurs ; le *lei* d'Oahu est jaune tandis que celui de Hawaii est rouge.
Enfin, sur toutes les îles hawaiiennes, tous les 1er mai, on fête le Lei Day, jour où on confectionne et échange différents *lei*. En comparaison, notre brin de muguet fait bien piètre figure...

## Luau

Un *luau* est un banquet hawaiien qui réunit à l'origine le cercle restreint de l'« *ohana* », c'est-à-dire la famille. On peut y déguster, entre autres plats traditionnels de l'archipel, du *poke* (cubes de poissons cru mariné), du saumon *lomi* (saumon mariné avec tomates et oignons), du *kalua pig* (porc cuit à l'étouffée) ou encore du *haupia* (pudding à l'ananas et au lait de coco).
Depuis l'explosion du tourisme au XXe siècle, le *luau* est un banquet destiné aux touristes, avec danses et musiques traditionnelles : un dîner-spectacle, parfois un peu kitsch mais incontournable.

## Macadamia

Hawaii est un gros producteur de noix de macadamia. Les arbres en produisent en permanence. Une fois arrivées à maturité, les noix tombent : il suffit alors de se baisser pour ramasser la récolte ! Un seul arbre peut produire jusqu'à 65 kg de noix par an... Avec la fin de l'ère sucrière sur l'archipel, au XXe siècle, de nombreux champs de canne à sucre ont été remplacés par des plantations d'arbres à noix de macadamia. Les boutiques de souvenirs en vendent à tous les parfums : caramel, chocolat, wasabi, oignon... Une grande variété qui explique le succès de ce produit local auprès des touristes. Et c'est tellement bon, qu'une fois qu'on y a goûté, il est quasiment impossible de ne pas en acheter au moins une boîte.

## Nene

L'oie « *nene* » est une espèce endémique et symbolique de Hawaii, qui a bien failli disparaître ! Quand elle est déclarée espèce protégée, en 1957, il ne reste plus que 40 individus à travers l'archipel. Grâce à d'importants programmes d'élevage en captivité et de réintroduction dans la nature, on dénombre aujourd'hui un peu plus de 1 000 oies *nene* à Hawaii. On les rencontre surtout en altitude, au sommet du Haleakala, à Maui, ou encore dans la caldera du volcan Kilauea, à Big Island. Cette oie montagnarde est reconnaissable à ses pattes à moitié palmées. D'après les scientifiques, c'est le résultat de l'adaptation au milieu : l'oie *nene* s'étant installée dans les hauteurs et ne nageant plus, ses palmes se sont progressivement atrophiées.

## Pearl Harbor

Le 7 décembre 1941, une attaque japonaise surprise est lancée contre la base navale américaine de Pearl Harbor, située sur l'île d'Oahu. Résultat : 2 403 morts et 1 178 blessés du côté des Américains.
Un véritable choc aux États-Unis qui précipitera l'entrée des Américains dans la Seconde Guerre mondiale. Le bateau *USS Arizona* gît désormais à 12 m de fond dans la baie, avec à son bord 1 177 hommes, qui reposent encore à l'intérieur de l'épave.
Un mémorial a été installé a proximité pour rendre hommage à ces marins, à peine âgés de 20 ans en moyenne, dont on peut lire les noms gravés en lettres d'or sur une immense plaque de marbre blanc.

## Paniolo

Terme local pour désigner les cow-boys hawaiiens. Au milieu du XIXe siècle, les *vaqueros* (cow-boys mexicains) sont venus à Big Island pour enseigner les rudiments du métier de cow-boy aux Hawaiiens qui s'occupaient depuis peu de troupeaux. Comme ils parlaient espagnol, les locaux les ont baptisés « *Paniolos* », qui est en fait une déformation du mot « espagnol ». Cette appellation est passée dans le langage et désigne depuis les cow-boys hawaiiens en général. Ils sont établis principalement au nord de Big Island, dans la région de Waimea, et dans l'arrière-pays de Maui, à Makawao.

## Pétroglyphes

Les pétroglyphes sont les vestiges archéologiques polynésiens les plus anciens que l'on connaisse. Ces dessins gravés sur pierre sont attribués aux tout premiers peuples de la région. Ce sont en général des motifs assez naïfs qui représentent des formes humaines ou animales.
On en trouve sur la plupart des îles du triangle polynésien – y compris à Tahiti – et ils sont nombreux à Hawaii. Parmi les plus connus : les pétroglyphes sur les flancs du Puu Loa, dans le parc national des Volcans, sur Big Island.

## Pidgin

L'anglais et le hawaiien sont les deux langues officielles de Hawaii, mais on peut dire que le pidgin est la langue officieuse de l'archipel dans la mesure où elle est parlée par la plupart des locaux. C'est une langue qui reflète parfaitement le cosmopolitisme de Hawaii puisqu'elle dérive aussi bien du chinois que du portugais ou du hawaiien. Le pidgin est né du besoin de communiquer des immigrés d'origines très diverses qui travaillaient dans les plantations sucrières au XIXe siècle. C'est donc en quelque sorte la langue créole hawaiienne.

## Polynésiens

Les Hawaiiens sont polynésiens au même titre que nos compatriotes tahitiens ! Géographiquement d'abord, puisque l'ensemble de la Polynésie correspond à un triangle dont les trois sommets sont Hawaii, le nord de la Nouvelle-Zélande et l'île de Pâques, mais surtout historiquement puisque ce sont les Polynésiens, originaires des îles Marquises, qui ont les premiers colonisé l'archipel, vers 500 apr. J.-C. À partir des années 1000, une deuxième vague de colons polynésiens, tahitiens cette fois, déferla sur les îles de Hawaii, ce qui ancra définitivement les habitants de l'archipel dans la culture polynésienne.

## Pupus

Les « *pupus* » (prononcer « pou-pou-z ») sont des assortiments d'amuse-gueule typiquement hawaiiens, généralement composés de crevettes frites, de graines de soja, de petits pois salés et de sushis. Dans les restaurants, on sert les *pupus* les plus variés. Les « *heavy pupus* » sont des en-cas chauds et froids : tempuras de légumes, cuisses de poulet grillé, *poke* (cubes de poisson cru mariné dans de la sauce soja), brochettes de bœuf *teriyaki*… À eux seuls, les « *heavy pupus* » peuvent constituer un repas. Il est donc conseillé de se renseigner sur le type de pupus servis avant de commander la suite !

L'appellation « *light pupus* » désigne les en-cas froids.

## Shaka

Le salut hawaiien typique est le « *shaka* ». C'est un signe de la main où le pouce et l'auriculaire sont relevés alors que les autres doigts restent pliés. Il caractérise le fameux « *Aloha Spirit* » et implique un état d'esprit positif et détendu. C'est une façon de dire bonjour ou de remercier quelqu'un. Très répandu chez les surfeurs, il est aussi utilisé par tout le reste de la population hawaiienne jusque dans les établissements officiels, tels que les bureaux de poste ou… les commissariats de police. Sur la route, c'est le geste en usage pour remercier un automobiliste qui vous cède le passage alors que la priorité lui est due : le conducteur passe son bras par la fenêtre et agite sa main qui forme un *shaka*.

## Tatouage

À l'origine, les tatouages, « *kakau* » en hawaiien, avaient une seule et même fonction chez tous les peuples du triangle polynésien : effrayer l'ennemi. Constitués de formes géométriques élaborées, ils étaient dessinés sur le corps au moyen d'une teinture noire issue des noix de *kukui*. Ils s'ajoutaient au fur et à mesure de la vie d'un individu et indiquaient en détail son parcours personnel (exploits, famille, mariage, décès…). Les tatouages des guerriers hawaiiens étaient les plus impressionnants : la moitié du corps était peinte en noir tandis que l'autre restait intacte. Interdits, au XIXe siècle, par les missionnaires qui y voyaient un signe diabolique, ils ont été progressivement réintroduits dans l'archipel tout au long du XXe siècle. Aujourd'hui, ils symbolisent avant tout un retour aux sources ou une appartenance à la communauté des Hawaiiens natifs (descendants des Polynésiens, qui sont les premiers habitants de l'archipel).

## Taro

Cultivé à Hawaii, le taro est un tubercule riche en amidon, l'équivalent de notre pomme de terre. Il a été introduit sur l'archipel par les premiers Polynésiens venus habiter à Hawaii et on le trouve aussi à Tahiti. Le taro est cultivé les racines dans l'eau. Aujourd'hui on ne trouve des champs de taros qu'à Kauai et Maui car, à partir du XIXe siècle, leur culture a été remplacée par d'autres plus rentables (riz, ananas, canne à sucre…). C'est pourtant un ingrédient important dans les plats traditionnels de l'archipel. Selon la mythologie hawaiienne, l'humanité aurait été créée à partir d'un plant de taro. Dès les origines et pendant mille ans, cette plante sacrée fut largement cultivée par les Hawaiiens, qui en développèrent jusqu'à 300 espèces. Si jamais vous en achetez et décidez de le cuisiner, surtout faites le bien cuire, sinon il sera terriblement amer et immangeable !

# Faire / Ne pas faire

**Ne pas faire le malin à la douane :** on ne le répétera jamais assez, ne faites surtout pas le malin à la douane en arrivant aux États-Unis, et Hawaii en fait partie ! Contentez-vous de répondre aux questions posées et de vous plier aux instructions données. Sinon, vous êtes bon pour passer de longues heures à tenter de vous expliquer et il n'est pas sûr qu'on vous croira !

**Apprendre quelques rudiments de hawaiien :** il suffit de connaître quelques mots de base en hawaiien, assez faciles à prononcer. Ce petit effort vous ouvrira de grandes portes, dont celle du cœur des locaux.

**Salutations :** pour se saluer ou dire « bonjour », tout le monde ici dit « *Aloha* », mot qui a une connotation affective beaucoup plus forte que le simple « *hello* » ou « *hi* » anglais. À votre tour, il faut donc répondre « *Aloha* ». Si c'est un Hawaiien de vos amis, il est coutumier d'accompagner le *Aloha* du fameux *hug* (accolade), à l'américaine. La bise est à éviter, elle est en général réservée au cercle familial. Enfin souriez, rendez sourire pour sourire ; c'est une politesse quasiment obligatoire à Hawaii, et on s'y habitue très vite, même si on est d'un naturel plutôt râleur.

**Ne jamais refuser un *lei* :** les Hawaiiens sont très chaleureux et accueillants avec leurs visiteurs. Dès votre arrivée sur une île, on vous remettra un collier de fleurs pour vous souhaiter la bienvenue. Même si vous êtes fatigué par votre voyage ou allergique aux fleurs, ne refusez surtout jamais un *lei*, ce serait vraiment interprété comme une insulte !

**Ne pas recueillir de corail vivant dans la mer :** les barrières de corail sont nombreuses à Hawaii mais elles sont toutes protégées et indispensables à l'écosystème. Il est donc formellement interdit d'en prélever ne serait-ce qu'un centimètre carré. Même s'il se porte beaucoup mieux ces dernières années, le corail hawaiien a en effet subi beaucoup de ravages par le passé et il ne pousse que de quelques centimètres par an…

***Heiau* :** les temples traditionnels hawaiiens, ou « *heiau* », sont certes en ruine mais ils sont entretenus et restent des lieux sacrés pour les locaux qui viennent souvent s'y recueillir. À l'occasion de leur visite, il convient d'adopter une attitude calme et silencieuse et, surtout, ne jamais emporter la moindre pierre trouvée sur place, aussi petite soit elle ! Ce serait un véritable sacrilège ! Ceux qui le font sont d'ailleurs assez vite frappés, paraît-il, d'une malédiction. À bon entendeur…

**Nudisme ou seins nus :** le nudisme est illégal à Hawaii. Même s'il est vrai que la déferlante hippie sur l'archipel, dans les années 1960, a durablement modifié les mentalités locales, il n'y subsiste guère qu'une ou deux plages naturistes, toutes îles confondues. Little Beach, à Makena, sur Maui, est certainement la plus connue. Mais c'est une simple tolérance officieuse de la part des autorités. Cela ne veut pas dire qu'on peut se mettre nu partout ! Les seins nus sont également interdits.

**Spots de surf « réservés » :** les spots de surf les plus connus sont très fréquentés par les touristes et cela ne dérange absolument pas les surfeurs locaux. Mais, attention, ils ont certains spots secrets que vous pouvez être amené à découvrir, surtout si vous êtes un surfeur chevronné… Le hic, c'est que les Hawaiiens veulent en général garder ce secret pour eux et ils verront donc d'un mauvais œil l'arrivée d'un nouveau venu sur leur plage. Eh oui, l'*Aloha* des surfeurs hawaiiens a des limites ! S'ils ne vous font aucune observation – c'est rare –, tant mieux pour vous, mais s'ils vous font comprendre que vous êtes un intrus, ne cherchez surtout pas à parlementer en disant que « la plage appartient à tout le monde… » Ils risquent alors de vous expliquer, pas très gentiment, qu'ils sont chez eux. Ce serait un peu dommage, sur une île paradisiaque, de finir aux urgences…

**Le pourboire est obligatoire :** dans tous les États américains, le pourboire est obligatoire. Le service n'est en effet pas inclus, comme en France, dans l'addition. Au restaurant, dans les bars ou les discothèques, il faut donc ajouter 15 % de l'addition hors taxe en guise de pourboire. Il est aussi recommandé de donner un pourboire de 2 $ minimum aux guides touristiques, chauffeurs de taxis, bagagistes et femmes de chambre. Si vous ne donnez rien, on ne vous fera pas de remarque mais on n'en pensera pas moins ! Vous serez très mal vus et cela dégraderait, une fois de plus, l'image du touriste français à l'étranger.

**Mettre de l'argent dans les parcmètres :** resquiller ne fait pas partie de la mentalité hawaiienne et, de toute façon, la police fait des rondes de vérification régulièrement. En cas d'oubli, amende salée garantie. Prévoir beaucoup de pièces pour recharger les parcmètres : il n'existe pas, comme en France, de systèmes de paiement avec des cartes de stationnement.

*Mur de ukulélés.*

## Tiki

Les premiers *tikis* sont apparus au XVe siècle sur l'archipel, une époque où la sculpture connaissait un important essor dans le triangle polynésien. Dans la culture hawaiienne, les dieux peuvent revêtir différentes formes mais, le plus souvent, ils apparaissent sous une forme humaine. Les *tikis* constituent les représentations humaines de ces divinités, travaillées dans le bois, la pierre ou d'autres matériaux. Ils ont des formes trapues et leurs proportions symbolisent la puissance, l'abondance et la bonté.

## Tsunami

Ce mot japonais (*tsu* : port, et *nami* : vague) désigne un raz-de-marée ; un fléau mondialement médiatisé, le 25 décembre 2004, quand il a frappé l'Asie du Sud- Est. Hawaii est touchée, en moyenne, une fois tous les 10 ans par un *tsunami*. On en a dénombré une quarantaine depuis 1819, dont trois au XXe siècle, particulièrement dévastateurs. Le premier, provoqué par un mouvement de plaques tectoniques au large, a frappé la baie de Hilo, à Big Island, le 1er avril 1946. Bilan : 159 morts. Le deuxième, dû à un séisme sous-marin, a touché la même région, le 23 mai 1960, causant 61 morts. Le troisième, provoqué par un séisme d'une magnitude de 7,2, était le plus gros de tous et s'abattit sur la côte sud-est de Big Island le 29 novembre 1975. Il entraîna la mort de 2 personnes mais, surtout, des dégâts matériels considérables (plus de 1 million de dollars). Depuis 1949, il existe un centre d'alerte des tsunamis dans le Pacifique, ou PTWC (Pacific Tsunami Warning Center). Basé sur un système perfectionné d'échanges entre toutes les stations sismologiques de la zone, il se trouve précisément à Hawaii, à Ewa Beach (Oahu).

## Ukulélé

Le ukulélé est sans nul doute l'instrument le plus célèbre de la musique hawaiienne. Pourtant il n'a pas été inventé par les Hawaiiens, ni même par d'autres Polynésiens ! Il est en fait une adaptation de la *braguinha* portugaise, une petite guitare. Ce sont des immigrants portugais originaires de l'île de Madère, venus travailler dans les plantations de canne à sucre de l'archipel, au XIXe siècle, qui l'ont apporté dans leurs bagages. Peu de temps après, dans une petite lutherie portugaise à Honolulu, a été fabriqué le premier ukulélé. En hawaiien, « *uku-lele* » signifie littéralement « puce sauteuse » en raison des mouvements rapides des doigts du musicien sur les quatre cordes de l'instrument.

## Volcans

Les îles de Hawaii sont composées essentiellement de roches volcaniques car elles sont toutes nées de volcans, d'où leur omniprésence sur l'archipel. Mais excepté le Kilauea, sur Big Island, dont l'éruption n'est pas dangereuse, la plupart des volcans sont éteints. Parmi les volcans éteints les plus impressionnants, figurent le Mauna Loa, qui serait le plus gros volcan du monde, et le Mauna Kea (4 205 m), qui est une des plus hautes montagnes de la planète (si on part de sa base océanique, son sommet dépasse même celui de l'Éverest !).

## Waikiki

S'étendant sur près de 2 km, Waikiki, toute bordée de cocotiers, avec son sable fin et ses eaux turquoise, est certainement une des plages les plus connues du Pacifique. Son nom seul suffit à faire rêver. Cependant les 5 millions de touristes qui l'envahissent chaque année, les tours hôtelières omniprésentes, les milliers de restaurants et de boutiques installés à proximité, feront sûrement fuir le voyageur en quête de nature et de calme. Ironie de l'histoire : le terme hawaiien « *waikiki* » signifie « eaux jaillissantes »... Même si la plage est magnifique, on est bien loin d'une étendue de sable sauvage, avec cette rangée de tours design qui bordent le front de mer !

# Survol du pays

## GÉOGRAPHIE



### La Polynésie

Même si Hawaii semble, vue sur une carte, au milieu de nulle part, elle fait pourtant partie, au milieu de l'océan Pacifique, d'un ensemble cohérent qui compte trois zones insulaires : la Micronésie, la Mélanésie et la Polynésie française. Elles se distinguent par des civilisations différentes et par la date d'arrivée de leurs premiers habitants. Hawaii n'est qu'une partie de ce triangle de 10 000 km de côté délimité par Hawaii, la Nouvelle-Zélande et l'île de Pâques. Une formidable étendue, dont les premiers habitants sont tous polynésiens. Alors que la Polynésie est un ensemble géographique, ethnique et culturel, la Polynésie française n'est qu'une appellation administrative : il ne faut pas les confondre ! Hawaii, la Polynésie française, la Nouvelle-Zélande, l'île de Pâques (sous dépendance du Chili), les îles Cook (protégées par la Nouvelle-Zélande) font partie de ce qu'on appelle la Polynésie occidentale. Wallis-et-Futuna (autre territoire d'outre-mer français), les Tuvalu, les Tokelau, les Tonga, les Samoa occidentales, les Samoa américaines et les Niue forment la Polynésie orientale.

### L'archipel de Hawaii

Hawaii est l'archipel le plus isolé du monde. Il est au beau milieu de l'océan Pacifique, à 3 850 km de la Californie et à 6 195 km du Japon. Ses 132 îles et îlots s'étendent sur 2 451 km. Les huit îles principales sont, du nord au sud : Niihau, Kauai, Oahu, Molokai, Lanai, Kahoolawe, Maui et Big Island (ou Hawaii). Elles sont toutes habitées, à l'exception de Kahoolawe (qui est fermée aux visiteurs). Niihau, bien que peuplée, n'est ouverte aux touristes que de manière exceptionnelle. Quant aux îlots du nord-ouest de l'archipel, qui s'étendent au-delà de Kauai et Niihau, ils auraient été habités autrefois mais ne le sont plus guère aujourd'hui que par des oiseaux ou des phoques.

### Les six îles que l'on peut visiter

De par leur taille, on distingue quatre îles importantes : Oahu, Big Island, Maui et Kauai. S'y ajoutent deux petites îles : Lanai et Molokai.

- **Oahu.** Avec ses 1 574 km² de superficie, c'est la troisième plus grande île hawaiienne. C'est là que se trouve la capitale de l'État, Honolulu, et donc le cœur de la vie économique de l'archipel. C'est également, et de loin, la plus peuplée, avec près de 900 000 habitants, soit l'équivalent de 71 % de la population totale de Hawaii. La plupart vivent à Honolulu et dans ses environs ; les autres se répartissent sur le reste de l'île, qui est encore préservé et peu urbanisé. Située au sud-est de Kauai et au nord-ouest de Maui, Oahu bénéficie d'une position centrale assez pratique si on souhaite visiter les autres îles. Ses sites les plus célèbres sont la superbe plage de Waikiki, le mémorial de Pearl Harbor et la côte nord, où ont lieu les épreuves du championnat mondial de surf.

- **Big Island (Hawaii).** D'une superficie de 10 461 km², c'est la plus grosse île de Hawaii, d'où son surnom de « Big Island ». Son véritable nom est Hawaii et, comme c'était l'île la plus imposante, elle a donné son nom à l'ensemble de l'archipel. Toutes les autres îles de celui-ci pourraient en effet y être contenues, et il resterait encore de l'espace !

*Waipio Valley Beach - Hamakua, Big Island.*

Avec ses 167 000 habitants, l'île de Hawaii arrive en deuxième place au classement des îles hawaiiennes les plus peuplées. Située à l'extrême sud-est de la chaîne îlienne, c'est la plus jeune (800 000 ans) et la seule à avoir un volcan en activité, le Kilauea. Et c'est le moins qu'on puisse dire car ce volcan est le plus actif de la planète. Rien d'étonnant à ce que 2,5 millions de visiteurs se rendent au parc national des volcans de Big Island chaque année !

▶ **Maui.** D'une superficie de 1 887 km² et peuplée de 135 000 habitants, Maui est la deuxième plus importante île de l'archipel. Elle se trouve au nord-ouest de Big Island, d'où on peut l'apercevoir des côtes par temps clair.
Elle est née de deux volcans sortis des eaux il y a 2 millions d'années : le West Maui, à l'ouest, et le Haleakala, à l'est. Elle a été surnommée « l'île de la Vallée », une grande vallée reliant ces deux volcans.
Maui est l'île qui reçoit le plus grand nombre de visiteurs, après Oahu. La côte ouest est plus urbanisée que le reste de l'île et la vie nocturne y est assez animée (pas autant qu'à Oahu mais assez pour la concurrencer). Par opposition, les paysages de la partie orientale de l'île sont luxuriants et sauvages… Pour s'en rendre compte, il suffit de parcourir la sinueuse et exceptionnellement belle « route de Hana ».

▶ **Lanai.** Au sud-ouest de Maui, Lanai, avec ses 362 km², est la plus petite des îles qu'on peut visiter. Elle a été baptisée « l'île aux ananas » car elle était avant tout, du XIX^e^ au XX^e^ siècle, une terre de plantation de la compagnie Dole. Depuis la faillite de cette industrie, l'île vit principalement des touristes, plutôt haut de gamme et tranquilles. Et ce ne sont pas les 3 000 habitants de Lanai qui risquent de les perturber ! Ce serait même plutôt l'inverse, étant donné que ce sont 90 000 touristes qui déferlent chaque année dans les deux principaux complexes hôteliers de l'île. Enfin, si Lanai possède, comme les autres îles hawaiiennes, de très belles plages, elle n'est pas pour autant couverte d'autant de cocotiers. C'est bien une des rares à avoir une forêt de pins colonnaires et un plateau désertique !

▶ **Molokai.** Au nord de Maui et à l'est d'Oahu, Molokai, d'une superficie de 673 km², est la cinquième île de l'archipel par la taille. Sa population (7 400 habitants), essentiellement composée de Hawaiiens natifs, c'est-à-dire d'origine polynésienne, ainsi que ses paysages très préservés, lui ont valu le surnom d'île « la plus authentique ». C'est pourtant la moins visitée de toutes les îles, avec quelque 85 000 touristes qui débarquent sur son sol chaque année. Pour les héberger, Molokai dispose de deux campings, d'un seul hôtel et d'un Bed & Breakfast. Les voyageurs l'apprécient pour sa nature sauvage, qui se prête particulièrement bien à la randonnée, mais aussi pour ses plages immenses et

*Na Pali Coast - Kauai.*

magnifiques. Son site le plus visité est le village de Kalaupapa, situé sur la péninsule du même nom, où étaient exilés les lépreux de l'archipel.

▶ **Kauai.** Avec ses 1 432 km² de superficie, cette île, située tout au nord de la chaîne îlienne et au nord-ouest d'Oahu, est la quatrième par la taille. Sa population de 63 000 habitants en fait la moins peuplée des îles principales. Elle a été baptisée « l'île des jardins » en raison de sa végétation luxuriante, de sa forêt d'altitude et de la côte de Na Pali, incroyablement sculptée par les chutes d'eau. Le mont Waialeale, son point culminant, est considéré comme le point le plus arrosé de la planète, sur une île où le taux de précipitations s'élève à environ 7 500 cm³ par an ! On comprend mieux comment l'étonnant relief du Waimea Canyon, le Grand Canyon du Pacifique, a été creusé par les eaux depuis des millénaires.

### Les deux îles que l'on ne peut pas visiter

▶ **Kahoolawe.** Au sud-ouest de Maui, Kahoolawe, d'une superficie d'à peine 116 km², est la plus petite des 8 îles principales. Inhabitée, elle est également fermée aux visiteurs. Comme elle a servi, pendant des décennies, à l'entraînement des bombardiers de la Marine américaine, elle a été assez abîmée et ne comporte pas de sites exceptionnels propres à attirer les foules... Ce n'est qu'au bout d'une trentaine d'années que la Marine a accepté que Kahoolawe retourne dans le giron hawaiien.

▶ **Niihau.** A proximité de Kauai, Niihau, bien que peuplée, n'ouvre qu'une minuscule partie de son île aux touristes (Nihau Beach) et seulement dans le cadre des prestations d'une seule et unique agence touristique (voir encadré dans la partie « Kauai »). Cette île est en effet privée depuis le XIXe siècle et appartient à une famille du nom de Robinson. Rien à voir avec Robinson Crusoé, mais c'est un peu le même concept ! Niihau abrite une population d'à peine 200 habitants. Elle vit de pêche et d'élevage, et toujours sans électricité ni eau courante, afin de préserver le mode de vie hawaiien traditionnel.



## GÉOLOGIE

### Naissance des îles

Les îles hawaiiennes ont été formées par l'éruption de volcans sous-marins venus percer la surface des eaux. Explication : le plancher océanique du Pacifique se déplace au gré de quelques millimètres par an, du sud-est au nord-ouest. En dessous, le magma forme par endroits des points chauds qui percent le plancher sous-marin en pointillés. Le magma, masse de roche en fusion comme le basalte compact, noir et lourd, forme des montagnes sous-marines posées sur le fond des plaines abyssales, qui s'élèvent parfois plus haut que l'océan pour créer des îles.

### L'évolution des îles

Tandis que le plancher océanique dérive avec la plaque du Pacifique, car ils appartiennent tous deux au manteau terrestre, le point chaud reste fixe. La plaque ayant glissé sur le point chaud selon un arc de cercle qui va du nord au sud, les îles qui se sont ainsi formées successivement sont coupées du point chaud les unes après les autres, d'où l'endormissement de leurs volcans. C'est ainsi que l'île la plus ancienne, Kauai, âgée de 5 millions d'années, est au nord de l'archipel, tandis que la plus jeune, Big Island, âgée de 400 000 ans, est au sud.

C'est à Big Island, sous le volcan Kilauea, le plus actif de la planète, que se trouverait actuellement le point chaud qui a donné naissance à toutes les îles. Mais le Kilauea s'endormira un jour, comme tous les volcans des autres îles, au fur et à mesure que la plaque se déplacera et s'éloignera du point chaud.

Dans les années 1950, les volcanologues on découvert, au large des côtes de Big Island, un volcan sous-marin qu'ils ont baptisé « Loihi » et qu'ils croyaient éteint. Mais, comme il est entré en éruption en 1996, il est clair qu'il est récent et partage le même point chaud que celui du Kilauea. Ce volcan deviendra certainement, d'ici 10 000 à 100 000 ans, la nouvelle île de l'archipel de Hawaii.

Les volcans éteints des différentes îles ont été progressivement érodés et leur relief a comme « fondu » au fil des années. On sait ainsi que la chaîne sous-marine Hawaii-Empereur, située au nord-ouest de l'archipel et qui a été créée il y a 50 millions d'années, était auparavant un ensemble d'îles qui a disparu sous les mers, victime d'une importante érosion.

# CLIMAT

## Des températures de rêve

À l'image de la beauté de ses îles, le climat de Hawaii est paradisiaque ! L'archipel, à la lisière du tropique du Cancer, bénéficie d'une atmosphère tropicale chaude, aérée par les alizés, et qui correspond à ce que tout visiteur espère trouver à Hawaii : un temps idéal. Tempérées par l'immense océan, les fortes chaleurs sont rares, les températures se maintenant généralement entre 25 °C et 30 °C toute l'année. Pour schématiser, on peut dire qu'on distingue à Hawaii deux saisons : une saison chaude, l'hiver, et une saison plus chaude encore car plus sèche, l'été. Les mois d'août et septembre sont habituellement les plus chauds de l'année, tandis que ceux de janvier et février sont traditionnellement les plus frais. Si les températures peuvent varier au sein d'une même île, notamment en fonction de la saison, c'est près des côtes qu'elles sont les plus constantes. À titre d'exemple, la température moyenne sur la plage de Waikiki, au plus fort de l'été, est de 32 °C, et elle est de 27 °C en plein hiver (enfin, si on peut parler d'hiver !).

## Côte sous le vent et côte au vent

Pour bien comprendre le climat hawaiien, il faut prendre en considération l'orientation des côtes. La règle est simple et c'est la même pour chaque île : la côte sous le vent, à l'ouest et au sud, connaît un climat chaud et sec, alors que la côte au vent, à l'est et au nord, est généralement plus humide et fraîche. En résumé, si vous êtes en quête d'une nature luxuriante, foncez sur la côte au vent et si vous préférez griller au soleil, allez sur la côte sous le vent. Si l'on considère les parties les plus régulièrement ensoleillées de l'archipel, on voit qu'elles illustrent parfaitement cette loi : ce sont Waikiki (côte sud d'Oahu), Waimea et Poipu Beach (côtes sud-ouest et sud de Kauai), Kihei et Wailea (côte sud de Maui), les côtes de Kona et de Kohala (à l'ouest de Big Island).

## Microclimats

L'archipel compte au total 11 des 13 zones climatiques du monde ! Il arrive donc souvent que, sur une même île, on change de climat en un temps record. Si vous vous trouvez au beau milieu d'une averse, il suffit de rouler un peu pour retrouver le soleil : appliquez la règle ci-dessus et dirigez-vous vite vers les côtes sud ou ouest ! Les îles étant toutes formées à partir de volcans, elles ont toutes une montagne élevée. Et, comme sur tous les reliefs du monde, plus on s'élève, plus les températures chutent. C'est ainsi que, quand, à Maui, il fait 4 °C au sommet du volcan Haleakala (3 055 m), la température est de 30 °C sur les plages de la côte sud ! Ce n'est donc pas être fantaisiste que de toujours prévoir, à Hawaii, plusieurs épaisseurs de vêtement, et une polaire dans son sac à dos.

## Précipitations

La période où il pleut le plus sur l'archipel va d'octobre à mars. Mais rien à voir avec une saison des pluies à l'indienne. Par rapport à la mousson, le taux des précipitations à Hawaii est dérisoire : à peine 40 $cm^3$ de pluie par mois en moyenne. Certes, à cette époque, le ciel est parfois plus gris que le reste de l'année, mais il pleut rarement plus de trois jours d'affilée. La saison la plus sèche correspond aux mois d'été, avec moins de 16 $cm^3$ de pluie par mois.

# ENVIRONNEMENT ET ÉCOLOGIE

La biodiversité hawaiienne est menacée. Heureusement, la prise de conscience par les Hawaiiens de la nécessité de protéger leur environnement est plus forte que jamais. Associations, éducation du public, écotourisme et initiatives diverses se multiplient en ce sens.

## L'environnement terrestre

Hawaii détient un record édifiant : c'est le territoire qui abrite le plus d'espèces menacées au kilomètre carré !

Deux enjeux écologiques majeurs sont à régler sur l'archipel. Il s'agit d'abord de contrôler la population d'animaux sauvages (daims, mangoustes, chèvres...) qui ne cesse de se développer, jusqu'à envahir les zones urbaines ou les plages dans certains cas, et qui accapare l'espace vital d'espèces natives de Hawaii. Ainsi, les cochons introduits par les Polynésiens déracinent régulièrement arbres et plantes. Sans oublier les grenouilles, qui, chaque année, sont plus nombreuses sur les flancs du Halekala, à Maui, et perturbent tout l'écosystème local en mangeant des insectes qui assurent la pollinisation de plantes en voie de disparition. La situation est quasiment la même au niveau de la flore : il est urgent d'éradiquer les espèces invasives introduites sur les îles car elles empiètent fortement, elles aussi, sur l'habitat des plantes endémiques, les menaçant dans leur survie même. Parmi les envahisseurs les plus enracinés, on dénombre trois espèces de lianes : mûrier, chèvrefeuille, passiflore... Le koa, un arbre emblématique de Hawaii, est en train de mourir à petit feu à cause de ces plantes qui lui cachent le soleil. L'association à but non lucratif, Nature Conservancy (www.nature.org), est certainement celle qui s'est le plus investie dans la protection de l'environnement hawaiien. Ses membres ont mis au point un plan de travail très élaboré pour préserver la biodiversité de l'archipel et ses fragiles écosystèmes (toutes informations sur www.hawaiiecoregionplan.info).

## L'environnement marin

Les écosystèmes marins se portent plutôt bien, mais cette fragile victoire n'a pas été gagnée en un jour ! Les barrières de corail sont maintenant protégées, notamment grâce à la création, en 2006, du sanctuaire marin de Papahanaumokuakea. C'est bien l'un des rares gestes écologiques de l'ancien président George W. Bush !

Le 15 septembre 2006, il donnait à la zone le statut de parc national maritime, le premier du genre aux États-Unis. S'étendant sur environ 360 000 km², ces 33 îles et atolls hawaiiens, situés au nord-ouest de la chaîne îlienne principale, représentent l'espace maritime protégé le plus vaste du monde. À seulement 200 km au nord de Kauai, et sur un peu plus de 2 200 km, ce corail, le plus pur et le plus préservé des États-Unis, constitue l'habitat de 7 000 espèces marines, dont 1 750 sont endémiques de Hawaii. Sur les îles elles-mêmes, il faut noter la présence d'importantes populations de phoques moines et de tortues vertes hawaiiennes, qui sont deux espèces menacées de disparition (voir « Faune et flore »), et de 14 millions d'oiseaux marins dont 19 sont endémiques de l'archipel.

La surpêche dans les eaux de Hawaii nuit beaucoup à la biodiversité marine. De nombreuses mesures ont été prises, notamment pour lutter contre la pêche avec filets dérivants, qui attrapent indifféremment toutes sortes de poissons et mammifères marins. Tortues marines, requins, dauphins... sont ainsi pêchés par erreur, mais relâchés trop tard dans l'océan, où ils meurent d'une lente agonie. Depuis 2007, une loi a considérablement réduit l'utilisation de ces filets dérivants, mais ils ne sont toujours pas interdits. L'association Fair Catch milite activement pour leur éradication (www.faircatchhawaii.org).

## L'armée et l'environnement

La présence militaire sur l'archipel constitue une menace pour l'environnement, et les Hawaiiens la contestent de plus en plus (voir la présentation de « Kahoolawe » dans la partie « Géographie »). En 2005, la population a eu la très désagréable surprise d'apprendre que 8 000 tonnes d'armes chimiques avaient été larguées au large d'Oahu pendant la Seconde Guerre mondiale. De quoi s'énerver un petit peu ! Les manœuvres militaires ne sont cependant pas prêts de cesser et leur impact sur l'environnement, même s'il est difficilement mesurable, est incontestable. Sans parler du contenu de dossiers classés secret-défense, qu'on ne découvrira peut-être pas avant des siècles.

## Vers un tourisme durable ?

Fréquentée par 7 millions de visiteurs chaque année, Hawaii vit essentiellement de l'industrie du tourisme, et, revers de la médaille, cette industrie exponentielle est une menace pour l'environnement fragile des îles. Aussi est-il urgent d'en mieux contrôler le développement. Stations balnéaires, hôtels, restaurants doivent pouvoir continuer à se construire sans nuire aux superbes paysages hawaiiens. D'où l'idée d'un tourisme responsable que l'État de Hawaii veut réussir à mettre en œuvre sur le long terme. Depuis 2002, un groupe d'experts travaille sur le sujet afin d'arriver à un modèle de tourisme durable, viable en 2050 (www.hawaii2050.org).

L'apparition de tours-opérateurs locaux tournés vers l'écotourisme de plus en plus nombreux ainsi que les programmes éducatifs destinés à sensibiliser la jeunesse hawaiienne sur les problèmes environnementaux, tendent à montrer qu'un changement des mentalités est véritablement amorcé et qu'il va s'accentuer. Hawaii sera peut-être, dans une quarantaine d'années, un exemple mondial de tourisme durable. C'est bien tout ce qu'on souhaite à ce paradis du Pacifique !

# PARCS NATIONAUX

Hawaii compte deux parcs nationaux : le Haleakala National Park, à Maui, et le Hawaii Volcanoes National Park, à Big Island.

## Haleakala National Park

Le parc s'étend autour du cratère du volcan Haleakala, et le sublime lever du soleil à son sommet en est la principale attraction. Sa faune et sa flore sont activement protégées par les gardiens du site.
On y rencontre deux espèces menacées de disparition : l'oie nene et une plante, le « sabre d'argent » (« *silversword* » ou « *ahinahina* » en hawaiien), qui doit son nom à ses aiguilles argentées.
Il existe différentes randonnées possibles à travers le cratère du volcan, mais les conditions climatiques y sont rudes (vent glacial et pluie).

## Hawaii Volcanoes National Park

Le parc possède à la fois le volcan le plus actif du monde, le Kilauea, et le volcan le plus massif de la planète, le Mauna Loa. Coté faune et flore, les espèces menacées rencontrées sont les mêmes que dans le cratère du Haleakala, à savoir le sabre d'argent et l'oie nene. Des kilomètres de sentiers de randonnée ont été aménagés à travers le parc. Les parcourir permet de véritablement comprendre la réalité de l'activité volcanique.
On peut camper dans le parc à condition de demander au préalable un permis de camper (gratuit) au Visitor's Bureau.

# FAUNE ET FLORE

Dans la mesure où les îles de Hawaii sont nées de volcans, aucune plante ou animal ne pouvait à proprement parler se développer sur son sol, tout à fait impropre à la vie. C'est seulement une fois la lave durcie que les graines transportées par le vent ont pu se fixer et que les oiseaux ont commencé à fréquenter ces terres nouvelles. Ce sont en fait les Polynésiens qui, lors de leur peuplement de l'archipel, ont apporté sur leurs canoës plantes et animaux de leurs îles. Ces espèces se sont adaptées à leur nouvel environnement et ont donné celles qu'on considère aujourd'hui comme « natives » de la région. Le fait que Hawaii soit l'archipel le plus isolé du monde a permis le développement d'une faune et d'une flore uniques, avec 90 % d'espèces endémiques. Les importantes variations climatiques et les multiples microclimats qu'on retrouve sur toutes ses îles ont créé toutes les conditions nécessaires au développement d'une nature riche, à la biodiversité exceptionnelle. Cependant, il est important de la protéger car cette nature est menacée : 28 % des espèces locales sont en voie de disparition et 75 % ont déjà disparu.

## La faune

Les deux seuls mammifères natifs de Hawaii sont le phoque moine et la chauve-souris cendrée hawaiienne !

▸ **Phoque moine.** Contrairement aux autres espèces de phoques, les phoques moines sont très solitaires. On les trouve essentiellement sur les îles reculées du parc marin national de Papahanaumokuakea, au nord-ouest de la chaîne îlienne principale de Hawaii.
Ces phoques sont considérés comme l'espèce américaine la plus menacée ; il n'en reste que 1 300 sur tout l'archipel !

▸ **Chauve-souris cendrée hawaiienne.** Reconnaissable à son pelage roux et à sa toute petite taille d'une dizaine de centimètres à peine, la chauve-souris hawaiienne vit surtout dans les arbres et les grottes. On ne la rencontre plus guère que dans la forêt de Kokee, à Kauai et à Big Island.

▸ **Baleines à bosse.** Chaque automne, les baleines à bosse quittent l'océan Arctique, où elles ont fait des réserves de nourriture, pour les mers chaudes de Hawaii, à plus de 5 000 km.
De décembre à avril, c'est là qu'elles s'accouplent ou donnent naissance à leurs petits (voir encadré « *whale-watching* » au chapitre Maui).

▸ ***Nene.*** C'est l'oie emblématique et endémique de Hawaii (voir « Mots-clefs »). Seules 1 000 oies nene subsisteraient à l'état sauvage. La raison ? Elles nichent près du sol, où leurs œufs sont très facilement détruits ou mangés par les prédateurs. On la rencontre surtout en altitude, au sommet du Haleakala, à Maui, ou encore dans la caldera du volcan

Kilauea, à Big Island. Cette oie montagnarde est reconnaissable à ses pattes seulement à moitié palmées.

▶ **Mangoustes.** C'est au XIXe siècle que les mangoustes ont été introduites sur l'archipel dans le but d'exterminer les rats des plantations de canne à sucre. L'idée aurait été bonne, à un détail près : les mangoustes sont diurnes tandis que les rats sont nocturnes ! Depuis, les mangoustes se sont en effet reproduites à une vitesse fulgurante et sont devenus de vrais nuisibles sur presque toutes les îles.

▶ **Poissons.** Il existe 700 espèces différentes de poissons à Hawaii, dont 110 qu'on ne trouve nulle part ailleurs. Parmi eux, le *humuhumunukunukuapuaa*, qui est le poisson « officiel » de Hawaii (voir « Mots-clefs »).

▶ **Requins.** 40 espèces de requins vivent dans les mers hawaiiennes. Huit d'entre elles se rencontrent près des côtes mais sont sans danger pour l'homme. Le requin tigre, qu'on reconnaît à sa nageoire caudale pointue et aux rayures verticales de son corps, est le plus dangereux à Hawaii car il est susceptible d'attaquer les hommes. Cependant ces attaques sont rares et ne se produisent qu'une à trois fois par an.

## La flore

On dénombre 2 500 espèces de plantes natives à Hawaii dont certaines sont particulièrement caractéristiques.

▶ **Les fougères,** certainement les premières à avoir poussé à travers les coulées de lave fraîchement durcies.

▶ **L'arbre *ohia lehua,*** qui pousse à une altitude variant de 300 m à 1 000 m, et qui a certainement dû naître de la lave durcie à la même période ; il est reconnaissable à ses fleurs rouges en forme de pomme.

▶ **L'arbre *koa,*** aussi une espèce d'arbre endémique de Hawaii, qui peut mesurer jusqu'à 31 m de haut. Ses fleurs sont jaunes. Les Hawaiiens l'utilisaient notamment pour fabriquer des planches de surf et des canoës.

▶ **Le sabre d'argent,** ou *ahinahina*, qui pousse uniquement sur les cônes volcaniques, dits « *cinder cones* », et qu'on trouve dans le cratère du Haleakala, à Maui, mais aussi sur le Mauna Kea et le Kilauea, à Big Island. Facilement reconnaissable à ses aiguilles argentées, cette plante vit environ vingt ans. Arrivée à maturité, elle produit de jolies fleurs violettes, pour la première et dernière fois car elle meurt peu de temps après. Attention : la cueillette est tentante mais formellement interdite.

▶ **Le *ki*, ou le *ti*,** une plante aux longues, larges et solides feuilles vertes qui a été introduite sur l'archipel par les premiers habitants polynésiens. Ils l'utilisaient aussi bien pour envelopper de la nourriture que pour la toiture de leur maison. Une fois n'est pas coutume, cette plante native n'est pas menacée et pousse en abondance dans toutes les zones humides de l'archipel.

▶ **Les fleurs tropicales,** très nombreuses à Hawaii. Ce ne sont pas des espèces natives mais elles poussent particulièrement bien sur l'archipel : bougainvillées, orchidées, oiseaux de paradis, anthuriums, frangipaniers...

▶ **Arbres fruitiers exotiques,** tels que manguiers, papayers, avocatiers, bananiers... Ils sont légion à Hawaii ! Une promenade en pleine nature donne ainsi de nombreuses occasions de manger des fruits, qu'il suffit de cueillir ou de ramasser.

*Tortues de mer au Maui Ocean Center - Maalaea, Maui.*

# Histoire

## LES ORIGINES (500 APR. J.-C. – 1778)

Débarqués près de Ka Lae, au sud de Big Island, entre les années 500 à 700 apr. J.-C., les Polynésiens originaires des îles Marquises seront les premiers à découvrir et à peupler Hawaii. Une deuxième vague de Polynésiens, tahitiens cette fois, débarquent à Hawaii entre 1 000 et 1 200 apr. J.-C. Ils reprennent rapidement Hawaii aux Marquisiens, qui deviennent leurs esclaves.

Les Tahitiens marqueront durablement l'histoire de Hawaii. Ils y importent leurs traditions, leur langue mais aussi leur religion. Un prêtre tahitien du nom de Paao fonde, vers l'an 1175, l'ordre des « *kahuna nui* » (grands prêtres), initiant ainsi le développement d'un nouveau système social qui durera pendant des siècles. On peut comparer cette organisation sociale à celle du Moyen Âge français... Sur chaque île règne dès lors un « *alii nui* », le chef suprême, qui distribue les terres à des sous-chefs comme dans un système féodal. Les « *alii* » (nobles) sont supposés entretenir des relations avec les divinités qu'ils prient, et ce sont ces mêmes dieux qui les auraient désignés à leur rang. Juste en dessous des prêtres et des alii, on trouve les « *makaainana* » (roturiers) et, enfin, les « *kaua* », qui ont brisé les « *kapu* » (interdits) et n'ont plus de ce fait ni propriété ni droits.

Malheureusement, les premiers Hawaiiens n'écrivaient pas, ce qui nous laisse peu de témoignages de l'époque. Toutefois, ils préservaient leur histoire à travers les « *mele* » (chants traditionnels) et des légendes qu'ils transmettaient oralement de génération en génération.

## DÉCOUVERTE DE HAWAII PAR LES OCCIDENTAUX ET DÉVÉLOPPEMENT DU COMMERCE (1778-1872)

### La découverte de Hawaii par les Anglais

Le premier Européen à avoir accosté à Hawaii était le capitaine Cook, en 1778. Il y arriva presque par hasard, alors qu'il cherchait le passage septentrional entre le Pacifique et l'Atlantique, le fameux « Passage Nord-Ouest ». Cook fit un arrêt rapide à Hawaii (dans la baie de Waimea, sur l'île de Kauai), qu'il prit le temps de baptiser « îles Sandwich » en hommage à son ami, Lord Earl Sandwich, qui avait financé l'expédition. Un laps de temps très court, certes, mais au cours duquel les membres de l'équipage auraient introduit sur l'archipel des plantes occidentales invasives et, surtout, les premières maladies vénériennes (les marins avaient quand même trouvé le temps de fricoter avec les jolies vahinés !). Reparti ensuite vers le nord, le capitaine ne reviendra qu'un an plus tard, après être allé en Alaska. Cette fois, il accoste à Big Island, sur Kealakekua Bay. Cook et ses hommes sont très bien accueillis par les Hawaiiens. Et pour cause... Ils prennent Cook pour l'incarnation humaine du dieu de la moisson Lono, car l'expédition débarque au moment précis où les natifs célèbrent des festivités en l'honneur de ce même dieu ! Ils reçoivent donc de nombreuses offrandes et font commerce avec les Hawaiiens. Après deux semaines de fête continue, ils repartent mais de violentes tempêtes endommagent leurs bateaux et les contraignent à rebrousser chemin au bout d'une semaine. Erreur fatale ! Les Hawaiiens réalisent que Cook n'est qu'un être humain car un dieu n'aurait pu être inquiété par une simple tempête. Dès lors, des bagarres éclatent et les Hawaiiens cherchent à récupérer leurs offrandes. Le capitaine tente de négocier, mais en vain, et finit assassiné avec une partie de ses hommes, le 14 février 1779.

### Kamehameha le Grand (1810-1819)

Quand Cook découvre Hawaii, l'archipel est divisé et chaque île est dirigée par un chef guerrier, selon le système féodal établi par les Tahitiens à leur arrivée.

Mais, en 1810, un noble guerrier de Big Island prénommé Kamehameha parvient à unifier les îles après avoir soumis un à un tous leurs chefs. Dès lors, Kamehameha Ier gouvernera le royaume pendant 9 ans. Pendant son règne, le bois de santal est exporté avec succès vers la Chine, le commerce avec les États-Unis et la Grande-Bretagne se développe.

Les premiers baleiniers arrivent à Kealakekua Bay en 1819 et Hawaii profite économiquement de cette nouvelle pêche grâce à sa position centrale dans l'océan Pacifique. Cependant, à la faveur de ce commerce, de plus en plus d'étrangers viennent s'installer à Hawaii et ébranlent peu à peu le pouvoir du roi Kamehameha Ier.

## La dynastie des Kamehameha

Quand Kamehameha Ier meurt en 1819, son fils Liholiho lui succède et devient Kamehameha II (1819-1824). Toutefois, d'après les historiens, c'est la femme préférée du roi qui gouvernait de fait. Prénommée Kaahumanu, elle était parvenue à convaincre le roi d'abandonner l'ancestrale religion hawaiienne. Cela commença par l'abolition du système des « *kapu* » (interdits), qui interdisaient notamment que les femmes et les hommes mangent à la même table. Ensuite, on détruisit les « *heiau* » (temples) ainsi que les idoles. La reine Kaahumanu devint ainsi la première femme du royaume hawaiien à exercer une véritable influence sur le pouvoir. Mais elle-même était influencée par les premiers missionnaires débarqués à Hawaii pour convertir les habitants. Elle fut une des premières converties, les missionnaires l'ayant persuadée que la religion de ses ancêtres n'était que barbarie.

En 1823, le roi et sa femme firent leur premier... et dernier voyage officiel en Angleterre. Comme chez tous les Hawaiiens natifs, leur immunité contre les maladies occidentales était très faible ; tous deux ils ont contracté la rougeole, mais seul le roi en mourut. Le troisième fils de Kamehameha Ier, Kauikeaouli, âgé de 9 ans à peine, monta donc sur le trône et devint Kamehameha III (1824-1854). Le jeune roi fut placé sous la régence de Kaahumanu et le resta jusqu'à la mort de celle-ci, en 1832. Éduqué par les missionnaires protestants, le roi ne savait pas vraiment à quel saint se vouer : il se trouva tiraillé entre les intérêts de son peuple et ceux des colons (soit, entre autres, ces mêmes missionnaires qui l'influençaient tant).

Le roi finit par opérer de profonds changements dans la société hawaiienne, changements qui, à y regarder de plus près, n'étaient pas vraiment favorables aux Hawaiiens natifs. Certainement, à mettre sur le compte de la confusion qui régnait dans son esprit.

En 1840, il établit une première Constitution hawaiienne qui mettait en place un Parlement, autorisait la liberté religieuse et donnait le droit de vote à tous les hommes vivant à Hawaii, colons inclus. Jusque-là, tout allait plus ou moins bien pour le peuple hawaiien...



## Le capitaine Cook (1728-1779)

S'il est un explorateur qui fit grandement progresser la connaissance du Pacifique, c'est bien James Cook qui, au cours de ses trois voyages, dressa des cartes quasi complètes. La première expédition, qu'il entreprit en 1768, fut organisée par la Royal Society of London. Cook devait conduire à Tahiti un savant astronome, Charles Green, chargé d'observer Vénus, dans le cadre d'une mission qui se déroulait au même moment au Canada et en Norvège, ainsi que deux naturalistes spécialistes de la flore et de la faune, Joseph Banks et Daniel Solander. Durant les trois mois de son séjour, Cook observa et étudia soigneusement les coutumes polynésiennes qu'il rapporta dans son journal de bord. Ce premier voyage ne se limita pas à l'approfondissement de la connaissance de Tahiti, il se poursuivit vers la Nouvelle-Zélande et l'Australie. Cook revint encore à deux reprises à Tahiti, lors de son second voyage (1772-1775) dans le Pacifique. Il en ramena Omai, un jeune Polynésien, qu'il présenta à la haute société d'Angleterre comme l'archétype du « bon sauvage ». Après avoir passé onze mois à Londres, Cook rapatria Omai à Huahine, où il lui fit construire une habitation lors de sa troisième expédition (1776-1779). C'est pendant ce même voyage, alors qu'il cherchait le « Passage Nord-Ouest » entre le Pacifique et l'Atlantique, qu'il découvrit Hawaii (voir « La découverte de Hawaii par les Occidentaux ») avant d'être tué, la même année, au cours d'un affrontement avec les Hawaiiens, le 14 février 1779.

Huit ans plus tard, il fit voter le décret de 1848, dit « Grand Mahele » (la Grande Division), qui mettait un terme au système de propriété féodal injuste avantageant les « *alii* » (nobles) aux dépens des « *makaaina* » (roturiers). Kamehameha III posait ainsi les premières bases légales d'accession à la propriété privée, désormais ouverte à tout le monde. Le problème, c'est qu'elle l'était aussi pour les colons et les investisseurs, qui n'attendaient que ça ! Et c'est là que les Hawaiiens natifs ont été soudain considérablement désavantagés par rapport aux colons... En moins de temps qu'il ne faut pour le dire, ces derniers achetèrent presque toutes les terres de l'archipel, laissant une véritable peau de chagrin aux Hawaiiens natifs, à qui il ne resta plus que 0,9 % de part du gâteau. Si les Hawaiiens natifs ne s'étaient pas précipités pour acheter des terres, c'est que ce n'était pas dans leur culture d'être propriétaires... Pour eux, la terre appartient à tout le monde ! Une vision idéaliste aux antipodes de celle des businessmen de l'époque (et de toutes les époques), qui, grâce à ces terres nouvellement acquises allaient devenir une puissance économique et politique à part entière à Hawaii.

## L'ÉMERGENCE DE L'INDUSTRIE (1840-1940)

Parallèlement à l'ouverture du droit de propriété à tous les résidants de Hawaii, en 1848, l'industrie baleinière est en déclin, ce qui entraîne un report des investissements dans le domaine de l'agriculture, les colons ayant récemment acquis de nombreuses terres. Tout au long du XIXe siècle, deux cultures majeures vont se développer sur l'archipel et devenir le moteur de l'économie hawaiienne : celle de l'ananas et celle de la canne à sucre. La plupart des plantations sont dirigées par des hommes d'affaires américains ayant accédé à la propriété en 1848.

### La canne à sucre

En 1835, la première plantation sucrière est fondée à Koloa, sur l'île de Kauai. Elle entraîne la création de dizaines de plantations similaires à travers l'archipel et l'industrie du sucre connaît une croissance exponentielle, devenant rapidement le business le plus lucratif de Hawaii. Il le restera jusqu'au milieu du XXe siècle. Toutefois, au moment de ce boom industriel, les usines manquent cruellement de main-d'œuvre. C'est pourquoi, en 1850, sera votée une loi permettant l'embauche des ouvriers étrangers. Ces derniers viennent de Chine, du Japon, des Philippines et même du Portugal (seul pays européen où des travailleurs ont émigré vers Hawaii). L'actuelle diversité de la population hawaiienne résulte directement de cette immigration ; le cosmopolitisme hawaiien est un produit pur sucre !

### L'ananas

En 1901, James D. Dole ouvre une conserverie d'ananas à Wahaiwa, sur l'île d'Oahu, posant les jalons de la « Hawaiian Pineapple Company ». En 1922, il décide de cultiver ses propres ananas sur l'île de Lanai, dont il achète les terres. C'est ainsi qu'en 1950 la compagnie Dole devient la société productrice d'ananas la plus importante du monde ! Son succès durera une bonne partie du XXe siècle, jusqu'à la faillite de l'exploitation Dole (c'est le groupe hôtelier Castle Cooke qui rachètera ses terres). Quoi qu'il en soit, à la fin du XIXe siècle, l'industrie de l'ananas devient, après celle du sucre, la deuxième de l'archipel et le reste jusqu'au milieu des années 1940.

*Champs de taro sur l'île de Kauai.*

# LA FIN DE LA MONARCHIE ET L'ANNEXION AMÉRICAINE (1875-1900)

En 1874, David Kalakaua (1836-1891) devient roi. Son règne est marqué par la réhabilitation des traditions hawaiiennes auxquelles il est attaché, mais aussi par son goût du luxe, comme en témoignent sa vie dissolue et sa fréquentation des industriels étrangers. Il réintroduit la culture hawaiienne à travers deux actes fondamentaux : il remet à l'honneur le *hula* (qui avait été interdit par les missionnaires) et écrit les paroles de l'hymne national hawaiien *Hawaii Ponoi.*
À peine arrivé au pouvoir, il se rend aux États-Unis ; c'est le premier roi de Hawaii à faire un tel voyage. C'est ainsi qu'il signe, à Washington, un traité de réciprocité avec le président américain en 1875 : en échange de la cession de la baie de Pearl Harbor, le sucre hawaiien est détaxé sur le marché US, ce qui augmente considérablement les revenus des planteurs et accentue le boom de l'industrie sucrière. Parallèlement, certains produits américains sont vendus hors taxes sur le territoire hawaiien. Les Américains voient donc, à travers ce traité, leur suprématie commerciale renforcée sur le marché hawaiien, aussi bien à l'extérieur qu'à l'intérieur de l'archipel (de nombreux industriels américains ont investi dans le sucre hawaiien). Sous la pression de la Ligue hawaiienne des propriétaires terriens, le roi signe la Constitution Bayonet, en 1887. Elle est particulièrement injuste car elle limite le droit de vote aux propriétaires terriens, ce qui exclut presque tous les Hawaiiens qui ne possèdent quasiment pas de terres (voir plus haut, le traité de 1848) et les immigrés asiatiques venus travailler dans les plantations qui n'en possèdent pas même un lopin ! C'est pourquoi un groupe de Hawaiiens, dont Robert Wilcox est le leader, tentent de renverser le roi, en 1889, et de faire annuler le vote de cette Constitution. La révolte se solde par un échec. David Kalakaua meurt deux ans plus tard, à San Francisco. C'est Liliuokalani (1838-1917), sœur de David Kalakaua, qui devient alors reine. En 1893, elle est bien décidée à faire voter une nouvelle Constitution, moins favorable aux étrangers et plus équitables pour les Hawaiiens natifs. Mais, très vite, un comité de salut public est formé par des Américains vivant à Hawaii et sur le continent, pour s'opposer aux projets de la reine. Ils la renversent en 1893 et la monarchie hawaiienne est abolie. Un gouvernement provisoire constitué de colons américains prend les rênes du pouvoir. À sa tête : Sanford Dole, qui est un des ancêtres de la dynastie Dole. Toutes les puissances occidentales, sauf l'Angleterre, reconnaissent ce nouveau gouvernement. Le lendemain, une commission demande l'annexion de l'archipel aux États-Unis et la loi martiale est votée.

## Les rois vus par les Hawaiiens

Bien que la monarchie hawaiienne ait été abolie en 1893, les habitants de l'archipel restent très fiers de leurs rois. Et, contrairement aux Français, ils ne leur auraient pour rien au monde coupé la tête ! C'est pourquoi de nombreuses avenues, places ou rues portent leurs noms. De 1810 à 1893, huit rois ont successivement régné sur Hawaii, mais tous n'ont pas eu le même impact sur l'archipel et certains sont admirés plus que d'autres. Kamehameha V (1863-1872) et Lunalilo (1873-1874) passent quasiment inaperçus tandis que le roi Kalakaua fait figure de héros aux yeux des Hawaiiens car il a réhabilité des traditions ancestrales majeures, comme le hula. Quant à Kamehameha Ier, l'artisan de l'unification du royaume de Hawaii en 1810, les Hawaiiens l'assimilent aujourd'hui encore à un demi-dieu capable d'accomplir des exploits extraordinaires.

### Petit mémo sur les 8 rois de Hawaii

- **Kamehameha Ier** (1795-1819)
- **Kamehameha II,** Liholiho (1819-1824)
- **Kamehameha III,** Kauikeaouli (1824-1854)
- **Kamehameha IV,** Alexander Liholiho (1854-1863)
- **Kamehameha V,** Lot Kapuaiwa (1863-1872)
- **Lunalilo William** (1873-1874)
- **Kalakaua David** (1874-1891)
- **Liliuokalani Lydia** (1891-1893)

Cependant, le président américain Cleveland, supplié par la princesse Kaiulani (héritière du trône), refuse l'annexion tandis que, en 1894, est proclamée la république de Hawaii avec Sanford Dole pour président. Robert Wilcox et ses amis se révoltent de nouveau, cherchant à rendre le pouvoir à la reine Liliuokalani, mais la répression est sanglante et la reine, accusée de complicité, arrêtée et mise en résidence surveillée pour une durée de 5 ans. Sous la présidence de William McKinley, le successeur de Cleveland, le Congrès vote l'annexion officielle de Hawaii, en 1898. Les Hawaiiens boycottent la cérémonie dans le calme. En 1900, Hawaii devient un territoire américain et c'est Sanford qui en devient le gouverneur.

## LE DÉBUT DU XXe SIÈCLE

Peu après l'annexion, les Américains entreprennent d'importants travaux sur la base de Pearl Harbor qui deviendra, au cours des décennies suivantes, la plus grande base militaire de la planète. La Première Guerre mondiale, dans laquelle les États-Unis s'engagent tardivement (1917), passe quasiment inaperçue à Hawaii... Prétendument dictées par le souci de rendre aux Hawaiiens une partie de leurs terres perdues lors de la signature du traité « Grand Mahele » (1848), les « Hawaiian Home Lands » sont votées en 1920. En fait, c'est de la poudre aux yeux car les propriétaires terriens sont encore une fois bien avantagés. C'est aussi l'époque où quelques millionnaires américains viennent faire du tourisme à Hawaii. Mais ce n'est qu'un début !

## LA DEUXIÈME GUERRE MONDIALE (1941-1945)

### Pearl Harbor

Le 7 décembre 1941, une attaque japonaise surprise est lancée contre la base navale américaine de Pearl Harbor, située sur l'île d'Oahu. Résultat : 2 403 morts et 1 178 blessés du côté des Américains. Un véritable choc aux États-Unis qui entraîne l'entrée des Américains dans la Seconde Guerre mondiale. Le bateau *USS Arizona* gît désormais à 12 m de fond dans la baie, avec 1 177 hommes à l'intérieur de l'épave.

### Un rôle stratégique

Suite à l'attaque de Pearl Harbor et à la victoire des Américains lors de la bataille de Midway, en 1942, Hawaii devient une base militaire stratégique de première importance pour les Américains. Les Hawaiiens ont été nombreux à servir les États-Unis pendant la guerre. Beaucoup de Hawaiiens ont aussi combattu sur le front en Europe. Avec les événements de 1945, les combats ont cessé dans le Pacifique.

## ALOHA STATE (1945-1970)

### L'entrée dans l'Union

La question de l'entrée de Hawaii dans l'Union américaine se pose depuis la fin de la monarchie. Le rôle stratégique de Hawaii pendant la Seconde Guerre mondiale incite les Américains à en faire un État à part entière, mais ils redoutent les conflits communautaires qui agitent l'archipel et trouvent que ce dernier est trop éloigné géographiquement du continent américain. Finalement, le 21 août 1959, Hawaii devient le 50e État américain. Juste après, un référendum sur la question est proposé aux citoyens américains qui ont vécu au moins un an à Hawaii. La réponse est « oui » à 90 % !

### Le développement du tourisme

Avec la fin de la Seconde Guerre mondiale et le développement du trafic aérien, les promoteurs immobiliers investissent de plus en plus dans l'industrie du tourisme à Hawaii. À partir des années 1950, les Américains commencent à s'y rendre en masse et, dès lors, leur engouement pour l'archipel ira en s'amplifiant. Parmi eux, un certain Elvis Presley, qui, tombé amoureux de Hawaii, contribuera considérablement à populariser cette destination paradisiaque en y donnant de nombreux concerts et en y tournant plusieurs films. (Voir encadré dans « Invitation au voyage ».)

# Chronologie

**500-750** > Les premiers Polynésiens, les Marquisiens, s'installent à Hawaii.

**1000-1200** > Arrivée à Hawaii d'une deuxième vague de Polynésiens venus de Tahiti.
Installation durable des Tahitiens qui dominent les Marquisiens.
Les fondements de la religion hawaiienne sont posés.
Instauration d'une organisation féodale de la société.

**1778** > Le capitaine Cook découvre Hawaii, qu'il baptise « Les îles Sandwich ».

**1810** > Kamehameha Ier unifie l'archipel et crée le royaume de Hawaii.

**1813** > Les explorateurs espagnols introduisent l'ananas sur l'archipel.

**1819** > Abolition de la religion hawaiienne, destruction des temples et des idoles.

**1820** > Les premiers missionnaires, originaires de Boston, s'installent à à Hawaii.

**1840** > Première Constitution hawaiienne. Création d'un Parlement, de la liberté religieuse et du droit de vote pour tous les hommes vivant à Hawaii.

**1835** > Mise en place de la première plantation sucrière à Koloa, sur l'île de Kauai.

**1848** > Traité « Grand Mahele » sur l'accès à la propriété qui amplifie les inégalités entre Hawaiiens et propriétaires terriens.

**1875** > Signature du traité de réciprocité entre Hawaii et les États-Unis. Le sucre hawaiien est détaxé sur le marché américain en échange de la cession de Pearl Harbor aux Américains.

**1881** > Introduction des noix de macadamia à Hawaii.

**1887** > Constitution Bayonet qui donne le droit de vote aux propriétaires terriens et lèse une fois de plus les Hawaiiens, à qui il ne reste que 0,9 % des terres.

**1893** > Renversement de la reine Liliuokalani et abolition de la monarchie.
Mise en place d'un gouvernement provisoire.

**1894** > Proclamation de la république de Hawaii. Sanford Dole est nommé gouverneur.

**1898** > Annexion officielle de Hawaii par les États-Unis.

**1900** > Hawaii devient un territoire américain.

**1920** > Création des « Hawaiian Home Lands », des concessions louées aux Hawaiiens afin de leur redistribuer des terres. Mais, encore une fois, le système s'avère injuste pour les locaux.
Débuts du tourisme à Hawaii.

**1941** > Attaque japonaise de Pearl Harbor et entrée des États-Unis dans la Seconde Guerre mondiale.

**1942** > Bataille de Midway.

**1945** > Reddition japonaise, le 1er septembre. Armistice, le 8 mai 1945.

**1959** > Le 21 août 1959, Hawaii devient le 50e État des États-Unis.

**1950-1970** > Premier boom du tourisme sur l'archipel.

**1970-1980** > Naissance et renforcement d'un mouvement d'activistes hawaiiens natifs autour de l'« *aloha aina* » (amour de la terre).

**1976** > « Project Kahoolawe Ohana » mis en place par les activistes, pour que l'armée américaine quitte l'île de Kahoolawe et y cesse les entraînements.

**1[er] mai 1976** > Voyage Hawaii/Tahiti à bord du canoë Hokulea.

**1992** > Fermeture de l'exploitation Dole à Lanai.

**1993** > Retrait de l'armée américaine de l'île de Kahoolawe, qui devient une réserve protégée.
Voyage Hawaii/Tahiti à bord du canoë Hawaiiloa.
Vote du décret « Apology Resolution », les États-Unis battent leur *mea culpa* devant les Hawaiiens natifs.

**1995** > Fermeture de la dernière industrie sucrière de l'archipel, située sur Big Island.

**4 novembre 2008** > Élection de Barack Obama, le premier président des États-Unis né à Hawaii.

**2009** > Le Mauna Kea, plus haut sommet des îles de Hawaii, est sélectionné pour accueillir le plus grand télescope du monde, le TMT (Thirty meter télescope).

# LA RENAISSANCE HAWAIIENNE (1970-1990)

## Les « Hawaiian Home Lands »

C'est sur l'impulsion du prince Kuhio, délégué territorial au Congrès, que sont mises en place, en 1920, les dispositions des « Hawaiian Home Lands », destinées à redistribuer des terres aux Hawaiiens. Elles deviennent des dispositions légales en 1921. Ces « Homestead Lands » sont en fait des concessions louées à la population hawaiienne pour 1 $ symbolique par an.
La seule condition nécessaire pour pouvoir prétendre à l'une de ces terres, c'est de pouvoir justifier qu'on a eu au moins 50 % d'ancêtres hawaiiens natifs. Mais, comme il est dit plus haut, ce n'est que de la poudre aux yeux parce que les terres ainsi concédées sont choisies en accord avec les grands propriétaires qui contrôlent plus de la moitié du territoire. On donne donc aux Hawaiiens les terres les plus inaccessibles et les moins fertiles…
Ce n'est pas un hasard si elles se répartissent essentiellement sur l'île reculée de Molokai ou sur la volcanique Big Island, difficilement cultivable. Aussi, les Hawaiiens qui reçoivent ces terres ne peuvent guère en vivre. Tout au plus, peuvent-ils y construire leur maison. Les Hawaiiens ont très mal vécu cette répartition injuste. Ce manque d'équité va profondément nourrir le mouvement d'activistes hawaiiens, amorcé par Wilcox dès la fin du XIXe siècle et qui est à son apogée dans les années 1970. Leur credo est l'« *aloha aina* », soit l'amour de la terre, de leur terre. L'île de Kahoolawe, sur laquelle s'entraîne l'armée américaine et qu'elle occupe depuis la Seconde Guerre mondiale, sera au cœur des revendications des activistes qui, en 1976, créent le « Project Kahoolawe Ohana », afin de chasser la Navy de l'île. En 1993, les Hawaiiens obtiennent gain de cause car une loi vote le retrait de l'armée de Kahoolawe et confère à l'île le statut de réserve protégée.

## Le voyage du Hokulea

Le canoë *Hokulea* est l'exacte réplique du canoë utilisé par les Tahitiens lorsqu'ils débarquent à Hawaii et s'y installent, vers l'an 1000. Le 1er mai 1976, des Hawaiiens embarquent sur le *Hokulea* et rament jusqu'à Tahiti. Ils utilisent exactement les mêmes méthodes de navigation que leurs ancêtres, qui s'orientaient à partir des étoiles. En effectuant le chemin inverse, ces Hawaiiens manifestent l'attachement à leur culture et leur besoin d'un retour aux sources. Quand le canoë arrive à Tahiti, au bout de 33 jours, les voyageurs sont acclamés par 17 000 spectateurs et les médias relaient largement l'événement. Le fameux bateau a coulé en 1978, mais une expérience identique est menée en 1993, avec le voyage du canoë *Hawaiiloa*.

# HAWAII AUJOURD'HUI

Dans les années 1990, de nombreux efforts politiques sont faits envers les Hawaiiens natifs afin de réparer les injustices du passé. En 1992, la fermeture de la compagnie Dole, la gigantesque exploitation d'ananas de Lanai, puis, en 1995, celle de la dernière industrie sucrière en activité, située à Big Island, contribuent grandement à calmer les esprits… Elles marquent, en effet, la fin de près d'un siècle d'exploitation de la population locale par les propriétaires terriens. En 1993, est votée l'« Apology Resolution » (littéralement, le décret des excuses). À travers cette résolution, les États-Unis présentent leurs excuses aux Hawaiiens natifs pour avoir renversé leur monarchie en 1893 et pour les avoir privés de leur droit à l'autodétermination. Quant au tourisme, il n'a plus cessé de se développer depuis les années 1950 et c'est aujourd'hui le principal moteur économique de Hawaii. À titre indicatif, pour la seule année 2006, les dépenses des touristes sur l'archipel ont atteint la somme de 12 milliards de dollars. Le 4 novembre 2008, Barack Obama, un enfant du pays est élu président des États-Unis d'Amérique.

# Politique et économie

## POLITIQUE

### L'État de Hawaii

Hawaii est composé de quatre comtés : Oahu, Maui (avec Molokai et Lanai), Big Island et Kauai. Leurs élus siègent au Sénat ou à la Chambre des Représentants, comme dans le reste des États américains. Tous les quatre ans, un gouverneur est élu. La républicaine Linda Lingle (née en 1953) est le gouverneur de l'État depuis le 2 décembre 2002 et a été réélue le 4 décembre 2006. En 2010, auront donc lieu de nouvelles élections. Les républicains risquent d'avoir du fil à retordre avec le candidat démocrate qui fait d'ores et déjà campagne pour cette élection... Neil Abercrombie est, en effet, un homme politique très populaire à Hawaii et c'était un des meilleurs amis du père de Barack Obama.

### Les « Hawaiian Home Lands », une fausse bonne idée?

Les combats de la communauté afro-américaine contre les lois ségrégationnistes dans les années 1960, conjugués à la renaissance culturelle hawaiienne amorcée par les activistes dans les années 1970, ont développé une conscience politique réelle chez les Hawaiiens natifs qui revendiquent désormais clairement leurs droits et réclament avant tout une juste répartition des terres de leurs ancêtres pour les membres de leur communauté. Certes, il y a eu la création des « Hawaiian Home Lands », en 1920, qui permet à tout Hawaiien, contre 1 $ symbolique par an, d'obtenir de l'État une concession de terre, à condition de pouvoir prouver qu'il a au moins 50 % d'ancêtres hawaiiens natifs. Chaque dossier est scrupuleusement étudié par la DDHL (Department of Hawaiian Home Lands), qui est l'administration officielle chargée de cette redistribution des terres. Cependant, comme il est dit plus haut, les terres ainsi concédées sont isolées et peu fertiles... Et encore faut-il avoir les moyens d'y construire une maison! Sans compter qu'obtenir un prêt bancaire en ces temps de crise économique et immobilière relève d'un parcours du combattant, souvent sans fin... C'est ainsi que, malgré l'acquisition d'un terrain, de nombreux Hawaiiens se retrouvent dans l'impasse! Ils sont contraints de vivre sur place dans leur voiture ou dans les campings à proximité.

Enfin, pour ne rien arranger, dans les années 1980, la DDHL a été le théâtre de différents scandales. Pour engranger plus de bénéfices (1 $ par an et par Hawaiien, c'est peu en effet!), de nombreuses terres auraient été attribuées à des investisseurs privés. L'affaire la plus connue est celle du Parker Ranch qui aurait acquis un bon nombre de terrains via la DDHL mais ce n'est pas la seule... L'armée, elle aussi, aurait obtenu de nombreuses terres par ce biais. Il est vrai que la plupart de ces concessions ont été annulées par la justice, mais les complicités entre les membres de la DDHL et les hommes d'affaires qui ont été révélées au grand jour ainsi que l'appât du gain de cet organisme d'État ont durablement porté atteinte à sa crédibilité. La situation ne semble guère s'être améliorée depuis les années 1980. En 2002, il apparaît que seulement 20 % de la superficie totale des « Hawaiian Home Lands » ont été distribués depuis 1921 ! Malgré les promesses du gouverneur Linda Lingle d'accélérer la distribution des terrains, la situation stagne et près de 25 000 demandes sont encore en attente.

### L'OHA, un organisme en perte de vitesse

Lors de la renaissance culturelle hawaiienne, dans les années 1970, il apparut urgent de mieux gérer les intérêts des Hawaiiens natifs afin de réparer les torts qu'ils ont subis par le passé et les aider à mieux s'intégrer dans la société. C'est dans ce but qu'a été créé, en 1978, l'OHA (Office of Hawaiian Affairs), un organe politique et consultatif qui vise à améliorer les conditions de vie des citoyens hawaiiens natifs (un seul ancêtre suffit).

*Barack Obama, président des États-Unis.*

Il dispose d'un fonds relativement important qui permet de financer écoles, hôpitaux, centres culturels… L'OHA étant un véritable acteur au niveau local et ses membres ne pouvant être élus que par des citoyens d'origines natives, la machine semblait rodée pour améliorer leur vie. Mais ces « avantages » ne concernant pas tous les Hawaiiens, qui ne pouvaient notamment pas élire les membres de l'OHA, les mécontents n'ont pas tardé à se faire entendre… Un certain Rice V. Cayetano, un « *haole* », soit un descendant d'Occidentaux (de missionnaires plus précisément), décida de porter plainte contre l'État pour discrimination ! Il obtint gain de cause auprès de la Cour suprême en 2000 et, depuis, tous les Hawaiiens – toutes origines confondues – peuvent participer aux élections des membres de l'OHA. Cependant, par solidarité avec les Hawaiiens natifs, de nombreux « *haole* » (Occidentaux) préfèrent s'abstenir lors de ces élections…

### Une armée omniprésente

Hawaii est l'État américain le plus militarisé : 45 000 hommes et 56 600 personnes si on inclut leur famille. Sans compter les 116 000 vétérans qui ont choisi de résider à Hawaii jusqu'à la fin de leurs jours… Il est vrai qu'après le tourisme, l'armée est le deuxième secteur économique le plus important de Hawaii. Mais la population a de plus en plus de mal à accepter cette présence militaire. D'abord en raison des impacts catastrophiques des entraînements de l'armée sur l'environnement à Hawaii (voir « Environnement et écologie »), mais surtout à cause de l'impossibilité des Hawaiiens natifs de comprendre pourquoi tant de terres des « Hawaiian Home Lands » sont aujourd'hui encore occupées par l'armée US. À titre d'exemple, cette dernière occupe presque un quart de l'île d'Oahu car c'est là que se trouvent les Q.G. des forces américaines du Pacifique, ce qui en fait la plus grande base militaire au monde !

### Vers l'indépendance ?

En raison des dérapages de la DDHL et de l'élargissement de la représentativité de l'OHA à tous les Hawaiiens, le malaise est grandissant chez les citoyens natifs qui ont souvent l'impression qu'on veut les empêcher de jouer leur rôle dans la société. Ce contexte houleux a donc été plus que propice au développement de certains des mouvements souverainistes et indépendantistes, ces dernières années. Même si leurs membres ne sont pas coordonnés et qu'ils ne sont pas tous d'accord sur la méthode à employer, ils ont tous une idée commune : les Hawaiiens natifs ne doivent plus passer par des intermédiaires mais s'administrer directement eux-mêmes. Certains vont jusqu'à souhaiter le retour de la monarchie et d'autres à réclamer l'indépendance de Hawaii, à l'image du groupe « The Independent Nation of Hawaii » (www.hawaii-nation.org). Difficile de savoir si ce mouvement va continuer à prendre de l'ampleur ou si l'élection récente d'un président américain né à Hawaii va redonner espoir à certains et calmer les esprits. Quoi qu'il en soit, on imagine difficilement que les États-Unis acceptent, sans broncher, que Hawaii retrouve son indépendance !

## ÉCONOMIE

Avec la fermeture, au début des années 1990, des dernières grandes exploitations agricoles, qui produisaient sucre et ananas, et la baisse du tourisme à la même période, l'économie hawaiienne, après une dizaine d'années relativement prospères, a traversé une crise. Pour la relancer, les autorités ont décidé de miser sur leur ressource la plus sûre : le tourisme qui est aujourd'hui la source de revenus de l'État avec une recette annuelle de 12 milliards de dollars US (2006).

## Un coût de la vie élevé et une population en passe de paupérisation

Hawaii est d'abord un archipel isolé qui importe 80 % de ses produits, ce qui augmente de façon significative leur coût final pour le consommateur. Deux facteurs essentiels ont rendu la vie encore plus chère à Hawaii : la spéculation immobilière des riches Japonais, dans les années 1970, et l'important pouvoir d'achat des retraités américains venus s'installer sur l'archipel. Au début des années 2000, il est devenu impossible d'habiter à Hawaii, où les prix ont triplé. Si on ajoute à cela la récente crise économique et le manque de terres auquel est confronté tout l'archipel mais qui est un problème accru à Hawaii (voir chapitre sur le DDHL, dans la partie « Politique »), trouver une maison pour un prix décent à Hawaii relève de la gageure ! Conséquence logique : les plus faibles sont les premiers touchés. C'est ainsi que ne pouvant plus payer leur loyer, des milliers de Hawaiiens se sont retrouvés sans abri ces dix dernières années. Ils représentent 0,5 % de la population totale et la plupart sont des Hawaiiens natifs – ce qui ne fait qu'amplifier le mouvement des activistes évoqué plus haut. C'est pourquoi, bon nombre de citoyens hawaiiens ont décidé de quitter leur île pour s'installer sur le continent où la vie est tout de même moins chère.

## Une agriculture marginale

Après avoir connu les fastes de l'industrie sucrière et de la production d'ananas, du milieu du XIXe siècle au début du XXe, l'agriculture hawaiienne semble s'être endormie ! Dépassés par la concurrence de l'ananas philippin beaucoup moins cher, les agriculteurs n'en cultivent plus que sur Maui, pour entretenir le folklore. Quant à l'industrie du sucre, elle a décliné à partir des années 1930, à la suite, dit-on, des augmentations salariales obtenues par les ouvriers à force de grèves et de pressions syndicales. Sans oublier la concurrence internationale de plus en plus rude due au développement du sucre de betterave, beaucoup moins coûteux. Il ne subsiste donc plus que deux toutes petites exploitations qui fabriquent du sucre à Hawaii, l'une à Maui et l'autre à Kauai. Et, comme pour l'ananas, c'est devenu une production anecdotique. Nombre de ces champs de canne à sucre et d'ananas ont donc été reconvertis : les cultures des noix de macadamia, de café et de fruits exotiques ont pris le relais sur les différentes îles. Malgré cette adaptation, l'agriculture hawaiienne n'équivaut qu'à 2 % du PNB de l'État !

## Le tourisme, une valeur sûre

D'abord réservé aux très riches, dans les années 1920-1930, le tourisme s'ouvre à toutes les franges de la population américaine dans les années 1950. Le secteur devient même plus lucratif que celui de l'agriculture au cours des années 1960 : c'est une première. Et, à partir de 1980 et pendant une décennie, Hawaii enregistre ses plus importants pics de fréquentation… Malgré quelques fluctuations depuis, le tourisme reste aujourd'hui la principale source de revenus de l'État. En 2006, on a recensé 7,5 millions de visiteurs à Hawaii et ils auraient permis d'accumuler 12 milliards de dollars de revenus. La plupart de ces touristes viennent des États-Unis (72 %), du Japon (18 %) et 10 % du reste du monde. Malheureusement, la crise économique de 2008 n'épargne pas l'archipel, le nombre de touristes chute de 6,4 %.

*Immeubles de bureaux du centre-ville d'Honolulu.*

# Population et langues

## POPULATION

© HAWAII TOURISM AUTHORITY (HTA) / TOR JOHNSON

*Gardes du Iolani Palace lors du festival Aloha 2008.*

### Les chiffres

La population totale de Hawaii est de 1 275 000 habitants (2005). Ses habitants se répartissent sur 7 des 8 îles principales de l'archipel, à savoir Oahu, Big Island, Maui, Lanai, Molokai, Kauai et Nihau. Seule Kahoolawe est inhabitée.

70 % de la population se concentre sur Oahu. La densité varie considérablement d'une île à l'autre, principalement en fonction du relief qui fait que des terres sont habitables ou non.

### Des origines multiples

Hawaii a une population dont la composition est absolument unique aux États-Unis ! C'est le seul État où les Blancs sont en minorité et les « minorités » en majorité…

Les Américains d'origine asiatique constituent « la minorité » la plus importante puisqu'ils représentent 41 % de la population, tandis que les Blancs n'en représentent que 26,8 %. Au fond, rien d'étonnant à ce que Hawaii soit de loin l'État américain où le taux de mixité raciale est le plus haut puisqu'il s'élève à 24 %.

### Les Hawaiiens natifs

Les Hawaiiens natifs, soit les descendants des Polynésiens, ne représentent que 9 % de la population ! 20 % des habitants de Hawaii déclarent cependant avoir des origines natives, même si ce n'est pas leur dominante ethnique. Depuis l'arrivée des Occidentaux à Hawaii au XVIIIe siècle, ils ont été progressivement décimés par de nombreuses maladies contre lesquelles ils n'étaient pas immunisés. D'après l'OHA (Office of Hawaiian Affairs), les Hawaiiens natifs de descendance à 100 % polynésienne ne représenteraient en fait pas 9 % de la population mais seulement 1 %, soit à peine 8 000 personnes ! Quand, toujours selon l'OHA, on sait qu'ils sont parmi les plus pauvres et les moins bien soignés de l'État, il y a de quoi sérieusement s'inquiéter pour la survie de ce peuple ancestral…

### Les Blancs

Arrivés dans le sillage du capitaine Cook, les Anglais ont été les premiers Européens à s'installer sur l'archipel dès la fin du XVIIIe siècle. Il s'agissait essentiellement de marins travaillant sur des baleiniers ou de commerçants. L'influence britannique a été très importante à Hawaii, bien plus que celle des Américains, comme en témoigne l'Union Jack sur le drapeau hawaiien. Une deuxième importante vague de migration a eu lieu à partir de 1820, avec l'installation des premiers missionnaires protestants venus tout droit de la région de Boston. Bon nombre de ces Américains quittaient les États-Unis et effectuaient un long et éprouvant voyage en mer pour la toute première fois. La troisième vague de population occidentale à débarquer à Hawaii, à partir des années 1870, a été celle des Portugais. Originaires de Madère et des Açores, ils venaient sur l'archipel pour travailler dans les plantations sucrières qui manquaient de main-d'œuvre. Si les Portugais n'ont pas réussi à s'imposer à Hawaii, ils ont tout de même changé la musique hawaiienne à tout jamais en inventant le ukulélé, un instrument inspiré d'une petite guitare qu'ils avaient rapportée dans leurs bagages (la *braguinha*).

### Les Asiatiques

Tout comme les Portugais, les Asiatiques sont venus s'installer à Hawaii au XIXe siècle, pour travailler dans les plantations de canne à sucre qui manquaient de main-d'œuvre. Les premiers sont venus les Chinois, dans les années 1850. Une deuxième vague d'immigration chinoise a eu lieu dans les années 1870 et, c'est à cette même période qu'ont débarqué, pour la première fois, de nombreux ouvriers japonais. C'est aujourd'hui le groupe d'origine asiatique majoritaire à Hawaii. Les Philippins ont constitué la dernière vague d'immigration asiatique d'ampleur, de 1910 à 1930. C'est la deuxième communauté originaire d'Asie la plus importante de Hawaii. Si les Philippins ont un niveau de vie assez modeste aujourd'hui, les Japonais et les Chinois – qui sont arrivés plus tôt – ont gravi l'échelle sociale et travaillent dans le commerce, l'administration, l'immobilier ou le tourisme.



## LANGUES

Deux langues officielles : l'anglais et le hawaiien.

C'est le capitaine britannique, James Cook, qui a introduit le premier l'anglais à Hawaii, quand il a découvert l'archipel en 1778. Les Hawaiiens n'y comprenaient goutte à l'époque ! Ce sont les missionnaires protestants, installés sur l'archipel au début du XIXe siècle, qui enseigneront l'anglais aux Hawaiiens afin de mieux les convertir au christianisme.

Le hawaiien est issu du polynésien, la langue parlée par les Marquisiens et les Tahitiens qui sont, historiquement, les premiers habitants de Hawaii. La langue a subi de nombreuses modifications au fil des ans mais elle garde les mêmes sonorités. Cependant, malgré la renaissance culturelle hawaiienne des années 1970, le hawaiien n'est quasiment pas parlé. Les locaux n'utilisent que quelques mots et expressions au quotidien (voir l'encadré dans la partie lexique « Toutes les clés pour bien parler le hawaiien ») et ce sont en général les seuls qu'ils connaissent !

Les 200 habitants de l'île privée de Niihau, qui vivent pratiquement en vase clos, sont les derniers sur l'archipel à parler hawaiien couramment.

On retrouve également le hawaiien dans les chansons traditionnelles, notamment celles des spectacles de *hula*.

### Le pidgin, l'argot local

Le pidgin est le créole hawaiien. Ce sont les immigrés d'origines très diverses, qui travaillaient dans les plantations sucrières au XIXe siècle, qui l'ont inventé en s'inspirant de l'anglais. C'était pour eux une langue codée bien pratique car les propriétaires des plantations n'en comprenaient pas un traître mot ! Voir l'encadré « Quelques notions de pidgin » dans « Lexique ».

*Les bâtiments en bois de Makawao semblent tout droit sortis d'un film de western.*

# Mode de vie

## VIE SOCIALE

### Naissances

Le taux de natalité à Hawaii est 14,8 pour 1000. Il est légèrement supérieur à la moyenne nationale. Les prénoms les plus attribués aux enfants ne diffèrent pas vraiment des prénoms américains. Cependant, la grande mode ces dernières années, c'est de donner un prénom polynésien en plus à son enfant. Soit c'est la traduction directe du nom biblique en hawaiien, soit c'est un nom avec un sens plutôt flatteur en rapport avec la nature en général. Quelques exemples de prénoms : Malia (Marie), Kanani ou Nani (la belle), Kapua ou Pua (la fleur), Ilima (nom d'une fleur), Keoki (Georges), Kimo (James)... C'est une façon de mieux intégrer son enfant dans la société hawaiienne. Cette nouvelle tendance est dans la droite continuité du retour aux sources amorcé par les activistes lors de la renaissance culturelle hawaiienne des années 1970. Pour l'anecdote, les mauvaises langues racontent que plus les prénoms polynésiens des participantes au célèbre « Merrie Monarch Festival » (Le Festival de hula de Hawaii) sont longs, plus elles ont de chances de gagner ! Et pour preuve, Miss Aloha Hula 2009 s'appelle (respirez avant !) : Cherissa Henoheanäpuaikawaokele Käne.

### La famille

L'« *ohana* », ou la famille en hawaiien, est une valeur fondamentale dans la culture locale. Du temps des premiers Polynésiens et jusqu'à l'abolition de la religion hawaiienne en 1819, elle ne se restreignait pas aux parents et à leurs enfants. En effet, traditionnellement, les enfants étaient très rarement élevés par leurs parents. Dès leur plus jeune âge, ils étaient confiés à des amis ou des cousins de leurs parents ou encore à leur grand-mère. S'ils étaient élevés par d'autres personnes, c'était souvent pour améliorer leur statut social. Les parents des futurs monarques confiaient généralement leur progéniture à une personne de pouvoir et cette tradition s'est poursuivie jusqu'à la fin de la monarchie. Les parents eux-mêmes étaient donc réduits à leur fonction de géniteurs et, tout au plus, devenaient-ils amis de leurs propres enfants une fois qu'ils avaient grandi. Sans oublier que la polygamie, habituelle à l'époque, agrandissait encore plus les familles ainsi que le nombre d'enfants, demi-frères et demi-sœurs... On comprend pourquoi les Hawaiiens disent souvent qu'ils sont cousins avec presque tous les habitants de l'archipel, qui font donc tous partie de leur « *ohana* » !

### Les « Kamehameha schools »

Ouvertes en 1887, les « *Kamehameha schools* » sont des établissements privés mais dont la scolarité est gratuite. On en compte trois à Hawaii : une dans la région de Honolulu, à Kapalama (Oahu), une à Pukalani (Maui) et une à Keaau (Big Island). Ces écoles accueillent 6 500 élèves au total, de la maternelle au bac. C'est Bernice Pauahi Bishop (1831-1884), philanthrope et dernière descendante vivante de la dynastie Kamehameha, qui a souhaité leur création dans son testament. Elles sont entièrement financées par l'argent que rapportent les terres dont elle était propriétaire. Cependant, Bernice Pauahi Bishop a expressément demandé que seuls y soient admis des élèves étant, au moins en partie, hawaiiens natifs. Voyant la lignée Kamehameha s'éteindre avec elle et les Hawaiiens natifs de moins en moins nombreux sur l'archipel (voir « Histoire » et « Population »), elle a voulu faire un ultime geste pour protéger les générations futures de son peuple. Grâce à elle, des centaines de milliers de Hawaiiens natifs – souvent de milieu très modeste – ont pu avoir accès à un enseignement de qualité et faire de brillantes études supérieures. La langue hawaiienne et la civilisation polynésienne étant largement enseignées dans ces écoles, les « *Kamehameha schools* » ont formé de nombreux intellectuels engagés. La plupart des penseurs et militants de la renaissance culturelle hawaiienne des années 1970 y ont étudié. Certes, on entend régulièrement des Occidentaux qui vivent à Hawaii crier à la discrimination mais, dans les faits, ces écoles existent toujours et le système ainsi élaboré reste inébranlable. Bravo, Mme Pauahi Bishop !

### L'éducation

Le système éducatif hawaiien est le même que celui des États-Unis et très différent de celui de la France. De la « *preschool* » (école maternelle) à la « *high school* » (lycée), l'enseignement est gratuit dans les établissements publics. Les établissements privés, notamment religieux, sont payants et l'enseignement y est souvent de meilleure qualité. Quant aux études supérieures, elles sont toujours très coûteuses et obligent des étudiants à lourdement s'endetter pour les financer.
À Hawaii, la « Punahou School » située à Honolulu et fondée par les missionnaires protestants en 1841, est l'établissement scolaire le plus prestigieux de Hawaii et un des meilleurs des États-Unis. Il accueille les élèves de la maternelle au bac. Plusieurs membres de la famille royale y ont étudié au XIXe siècle et, plus récemment, Barack Obama y a effectué sa scolarité de 10 à 18 ans ! (voir l'encadré sur la « Punahou School » dans la partie « Oahu »). Enfin, l'État de Hawaii compte quatre universités mais elles ne se classent pas parmi les meilleures des États-Unis.

### Longévité et retraite

L'espérance de vie moyenne à Hawaii est de 80 ans et c'est l'État américain où l'on vit le plus vieux aux États-Unis ! On ne sait pas vraiment pourquoi, mais les locaux aiment à penser que l'« *Aloha Spirit* » conserve !

### Habitat

Comparées aux maisons du continent américain, les maisons hawaiiennes sont plus petites et leurs jardins aussi !
Parce que l'espace est limité sur toute île. La plupart du temps, les maisons ne sont pas équipées de l'air conditionné car elles sont construites de manière à présenter une bonne exposition aux vents qui permet une ventilation naturelle des pièces.

### Hobbies

Les loisirs des Hawaiiens sont très liés aux traditions polynésiennes. Beaucoup pratiquent régulièrement le surf, le canoë en club (site de la Fédération : http://hcrapaddler.com) ou dansent le hula dans l'une des nombreuses écoles de l'archipel (cours assez chers).
Quelques hobbies répandus n'ont cependant rien à voir avec la Polynésie !
Le rodéo, une discipline héritée des « *paniolos* » (voir « Hawaii en 30 mots-clés »), au XIXe siècle, est ainsi très prisé par les locaux qui en font régulièrement ou y assistent en spectateurs.



## MŒURS ET FAITS DE SOCIÉTÉ

### Le tempérament

On ne le répétera jamais assez, les Hawaiiens sont particulièrement chaleureux et accueillants. Même s'ils sont un peu timides au début, ils entrent assez facilement en conversation. Faites comme eux, souriez, posez-leur des questions… Et si vous leur dites deux ou trois mots de hawaiien, ils se sentiront encore plus en confiance et les échanges en seront facilités.

### Les vêtements

Comme il fait souvent chaud et que la plage n'est jamais très loin, les Hawaiiens sont souvent habillés de façon très décontractée. Shorts, T-shirts et tongs composent l'essentiel des tenues. Mais vous n'êtes pas obligé de porter une de ces chemises hawaiiennes aux motifs fleuris ! Gardez-la pour votre retour en France.

### Le mariage

De nombreux Américains viennent se marier à Hawaii, mais les Hawaiiens se marient de moins en moins ! La raison en est purement économique. Les jeunes couples n'on pas les moyens de s'acheter une maison ou un appartement ; ils préfèrent donc rester vivre chez leurs parents et, ce, même s'ils ont un enfant. La multiplication d'appartements loués aux touristes – le « *Real Estate* » – a aggravé le problème en réduisant le parc de logements disponibles et en faisant monter les prix. En outre, la crise financière récente a fait baisser le pouvoir d'achat des Hawaiiens et a rendu l'obtention d'un prêt immobilier encore plus difficile qu'avant !

### Un taux de suicides élevé chez les adolescents

Hawaii détient le triste record du deuxième État américain où le taux de suicide est le plus élevé chez les jeunes. Selon un sondage de 2008, près de 20 % des étudiants hawaiiens déclarent « *avoir déjà pensé au suicide sérieusement* ».

Personne ne s'explique vraiment pourquoi les jeunes se suicident plus à Hawaii qu'ailleurs. Et difficile de comprendre un tel mal-être quand on connaît le paradis qu'est par ailleurs Hawaii.

### La communauté homosexuelle

Il n'existe pas de discriminations contre les homosexuels, envers qui la société hawaiienne se montre au contraire très tolérante. C'es à Oahu, l'île de la capitale d'État, que s trouve la plus importante communauté ga de Hawaii.

À Honolulu, le « Gay and Lesbian Communit Services Directory » recense tous le sites et associations à connaître à Hawa en matière de tourisme, culture ou sant www.hawaiiscene.com/gsene/comsvc.htm

## RELIGION

### La religion des origines (1000-1819)

Peu après leur arrivée à Hawaii, vers l'an 1000, les Tahitiens instaurent leur propre système social, basé sur une organisation féodale de la société et de nombreux « *kapu* », ou interdits (voir dans la partie « Histoire »). Ils instaurent également une religion polythéiste où la nature est omniprésente. Ils croient en différents dieux qui sont tous intrinsèquement liés à cette nature et qui peuvent à tout moment en revêtir l'apparence. C'est ainsi que la déesse des volcans, Pele, apparaît sous forme de lave ou de feu. Afin de se prémunir contre les calamités naturelles don Hawaii est coutumière (éruptions volcanique tsunamis, tempêtes, sécheresse..), le Hawaiiens honorent leurs dieux par des prière constantes. C'est le « *kahuna* » (prêtre) qu régit la vie cultuelle et organise les cérémonie religieuses dans les « *heiau* » (temples). C'es seulement dans les temples dédiés à Ku le dieu de la guerre, que l'on procédait à des sacrifices humains. En plus de Pele e de Ku, les Hawaiiens vénéraient égalemen Lono (dieu de la moisson, du vent, de la plui et de la paix), Kane (dieu de la création) e Kanaloa (dieu des océans). Cependant, la rein Kaahumanu, convertie au christianisme pa les premiers missionnaires protestants arrivé dans l'archipel, va décider, en 1819, d'aboli l'ancestrale religion hawaiienne.

*Saint Benedict's Painted Church - Kailua-Kona, Big Island.*

### La religion aujourd'hui

Malgré la disparition de la religion hawaiienn ancestrale, de nombreuses croyance persistent et bon nombre de locaux font encor des offrandes aux autels des « *heiau* » (temple ou ce qu'il en reste) afin que la divinité vénéré leur porte chance, une sorte de superstition De même, tous les Hawaiiens connaissent de nos jours les nombreux mythes et légende transmis oralement depuis des générations Au XIXe siècle, suite à l'introduction du christianisme à Hawaii par les missionnaires, la population était majoritairement protestante ou catholique. Mais la ferveur s'en est allée et les Hawaiiens sont beaucoup moins pratiquants aujourd'hui ! Parmi les communautés asiatiques de Hawaii, beaucoup sont restés attachés au bouddhisme de leurs ancêtres, même s'ils sont chrétiens par ailleurs, et se recueillent régulièrement dans les différents temples de l'archipel (une douzaine sur l'île d'Oahu mais quelques-uns aussi à Maui).

Faible minorité de musulmans, juifs et orthodoxes.

# Arts et culture

## ARCHITECTURE

L'architecture de Hawaii offre un exact reflet du passé de l'archipel.

- **Les *heiau*** sont des vestiges des temples de la religion ancestrale, présents sur toutes les îles hawaiiennes (voir « Religion »). Construits en pierre de calcaire ou de lave, la plupart ont été restaurés au cours du XXe siècle, mais il ne reste, hélas, pas grand-chose de ces temples autrefois majestueux.
- **Les maisons de plantation** ont été construites pour héberger les immigrés chinois, japonais et philippins venus s'installer à Hawaii au XIXe siècle pour travailler dans les champs de canne à sucre ou d'ananas. Ces maisons, au confort sommaire, aux toits goudronnés, étaient construites en pierre de lave et organisées autour d'une cour intérieure. On peut encore les voir sur toutes les anciennes plantations.
- **Les bâtiments de styles néoclassique et gothique** ont été construits peu après l'arrivée des premiers missionnaires de la Nouvelle-Angleterre, qui ont également influencé l'architecture de l'archipel. C'est ainsi qu'ont été édifiés, à la fin du XIXe siècle, la cathédrale gothique de Saint-Andrew ou le Iolani Palace, à Honolulu.
- **Les gratte-ciel** se sont multipliés à Honolulu, dans les années 1990, comme en témoignent les rangées de buildings aux abords de Waikiki et dans le centre des affaires où se dresse le gratte-ciel le plus élevé de Hawaii ! Il s'agit du First Hawaiian Center, le siège social de la First Hawaiian Bank, de 131 m de haut.

## ARTISANAT

Les Polynésiens ont transmis aux Hawaiiens leur savoir-faire pour fabriquer des objets en bois poli. Le *koa*, un arbre endémique de Hawaii autrefois utilisé pour la construction des canoës, est le principal matériau utilisé.
Les arbres *kukui*, qui sont aussi symboliques de l'archipel, produisent quant à eux des noix qui permettent de fabriquer de très jolis colliers. On peut, bien entendu, acheter des *lei* (colliers de fleurs) partout et même assister à leur fabrication. Les *lei* les plus chers sont fabriqués sur l'île privée de Niihau : ils sont faits de minuscules coquillages ramassés sur l'île (de 100 à 25 000 $ l'un !). Les passionnés de couture apprécieront les dessus-de-lit en patchwork, ou « *quilts* », entièrement faits main et dont les secrets de fabrication remontent aux femmes tahitiennes qui travaillaient déjà le « *kapa* » (voir « Hawaii en 30 mots-clés ») vers 1000-1200.

## CINÉMA

Très tôt et malgré les difficultés d'ache-minement du matériel, des films ont été tournés à Hawaii. Le cadre était trop beau pour que les réalisateurs s'en privent ! Un premier film, d'une durée de 18 heures, destiné à montrer les paysages tropicaux et luxuriants de Hawaii, a été tourné en 1898. En 1913, ont été tournés à Hawaii les deux premiers films muets : *Hawaiian Love* et *The Shark God*. En 1937, Bing Crosby, qui interprétait le rôle d'un chargé de relations publiques pour une exploitation d'ananas, dans le film *Waikiki Wedding* (1937), a remporté un oscar. La Seconde Guerre mondiale mettra fin aux tournages, mais le conflit sera une importante source d'inspiration cinématographique. C'est ainsi que, en 1953, le film *From here to eternity* a été l'un des premiers à évoquer Pearl Harbor et les jours qui ont précédé l'attaque. Burt Lancaster en était le héros et la scène où il embrassait passionnément Deborah Kerr sur le sable chaud de la plage de Halona Cove, à Oahu, est devenue mythique. La comédie musicale *South Pacific* (1958), qui raconte l'histoire d'une infirmière de l'armée qui n'arrive pas à oublier le garçon dont elle est tombée follement amoureuse, a été tournée à Kauai.

Et, en 1961, Elvis Presley a tourné à Oahu le fameux *Blue Hawaii* ! Il y tenait le rôle d'un jeune homme de retour du front qui passait son temps à jouer du ukulélé et à draguer les filles (la chance !), avec sa voix de crooner et son déhanché de rockeur. Le King a interprété plusieurs tubes dans ce film, dont le fameux « *Can't Help Falling in Love* ».
Avec le tournage du spectaculaire *King Kong*, en 1976, Hawaii est devenue le site de prédilection pour les réalisateurs des films d'action ou d'aventures. C'est ainsi que Steven Spielberg a tourné *Les Aventuriers de l'arche perdue* (1982) et *Jurrassic Park* (1992) en grande partie à Kauai. Il a fallu ensuite attendre la fin des années 1990 et le film *6 jours, 7 nuits* (1997) pour que la jungle hawaiienne soit de nouveau à l'honneur (tournage sur Kauai). Les années 2000 seront marquées par d'autres films à succès tournés à Hawaii, comme *Pearl Harbor* (2001) ou le très drôle *Amour et Amnésie* (2004), avec Adam Sandler et Drew Barrymore.

### Séries TV

Hawaii a tissé une longue histoire d'amour avec les séries américaines. Et pas n'importe lesquelles ! Qui n'a pas en mémoire les chemises hawaiiennes de Tom Selleck, le héros de *Magnum* la série culte des années 1980 ? Et qui n'a jamais regardé *Hawaii, Police d'État*, une autre série très connue de la même époque où on suit les enquêtes de la brigade d'élite de Honolulu ? Enfin, plus récemment, personne n'a pu passer à côté du phénomène mondial de la série *Lost*, qui est tournée entre Oahu et Kauai, depuis 2004.

## DANSE

À l'origine destinée à célébrer les dieux, le *hula* est LA danse hawaiienne par excellence (voir l'article sur le hula dans « Hawaii en 30 mots-clés »)

## LITTÉRATURE

Mark Twain (1835-1910) fut un des premiers écrivains à avoir écrit sur Hawaii. Il y passa quatre mois en 1870 et, la même année, publia de multiples chroniques sur son voyage dans le journal *Sacramento Union.* Deux ans plus tard, ses textes sur Hawaii ont été compilés dans son ouvrage *À la dure* (1872). Le second à avoir voyagé et publié des textes sur l'archipel fut Robert-Louis Stevenson (1850-1894), l'auteur de *Dr Jekyll et Mr Hyde,* mais aussi de *L'Ile au trésor.* Dans son récit, *Voyages à Hawaii* (1890), il a raconté notamment sa visite du village des lépreux de Kalaupapa, sur l'île de Molokai, et, surtout, sa rencontre avec le père Damien dont il a dressé un portrait resté célèbre. Il faut également citer Herman Melville, dont le grand roman *Moby Dick* (1851) a été directement inspiré de la vie de l'auteur qui a été marin sur un baleinier à Hawaii. La littérature hawaiienne elle-même ne s'est véritablement développée que depuis la renaissance culturelle des années 1970. La plus connue des écrivains de cette époque est Lois-Ann Yamanaka (née en 1961), qui a pour particularité décrire en pidgin, le créole local.

## MÉDIAS

### Les journaux

En dehors des classiques journaux américains du continent US que l'on trouve partout, chaque île a un journal local. Oahu en a plusieurs.

#### Oahu

■ **HONOLULU ADVERTISER**
www.honoluluadvertiser.com
Quotidien qui paraît le matin.

■ **STAR BULLETIN**
www.starbulletin.com
Quotidien qui paraît l'après-midi.

#### Big Island

■ **WEST HAWAII TODAY**
www.westhawaiitoday.com
Site du quotidien de Big Island.

### Maui

■ **MAUI NEWS**
www.mauinews.com
Site du quotidien de Maui.

### Molokai

■ **THE MOLOKAI DISPATCH**
www.themolokaidispatch.com
Site du quotidien de Molokai.

### Kauai

■ **KAUAI WORLD**
www.kauaiworld.com
Site du quotidien de Kauai.

## Les chaînes de télé

De nombreuses chaînes de TV, affiliées aux grandes chaînes US, émettent dans tout l'archipel.

■ **KGMB**
http://kgmb9.com
Affiliée à la chaîne américaine CBS.

■ **KITV**
www.kitv.com
Affiliée à la chaîne américaine ABC.

■ **KHNL**
www.khnl.com
Affiliée à la chaîne américaine NBC.

■ **KHON**
www.khon2.com
Affiliée à la chaîne américaine Fox.

## Les radios

Les différentes stations radios n'émettent que sur une seule île car les retransmissions d'une île à l'autre coutent très cher et les directeurs de radio n'ont pas envie de les payer...
Il existe cependant des programmes communs d'information fournis aux différentes radios par des agences de presse locales (NPR et IMUA). Enfin si vous écoutez la radio dans votre voiture, attendez-vous à ne plus avoir de signal aux abords des volcans et sur les routes montagneuses.

### Sur Oahu

■ **KINE**
http://hawaiian105.com
*105.1 FM.* Radio musicale très populaire qui passe tous les tubes locaux en boucle.

### Sur Big Island

■ **KWXX**
www.kwxx.com
*94.7 FM.* Programmation d'hits hawaiiens.

### Sur Maui

■ **KPOA**
www.kpoa.com
*93.5 FM.*

### Sur Kauai

■ **KKCR**
www.kkcr.org – *90.9 FM.* Musique et news.



# MUSIQUE

**La liste complète de tous les radios et TV hawaiiennes sur :** www.hawaiiradiotv.com
L'instrument qui caractérise Hawaii est le ukulélé, inventé par les immigrés portugais venus travailler dans les plantations de canne à sucre, au XIXe siècle.
Le ukulélé est une adaptation de la « *braguinha* » portugaise, une petite guitare qu'ils avaient rapportée dans leurs bagages. En hawaiien, « *uku-lele* » signifie littéralement « puce sauteuse », en raison des mouvements rapides des doigts du musicien sur les quatre cordes de l'instrument.
Cette mini guitare aux sonorités si caractéristiques avait même séduit les monarques hawaiiens avant de devenir l'un des symboles des débuts du tourisme à Hawaii : le groupe « Waikiki Beach » accueillait alors les visiteurs au doux son du ukulélé.

*Le ukulélé, essentiel à la musique hawaiienne.*

Aujourd'hui, on l'entend encore partout, aussi bien dans des concerts d'artistes contemporains hawaiiens que dans des « *luau* » ou des spectacles de hula. L'autre instrument à cordes populaire à Hawaii est la guitare « *slack-key* » : on en joue en pinçant les cordes après les avoir légèrement détendues. Dès lors, le son est tout autre. Ce sont les Hawaiiens qui ont inventé ce nouveau style de musique, au XIXe siècle également.

## PEINTURE ET ARTS GRAPHIQUES

Sans prétendre rivaliser avec Paris ou New York, Hawaii est un archipel où l'art est à l'honneur. C'est cependant à Oahu et à Maui que la vie artistique est la plus intense.
En plus de ses nombreuses galeries, Honolulu possède deux musées remarquables : le Honolulu Academy of the Arts, dont la collection permanente comprend 35 000 œuvres, et le superbe Contemporary Museum, qui, perché sur les hauteurs de Honolulu, expose des œuvres à la fois contemporaines et iconoclastes. Sur la même île, les multiples galeries d'art de la petite ville de Haleiwa méritent le détour dont, en particulier, celle de Ron Artis, à la fois musicien et spécialiste des peintures murales. Maui possède également de nombreuses galeries dont beaucoup se concentrent à Lahaina, sur la côte ouest. Le festival « Art Maui » (www.artmaui.com) expose chaque année une centaine de peintres originaires de Hawaii.

## FESTIVITÉS ET JOURS FÉRIÉS

- **1er janvier :** Jour de l'an. Férié.
- **3e lundi de janvier :** « Dr Martin Luther King Day ». Férié.
- **Fin janvier :** « Pacific Islands Arts Festival ». À Waikiki. Animations artistiques et dégustation de spécialités locales.
- **Entre janvier et février :** célébration du Nouvel An chinois. C'est à Chinatown, à Honolulu, qu'ont lieu les plus beaux défilés et feux d'artifice.
- **3e lundi de février :** « Presisent's Day ». Fête nationale. Férié.
- **Début mars :** « Honolulu Festival ». Concerts, danses et défilés en ville.
- **26 mars :** « Prince Kuhio Day ». Anniversaire du prince Kuhio. Jour férié pour les fonctionnaires seulement.
- **12 avril :** Pâques. Férié.
- **15 avril :** « Father Damien DeVeuster Day ». Journée consacrée à la mémoire du père Damien, le saint de Kalaupapa, mort de la lèpre à Molokai.
- **Fin avril :** « Merrie Monarch Festival ». Le plus grand concours de *hula* de Hawaii. À Hilo, sur Big Island.
- **1er mai :** « Lei Day ». On confectionne et échange des *lei* (colliers de fleurs). Férié.
- **4e lundi de mai :** « Memorial Day ». Fête nationale. Férié.
- **Fin mai :** « Kauai Polynesian Festival ». Artisanat et spectacles traditionnels. Dégustation de plats hawaiiens.
- **11 juin :** « King Kamehameha Day ». Spectacles, artisanat et dégustation de spécialités polynésiennes. Férié.
- **Mi-juin :** festival du film de Maui. À Wailea.
- **Fin juin :** « Taste of Honolulu ». Evénement gastronomique en plein air, avec dégustation de vin, dans un but caritatif.
- **4 juillet :** « Independence Day ». Fête nationale. Férié.
- **Juillet :** rodéo du Ranch Parker, à Waimea, sur Big Island.
- **3e vendredi du mois d'août :** « Statehood Day ». Commémoration du jour où Hawaii est devenu un État américain.
- **Septembre-octobre :** « Aloha Festival ». Le plus grand festival culturel inter-îles de l'archipel.
- **Fin octobre :** « Macadamia Nut Festival ». A Hilo, sur Big Island. Concerts et dégustation de noix de macadamia.
- **31 octobre :** « Halloween in Lahaina ». La plus grande fête de Halloween à Hawaii avec plus de 30 000 spectateurs dans les rues de Lahaina, à Maui.
- **11 novembre :** armistice. Férié.
- **Novembre :** « Hawaiian International Film Festival ». Festival du film sur toutes les îles. Nombreuses projections.

# Cuisine hawaiienne

*La cuisine hawaiienne est aussi métissée que la population de l'archipel : elle est multiple et ouverte à de nombreuses cultures. Ainsi, bien des recettes combinent les influences asiatique et polynésienne. Toutefois, on trouve également, un peu partout à Hawaii, des fast-foods typiquement US.*

## Quelques recettes

Pour retrouver Hawaii à la maison, rendez-vous sur ce site qui indique d'excellentes recettes hawaiiennes.

- **www.hawaii.edu/recipes**

## Ce que l'on mange

### Au quotidien

- ***Bento.*** Plateau-repas japonais, comprenant généralement riz, sushis, makis et tempuras. Le bento, importé à Hawaii par les Japonais, se consomme principalement au déjeuner.
- ***Loco moco.*** Assiette de riz recouverte de corned-beef ou d'un œuf à la poêle, le tout agrémenté d'une sauce onctueuse. Pour déjeuner ou dîner.
- ***Malasada.*** Beignets introduits par les immigrés portugais au XIXe siècle. Se mangent à toute heure !
- ***Plate lunch.*** Plateau-repas servi le long des routes dans des camionnettes ou dans des petits snacks. Il se compose de riz accompagné de bœuf/poulet/poisson, le tout recouvert d'une sauce épaisse.
- ***Pupus.*** Ce sont des assortiments d'amuse-gueule typiquement hawaiiens, généralement composés de crevettes frites, de graines de soja, de petits pois salés et de sushis.

Dans les restaurants, les pupus sont légion… Les « *heavy pupus* » sont des *pupus* chauds et froids variés : tempuras de légumes, cuisses de poulet grillé, *poke* (cubes de poisson cru mariné dans de la sauce soja), brochettes de bœuf *teriyaki*… À lui seul, le « *heavy pupus* » peut constituer un repas. Il est donc conseillé de se renseigner sur le type de *pupus* servis avant de commander le reste.

Les « *light pupus* » sont des en-cas froids uniquement.

*Dans un luau (banquet hawaiien), divers plats traditionnels et contemporains peuvent être appréciés.*

▶ ***Spam.*** Ici, le *spam* n'est pas seulement un e-mail indésirable. C'est du porc en conserve très apprécié par les Hawaiiens. Ils le mangent nature ou cuisiné dans de nombreux plats. Cette étrange conserve a été introduite à Hawaii par les soldats américains pendant la Deuxième Guerre mondiale. Depuis, les locaux y sont accros ; ils sont devenus les premiers mangeurs de spam au monde, avec une moyenne de 18 000 boîtes consommées par jour !

▶ ***Saimin.*** Une soupe de nouilles qui baigne dans un bouillon de poule/crevettes/bœuf/porc. C'est bon et roboratif.

▶ ***Shave-ice.*** C'est de la glace pilée parfumée au sirop, savoureuse et pas chère (*2 $*). La glace locale daterait du XIXe siècle, l'époque où Hawaii était une terre de plantation sucrière. Les ouvriers avaient l'habitude de saupoudrer du sucre sur de la glace pilée, pour se donner de l'énergie et se rafraîchir après de longues heures de travail dans les champs. Plus tard, le sucre a été remplacé par des sirops de toutes les couleurs et à tous les parfums. Les locaux en dégustent régulièrement, surtout quand il fait très chaud. Leurs glaces préférées sont à base d'« *azuki beans* » (haricots rouges sucrés japonais) ou au parfum ananas-coco.

## Les spécialités hawaiiennes

▶ ***Ahi :*** thon rouge, souvent servi en sashimi.

▶ ***Haupia :*** délicieux pudding à l'ananas et au lait de coco. On le trouve surtout dans les *luau* (voir « Hawaii en 30 mots-clés »).

▶ ***Kalua :*** porc cuit à l'étouffée.

▶ ***Laulau :*** viande ou poisson cuits à l'étouffée dans un emballage de feuilles de taro (voir « Hawaii en 30 mots-clés ») et de *ti* (voir « Faune et flore »).

▶ ***Lomilomi :*** saumon en dés marinés avec oignons et tomates.

▶ ***Mahi-mahi :*** sorte de daurade, souvent servie grillée.

▶ ***Poi :*** purée à base de taro.

▶ ***Poke :*** poisson mariné ou fruits de mer marinés dans de la sauce soja avec oignons.

## La cuisine hawaiienne régionale

C'est en quelque sorte la cuisine à la mode, et souvent la plus chère. Créée dans les années 1990, elle marie plats asiatiques et ingrédients hawaiiens et européens en fonction de la créativité des cuisiniers. La plupart de ces plats sont sucrés-salés et épicés. Ainsi, dans une même assiette, on pourra vous servir des crevettes caramélisées accompagnées de mangue bio et de basilic. Une des figures phares de cette nouvelle tendance est le chef hawaiien Sam Choy, plusieurs fois récompensé pour la qualité de sa cuisine.

*Délicieuses shave-ice.*

*Plats comprenant de la tomate de Kula et des oignons de Maui.*

# Jeux, loisirs et sports



## GRANDES DISCIPLINES HAWAIIENNES

### Canoë

Les premiers Polynésiens venus s'installer à Hawaii – les Marquisiens (vers l'an 400) et les Tahitiens (vers l'an 1000) – étaient experts dans la conduite des canoës et c'est dans cette embarcation qu'ils ont débarqué sur l'archipel pour la première fois, après avoir parcouru des milliers de kilomètres.
Cette tradition de la pratique du canoë s'est maintenue dans toute la Polynésie à travers les âges. Sur toutes les îles hawaiiennes, de nombreux clubs sont consacrés à cette discipline, qui a sa propre fédération sur l'archipel (http://hcrapaddler.com)
Chaque mois de mai, se tient la compétition de canoë la plus célèbre de Hawaii, la « Steinlager Hoomano Sailing Canoe Race » : une course de 120 km entre Maui et Oahu.

### Marathons et triathlons

Hawaii n'est pas seulement un ensemble d'îles où il fait bon lézarder au soleil, c'est aussi un endroit où l'on aime beaucoup courir ! Longtemps et vite, de préférence ! Des centaines de marathons et de triathlons ont ainsi lieu toute l'année à travers l'archipel. Le plus connu et le plus impitoyable est le triathlon « Ironman », qui se déroule chaque mois d'octobre, sur Big Island, à Kailua-Kona (voir « Big Island »).

### Surf

Pendant la campagne présidentielle américaine en 2008, et même après les résultats, de nombreuses boutiques de souvenirs proposaient des T-shirts portant l'inscription : « *Tous les Hawaiiens surfent, même Obama !* ». Ces T-shirts collectors, que les touristes achetaient comme des petits pains, reflètent la réalité de l'archipel. Bien au-delà du charismatique Obama qui est un surfeur chevronné depuis son plus jeune âge… Oui, tout le monde surfe à Hawaii ! Les petits, les grands, les jeunes, les vieux, les garçons, les filles. Et, dès qu'un enfant sait nager, on lui achète une planche de surf afin qu'il affronte sa première vague. Si le surf est tellement ancré à Hawaii, c'est parce qu'il y est pratiqué depuis toujours et que c'est là qu'il a été inventé( voir l'article sur le surf spirit dans « Découverte/Hawaii en 30 mots-clés »).

## À FAIRE SUR PLACE

Il y a tellement à faire sur place que, si on vous disait tout, vous auriez le vertige !

### Baignade

Étant donné l'incalculable nombre de très belles plages à Hawaii, on a l'embarras du choix pour se baigner et c'est le cas sur toutes les îles. Les plages les plus ensoleillées se trouvent en général sur les côtes sud et ouest de chaque île (voir « Climat »). Il faut cependant se méfier des courants qui sont totalement différents d'une plage à l'autre. De manière générale, il faut suivre les conseils de ce guide qui précise à chaque fois si une plage est propice à la baignade ou non. Cela dépend aussi des saisons : en hiver, la mer est beaucoup plus agitée qu'en été ! Prenez garde également à ne pas marcher sur les coraux, qui sont très coupants. Toutes les plages de Hawaii sont publiques.

### Bateau

Les occasions de sorties en bateau sont nombreuses. Que ce soit pour faire du « *whale-watching* » (observation des baleines), en partant de Lahaina à Maui, pour aller sur un spot de plongée ou bien pour assister au coucher de soleil au large…

### Boogie-board

Aussi appelé « *body-board* », ce sport a été inventé dans les années 1980.

Il s'adresse en général aux plus jeunes et il est beaucoup plus facile à pratiquer que le surf. On place la partie supérieure de son corps sur une planche de 1 m de long puis on se laisse glisser sur une vague qui « se brise ». Il ne faut surtout pas viser les vagues en rouleau, réservés aux surfeurs ! Chaque fois qu'une plage est un bon spot de *boogie-board,* nous le précisons dans ce guide. Un des meilleurs spots de Hawaii est celui de Sandy Beach, au sud-est d'Oahu.

## Équitation

Toutes les îles de l'archipel se prêtent à des balades à cheval. Mais c'est surtout à Maui et à Big Island, îles les plus rurales, qu'elles seront les plus belles. C'est là, en effet, que vivent la plupart des « *paniolos* » (cow-boys hawaiiens) et que se trouvent des ranchs où l'on peut faire de magnifiques promenades à cheval.

## Golf

Hawaii compte plus de 80 terrains de golf, 18-trous pour la plupart. Les plus beaux parcours se trouvent à Maui et à Lanai.

## Hélicoptère

Si vous n'avez jamais volé en hélicoptère, c'est à Hawaii qu'il faut commencer ! Les survols de paysages superbes, tels que la Na Pali Coast, à Kauai, ou le volcan Kilauea, sur Big Island, laissent des souvenirs impérissables.

## Kayak

Le kayak de mer se pratique beaucoup à Hawaii, mais en été principalement car c'est la période où la mer est relativement calme. Les plus belles balades, à faire seul ou en excursion, sont celles dans la baie de Kealakekua, sur Big Island, ou aux abords de la Na Pali Coast, à Kauai.

*Snorkeling à Makua Beach.*

## Kitesurfing

Le kitesurf est un sport nautique de traction. Les deux meilleurs spots de kitesurf se trouvent à Kailua Beach, sur Oahu, et à Kanaha Beach, sur Maui.

## Planche à voile

Tout comme pour le surf, si on n'est pas un véliplanchiste chevronné, il faut vraiment éviter de faire de la planche là où les courants sont forts, notamment en hiver. Les plages de la côte nord d'Oahu ou de Maui sont réservées aux surfeurs chevronnés. De toute façon, vu la taille impressionnante des rouleaux qui peuvent atteindre 10 m, personne d'autre n'oserait s'y aventurer.

## Plongée sous-marine

Les fonds marins de Hawaii sont très riches, ce qui explique le franc succès rencontré par cette activité. Si vous n'en avez jamais fait, de nombreux clubs locaux proposent de vous faire passer votre baptême.

## Randonnée pédestre

Des sentiers de randonnée ont été aménagés sur toutes les îles et dans tous les parcs naturels. La randonnée pédestre est vraiment l'occasion d'une immersion totale au cœur de la sublime nature hawaiienne ! À faire impérativement : le Hosmore Grove Nature Trail, dans le cratère du volcan Haleakala (Maui), et le Kalaulau Trail, sur la Na Pali Coast, à Kauai.

## Snorkeling

On peut faire du snorkeling à peu près partout sur l'archipel. D'autant plus que les masques, palmes et tuba sont très peu encombrants ! Les sites les plus incontournables sont : Hanauma Bay (Oahu), Kealakekua Bay (Big Island) ou bien l'îlot de Molokini (au large de Maui).

## Surf

Il est possible de surfer sur toutes les îles, mais ceux qui n'en ont jamais fait, choisiront de préférence l'été pour leur initiation car les vagues sont beaucoup plus douces en cette période. Pour les pros, direction les côtes nord de Maui et d'Oahu, en hiver, bien sûr !

## VTT

On trouve assez facilement des loueurs de VTT à Hawaii, où les somptueux paysages de l'archipel se prêtent bien à ce sport écolo. Si jamais vous décidez de ne faire qu'une seule balade à VTT, faîtes la au parc national des Volcans, à Big Island.

# Enfants du pays



## Barack Hussein Obama

Le 44e président des États-Unis est né le 4 août 1961 au Kapiolani Medical Center, à Honolulu. Il est à la fois le premier Afro-Américain de l'histoire à avoir été élu à un tel poste, mais aussi le seul président des États-Unis à être né à Hawaii !

Pourtant, au début de la campagne présidentielle, on a dit de lui que c'était « un homme qui venait de nulle part »... Les Américains avaient en effet du mal à concevoir l'héritage mixte de ce candidat au nom étrange qui avait aussi bien des origines kenyanes par son père qu'irlandaises par ses grands-parents.

Pourtant Barack Obama ne vient pas de nulle part, il vient de Hawaii ! Et quand il rentre à Hawaii, il se sent chez lui !

C'est même sa naissance à Hawaii qui lui a permis d'être candidat aux élections présidentielles ! Selon la Constitution américaine, il faut en effet que les deux parents du candidat soient américains et, si seulement un sur deux l'est, le candidat doit être né sur le sol américain. Barack Obama ayant un père kenyan devait donc prouver qu'il était bien né à Hawaii, en 1961, soit seulement deux ans après que Hawaii était devenu un État américain (1959) ! S'il était né trois ans avant, Barack Obama n'aurait pas pu se présenter...

Né de l'union d'Ann Stanley Dunham et de Barack Obama Senior, qui se sont rencontrés à un cours de russe à l'université de Honolulu, il passe les six premières années de sa vie à Hawaii où il vit comme un local ! Il apprend à surfer, et mange les plats hawaiiens traditionnels, comme le *poke* ou le *laulau*. Sa mère divorce en 1964 et se remarie avec un Indonésien qu'elle suit à Djakarta, emmenant Barack avec elle. Il ne revient vivre à Honolulu qu'en 1971 pour étudier dans la prestigieuse école privée Punahou School (voir à la rubrique « Education » dans « Mode de vie » ainsi que l'encadré « Les années de Barack Obama à Punahou School » dans la partie « Oahu ») qu'il intègre après avoir décroché une bourse. Il y étudiera de 10 à 18 ans et se fera des amis dont il est encore proche aujourd'hui. Quand sa mère retourne vivre en Indonésie, en 1975, il n'a que 14 ans et c'est sa « *tutu* » (grand-mère), comme il l'appelle, qui s'occupera de lui jusqu'à son départ pour le continent américain, où il fera de brillantes études supérieures à l'université de Columbia. Quand sa mère meurt d'un cancer, en 1995, sa « *tutu* » est la seule famille proche qui lui reste ; elle le soutiendra tout au long de sa vie et de sa carrière politique.

C'est pourquoi quand, en pleine campagne électorale, Barack Obama apprend que sa « *tutu* » est dans un état critique, il prend immédiatement l'avion pour lui rendre visite à Honolulu. Car cette grand-mère mourante est sa deuxième mère. Le fait qu'elle décède deux jours avant son élection, le 4 novembre 2008, est donc particulièrement tragique pour lui.

Depuis qu'il a été élu président des États-Unis, Barack Obama est retourné à Hawaii en famille pour y passer les vacances de Noël. C'est à Kailua, sur son île natale d'Oahu, que se trouve sa résidence hawaiienne.

Un portrait réalisé avec l'aide de l'historien François Durpaire, co-auteur de *L'Amérique de Barack Obama face à la crise,* coécrit avec Olivier Richomme, éditions Démopolis.

## Daniel K. Akaka

Né le 11 septembre 1924 à Honolulu, le démocrate Daniel Kahikina Akaka est le premier sénateur de l'État de Hawaii – actuellement en poste – à avoir des ancêtres hawaiiens natifs.

## Tia Carrere

Althea Rae Duhinio Janairo naît à Honolulu, le 2 janvier 1967. Elle a des origines philippine, chinoise et espagnole. À 17 ans, elle est remarquée par un producteur et s'oriente vers une carrière cinématographique. Son premier rôle est celui d'Amy dans *Zombie Nightmare* (1986).

Elle prend le pseudonyme de Tia Carrere et décroche son premier grand rôle dans *Wayne's World,* en 1992. En 2007, elle sort un album intitulé *Hawaiiana*, pour lequel elle est nominée aux Grammy Award, dans la catégorie « Meilleur album hawaiien ». La même année, elle apparaît dans la série *Nip-Tuck*.

## Bethany Hamilton

Bethany Hamilton est une surfeuse américaine, née le 8 février 1990 sur l'île de Kauai.

Jeune espoir du surf, à l'âge de 13 ans, elle est attaquée par un requin au large des côtes hawaiiennes, le 31 octobre 2003. Malgré la perte du bras gauche, elle continue à pratiquer son sport.
Largement médiatisée dans le monde anglo-saxon, Bethany Hamilton est devenue un symbole pour tous les handicapés qui aspirent à mener une vie ordinaire. Elle gagne le prix du meilleur come back pour une athlète, au mois d'août 2004.

## Israel Kamakawiwo'ole (1959-1997)

Originaire d'Oahu, Israel Kamakawiwo'ole est une figure phare de la musique hawaiienne traditionnelle des années 1990. C'est son *medley Over the rainbow* (1993), dont la douce mélodie a fait le tour du monde, qui l'a rendu célèbre.
On l'entend encore régulièrement dans des génériques de pub. Cet hawaiien natif a aussi durablement milité pour la défense des droits de son peuple, allant jusqu'à revendiquer l'indépendance de l'archipel dans certaines de ses chansons. Souffrant d'obésité, il meurt à seulement 38 ans.
Le « gentil géant » comme l'appellent ses fans à droit aux honneurs de l'État le jour de son enterrement le 10 juillet 1997 : les drapeaux sont alors en berne et son cercueil est exposé au Capitole d'Honolulu.

## Nicole Kidman

Née le 20 juin 1967 de parents australiens, à Honolulu, l'actrice américaine a la double nationalité. Elle a été mariée à Tom Cruise, de 1990 à 2001, et a remporté l'oscar de la meilleure actrice, en 2002, pour son rôle dans *The Hours.*
En 2006, elle était l'actrice la mieux payée de Hollywood.

## Jason Scott Lee

Les parents de Jason Scott Lee sont des Hawaiiens d'origine chinoise, partis s'installer en Californie où est né leur fils Jason Scott Lee, le 19 novembre 1966. Passionné de théâtre dès l'adolescence, il se lance rapidement dans une carrière d'acteur.
Son premier grand rôle est celui de Bruce Lee dans le film *Dragon, l'histoire de Bruce Lee* (1992). Il tourne ensuite plusieurs films à succès, comme *Rapa Nui* (1994) et *Le Livre de la Jungle* (1994) ou *La Malédiction de la Momie* (1998)

## Bette Midler

Cette actrice et chanteuse américaine est née le 1er décembre 1945, à Honolulu.
Après ses études secondaires, elle suit des cours d'art dramatique. En 1965, elle fait de la figuration dans le film *Hawaii* (1966), ce qui lui permet de se rendre à Los Angeles puis à New York, où elle suit des leçons de chant et de danse.
En 1978, elle tient son premier grand rôle cinématographique dans *The Rose,* performance dramatique qui lui vaut d'être nommée aux oscars et de décrocher un Golden Globe. Depuis février 2008, elle se produit à Las Vegas, au Caesars Palace, dans le spectacle musical « *Show must go on* ».

## Kelly Preston

Mariée à John Travolta depuis 1991, l'actrice Kelly Preston naît à Honolulu, le 13 octobre 1962. Elle fait ses études secondaires dans la prestigieuse Punahou School, à Honolulu, où a également étudié Barack Obama.
Mais sa carrière est moins brillante puisqu'elle n'a jamais vraiment décollé et qu'elle a toujours eu des rôles secondaires au cinéma.
Elle a même été nominée aux « Razzie Awards » (prix humoristique qui récompense les pires performances cinématographiques), en 2001, dans la catégorie « la pire actrice dans un second rôle ».

## Akebono Taro

Chadwick Haaheo Rowan, de son vrai nom, naît le 8 mai 1969 à Waimanalo, sur l'île d'Oahu. Il est le premier sumotori (champion de sumo) non japonais à s'être classé n° 1 mondial, le 27 janvier 1993.
Son nom nippon d'emprunt « Akebono » signifie « aurore » et, de fait, il a inauguré une nouvelle ère en ouvrant le sumo à d'autres pays que le Japon ! À l'époque des championnats, il mesurait 2 m pour 220 kg ! Il est aujourd'hui à la retraite, après 13 ans de compétitions ininterrompues.

## Michelle Wii

À 20 ans à peine, la Hawaiienne Michelle Wii est un prodige du golf.
Elle participe à ses premiers tournois de golf à 11 ans, devient la plus jeune joueuse professionnelle à 14 ans et la première femme à participer à l'USGA, le tournoi national de golf américain (2005).

# Lexique

*Toutes les clés pour bien parler le hawaiien !*

## La prononciation

Le hawaiien n'utilise que 12 lettres.

- **7 consonnes :** h, k, l, m, n, p, w
- **5 voyelles :** a, e, i, o, u.

Les consonnes se prononcent à la française, sauf le « h » qu'on aspire comme en anglais, et le « w » qui se prononce « v ».

Seulement deux voyelles se prononcent différemment du français : « e » se dit « ay », « u » se dit « ou ».
Pas facile de prononcer les mots hawaiiens ! Ils sont souvent longs et comportent plusieurs voyelles successives... L'astuce, c'est de procéder syllabe par syllabe.
Ex. : *Kealakekua* donne « Kay-a-la-kay-kou-a » (nom d'une baie à Big Island).
Vous verrez, c'est magique et tellement plus facile. Vous épaterez même les locaux !

## 3 mots indispensables

- **Aloha.** S'utilise pour dire « bonjour » et « au revoir » mais aussi « bienvenue ». Il a une forte connotation affective qui n'existe ni dans le « *hello* » anglais ni dans le « bonjour » français !
- **Mahalo.** Signifie « merci ». En dehors des Hawaiiens eux-mêmes, hôteliers, restaurateurs et vendeurs l'utilisent à tout moment. Au même titre que le mot « *Aloha* ».
Si vraiment vous voulez impressionner votre interlocuteur, vous pouvez lui répondre « *mahalo nui loa* », qui veut dire « merci beaucoup »
- **A hui hou.** C'est l'autre mot, avec « *aloha* », pour dire « au revoir ». Il signifie en fait « à la prochaine ! » car les Hawaiiens n'aiment pas l'idée qu'un départ soit définitif, ils espèrent toujours que vous allez revenir !

## 25 mots à connaître pour parler comme un local !

- **Alii noble hawaiien** ............................... à l'époque de la royauté
- **Halau** ............................................. école
- **Hale**............................................. maison
- **Haole**.................. étranger ou Occidental
- **Heiau** ........................... temple hawaiien
- **Hui** ............................ club ou assemblée
- **Hula** ...... danse traditionnelle hawaiienne
- **Imu**.....................................................

*Paniolos dans le pur style cow-boy.*

four traditionnel creusé dans la terre (on en voit dans les luau)

- **Kahuna** ........ prêtre à l'époque de la religion hawaiienne
- **Kamaaina** ........ personne locale
- **Kane** ........ homme (souvent sur la porte des toilettes)
- **Kapu** ........ interdit
- **Keiki** ........ enfant
- **Kupuna** ........ une personne âgée
- **Lanai** ........ terrasse ou véranda
- **Lei** ........ collier de fleurs ou de coquillages
- **Luau** ........ dîner-spectacle traditionnel hawaiien
- **Malihini** ........ nouveau venu, touriste qui vient pour la première fois
- **Mana** ........ esprit, karma ou pouvoir divin
- **Ohana** ........ famille
- **Ono** ........ délicieux
- **Pau** ........ fini, terminé
- **Pali** ........ montagne
- **Pupu** ........ en-cas salé pour l'apéritif
- **Tutu** ........ grand-mère
- **Vahine** ........ femme (souvent sur la porte des toilettes)

## Quelques expressions idiomatiques

- **Hiki !** ........ Ok !
- **Aole Pilikia !** ........ Pas de problème !
- **Hana hou !** ........ Encore ! (très utilisé pour les rappels pendant les concerts)
- **Maikai !** ........ Excellent !

## Quelques notions de pidgin

Le pidgin est le créole hawaiien. Inspiré de l'anglais, il a été inventé par les immigrés d'origines très diverses qui travaillaient dans les plantations sucrières, au XIXe siècle. Les locaux le parlent beaucoup plus que le hawaiien. C'est vraiment leur argot. Si vous leur parlez en pidgin, ils n'en reviendront pas !

- **Broke da mout** ........ délicieux
- **Da buggah** ........ les gars
- **Bumbye** ........ plus tard
- **Fo'real ?** ........ Vraiment ?
- **Funny kine** ........ étrange
- **I nevah like !** ........ Ça me tente pas !
- **I talk da kine** ........ je parle pidgin
- **How you stay ?** ........ Comment ça va ?
- **Kay den !** ........ D'accord alors ! (déformation de « *Ok then !* »)
- **Whazzup ?** ........ Quoi de neuf ? (déformation de « *What's up ?* »)

*Feuilles de cocotiers utilisées dans la confection des chapeaux.*

# L'anglais pour les globe-trotters



*Quel que soit votre pays de destination, vous n'en franchirez réellement les frontières qu'en abattant – partiellement – celle de la langue, c'est-à-dire en communiquant avec les habitants. Pour communiquer, il vous suffit de comprendre... un peu et de vous faire comprendre. Nous nous proposons de vous y aider avec ces quelques pages.*

*En vous soufflant des "mots de passe" pour la plupart des situations que vous serez appelé à rencontrer dans vos voyages, nous mettons à votre disposition un sésame indispensable. Notre ambition n'est pas que vous vous exprimiez d'une manière académiquement parfaite, mais que vous entriez dans le monde anglophone d'un pas assuré. Vous aurez tout loisir par la suite, si le cœur vous en dit, d'approfondir vos connaissances par un apprentissage plus intensif.*

*Où parle-t-on l'anglais ? En un mot... partout ! Le monde anglophone s'étend bien au-delà des pays de langue anglaise : où que l'on aille, en effet, n'a-t-on pas recours à l'anglais pour comprendre et se faire comprendre ? Raison de plus pour vous y mettre – ou vous y remettre pour rafraîchir vos souvenirs. Nous vous promettons qu'en très peu de temps, avec un minimum de connaissances grammaticales, de vocabulaire utile et d'informations sur le pays, vous deviendrez un interlocuteur de choix, celui – ou celle – qui a fait l'effort de faire un pas vers l'autre en apprenant sa langue : cette démarche, encore trop rare, est très appréciée, et vous en serez largement récompensé(e) par l'accueil d'autant plus chaleureux que vous recevrez en échange.*

*Cette rubrique est réalisée en partenariat avec* 

## Prononciation - Intonation

Si vous trouvez la grammaire relativement facile, vous risquez en échange de rencontrer quelques difficultés avec la prononciation... Mais rassurez-vous, même les meilleurs anglicistes ont parfois des doutes ! Les règles de prononciation anglaises étant assorties de toute une gamme d'exceptions, bien trop nombreuses pour que nous vous les infligions ici, nous avons opté pour une prononciation figurée sous chaque mot, qui devrait vous rendre la vie plus facile. Dans cette transcription phonétique simplifiée, nous avons souligné les syllabes accentuées, car l'intonation, elle aussi, est difficile à maîtriser, et elle est très importante en anglais.

Quoi qu'il en soit, la meilleure façon de parler..., c'est de parler ! Plus vous pratiquerez, plus vous apprendrez vite.

## La transcription phonétique utilisée ici

**• Consonnes et groupes de consonnes**

| *Lettre* | *Trans. phonét.* | *Prononciation* | *Exemple* |
|---|---|---|---|
| **b** | *b* | comme dans *beau* | **beer** *bier* |
| **c** | *k* | comme dans *cloche* | **clock** *klok* |
| | *s* | comme dans *cirque* | **circus** *sœrkœss* |
| **d** | *d* | comme dans *dire* | **dear** *di*$^{er}$ |
| **g** | *g/gu* | comme dans *gars* | **go** *gôou*, **give** *guiv* |
| | *dj* | comme dans *badge* | **george** *djordj'* |
| **h** | *H* | toujours "aspiré" | **house** *Haouss* |
| **j** | *dj* | comme dans *fidji* | **jeans** *djinns* |
| **n** | *n/nn* | comme dans *gamine* | **in** *inn* |
| **r** | *r* | langue au palais et légèrement recourbée en arrière | **rope** *rôoup'* |
| **s** | *s/ss* | comme dans *sel* | **sell** *sell* |
| | *z* | comme dans *bise* | **please** *pli:z* |
| **sh** | *ch* | comme dans *chaussure* | **shoe** *chou:*$^{e}$ |

| | | | |
|---|---|---|---|
| **sch** | *sk* | comme dans *ski* | **school** *skou:l* |
| **sp** | *sp* | comme dans *spatule* | **spell** *spell* |
| **st** | *st* | comme dans *stupeur* | **stone** *stôounn* |
| **th** doux | *DH* | placez la langue sur les dents du haut et soufflez doucement | **that** *DHat* |
| **th** fort | *TH* | même chose en soufflant fortement | **thorn** *THô:nn* |
| **v** | *v* | comme dans *voiture* | **vote** *vôout* |
| **w** | *w* | toujours comme dans *watt, whisky* | **window** *winndôou,* **where** *wèr* |
| **x** | *x* | comme dans *exprès* | **taxi** *tèxi* |
| **y** | *y/i* | comme dans *yahourt,* ou comme dans *lit* | **yes** *yèss,* **silly** *sili* |
| **z** | *z* | comme dans *zèbre* | **zebra** *zibra* |

• Pour les francophones, la prononciation du **-th** anglais est particulièrement difficile. Exercez-vous en poussant avec votre langue sur les dents du haut tout en soufflant (comme si vous aviez un cheveu sur la langue), vous devriez y arriver. Si c'est trop compliqué, laissez-vous guider par les transcriptions que nous vous proposons (par exemple, l'article défini **the** sera transcrit *DHœ*).

• Le **r** – autre difficulté de la prononciation anglaise –, ne se prononce pas lorsqu'il est suivi d'une consonne ; il sera alors suivi de ":", comme dans **barman** *ba:mèn* ; il se prononce, par contre, lorsqu'il est suivi d'une voyelle, comme dans **rat** *rèt.* N'oubliez pas : langue au palais et légèrement recourbée en arrière ; facile, non ?

• Quand vous verrez une consonne doublée (*kk, mm, pp,* etc.), c'est pour vous avertir que la voyelle qui précède doit être prononcée court. Exemple : **book** *boukk.*

• Le **h** est toujours "aspiré" (transcrit *H*) : expirez l'air comme si vous vouliez embuer un miroir.

• Le **n** est souvent figuré *nn.* Associé à une voyelle comme dans "gamin", il doit être prononcé "ine" comme dans "gamine".

Les autres consonnes ne posent pas de problèmes particuliers.

## Voyelles

| *Lettre* | *Trans. phonét.* | *Prononciation* | *Exemple* |
|---|---|---|---|
| **a** | *a* | comme dans râle | **last** *last* |
| | *è* | comme dans mère | **back** *bèkk* |
| | *èi* | comme dans pays | **name** *nèim* |
| | *ô* | comme dans môle | **all** *ô:l* |
| | *œ* | un e dans l'o court comme dans cœur | **about** *œbaout* |
| **e** | *è* | comme dans diète | **egg** *ègg* |
| | *i*$^{e}$ | comme dans comédie | **deer** *di:*$^{er}$ |
| | *è*$^{e}$ | le è est prolongé d'un e | **there** *DHè*$^{e}$*r* |
| **i** | *i* | comme dans mi | **sick** *sik* |
| | *aï* | comme dans aïe | **nice** *naïss* |
| | *œ* | comme dans œufs | **first** *fœ:st* |
| **o** | *aou* | comme dans Raoul | **how** *Haou* |
| | *ôou* | le ô est suivi du son ou | **own** *ôounn* |
| | *o* | comme dans note | **not** *nott* |
| | *ô* | comme dans pôle | **short** *chô:t* |
| | *a* | comme dans lave | **love** *lav* |
| **u** | *a* | comme dans basse | **bus** *bass* |
| | *ou* | comme dans chou | **sure** *chou*$^{e}$*:r* |
| | *œ* | comme dans œufs | **difficult** *diffikœlt* |

La prononciation du **-er** en fin de mot s'apparente plutôt au "a" court ou au "e" muet suivi d'un léger "r". Dans notre transcription, nous mettrons un "er" en exposant.

Pour signaler qu'il faut allonger une voyelle, nous l'avons fait suivre de ":", comme dans **first** ou **short** *(fœ:st – chô:t).*

### Diphtongues

| Lettre | Trans. phonét. | Prononciation | Exemple |
|---|---|---|---|
| **ay/ai** | *èi* | comme dans *pays* | **pay** *pèi* |
| **ea** | *œ:* | comme dans *œuvre* | **earn** *œ:n* |
| | *i:* | comme dans *mie* | **lead** *li:d* |
| **ee** | *i:* | comme dans *amie* | **see** *si:* |
| **ie** | *è* | comme dans *cèdre* | **friend** *frènnd* |
| **ou** | *aou* | comme dans *Raoul* | **out** *aout* |
| | *ou* | comme dans *mou* | **you** *iou* |
| **oy** | *oï* | comme dans *boycotter* | **boy** *boï* |
| **oo** | *ou* | comme dans *bouc* | **book** *boukk* |
| | *ou:* | plus long comme dans *boule* | **cool** *kou:l* |

Notez que la terminaison "**-ive**" se prononce généralement *-iff.* La préposition **of**, de, est plutôt prononcée *ov* de même que **give**, *donner*, est prononcé *guiv*.

L'accent tonique est généralement souligné. S'il porte sur une voyelle prononcée en diphtongue, il sera indiqué par un soulignement de la voyelle tonique.

Lorsque un mot se termine par **-tion**, nous transcrivons par *chœn*.

DÉCOUVERTE

## Quelques mots que vous entendrez souvent

Voyons dès maintenant ces mots que nous serons amenés à rencontrer immédiatement et qui nous seront indispensables dans la vie quotidienne :

| | | |
|---|---|---|
| oui | **yes** | *yèss* |
| non | **no** | *nôou* |
| peut-être (il se peut que) | **maybe** | *mèïbi* |
| peut-être | **perhaps** | *pœrHaps* |
| merci | **thank you** | *THènk you* |
| s'il vous plaît | **please** | *pli:z* |
| et | **and** | *ènd* |
| ou | **or** | *or* |
| avec | **with** | *wiDH* |
| sans | **without** | *wiDHaout* |
| vrai | **right** | *raït* |
| faux | **wrong** | *wronng* |
| ici | **here** | *Hi:r* |
| là | **there** | *DHèer* |
| ceci | **this** | *DHiss* |
| cela / que | **that** | *DHat* |
| où est... ? | **where is...?** | *wèr iz* |
| où sont... ? | **where are...?** | *wèr ar* |

## L'ordre des mots dans la phrase

Dans la phrase anglaise, les mots se placent ainsi : **sujet** (qui ou quoi ?) **– verbe – complément d'objet** (qui ou quoi ?).

| qui (sujet) | verbe | quoi (objet) |
|---|---|---|
| **Jill** | **books** | **a trip** |
| *djil* | *boukks* | *œ tripp* |
| Jill | réserve | un voyage |

Dans la proposition affirmative, le sujet et le verbe se suivent toujours. Cet ordre sera donc conservé, même si d'autres éléments interviennent :

| circonstantiel (de temps) | Sujet | verbe | circonstantiel (de lieu) |
|---|---|---|---|
| **At nine o'clock** | **John** | **goes** | **to the museum** |
| *èt naïnn o klok* | *djonn* | *gôouz* | *tou DHœ miouziœm* |
| À neuf heures, | John | va | au musée. |

Cet ordre reste également inchangé dans les phrases plus complexes qui combinent propositions principales et subordonnées :

| sujet | verbe | objet | conjonction | sujet | verbe |
|---|---|---|---|---|---|
| **I** | **eat** | **a pizza** | **because** | **I** | **am hungry** |
| *aï* | *i:tt* | *œ pidza* | *bikôouz* | *aï* | *èm Hangri* |
| Je | mange | une pizza | parce que | j' | ai faim |

## Verbes et temps

En anglais, les verbes et leurs conjugaisons nécessiteraient un chapitre entier. Contentez-vous de retenir les temps les plus importants, ceux que vous utiliserez dans toute conversation.

1 – Le présent (je vais),

2 – L'imparfait (il allait),

3 – Le passé composé (tu es allé),

4 – Le futur (nous irons).

Si vous savez conjuguer à ces quatre temps, vous pourrez converser sans problème. Oublions les nuances entre le passé (simple) et le passé composé, car même les personnes de langue maternelle anglaise ont parfois du mal à s'y retrouver !

### La forme progressive

Avant de vous consacrer à l'étude des différentes conjugaisons, notez que l'anglais nous offre deux solutions :

- utiliser le temps dans sa forme simple : je vais (**I go** – *aï go*)

- ou indiquer l'accomplissement de l'action : je suis en train d'aller (**I am going** – *aï am goïnng*, mot à mot "je suis allant"). Cette deuxième forme s'appelle la forme progressive.

En anglais, la forme progressive est largement utilisée dans la conversation. Elle indique qu'une action ou un événement est en cours au moment où l'on parle. Elle s'emploie aussi pour parler du futur proche, comme le présent français. Ex : **I am seeing John tomorrow** *(aï am si:inng djonn toumorô)* : Je vois John demain.
Dans les deux cas, le français utilise généralement la forme simple.

### Le présent

**• Forme simple**

L'anglais est plus simple que le français, car seule la troisième personne du singulier diffère des autres. Il suffit d'ajouter un **-s** à l'infinitif du verbe.

| | | |
|---|---|---|
| ▸ **I eat** | *aï i:t* | je mange |
| ▸ **you eat** | *you i:t* | tu manges |
| ▸ **he/she/it eats** | *Hi/chi/it i:ts* | il/elle mange |
| ▸ **we eat** | *wi i:t* | nous mangeons |
| ▸ **you eat** | *you i:t* | vous mangez |
| ▸ **they eat** | *DHèï i:t* | ils/elles mangent |

Presque tous les verbes se conjuguent de cette façon. Notez toutefois que les auxiliaires "être" **(to be)** et "avoir" **(to have)** font exception. En voici la conjugaison :

| | | |
|---|---|---|
| ▸ **I am** | *aï èm* | je suis |
| ▸ **you are** | *you ar'* | tu es |
| ▸ **he/she/it is** | *Hi/chi/it iz* | il/elle est |
| ▸ **we are** | *wi ar'* | nous sommes |
| ▸ **you are** | *you ar'* | vous êtes |
| ▸ **they are** | *DHèï ar'* | ils/elles sont |
| ▸ **I have** | *aï hèv* | j'ai |
| ▸ **you have** | *you hèv* | tu as |
| ▸ **he/she/it has** | *Hi/chi/it hèz* | il/elle a |

- **we have** *wi hèv* nous avons
- **you have** *you hèv* vous avez
- **they have** *DHèï hèv* ils/elles ont

**• Forme progressive**

L'anglais simplifie notre formulation française "je suis en train de" suivi d'un verbe à l'infinitif, en faisant appel à l'auxiliaire **to be**, suivi du verbe**+-ing**.

- **I am travelling** *aï èm trèvellinng* je voyage (suis en train de voyager)
- **you are travelling** *you ar' trèvellinng* tu voyages (es en train de...)
- **he/she/it is travelling** *Hi/chi/it iz trèvellinng* il/elle voyage (est en train de, etc.)
- **we are travelling** *wi ar' trèvellinng* nous voyageons
- **you are travelling** *you ar' trèvellinng* vous voyagez
- **they are travelling** *DHèï ar' trèvellinng* ils/elles voyagent

La plupart des verbes anglais se construisent sur le même modèle : infinitif**+-ing**.

- **they are sleeping**
  *DHèï ar' sli:pinng*
  ils dorment (ils sont en train de dormir)
- **I am smoking**
  *aï am smôoukinng*
  je fume (je suis en train de fumer)



## Le passé

Pour parler du passé, l'anglais utilise le **prétérit** (simple et progressif) et le **passé composé.** Le "prétérit" peut correspondre, selon le contexte, à notre imparfait, notre passé composé ou notre passé simple. Il s'emploie surtout pour parler d'actions ou de faits complètement terminés.

- **Last year I rented an appartment.**
  *last yi:r aï renntid ènn apa:tment*
  L'année dernière j'ai loué un appartement.

**• Forme simple**

Pour former le prétérit des verbes **réguliers,** il suffit d'ajouter le suffixe **-ed** à l'infinitif du verbe. Il existe – malheureusement – des verbes **irréguliers**, dont vous pourrez consulter la liste dans la rubrique suivante ; un conseil : apprenez-les en mémorisant pour chaque verbe l'infinitif, le prétérit et le participe passé.

Une consolation! Les verbes réguliers sont largement plus nombreux que les verbes irréguliers et se terminent toujours en **-ed** à toutes les personnes.

- **I rented** *aï rènntid* je louais/j'ai loué/je louai
- **you rented** *you rènntid* tu louais/as loué/louas
- **he/she rented** *Hi/chi rènntid* il/elle louait/a loué/loua
- **we rented** *wi rènntid* nous louions/avons loué/louâmes
- **you rented** *you rènntid* vous louiez/avez loué/louâtes
- **they rented** *DHèï rènntid* ils/elles louaient/ont loué/louèrent

Pour le verbe avoir, **to have** : **had** reste inchangé à toutes les personnes.

| | | |
|---|---|---|
| **I had** | *aï hèd* | j'avais |
| **you had** | *you hèd* | tu avais, etc. |

Pour le verbe être, **to be** :

| | | |
|---|---|---|
| **I was** | *aï waz* | j'étais |
| **you were** | *you wèr'* | tu étais |
| **he/she/it was** | *Hi/chi/it waz* | il/elle était |
| **we were** | *wi wèr'* | nous étions |
| **you were** | *you wèr'* | vous étiez |
| **they were** | *DHèï wèr'* | ils/elles étaient |

• **Forme progressive**

Elle s'emploie pour indiquer qu'une action était en train de se produire à un moment du passé. Exemple :

**What did you do when I called you? – I was eating.**
*wat did you dou wènn aï kô:ld you – aï waz i:tinng.*
Que faisais-tu quand (au moment où) je t'ai appelé ? – Je mangeais (j'étais en train de manger).

Récapitulons :

| présent | présent progressif | prétérit | prétérit progressif |
|---|---|---|---|
| **I eat** | **I am eating** | **I ate** | **I was eating** |
| *aï i:t* | *aï am i:tinng* | *aï èit* | *aï waz i:tinng* |

Conjugaison du verbe **to eat** (manger) au prétérit progressif :

| | | |
|---|---|---|
| **I was eating** | *aï waz i:tinng* | je mangeais (j'étais en train de manger) |
| **you were eating** | *you wèr i:tinng* | tu mangeais (tu étais en train de...) |
| **he /she was eating** | *Hi/chi waz i:tinng* | il/elle mangeait (il/elle était en train de...) |
| **we were eating** | *wi wèr i:tinng* | nous mangions (nous étions en train de...) |
| **you were eating** | *you wèr i:tinng* | vous mangiez (vous étiez en train de...) |
| **they were eating** | *DHèï wèr i:tinng* | ils/elles mangeaient (ils/elles étaient en train de...) |

Si vous avez des difficultés à mémoriser le prétérit des verbes irréguliers, remplacez-le par la forme progressive, on vous comprendra tout aussi bien.

## Le passé composé

En anglais, le passé composé se forme **uniquement** avec le verbe **to have** suivi du participe passé, qui se construit, lui aussi, en ajoutant **-ed** à l'infinitif du verbe (pour les verbes réguliers).

Conjugaison du verbe **to travel** (voyager) au passé composé :

| | | |
|---|---|---|
| **I have travelled** | *aï Hèv trèvelld* | j'ai voyagé |
| **you have travelled** | *you Hèv trèvelld* | tu as voyagé |
| **he/she has travelled** | *Hi/chi/ Hèz trèvelld* | il/elle a voyagé |
| **we have travelled** | *wi Hèv trèvelld* | nous avons voyagé |
| **you have travelled** | *you Hèv trèvelld* | vous avez voyagé |
| **they have travelled** | *DHèï Hèv trèvelld* | ils/elles ont voyagé |

En français, nous utilisons le passé composé pour souligner qu'une action s'est déroulée et terminée à un moment non précisé du passé. En anglais, vous l'utiliserez pour indiquer que l'action a commencé dans le passé et continue dans le présent.

Deux conjonctions commandent l'utilisation du passé composé : **"since"** et **"for"**. Toutes les deux signifient «depuis» à une nuance près :

– **Since** indique **un moment particulier** écoulé dans le passé,

– **For** indique **une période** donnée.

À noter qu'en français, c'est la préposition «depuis» qui indique le commencement de l'action dans le passé. Le verbe conjugué au présent montre clairement la continuation de l'action au moment où l'on parle.

- **I have lived in London for one year.**
  *aï Hèv livd inn Lonndonn fo: wan' yi:r*
  Je vis à Londres depuis un an (sous-entendu : j'y vis encore actuellement).

- **Since Christmas she has waited for an answer.**
  *sinnss kristmess chi Hèz wètid fo: ènn annser*
  Elle attend une réponse depuis Noël.

- **For three months she has waited for an answer.**
  *fo: THri: monnTHs chi Hèz wouètid fo: ènn annser*
  Elle attend une réponse depuis trois mois.

## Le futur

Le futur se forme essentiellement à partir de deux auxiliaires : **"shall"** et **"will"**, auxquels s'ajoute l'infinitif du verbe sans **to**. À l'origine, **will** signifiait "vouloir".

**Shall** s'emploie pour la première personne du singulier et du pluriel, et **will** pour les autres. Notez que dans la langue parlée **will** est souvent utlisé à toutes les personnes.



Conjugaison du verbe **to go** (aller) au futur.

| | | |
|---|---|---|
| **I shall go** | *aï chèl gôou* | j'irai |
| **you will go** | *you wil gôou* | tu iras |
| **he/she/it will go** | (etc.) | il/elle ira/ça ira |
| **we shall go** | | nous irons |
| **you will go** | | vous irez |
| **they will go** | | ils/elles iront |

En français, nous nous servons souvent du présent pour indiquer un futur proche. Dans ce cas, l'anglais utilise le présent progressif et non le présent simple :

- **What are you doing tomorrow?**
  *wat ar' you douinng toumôro*
  Qu'est-ce que tu fais (feras) demain ?

## Auxiliaires de mode

Les auxiliaires de mode **can**, **may** (pouvoir) et **must** (devoir) servent à exprimer qu'une action peut ou doit se réaliser. Ils s'utilisent suivis du verbe à l'infinitif sans **to**. **Can** indique plutôt la possibilité physique d'accomplir une action. Exemple : "I can swim" (je sais nager, dans le sens de "je suis capable de...") ; **may** implique soit une demande d'autorisation dans une phrase interrogative : **"may I come in?"** (puis-je entrer ? ai-je le droit d'entrer ?), soit une éventualité dans une phrase affirmative : **"I may come tomorrow."** (il est possible que je vienne demain).

Auxiliaire de mode

| Personne | présent | passé | infinitif |
|---|---|---|---|
| **I** | **can** | **could** | **read** |
| *aï* | *kèn* | *koudd* | *ri:d* |
| je | peux | pouvais | lire |
| **she** | **may** | **might** | **go** |
| *chi* | *mèi* | *maït* | *gôou* |
| elle | peut | pouvait | aller |
| **they** | **must** | * | **ask** |
| *DHèï* | *mœst* | — | *assk* |
| ils/elles | doivent | — | demander |

* **Must** n'existe qu'au présent. À l'infinitif et aux autres temps, on doit faire appel aux formes de **to have to** (avoir à) : Exemple :

- **I had to leave my camera behind.**
  *aï hèd tou li:v maï kamœra biHaïnnd*
  J'ai dû laisser mon appareil photo.

Au présent, ces auxiliaires sont invariables à toutes les personnes et ne prennent donc pas de **s** à la troisième personne du singulier **(he, she, it)**. Ils n'ont pas de forme progressive. La négation s'exprime avec **not** ou sa forme contractée **n't**.
**"he mustn't go"** (il ne doit pas [s'en] aller).

**Can** n'a pas d'infinitif. On le remplace par **to be able to** (être capable de). Il n'a pas non plus de futur ; il est alors remplacé par **will be able to**. Au prétérit et au conditionnel, il se transforme en **could** dans certains cas.

- **I could not** (ou : **could'nt**) **walk.**
  *aï koudd not (koudnn't) wôk*
  Je ne pouvais pas marcher.

- **I could not see you.**
  *aï koudd not si: you*
  Je ne pouvais pas te voir.

L'auxiliaire de mode "vouloir" est traduit par **want**. Il se conjugue normalement à tous les temps. Si **want** est suivi d'un autre verbe, celui-ci sera obligatoirement précédé de **to**.

- **She wants another drink.**
  *chi wonnts ennaDH^er drink*
  Elle veut un autre verre.

- **He didn't want to take her home.**
  *Hi didenn't wonnt tou tèïk Hœ: Hôoum*
  Il n'a pas voulu la raccompagner chez elle.

## Liste des principaux verbes irréguliers

| Infinitif | Prétérit | Participe passé | Traduction |
|---|---|---|---|
| **to be** | **was/were** | **been** | être |
| **to become** | **became** | **become** | devenir |
| **to begin** | **began** | **begun** | commencer |
| **to break** | **broke** | **broken** | casser |
| **to buy** | **bought** | **bought** | acheter |
| **to catch** | **caught** | **caught** | attraper |
| **to come** | **came** | **come** | venir |
| **to do** | **did** | **done** | faire |
| **to drink** | **drank** | **drunk** | boire |
| **to drive** | **drove** | **driven** | conduire |
| **to eat** | **ate** | **eaten** | manger |
| **to fall** | **fell** | **fallen** | tomber |
| **to feel** | **felt** | **felt** | sentir |
| **to find** | **found** | **found** | trouver |
| **to fly** | **flew** | **flown** | voler |
| **to forget** | **forgot** | **forgotten** | oublier |
| **to get** | **got** | **got** | devenir / recevoir |
| **to give** | **gave** | **given** | donner |
| **to go** | **went** | **gone** | aller |
| **to know** | **knew** | **known** | savoir / connaître |
| **to lead** | **led** | **led** | mener / conduire |
| **to leave** | **left** | **left** | laisser |
| **to lose** | **lost** | **lost** | perdre |
| **to make** | **made** | **made** | faire |
| **to meet** | **met** | **met** | rencontrer |
| **to pay** | **paid** | **paid** | payer |
| **to put** | **put** | **put** | mettre |
| **to read** | **read** | **read** | lire |
| **to ring** | **rang** | **rung** | sonner / téléphoner |
| **to say** | **said** | **said** | dire |

| | | | |
|---|---|---|---|
| **to see** | **saw** | **seen** | voir |
| **to send** | **sent** | **sent** | envoyer |
| **to shut** | **shut** | **shut** | fermer |
| **to sit** | **sat** | **sat** | s'asseoir |
| **to sleep** | **slept** | **slept** | dormir |
| **to speak** | **spoke** | **spoken** | parler |
| **to take** | **took** | **taken** | prendre |
| **to think** | **thought** | **thought** | penser |
| **to understand** | **understood** | **understood** | comprendre |
| **to wake** | **woken** | **woken** | (se) réveiller |
| **to write** | **wrote** | **written** | écrire |

# La phrase interrogative

## Les pronoms interrogatifs

| | | |
|---|---|---|
| **where?** | *wèr* | où ? |
| **what?** | *wat* | quoi ? |
| **who?** | *Hou* | qui ? |
| **whom?** | *Houm* | qui / à qui ? |
| **whose?** | *Houz* | de qui / à qui ? |
| **when?** | *wèn* | quand ? |
| **why?** | *waï* | pourquoi ? |
| **how?** | *Haou* | comment ? |
| **how many?** | *Haou mènni* | combien de ? (+ pluriel) |
| **how much?** | *Haou mœtch* | combien de ? (+ singulier) |
| **how long?** | *Haou lonng* | combien (de temps) ? |

## L'ordre des mots dans la phrase interrogative

• Si le pronom interrogatif est le sujet : pas de changement.

| sujet | verbe | objet (qui) (indirect) | objet (quoi) (direct) |
|---|---|---|---|
| **Who** | **told** | **you** | **that news?** |
| *Hou* | *tôould* | *you* | *DHèt niouz* |
| qui | dit | [à] toi | cette nouvelle |
| Qui | t'a donné | | cette information ? |

• Mais ceci est un cas rarissime, car la règle habituelle veut que l'on utilise l'auxiliaire do (faire), qui s'intercale entre le pronom interrogatif et le sujet.

| pronom interrogatif | auxiliaire | sujet | verbe |
|---|---|---|---|
| **When** | **does** | **the boat** | **leave?** |
| *wènn* | *dœz* | *DHœ bôout* | *li:v* |
| quand | fait | le bateau | partir |
| Quand | part | le bateau ? | |

| auxiliaire | sujet | verbe |
|---|---|---|
| **Does** | **the boat** | **leave?** |
| *dœz* | *DHœ bôout* | *li:v* |
| fait | le bateau | partir |
| Le bateau part-il ? | | |

| Réponses : | **Yes, it does.** | **No, it doesn't.** |
|---|---|---|
| | *oui, il fait* | *non, il ne fait pas* |
| | Oui. | Non. |

DÉCOUVERTE

• Au passé, vous interrogerez de cette façon :

| auxiliaire | sujet | verbe | objet |
|---|---|---|---|
| **Did** | **my brother** | **forget** | **his ticket** |
| *did* | *maï broDHer* | *fo:guèt* | *His tikètt* |
| faisait | mon frère | oublier | son billet |

Mon frère a-t-il oublié son billet ?

| Réponses : | **Yes, he did.** | **No, he didn't.** |
|---|---|---|
| | *ièss, Hi did* | *nôou, Hi diden't* |
| | oui, il a fait | non, il n'a pas fait |
| | Oui. | Non. |

Notez que le verbe restant invariable, c'est l'auxiliaire **do** (faire) qui prend la forme du passé **did**. Cette forme reste inchangée à toutes les personnes.

## Les salutations / La politesse

| | | |
|---|---|---|
| ▶ Bonjour ! (matin) | **Good morning!** | *goud mo:ninng* |
| ▶ Bonjour ! (après-midi) | **Good afternoon!** | *goud èftœ:noun* |
| ▶ Bonsoir ! | **Good evening!** | *goudd ivninng* |
| ▶ Bonne nuit ! | **Good night!** | *goud naït* |
| ▶ Bienvenu (e) ! | **Welcome!** | *wellkomm* |
| ▶ Comment allez-vous (vas-tu) ? | **How are you?** | *Haou ar' you* |
| ▶ Très bien. | **Very well.** | *vèri well* |
| ▶ Comment allez-vous ? (plus formel) | **How do you do?** | *Hao dou you dou* |
| ▶ Merci, je vais bien. | **Thanks, I'm fine.** | *THankss aïm faïn'* |
| ▶ Salut ! (bonjour) | **Hello!** | *Hèlo* |
| ▶ Au revoir ! | **Good bye!** | *goud baï* |
| ▶ Salut ! (au revoir) | **Bye-Bye! / Bye!** | *baï* |
| | **Cheerio*!** | *tchirio* |
| ▶ Salut ! (À plus tard !) | **See you (later)!** | *si you (lèter)* |
| ▶ À bientôt ! | **See you soon!** | *si: you sou:nn* |
| ▶ Ça va. | **It's O.K.** | *its ôoukèï* |
| ▶ Je ne sais pas. | **I don't know.** | *aï doounnt nôou* |
| ▶ Je suis désolé/e. / Pardon. | **(I am) sorry.** | *(aï am) so:ri* |
| ▶ Il n'y a pas de quoi. | **You are welcome.** | *you ar' wellkomm* |
| ▶ Dites-moi... | **Tell me...** | *tèll mi* |
| ▶ Je ne me sens pas bien. | **I don't feel well.** | *aï doounnt fi:l well* |
| ▶ Aidez-moi, s'il vous plaît. | **Please help me.** | *pli:z hèlp mi* |
| ▶ À votre santé ! | **Cheers!** | *tchi:rs* |

***Cheerio** veut dire aussi "Santé !", "À la vôtre !".

▶ Comment t'appelles-tu ? / Comment vous appelez-vous ?
**What's your name?**
*wotts yo:r nèïm*

▶ Je m'appelle Jacques.
**My name is Jacques.**
*maï nèïm iz Jacques*

En général, les Américains s'appellent très vite par leurs prénoms.

## s'il vous plaît / merci

▶ Passe(z)-moi le beurre s'il te (vous) plaît !
**Pass me the butter, please!**
*pass mi DHœ batter pli:z*

▶ Je vous (t') en prie / il n'y a pas de quoi !
**You're welcome!**
*you:r welkomm*

- Ce n'est rien !
  **That's all right!**
  *DHats ô:l raït*
- Comment ?
  **Pardon?**
  *pa:donn*

- **Thank you!** — Merci !
- **Thanks!** — Merci !
- **Thank you very much!** — Merci beaucoup !
- **Thanks a lot!** — Merci beaucoup !

## Ou est... ?

- Excusez-moi, s'il vous plaît. Où est... ?
  **Excuse me, please. Where is...?**
  *ixkiouz mi, pli:z. wèr iz...*
- Pouvez-vous m'indiquer le chemin pour... ?
  **Could you tell the way to...?**
  *koudd you tèl mi DHœ wèï tou*
- C'est là-bas à droite.
  **It's over there on the right.**
  *its ôouver DHèr onn DHœ raït*
- Tournez à gauche dans Queen's Street (la rue de la Reine).
  **Turn left into Queen's Street.**
  *tœrn lèft inntou kouinns stri:t*
- Allez tout droit, c'est en face de l'église.
  **Go straight on, it's opposite the church.**
  *go strèït onn, its oppozit DHœ tchœrtch*

## Bon voyage avec...

### L'avion

- Je voudrais réserver un aller (aller-retour) pour New York.
  **I'd like to book a (return) flight to New York.**
  *aïd laïk tou boukk œ (ritœ:nn) flaït tou Niou Yo:k*
- Y a-t-il une correspondance pour Chicago ?
  **Is there a connecting flight to Chicago?**
  *Iz DHèr œ konèkting flaït tou tchikègo*

| | | |
|---|---|---|
| aéroport | **airport** | *è:po:tt* |
| arrivée | **arrival** | *œraïvœl* |
| atterrir | **to land** | *tou lènd* |
| bagages | **luggage/baggage** | *lœguèdj/bœguèdj* |
| comptoir d'information | **information desk** | *innformèïchœn dèsk* |
| départ | **departure** | *dipa:tch^er* |
| horaire | **timetable** | *taïmtèbœl* |
| passager | **passenger** | *pœssèndjœr* |
| réservation | **booking** | *boukkinng* |
| salle d'attente | **departure lounge/hall** | *dipa:tch^er laondj/Hô:l* |
| sortie | **exit** | *èxit* |
| vol | **flight** | *flaït* |

### Le bateau

- Quand le bateau part-il pour Ellis Island ?
  **When does the boat leave for Ellis Island ?**
  *wènn dœz DHœ bôout li:v for èlissaïlènd*

Le voyage en poche

- Combien de temps la traversée dure-t-elle ?
  **How long does the crossing take?**
  *Haou lonng doez DHœ krossinng tèïk*

- Je voudrais réserver...
  **I'd like to book...**
  *aïd laïk tou boukk...*

- un billet pour...
  **a passage to...**
  *œ passèdj to...*

| | | |
|---|---|---|
| bateau | **boat** | *bôout* |
| bateau à vapeur | **steamer** | *sti:mer* |
| canot de sauvetage | **lifeboat** | *laïfbôout* |
| côte | **coast** | *ko:st* |
| ferry | **ferry** | *fèrri* |
| gilet de sauvetage | **life-jacket** | *laïfdjèkèt* |
| port | **harbour** | *Harbo:r* |
| traversée | **crossing** | *krossinng* |

## Le train / Le bus

- Où est l'arrêt du bus / la gare routière ?
  **Where is the bus stop / station?**
  *wèr iz DHœ bas stop/stèïchœn*

- Un billet pour Philadelphie, s'il vous plaît.
  **A ticket to Philadelphia, please.**
  *œ tikèt tou filœdèlfia pli:z*

- Combien coûte un billet pour... ?
  **How much is a ticket to...?**
  *Haou mœtch iz œ tikèt tou*

- Quand y a-t-il un bus / train pour... ?
  **When is there a bus / train to...?**
  *wènn iz DHhèr œ bas/trèïnn tou*

| | | |
|---|---|---|
| compartiment | **compartment** | *kommpa:tment* |
| conducteur | **driver** | *draïver* |
| départ | **departure** | *dipa:chœr* |
| direction | **direction** | *dirèkchœn* |
| (non)-fumeur | **(non)-smoker** | *(nœn)-smôouker* |
| prix | **fare** | *fè:r* |
| terminus | **terminus** | *terminœs* |
| wagon lit | **sleeper** | *sli:per* |

## La voiture

- Où est la station service la plus proche ?
  **Where's the nearest petrol-station?**
  *wèrz DHœ ni:rest pètrol stèïchœn*

- Le plein s'il vous plaît !
  **Full, please!**
  *foul pli:z*

- Pouvez-vous contrôler l'huile / la batterie / la pression des pneus ?
  **Can you check the oil / battery / tyre pressure?**
  *kèn you tchèk DHi oïl/bèttri/taïer prèchœr*

- Je suis en panne !
  **I have a breakdown!**
  *aï Hèv œ brèkdaoun*

- Pouvez-vous remorquer ma voiture ?
  **Can you take my car in tow?**
  *kèn you tèk maï ka: inn taou*

DÉCOUVERTE

| | | |
|---|---|---|
| ◗ autoroute | **motorway** | *moto:wèï* |
| ◗ batterie | **battery** | *bèttri* |
| ◗ feux tricolores | **traffic-lights** | *trèffik-laïts* |
| ◗ freins | **brakes** | *brèks* |
| ◗ gasole | **diesel fuel** | *di:sel fioul* |
| ◗ moteur | **engine** | *èndjinn* |
| ◗ ordinaire | **regular petrol** | *règuioul$^{er}$ pètrol* |
| ◗ parking | **car park** | *ka: pa:rk* |
| ◗ permis de conduire | **driving licence** | *draïvinng laïssennss* |
| ◗ phares | **headlight** | *Hèdlaït* |
| ◗ super | **super petrol** | *sœpp$^{er}$ pètrol* |

## Hébergement

### Hôtel / Pension

◗ Bonjour, je voudrais une chambre simple/double pour deux nuits.
**Hello, I'd like a single room/double room for two nights.**
*Helleou, aïd laïk œ sinngœl roum/dobbœl roum for tou naïts*

◗ C'est combien ?
**How much is it?**
*Haou mœtch iz it*

◗ Le petit déjeuner est-il compris ?
**Is the breakfast included?**
*iz DHœ brèkfest inkloudid*

| | | |
|---|---|---|
| ◗ ascenceur | **lift/elevator** | *lift/èlèvèïtœr* |
| ◗ auberge de jeunesse | **youth hostel** | *youTH host'l* |
| ◗ chambre avec petit déjeuner | **bed and breakfast** | *bèd ènd brèkfœst* |
| ◗ chauffage | **heating** | *Hi:tinng* |
| ◗ clef | **key** | *ki:* |
| ◗ couverture | **blanket** | *blènkètt* |
| ◗ douche | **shower** | *chaou$^{er}$* |
| ◗ drap | **sheet** | *chi:t* |
| ◗ étage | **floor** | *flo:r* |
| ◗ lit | **bed** | *bèd* |
| ◗ oreiller | **pillow** | *pilœou* |
| ◗ place de camping | **campsite** | *kèmpsaït* |
| ◗ réception | **reception** | *rissèpchœn* |
| ◗ robinet | **water-top** | *wot$^{er}$ top* |
| ◗ sac de couchage | **sleeping-bag** | *sli:pinngbèg* |
| ◗ salle de bains | **bathroom** | *bèTHroum* |
| ◗ tente | **tent** | *tènnt* |
| ◗ toilettes | **toilet/lavatory** | *toïlèt/lèvetri* |

◗ Avez-vous une place pour une petite tente / caravane ?
**Have you got a place for a small tent / caravan?**
*Hèv you gott œ plèïss for œ smô:l tènt / kèrèvèn*

◗ Où sont les douches / prises de courant ?
**Where are the washing-rooms / sockets?**
*wèr ar' DHœ waching roums / sokèts*

## Au restaurant

◗ Pouvons-nous avoir le menu, s'il vous plaît ?
**Can we have the menu, please?**
*kèn wi Hèv DHœ mèniou, pli:z*

◗ Nous aimerions commander.
**We would like to order.**
*wi woud laïk tou o:d$^{er}$*

- Je prendrai une soupe de tomates et du poulet rôti, s'il vous plaît.
  **I'll have tomato soup and roast chicken, please.**
  *aïl Hèv tomèto soup ènd rost tchikœn, pli:z*

Nota : En anglais, on ne vous souhaitera pas **"bon appétit"**, tout au plus pourrez-vous entendre :

- **Enjoy your meal!**
  *endjoï yô:r mi:l*
  Prenez-plaisir [à] votre repas.

- Pouvons-nous avoir l'addition, s'il vous plaît ?
  **Can we have the bill, please?**
  kèn wi Hèv DHœ bill, pli:z

- Le repas était excellent.
  **The meal was excellent.**
  DHœ mi:l ouaz exssèllœnnt

| | | |
|---|---|---|
| bière | **beer** | *bi^er* |
| boisson | **drink** | *drinnk* |
| café | **coffee** | *koffi* |
| cuit au four | **baked** | *bèïkt* |
| déjeuner | **lunch** | *lœntch* |
| dessert | **dessert** | *dizœrt* |
| dîner | **dinner** | *dinn^er* |
| eau minérale | **mineral water** | *minnèrol wat^er* |
| frit | **fried** | *fraïd* |
| fromage | **cheese** | *tchi:z* |
| fruit | **fruit** | *frou:t* |
| gâteau | **cake** | *kèïk* |
| glace | **ice-cream** | *aïsskri:m* |
| hors d'œuvres | **starter (GB)** | *sta:t^er* |
| hors d'œuvres | **appetizer (US)** | *èpœtaïz^er* |
| jus de fruit | **juice** | *djou:ss* |
| lait | **milk** | *milk* |
| légumes | **vegetables** | *vèdjètèbœls* |
| pain | **bread** | *brèd* |
| petit-déjeuner | **breakfast** | *brèkfœst* |
| poisson | **fish** | *fich* |
| poivre | **pepper** | *pèpp^er* |
| porc | **pork** | *po:k* |
| poulet | **chicken** | *tchikœnn* |
| sel | **salt** | *sô:lt* |
| souper | **supper** | *sœpp^er* |
| veau | **veal** | *vi:l* |
| végétarien | **vegetarian** | *vèdjètèrienn* |
| viande | **meat** | *mi:t* |
| volaille | **poultry** | *poltri* |

## Le shopping

- Bonjour, vous vendez des cartes postales ?
  **Hello, do you sell postcards?**
  *Hellôou, dou you sell postka:ds*

- Je veux acheter une chemise, s'il vous plaît !
  **I want to buy a shirt, please!**
  *aï wonnt tou baï œ chœrt, pli:z*

DÉCOUVERTE

- C'est combien / Combien ça coûte ?
  **How much is it?**
  *Haou mœtch iz it*

- Pouvez-vous changer de l'argent ?
  **Can you change money?**
  *kènn you tchèïnndj manni*

- C'est trop cher.
  **This is too expensive.**
  *DHiss iz tou ixpènsiff*

- Je n'aime pas ça / Ça ne me plaît pas.
  **I don't like it.**
  *aï dôounnt laïk it*

- acheter **to buy** *tou baï*
- boucher **butcher** *batcher*
- boulanger **baker** *bèïker*
- boutique **boutique** *bouti:k*
- carte bancaire **cheque card** *tchèk ka:d*
- carte postale **postcard** *postka:d*
- ceinture **belt** *bèlt*
- chemise **shirt** *chœrt*
- chèque **cheque** *tchèk*
- cher **expensive** *ixpènnsiff*
- pas cher **cheap** *tchi:p*
- distributeur automatique de billets **cash-machine (GB)** *kèch mœchinn*
- distributeur automatique de billets **A.T.M. (US)** * *èï-ti:-èmm*
- imperméable **raincoat** *rennkôout*
- journal **newspaper** *niouzpèïppœr*
- jupe **skirt** *skœ:t*
- kiosque **kiosk** *kiosk*
- magasin **shop** *chopp*
- grand magasin **department store** *dipa:tmennt stor*
- magasin de souvenirs **souvenir shop** *souvennir chopp*
- monnaie **change** *tchèïnndj*
- pantalon **trousers** *traouzœrss*
- papeterie **stationer** *stèïchœnner*
- poste **post office** *pôoustoffiss*
- pressing **dry-cleaner** *draï-cli:nner*
- pullover / tricot **pullover** *poulôouvœr*
- robe **dress** *drèss*
- supermarché **supermarket** *sœpœrma:kèt*
- timbre **stamp** *stèmp*
- vendre **to sell** *tou sèll*
- veste **jacket** *djèkètt*

* **A.T.M. : automated teller machine** (mot à mot : « machine-caissier-automatisée »).

- Où puis-je changer de l'argent ?
  **Where can I change money?**
  *wèr kèn aï tchèïnndj manni*

## S'orienter dans le temps

### L'heure

- une heure **an hour** *ènn aouer*
- une minute **a minute** *œ minnitt*
- une seconde **a second** *œ sèkœnd*
- une demi-heure **half an hour** *haff œnn aouer*
- un quart d'heure **a quarter of an hour** *œ qwo:ter ov ènn aouer*
- ponctuel, à l'heure **in time** *inn taïmm*

- Quelle heure est-il, s'il vous plaît ?
  **What's the time, please?**
  *wots DHœ taïm pli:z*

- Quelle heure est-il ?
  **What time is it?**
  *wot taïm iz it*

- Pouvez-vous me dire l'heure ?
  **Can you tell me the time?**
  *kènn you tèl mi DHœ taïm*

- Il est tard / tôt.
  **It's late / early.**
  *its lèit / œ:li*

Pour la première demi-heure, de 0 à 30 minutes, par exemple 9h10, dites d'abord les minutes : **ten** (dix min) suivies de **past** (passé, après) suivies de **nine** (9 heures) – **ten past nine**.

Pour la deuxième demi-heure, de 30 à 60 minutes, par exemple 9h40 ou 10 heures moins 20, dites d'abord les minutes **twenty** (vingt min) suivies de **to** (jusqu'à, avant) **ten** (dix heures) – **twenty to ten**.



- deux heures vingt-quatre
  **twenty four minutes past two**
  *touènnti fo: minnitts pèst tou*

- dix-sept heures trente
  **half past five**
  *haff pèst faïv*

- quinze heures quarante-cinq
  **a quarter to four**
  *œ qwo:ter tou fô:*

- douze heures / midi
  **twelve o'clock**
  *touèlv o klok*

| | | |
|---|---|---|
| jour | **day** | *dèï* |
| semaine | **week** | *wi:k* |
| mois | **month** | *mannTH* |
| date | **date** | *dèït* |
| *hier* | *yesterday* | *yèsstœdèï* |
| demain | **tomorrow** | *toumorô:* |
| aujourd'hui | **today** | *toudèï* |

## Pendant la journée

| | | |
|---|---|---|
| (le) matin, (dans la) matinée | **(in the) morning** | *inn DHœ mo:nninng* |
| ce matin | **this morning** | *DHiss mo:nninng* |
| (à) l'heure du déjeuner | **(at) lunch time** | *ètt lœntch taïm* |
| (dans l') après-midi | **(in the) afternoon** | *inn DHi: èftœ:nou:nn* |
| soir | **evening** | *iv'ninng* |
| ce soir | **tonight** | *tounaït* |
| (dans la) nuit | **(in the) night** | *inn DHœ naït* |

## Les jours de la semaine

| | | |
|---|---|---|
| dimanche | **Sunday** | *sœnndèï* |
| lundi | **Monday** | *monndèï* |
| mardi | **Tuesday** | *tiouzdèï* |
| mercredi | **wednesday** | *wenn'esdèï* |
| jeudi | **Thursday** | *THœ:sdèï* |
| vendredi | **Friday** | *fraïdèï* |
| samedi | **Saturday** | *sètœhdèï* |
| le lundi | **on Monday(s)** | *on mondèï(z)* |

## Les mois

| | | |
|---|---|---|
| janvier | **January** | *djannioueri* |
| février | **February** | *fèbroueri* |
| mars | **March** | *ma:tch* |
| avril | **April** | *èipril* |
| mai | **May** | *mèï* |
| juin | **June** | *djounn* |
| juillet | **July** | *djoulaï* |
| août | **August** | *o:gœsst* |
| septembre | **September** | *sèptèmber* |
| octobre | **October** | *oktôouber* |
| novembre | **November** | *nôouvèmber* |
| décembre | **December** | *dissèmber* |

## Les saisons

| | | |
|---|---|---|
| saison | **season** | *sizonn* |
| printemps | **spring** | *sprinng* |
| été | **summer** | *sammer* |
| automne | **autumn** | *o:tœmn* |
| hiver | **winter** | *winnter* |

## Les nombres

| | | |
|---|---|---|
| 0 | **zero** | *zirôou* |
| 1 | **one** | *wann* |
| 2 | **two** | *tou* |
| 3 | **three** | *THri:* |
| 4 | **four** | *fo:* |
| 5 | **five** | *faïv* |
| 6 | **six** | *six* |
| 7 | **seven** | *sèvenn* |
| 8 | **eight** | *èïtt* |
| 9 | **nine** | *naïnn* |
| 10 | **ten** | *tènn* |
| 11 | **eleven** | *ilèvenn* |
| 12 | **twelve** | *touèlv* |
| 13 | **thirteen** | *THœrti:nn* |
| 14 | **fourteen** | *fo:ti:nn* |
| 15 | **fifteen** | *fifti:nn* |
| 16 | **sixteen** | *sixti:nn* |
| 17 | **seventeen** | *sèvennti:nn* |
| 18 | **eighteen** | *èïti:nn* |
| 19 | **nineteen** | *naïnnti:nn* |
| 20 | **twenty** | *touènnti* |
| 30 | **thirty** | *THœrti* |
| 31 | **thirty one** | *THœrtiwann* |
| 40 | **forty** | *fo:ti* |
| 50 | **fifty** | *fiffti* |
| 60 | **sixty** | *sixti* |
| 70 | **seventy** | *sèvennti* |
| 80 | **eighty** | *èïti* |
| 90 | **ninety** | *naïnnti* |
| 100 | **hundred** | *Hanndred* |
| 500 | **five hundred** | *faïv hanndred* |
| 1 000 | **thousand** | *THaouzend* |
| 10 000 | **ten thousand** | *tènn THaouzend* |

*Ke Iki Beach, plage de sable blanc de la côte nord.*

# Oahu

*Née de l'activité volcanique, il y a 3 millions d'années, Oahu est la troisième île hawaiienne par sa superficie et de loin la première par sa fréquentation touristique. Oahu rassemblant par ailleurs les trois quarts de la population de Hawaii (900 000 habitants), dont la moitié se concentre à Honolulu, la capitale d'État, c'est tout naturellement qu'elle a été surnommée « the gathering island » (l'île la plus populaire ou qui rassemble le plus de monde). Avec ses plages sublimes, ses centaines d'hôtels, de bars et de restaurants, Waikiki est certainement la partie la plus exaltante d'Oahu, voire de Hawaii. Rien d'étonnant à ce que 5 millions de touristes y séjournent chaque année. Mais Oahu ne se limite pas à la folie urbaine et festive de Waikiki. Son arrière-pays est resté sauvage et préservé, comme en témoignent les paysages tropicaux du plateau central ou les plages isolées de la côte ouest. Des villes comme Waimanalo, sur la côte est, ont ainsi gardé une taille humaine et un visage authentique, en totale adéquation avec le « Aloha Spirit » Oahu rime aussi avec surf puisqu'elle en abrite la capitale Haleiwa. Cette petite ville tranquille de la côte nord est la Mecque du surf pour tous les amateurs de glisse car elle accueille chaque hiver la plus importante compétition mondiale de ce sport. Oahu est également une terre chargée d'histoire puisqu'elle abrite le mémorial de Pearl Harbor, vestige de l'attaque japonaise du 7 décembre 1941 qui a entraîné l'entrée des États-Unis dans la deuxième guerre mondiale. Et puis, surtout, c'est l'île natale du 44e président des États-Unis, Barack Obama, qui y a passé une grande partie de sa jeunesse ! Il est resté profondément attaché à Oahu et y retourne régulièrement pour des vacances en famille. Enfin, non seulement Barack Obama est un véritable enfant du pays mais il est le premier président de l'histoire des États-Unis à être né à Hawaii. Comme l'a déclaré sa femme, Michelle Obama :* « On ne peut comprendre Barack que si l'on connaît Hawaii ».

## Les immanquables d'Oahu

- **Prendre** un cours de surf à Waikiki.
- **Faire** la randonnée de Diamond Head.
- **Manger** des crevettes grillées sur la route de Kahuku.
- **Savourer** une shave ice à Haleiwa.
- **Visiter** le Bishop Museum à Honolulu.
- **Siroter** un mai tai face au coucher de soleil à Waikiki.
- **Visiter** l'*USS Arizona* Memorial à Pearl Harbor.
- **Faire** du snorkeling dans les eaux cristallines de Hanauma Bay.

## L'arrivée à Oahu

### Avion

**INTERNATIONAL HONOLULU AIRPORT**
✆ (808) 836 6413
www.honoluluairport.com
C'est le seul aéroport de l'île. Situé à 10 minutes du centre-ville et 20 minutes de Waikiki (en l'absence d'embouteillages), il accueille dans ses trois terminaux aussi bien les vols inter-îles de l'archipel que les vols internationaux. Il faut environ 15 minutes de marche pour passer d'un terminal à l'autre, mais on peut aussi prendre les navettes gratuites Wiki Wiki, toutes les 20 minutes. N'hésitez pas à vous servir en brochures et dépliants, il y en a partout. Ils sont gratuits et vous seront vraiment utiles. Ils recensent toutes les activités possibles et imaginables à faire sur l'île pendant la semaine ou le mois ! À noter également, la présence d'une infirmerie gratuite à l'aéroport, juste à côté du petit jardin à l'étage - 1, pour ceux qui auraient besoin d'un petit check-up avant l'embarquement pour cause de bobo tropical de dernière minute (expérience vécue !).

### Compagnies aériennes

**AIR CANADA**
✆ (808) 247 2262 – www.aircanada.com

**AMERICAN AIRLINES**
✆ (800) 223 536 – www.aa.com

**CONTINENTAL AIRLINES**
✆ (808) 532 0000 – www.continental.com

**DELTA AIRLINES**
✆ (800) 221 1212 – www.delta.com

■ **GO!**
✆ (888) 435 9462 – www.iflygo.com

■ **HAWAIIAN AIRLINES**
✆ (800) 367 5320 – www.hawaiianair.com

■ **ISLAND AIR**
✆ (808) 484 222 – www.islandair.com

■ **JAPAN AIRLINES**
✆ (800) 525 3663 – www.japanair.com

■ **MOKULELE AIRLINES**
✆ (808) 426 7070
www.mokuleleairlines.com

■ **NORTHWEST AIRLINES**
✆ (800) 225 2525 – www.nwa.com

■ **UNITED AIRLINES**
✆ (800) 241 6522 – www.ual.com

■ **US AIRWAYS**
✆ (800) 428 4322 – www.usairways.com

## Depuis l'aéroport

■ **THE BUS**
✆ (808) 848 5555 – www.thebus.org
Prendre les bus n° 19 ou le n° 20 qui vont jusqu'à Waikiki en passant par le centre-ville et le Ala Moana Boulevard. Possibilité d'aller directement à Pearl Harbor en prenant le bus n° 20 dans l'autre direction. Seulement 2,25 $ le trajet mais, attention, les bagages encombrants sont interdits car on doit pouvoir les glisser sous le siège. Solution économique idéale pour les voyageurs avec sac à dos.

### Shuttle

Ce sont des minibus qui fonctionnent comme des taxis collectifs. Ils sont disponibles immédiatement et stationnent en face des sorties de l'aéroport. Rotations toutes les 20 à 30 minutes.

■ **AIRPORT WAIKIKI SHUTTLE**
✆ (808) 954 8652
www.airportwaikikishuttle.com
Dessert essentiellement les hôtels de Waikiki. 15 $ l'aller-retour. Fonctionne 24h/24.

■ **OAHU AIRPORT SHUTTLE**
✆ (808) 681 8181
www.oahuairportshuttle.com
Se rend sur toute l'île et pas seulement à Waikiki. À partir de 29 $ l'aller simple. De 5 à 9 $, la personne supplémentaire. Réduction de 10 % pour ceux qui réservent leur billet sur le net et 72 heures à l'avance.

■ **WAIKIKI SHUTTLE**
✆ (808) 544 0004
www.shuttlebushawaii.com
Dessert surtout Waikiki, comme l'indique le nom de la compagnie. Compter près de 10 $ l'aller simple et 15,90 $ l'aller-retour. Tarifs intéressants pour les groupes.

### Taxi

Compter environ 30 $ la course jusqu'à Waikiki et un peu moins pour le centre-ville. Paiement uniquement en espèces ou en travellers chèques. Cartes de crédit refusées.

■ **AKAMAI CAB COMPANY**
✆ (808) 377 1379

■ **CHARLEY'S**
✆ (808) 955 2211

■ **CITY TAXI**
✆ (808) 524 2121

■ **STAR TAXI**
✆ (800) 942 7827
www.startaxihawaii.com
Réservation par téléphone obligatoire. Appeler la compagnie à l'arrivée pour leur confirmer la course.

### Voiture

La plupart des grands loueurs de voitures sont présents à l'aéroport. À l'arrivée, il suffit de prendre la navette correspondant à l'enseigne choisie pour aller récupérer un véhicule au dépôt. Un système très pratique puisqu'on ramène sa voiture au même endroit juste avant son vol retour. Il faut suivre les panneaux « Car Rental Return ». Une station-service, juste avant sur la droite, permet même de refaire le plein pour le même prix qu'ailleurs.

■ **ALAMO**
✆ (808) 246 0646 – www.goalamo.com

■ **AVIS**
✆ (808) 245 3512 – www.avis.com

■ **BUDGET**
✆ (808) 245 1901 – www.budget.com

■ **DOLLAR**
✆ (800) 800 4000 – www.dollar.com

■ **ENTERPRISE**
✆ (800) 736 8222 – www.enterprise.com

■ **HERTZ**
✆ (808) 245 3356 – www.hertz.com

■ **NATIONAL**
✆ (808) 245 5636 – www.nationalcar.com

■ **THRIFTY**
✆ (808) 952 4238 – www.trifty.com

# Oahu

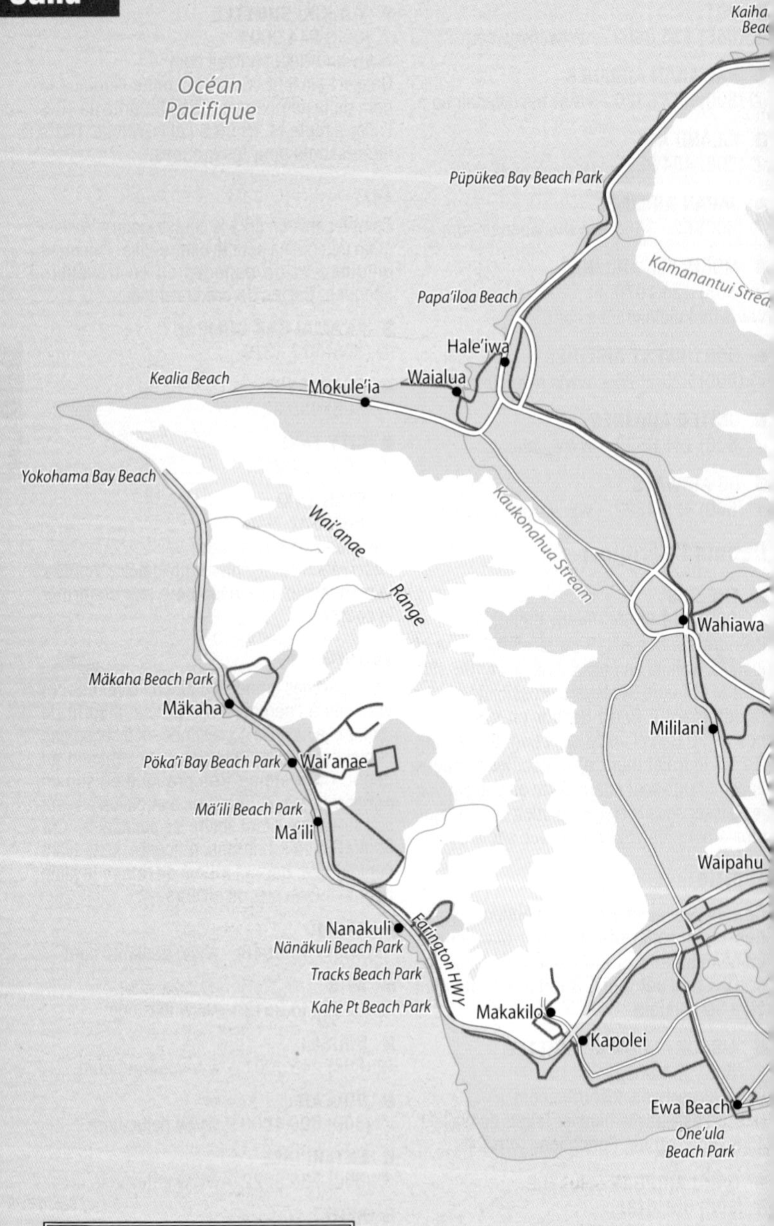
Océan Pacifique
Pūpūkea Bay Beach Park
Kamanantui Stream
Papa'iloa Beach
Hale'iwa
Kealia Beach
Mokule'ia
Waialua
Yokohama Bay Beach
Wai'anae Range
Kaukonahua Stream
Wahiawa
Mäkaha Beach Park
Mäkaha
Mililani
Pöka'i Bay Beach Park
Wai'anae
Mä'ili Beach Park
Ma'ili
Waipahu
Nanakuli
Nänäkuli Beach Park
Farrington HWY
Tracks Beach Park
Kahe Pt Beach Park
Makakilo
Kapolei
Ewa Beach
One'ula Beach Park
Route principale
Route secondaire
Petite route
Ligne de bus

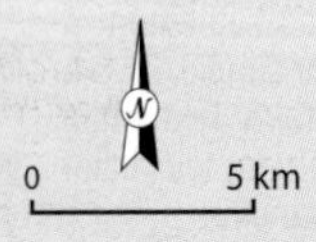
N
0
5 km

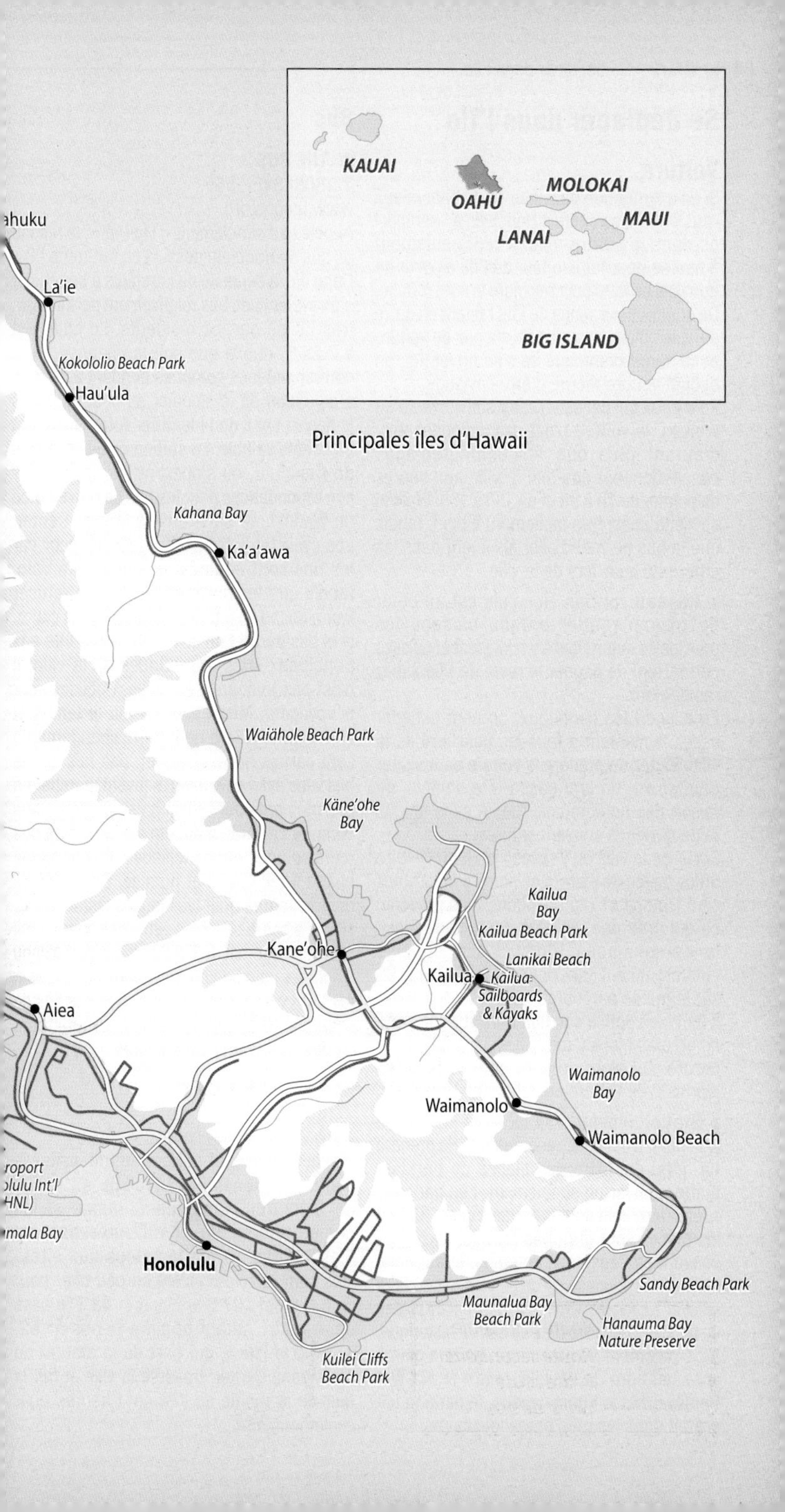
KAUAI
OAHU
MOLOKAI
MAUI
LANAI
BIG ISLAND
Principales îles d'Hawaii
ahuku
La'ie
Kokololio Beach Park
Hau'ula
Kahana Bay
Ka'a'awa
Waiähole Beach Park
Käne'ohe
Bay
Kailua
Bay
Kailua Beach Park
Lanikai Beach
Kane'ohe
Kailua
Kailua
Sailboards
& Kayaks
Aiea
Waimanolo
Bay
Waimanolo
Waimanolo Beach
roport
olulu Int'l
HNL)
mala Bay
Honolulu
Sandy Beach Park
Maunalua Bay
Beach Park
Hanauma Bay
Nature Preserve
Kuilei Cliffs
Beach Park

# Se déplacer dans l'île

## Voiture

Si on a l'intention de visiter toute l'île, mieux vaut louer une voiture à Honolulu, à l'aéroport ou dans le centre-ville. Il faut seulement 3 heures pour faire le tour de l'île à partir de Honolulu et 1h30 pour rejoindre le nord d'Oahu. De nombreuses zones de l'île restent en outre difficiles d'accès quand on n'a pas de voiture et ce serait dommage de s'en priver. Ici, un budget voiture mérite d'être envisagé.

Pour ceux qui pensent rester sur Honolulu ou Waikiki, la voiture n'est pas indispensable, d'autant plus que les embouteillages congestionnent pas mal la ville aux heures de pointe, de 7h à 9h et de 15h à 18h. Waikiki se visite aussi très facilement à pied, tandis que le bus permet d'aller aisément dans les différents quartiers de la ville.

▶ **Réseau routier.** Honolulu est au cœur du réseau routier d'Oahu puisque les principales autoroutes s'y rejoignent et qu'elles permettent de gagner le reste de l'île assez rapidement.

En suivant les panneaux, on peut accéder assez facilement à tous les quartiers de la ville. Évitez de prendre la voiture pour visiter Chinatown, un vrai casse-tête chinois, en raison des nombreuses rues à sens unique et de parkings souvent saturés.

Sortir de la ville ou y revenir peut aussi faire office de jeu de piste ! Les noms d'autoroutes sont trompeurs. Ils changent sans prévenir, ce qui crée une certaine confusion ! Ainsi, la Kamehameha Highway est appelée indifféremment Kam Highway ou Highway 99 sur le même parcours…

Il faut bien définir son itinéraire sur une carte au préalable et s'y tenir, si on ne veut pas se perdre. Ou alors prendre un GPS pour les journées de voiture en dehors de Honolulu !

▶ **Stationnement.** Pas facile de se garer à Honolulu. Il est donc recommandé de prendre un hôtel qui offre des places de parking, quitte à payer un supplément. Les parkings souterrains sont nombreux mais chers. Quand les places sont gratuites en ville, elles sont souvent limitées dans le temps. Il faut donc bien lire les panneaux si on ne veut pas se faire enlever sa voiture. On trouve pas mal de places disponibles dans les rues du centre historique, avec paiement au parcmètre. Un bon plan à noter au nord de Waikiki : entre le Ala Wai Boulevard et la Kuhio Avenue, le parking est gratuit dans les rues perpendiculaires.

## Bus

### THE BUS

✆ (808) 848 5555

www.thebus.org

Appelé tout simplement « TheBus », le réseau de bus de Honolulu dessert en fait toute l'île. Oahu est la seule île de l'archipel à bénéficier d'un système de bus relativement performant, très utilisé par les résidents. Le billet est à 2,25 $, quelle que soit la distance, et la correspondance comprise pendant 2 heures, à condition de le signaler au chauffeur dès le départ car il doit identifier votre ticket afin qu'il reste valable. La station de bus centrale de Honolulu, où s'opèrent les principales correspondances pour les bus en provenance de Waikiki, se situe au Ala Moana Center. Les cyclistes y trouveront leur bonheur car les bus sont équipés de supports à vélo, tandis que les surfeurs se verront refuser leur planche à l'intérieur. Mais, soyons clairs, si le bus permet de se rendre assez vite aux principaux sites touristiques de la ville, il n'est pas toujours très facile à utiliser pour le voyageur. Mieux vaut d'avoir le temps et d'être patient ! De nombreux changements sont parfois nécessaires et, une fois que le bus vous a déposé, il faut souvent marcher un bon moment pour arriver à destination. Sans compter l'attente indéfinie aux arrêts de bus en raison des embouteillages. Pas agréable quand il fait chaud et humide. On préférera donc la voiture pour les longues distances et, si on n'a pas le choix, on pensera à jeter un œil sur le site Internet de TheBus avant de partir ou à acheter un guide complet dans un magasin ABC. On y trouve aussi des cartes d'accès de 4 jours à 20 $, qui permettent aux amateurs de bus de voyager sans limites.

### WAIKIKI TROLLEY

✆ (808) 593 2822

www.waikikitrolley.com

Minibus charmant qui permet de visiter le centre de Honolulu et Waikiki en moins de 3 heures. Cependant, même si les commentaires du chauffeur regorgent d'anecdotes et que les stops aux sites-clés sont judicieux, c'est un peu cher pour ce que c'est : 27 $ le ticket et 48 $ le pass de 4 jours ! Autant prendre le bus n° 52, le « Circle Isle », qui part de la station du Ala Moana Center, traverse la ville et fait le tour de la moitié de l'île en 4 heures pour seulement 2 $ !

### Vélo

Honolulu comporte peu de voies cyclables et la circulation plutôt dense ne fait pas du vélo le moyen de déplacement idéal. La solution pour joindre l'utile à l'agréable, c'est de combiner bus et vélo dans la mesure où le transport d'un vélo est inclus dans le prix du ticket. Il va sans dire que plus on s'éloigne du centre et plus rouler à vélo est agréable. Sur le site de l'État de Hawaii, une carte routière illustrée balise les itinéraires recommandés aux cyclistes aussi bien à Honolulu que sur le reste de l'île : http://www.state.hi.us/dot/highways/bike/oahu

La location d'un vélo revient à 15 $ par jour en moyenne.

■ **COCONUT CRUISERS**
305 Royal Hawaiian Avenue
✆ (808) 924 1644
www.coconutcruisers.com

■ **THE BIKE SHOP**
1149 S. King Street ✆ (808) 596 0588
www.bikeshophawaii.com

### Moto

Pas mal pour se déplacer à Waikiki et Honolulu en général. Idéal pour éviter bouchons et problèmes de parking. Le must pour les amateurs, c'est de louer une Harley-Davidson au moins pour une journée !

Autour de 50 $ par jour la location d'une mobylette et de 200 $ pour une Harley.

■ **HARLEYS AND SPORT BIKES IN HAWAII**
1835 Ala Moana Boulevard
✆(808) 946 7777
www.harleysandsportsbikeshawaii.com
Un large choix de motos, surtout de Harleys. Location horaire possible, pour une durée de 3 heures minimum, à partir de 70 $.

■ **MOPED DIRECT**
750 Kapahulu Avenue ✆ (808) 732 3366
ou 1019 University Avenue
✆ (808) 942 9253
www.mopedsdirect.net
Tarif dégressif en fonction de la durée de location. La journée est à 37 $ et la semaine à seulement 129 $.



# HONOLULU

Capitale de l'État d'Hawaii, Honolulu est aussi la plus grande ville de l'archipel avec près de 900 000 habitants. Elle devient la capitale du royaume d'Hawaii, sur décision du Roi Kamehameha III, en 1845, au détriment de Lahaina (Maui) et elle est confirmée dans son rôle lors de l'avènement d'Hawaii comme État américain en 1959. Avec le développement du tourisme au XXe siècle, naît un des ses quartiers les plus connus qui est le véritable emblème de l'archipel aujourd'hui, Waikiki, dont tout le monde a en tête les gratte-ciels et les plages de rêve. Cependant, Honolulu a de multiples facettes comme l'attestent son quartier chinois, son centre historique et financier ainsi que la vallée luxuriante de Manoa.

## Pratique

### Tourisme

■ **OAHU VISITOR'S BUREAU**
733 Bishop Street – Suite 1520
✆ (808) 524 0722 – www.visit-oahu.com
Office du tourisme d'Oahu. Nombreuses cartes et brochures gratuites. Mais vous trouverez ces mêmes documents à disposition dans les nombreux kiosques de l'aéroport, les rues de Waikiki ou du centre historique.

■ **HAWAII VISITOR'S AND CONVENTION BUREAU**
2270 Kalakaua Avenue – Suite 801
✆ (808) 923 1811 – www.gohawaii.com
*Ouvert de 8h à 16h30.* Office du tourisme de l'État d'Hawaii. Nombreuses cartes et brochures gratuites également.

### Banques

Toutes les banques indiquées ci-dessus ont un distributeur ouvert 24h/24.

■ **BANK OF HAWAII**
**Waikiki :** 2228 Kalakaua Avenue
✆ (808) 543 6900
Ala Moana Center :
1450 Ala Moana Boulevard
✆ (808) 942 6111
Centre historique et financier :
111 S. King Street
✆ (808) 538 4171
Chinatown : 101 N. King Street
✆ (808) 532 2480

■ **FIRST HAWAIIAN BANK**
Waikiki : 2181 Kalakaua Avenue
✆ (808) 844 4444
Centre historique et financier :
999 Bishop Street ✆ (808) 844 4444

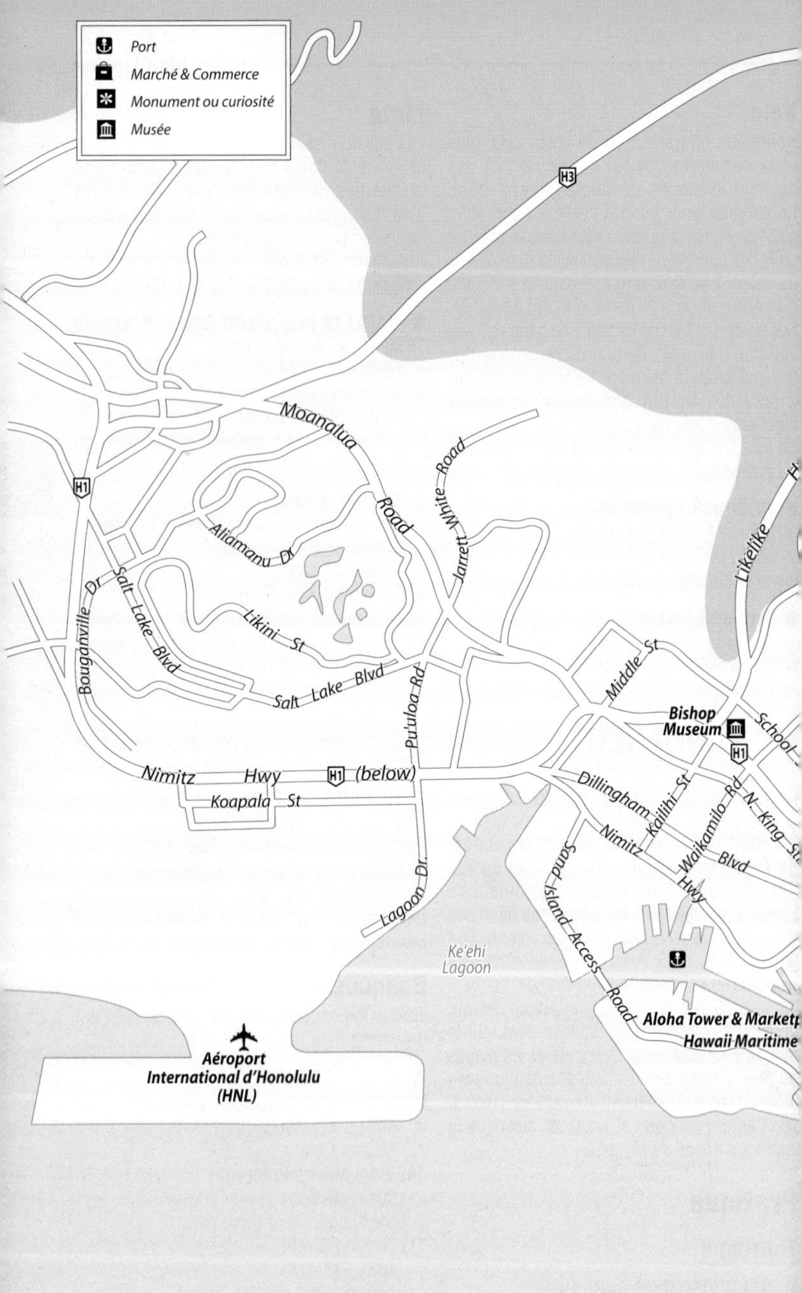
Port
Marché & Commerce
Monument ou curiosité
Musée
H3
Moanalua Road
H1
Aliamanu Dr
Jarrett White Road
Likelike
Likini St
Salt Lake Blvd
Bouganville Dr
Middle St
Bishop Museum
School
Pu'uloa Rd
Nimitz Hwy
H1 (below)
Koapala St
Dillingham Blvd
Kalihi St
Waikamilo Rd
N. King St
Nimitz Hwy
Sand Island Access Road
Lagoon Dr.
Ke'ehi Lagoon
Aloha Tower & Marketp
Hawaii Maritime
Aéroport International d'Honolulu (HNL)
Océan Pacifique

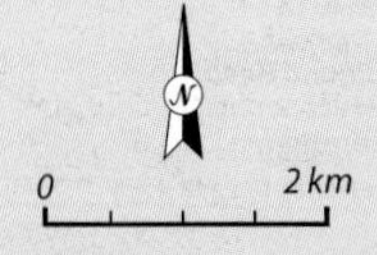
N
0
2 km

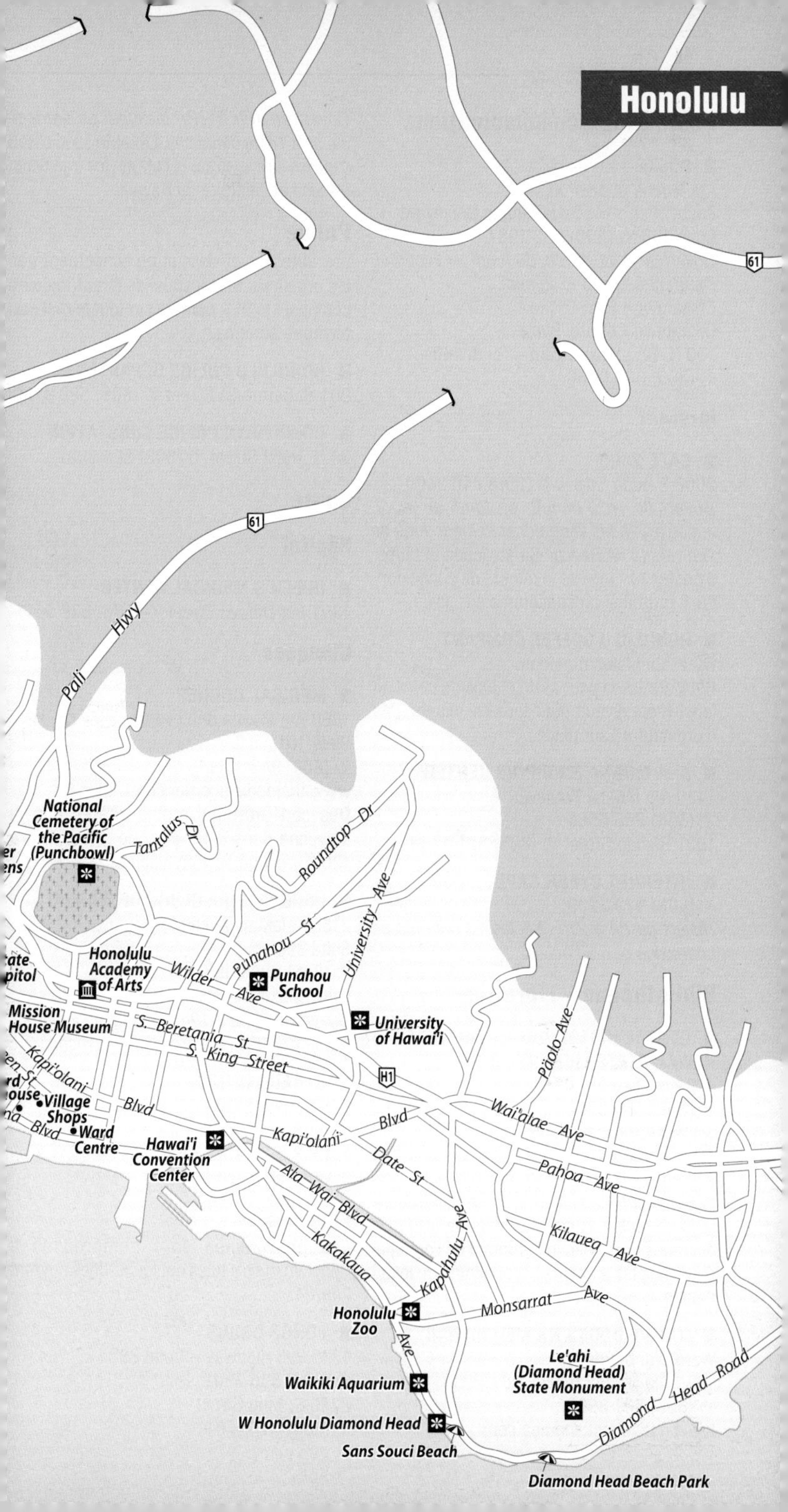

Honolulu
61
61
Pali Hwy
National Cemetery of the Pacific (Punchbowl)
Tantalus Dr
Roundtop Dr
University Ave
Punahou St
Honolulu Academy of Arts
Wilder Ave
Punahou School
University of Hawai'i
Mission House Museum
S. Beretania St
S. King Street
H1
Kapi'olani Blvd
Village Shops
Ward Centre
Pälolo Ave
Wai'alae Ave
Kapi'olani Blvd
Hawai'i Convention Center
Date St
Pahoa Ave
Ala Wai Blvd
Kapahulu Ave
Kilauea Ave
Kakakaua Ave
Honolulu Zoo
Monsarrat Ave
Le'ahi (Diamond Head) State Monument
Waikiki Aquarium
W Honolulu Diamond Head
Sans Souci Beach
Diamond Head Road
Diamond Head Beach Park

## Poste et télécommunications

**POSTE**
Ala Moana et environs :
Post Office : 1450 Ala Moana Boulevard
Suite 106 ✆ (808) 532 1987
*Ouvert de 8h30 à 17h, du lundi au vendredi. De 8h30 à 16h15 le samedi.*
Chinatown : Post Office
Chinatown Cultural Plaza
100 N. Beretania Street – Suite 160
✆ (808) 832 0068

### Internet

**CAFÉ 2600**
2600 S. King Street ✆ (808) 946 2400
*Ouvert de 7h à minuit, du lundi au jeudi. Jusqu'à 22h les vendredi et samedi. Près de l'université de Hawaii.* Sandwiches et cafés. 8 postes et 11 cents la minute de connexion. Wi-fi gratuit si on consomme sur place.

**HONOLULU COFFEE COMPANY**
www.honolulucoffee.com
Deux adresses pour cette chaîne de cafés où le wi-fi est gratuit pour tous les clients. Pas d'ordinateurs sur place.

**ALA MOANA SHOPPING CENTER**
1450 Ala Moana Boulevard
✆ (808) 306 6565
1001 Bishop Street ✆ (808) 521 4400

**INTERNET CYBER CAFE**
✆ (808) 979 2299
*Ouvert de 8h à 21h. 1 $ les 10 minutes de connexion et 6 $ l'heure.*

## Bibliothèque – Librairie

**CENTRE HISTORIQUE ET FINANCIER : HAWAII STATE LIBRARY**
478 King Street
✆ (808) 586 3500
www.librarieshawaii.org
*Ouvert de 9h à 17h les mardi, vendredi et samedi. De 10h à 17h, le mercredi et de 9h à 20h, le jeudi.* La bibliothèque de Hawaii dont le fonds est le plus riche. Plus de 500 000 ouvrages dont beaucoup traitant de l'archipel dans tous les domaines. À proximité du Iolani Palace.

**NATIVE BOOKS NA MEA HAWAII**
Ward Warehouse
1050 Ala Moana Boulevard
✆ (808) 591 8995
www.nativebooksnamea.com
*Ouvert de 10h à 21h, du lundi au samedi. Jusqu'à 17h le dimanche.* Librairie spécialisée dans les ouvrages sur la culture, les traditions, les arts et l'histoire de Hawaii.

## Police

Les adresses ci-dessus ne concernent pas les urgences pour lesquelles il faut toujours composer le 911, comme sur tout le reste du territoire américain.

**HONOLULU POLICE DEPARTMENT**
801 S. Beretania Street ✆ (808) 529 3111

**DOWNTOWN POLICE SUBSTATION**
79 N. Hotel Street ✆ (808) 529 3932

## Santé

### Hôpital

**QUEEN'S MEDICAL CENTER**
1301 Punchbowl Street ✆ (808) 538 9011

### Cliniques

**MEDICAL CORNER**
1860 Ala Moana Boulevard
Suite 101
✆ (808) 943 1111
www.themedicalcorner.com
Des consultations moins chères que la moyenne dans cette clinique : 74 $ contre 130 $ presque partout ailleurs.

**URGENT CARE CLINIC OF WAIKIKI**
2155 Kalakaua Avenue
Suite 308
✆ (808) 924 3399
www.waikikiclinic.org
*Ouvert de 8h30 à 19h, du lundi au vendredi. De 8h30 à 17h les samedi et dimanche.*

**STRAUB CLINIC**
888 S. King Street – Suite 308
✆ (808) 522 4000
✆ (808) 522 4777 (urgences 24h/24)
www.straubhealth.org

### Pharmacies

Les pharmacies sont nombreuses à Honolulu mais seules quelques-unes ouvrent 24h/24.

**LONGS DRUGS**
1330 Pali Highway – Suite 308
✆ (808) 536 7302
2220 S. King Street
✆ (808) 947 4781

## Magazines touristiques

■ **HONOLULU WEEKLY**
www.honoluluweekly.com
Journal gratuit hebdomadaire, avec beaucoup d'informations sur Honolulu. Liste des événements de la semaine : sorties, cinémas, spectacles.

■ **OAHU GOLD – THIS WEEK OAHU**
Deux magazines gratuits disponibles dans les kiosques disposés un peu partout dans les rues, surtout à Waikiki. Ils contiennent pas mal d'informations sur les sorties et restaurants à Oahu. Également, à l'intérieur, de nombreux coupons de réduction pour toutes sortes d'activités.

# Quartiers – Orientation

L'autoroute principale de Honolulu, la H1, parcourt la ville d'est en ouest de Kaimuki au sud-ouest d'Oahu. Du centre-ville, l'autoroute est accessible via Ala Moana Boulevard qui va de Waikiki à l'aéroport (elle se transforme en Nimitz Highway à l'ouest) et King Street qui lui est parallèle. Au niveau de Chinatown et du centre historique, Beretania Street et King Street drainent tout le trafic de Honolulu ; elles sont souvent encombrées aux heures de pointe. Les nombreux sites touristiques à proximité de ces deux rues ne font qu'augmenter les bouchons pendant la haute saison (hiver et été). Le Kapiolani Boulevard part de l'autoroute H1 au nord-ouest de la ville, au niveau de Waialae, et redescend vers Waikiki jusqu'à Kalakaua Avenue (qui permet de rejoindre Kapahulu Avenue à l'ouest) et longe Waikiki à l'est où il est perpendiculaire à plusieurs rues qui mènent à l'autoroute au nord.
Quand on pense à Honolulu, on restreint souvent la ville à son bord de mer et à sa succession de buildings. Cette partie, c'est en fait Waikiki, un de ses principaux quartiers, mais ce n'est pas tout Honolulu ! L'agglomération est beaucoup plus étendue qu'on ne l'imagine et s'organise autour de plusieurs quartiers principaux.

## Waikiki

Waikiki, c'est vraiment la partie la plus vivante et la plus exaltante de Honolulu, voire d'Oahu et de tout l'archipel hawaiien. Il est impossible de s'y ennuyer et ce quels que soient ses centres d'intérêt ! Surf, boogie-board, kayak, discothèques, centres commerciaux, restaurants en tous genres, balades, marchés ouverts, spectacles de hula ou couchers de soleil sur la plage... Quasiment toutes les activités praticables à Hawaii se font à Waikiki !
S'étendant du cratère de Diamond Head à l'est à la rivière Ala Wai à l'est, Waikiki est longé par les cocotiers et une succession de très belles plages dont les eaux turquoise enchantent les touristes du monde entier. Et c'est tout naturellement qu'elles ont gagné la réputation d'être les plus belles plages du Pacifique.
Sur seulement 2 km², Waikiki regroupe des centaines de restaurants, d'hôtels et de magasins, le tout fréquenté par 5 millions de touristes chaque année !

OAHU

*Waikiki Beach et Diamond Head.*

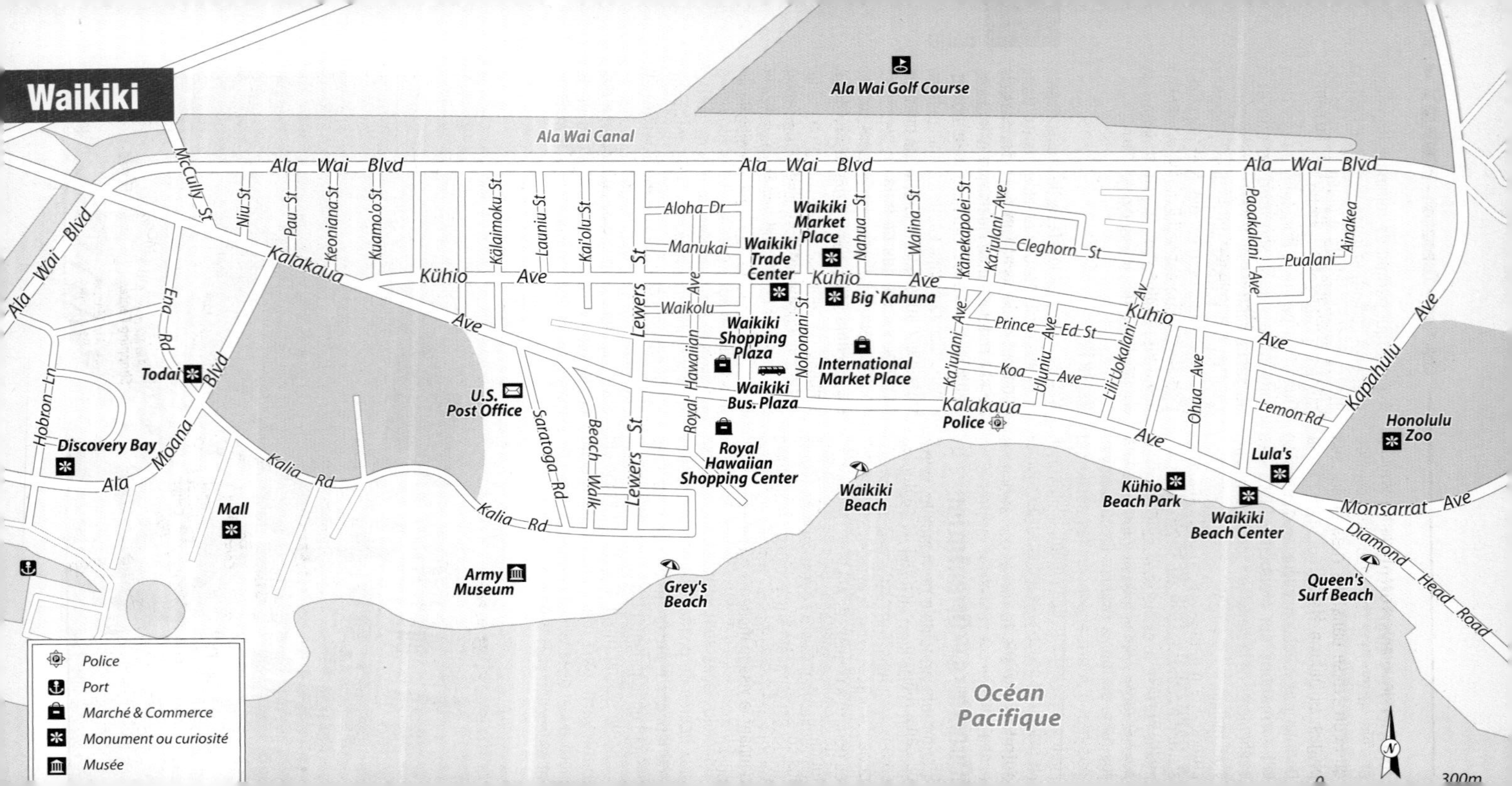
Waikiki
Ala Wai Golf Course
Ala Wai Canal
Ala Wai Blvd
McCully St
Niu St
Pau St
Keoniana St
Kuamo'o St
Kālaimoku St
Launiu St
Ka'iolu St
Lewers St
Aloha Dr
Manukai
Waikolu
Royal Hawaiian Ave
Nohonani St
Nahua St
Walina St
Kānekapolei St
Ka'iulani Ave
Cleghorn St
Paoakalani Ave
Pualani
Ainakea
Kūhio Ave
Kalakaua Ave
Prince Ed St
Koa Ave
Uluniu Ave
Lili'Uokalani Av
Ohua Ave
Lemon Rd
Kapahulu Ave
Monsarrat Ave
Diamond Head Road
Ena Rd
Hobron Ln
Ala Moana Blvd
Kalia Rd
Saratoga Rd
Beach Walk
Waikiki Market Place
Waikiki Trade Center
Big`Kahuna
Waikiki Shopping Plaza
International Market Place
Waikiki Bus. Plaza
Royal Hawaiian Shopping Center
U.S. Post Office
Todai
Discovery Bay
Mall
Army Museum
Grey's Beach
Waikiki Beach
Police
Kūhio Beach Park
Waikiki Beach Center
Lula's
Honolulu Zoo
Queen's Surf Beach
Océan Pacifique
Police
Port
Marché & Commerce
Monument ou curiosité
Musée
N
0
300m

Très peu de locaux s'aventurent à Waikiki et c'est surtout une population cosmopolite que l'on croise dans ses rues et sur ses plages. Si Oahu a été surnommée l'île la plus populaire, c'est à Waikiki qu'elle le doit car c'est le pôle touristique majeur de l'île et plus largement de Hawaii. Le seul regret, c'est qu'avec ses airs de station balnéaire américaine gigantesque, Waikiki manque souvent d'authenticité locale. Cette culture-là, moins surfaite, c'est seulement à Kapahulu Avenue qu'on peut la trouver, une enclave à l'est de la ville où se concentrent antiquaires et restaurants hawaiiens fréquentés par les locaux. Waikiki signifie « eau jaillissante », en raison des marécages qui s'étendaient autrefois sur ses terres et qui servaient essentiellement à cultiver le taro ou le riz jusqu'à la fin du XIXe siècle. Mais tout change dans les années 1920, grâce à la construction du canal Ala Wai, qui permet de capter les eaux des marais et d'assécher les sols. Waikiki devient alors une sorte d'île artificielle, bordée au nord et à l'ouest par Ala Wai. Dès lors, le tourisme s'y développe assez rapidement et les constructions s'y multiplient de manière exponentielle tout au long du XXe siècle, lui donnant le visage moderne qu'on lui connaît aujourd'hui.

## Autour de l'Ala Moana Boulevard

L'Ala Moana Boulevard, qui s'étend du centre historique à Waikiki, est le cœur battant du quartier commerçant de Honolulu. Plusieurs centres commerciaux sont établis dans ses environs : Ala Moana Shopping Center, Victoria Ward Center ou encore Aloha Tower Marketplace. C'est aussi près du Ala Moana Shopping Center que se trouve une des principales gares de bus de Honolulu.

## Centre historique et financier

Situé entre Ala Moana Boulevard et Chinatown, le centre historique de Honolulu est le pôle financier et législatif majeur de Hawaii, comme en témoignent les bâtiments officiels établis à Bishop Square (Sénat, Chambre des Représentants, Capitole).

Mais c'est aussi le quartier d'affaires de Honolulu où se concentrent banques et sièges sociaux des principales entreprises hawaiiennes. Les rues y sont donc très animées en semaine et beaucoup moins le week-end. Cependant, les sites historiques de cette partie de la ville drainent une population non négligeable de touristes, y compris le week-end.



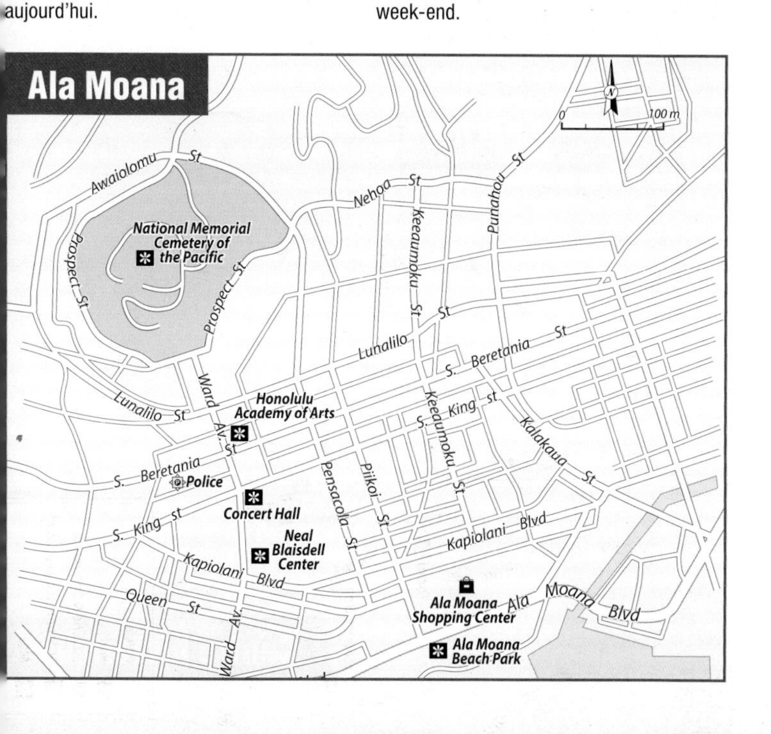

Pour éviter les routes embouteillées par ceux qui vont y travailler en semaine, il est d'ailleurs conseillé aux visiteurs de venir visiter ce quartier pendant le week-end. Mais, de manière générale, il vaut mieux ne pas prendre la voiture pour s'y rendre et préférer le bus car le stationnement, payant partout, revient vite cher.

## Chinatown

Entre le centre historique à l'est et le ruisseau Nuuanu à l'ouest, Chinatown est un enchevêtrement de rues où travaille plus qu'elle ne vit l'essentiel de la population d'origine asiatique de Honolulu. Construit en 1860, sur le quartier chaud de Honolulu où les marins venaient s'enivrer et voir des prostituées, c'est en fait le plus ancien quartier chinois des États-Unis. Il a été fondé par les ouvriers asiatiques venus s'installer à Hawaii au début du XIXe siècle pour y travailler dans les plantations de sucre. C'est donc avant tout les pays d'Asie dont ces travailleurs étaient issus qui sont représentés à Chinatown, à savoir la Chine, le Japon, la Corée, les Philippines, le Viêt-nam. Les autres nationalités, comme les Thaïlandais ou les Taïwanais, sont venues se greffer au quartier au cours du XXe siècle. En comparaison à d'autres Chinatown aux États-Unis, celui de Honolulu est de loin le plus authentique, chaque communauté ayant pris soin de recréer dans les moindres détails l'atmosphère de son pays d'origine. Par moments, on se croirait facilement au Japon ou en Chine ! On n'en oublierait presque qu'on est à Hawaii. Le contraste avec le centre historique tout proche est d'ailleurs saisissant : c'est une autre planète ! Epiceries, restaurants bon marché, boutiques de souvenirs ou d'artisanat foisonnent et on ne sait souvent plus où donner de la tête, sans oublier les vendeurs parfois pressants qui guettent et alpaguent le touriste. Attention cependant aux nombreux articles contrefaits qui pourraient vous coûter fort cher lors de votre passage à la douane, si vous aviez le malheur de les acheter. Enfin, il faut prévoir d'aller à Chinatown tôt le matin et, éventuellement, déjeuner dans une des cantines typiques sur place car, après 15h, les boutiques et restaurants ferment presque tous. Il vaut mieux d'ailleurs ne pas s'éterniser après cette heure car le quartier devient peu fréquentable et les touristes isolés sont alors la proie favorite des délinquants et autres pickpockets.

▸ **Un site très bien fait** sur Chinatown recense tous les commerces et évé-nements : www.chinatownhi.com

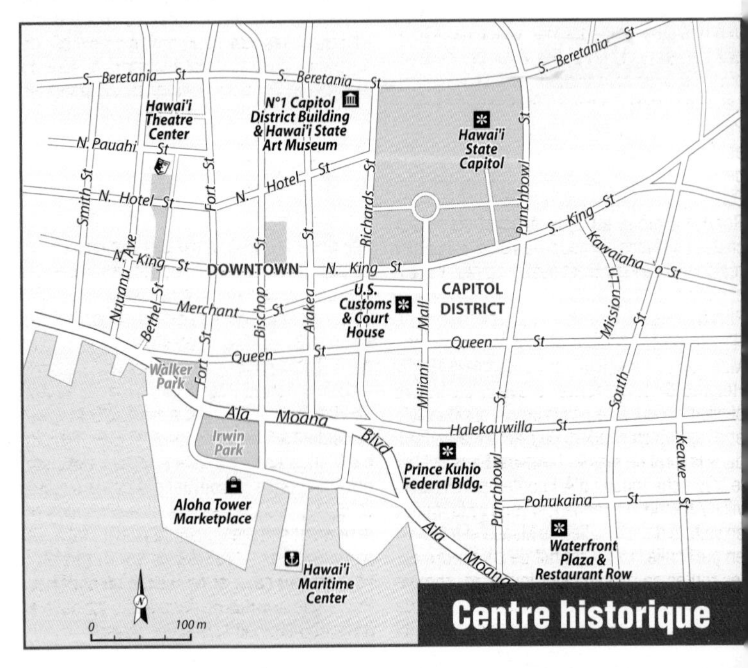

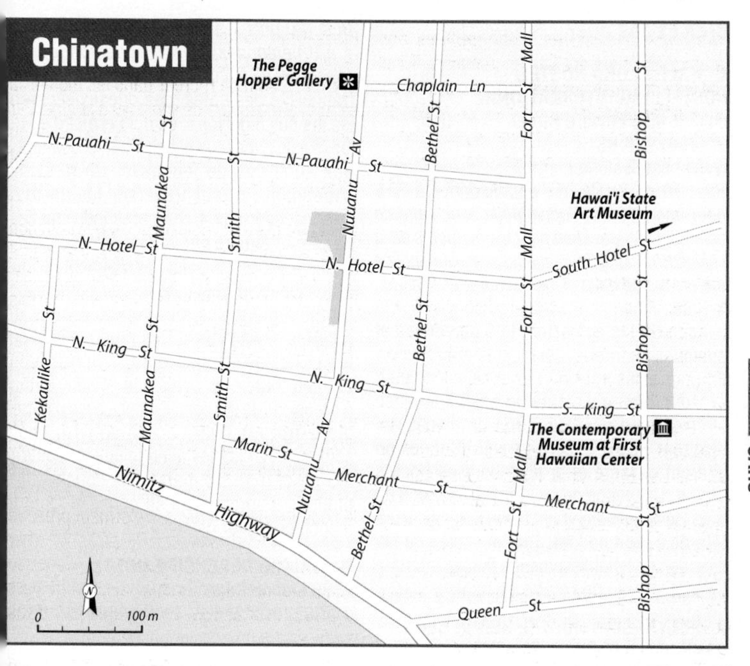




## La vallée de Manoa et la zone universitaire

L'université de Hawaii et son campus sont perchés dans la magnifique vallée de Manoa qui surplombe Honolulu. Plus on s'élève, plus les rues sont calmes et résidentielles. Les deux axes principaux, University Avenue et Punahou Street, partent du centre de Honolulu et changent de nom en arrivant dans la vallée de Manoa où elles deviennent respectivement Oahu Avenue et Manoa Road. C'est la Manoa Road qui mène au Lyon Arboretum et aux chutes de Manoa. En bas de la vallée, le quartier résidentiel de Moiliili est beaucoup plus peuplé et compte d'importants centres commerciaux. Plus à l'ouest et juste au-dessus de l'autoroute H1, un autre quartier résidentiel plus chic : Makiki. Dans ses hauteurs, au bout de Makiki Heights Drive et Tantalus Drive, on trouve plusieurs très beaux points de vue sur Honolulu et d'agréables sentiers de randonnée à faire dans la forêt de Makiki Tantalus. Sans oublier le très riche musée d'Art contemporain de la ville. Attention cependant si vous vous rendez en voiture dans la vallée de Manoa et à Makiki en particulier : on a tôt fait de s'y perdre car les routes se ressemblent toutes et, comme ce sont des zones résidentielles au milieu de la forêt, ne comptez pas sur des passants pour vous renseigner ! La route peut donc tourner au cauchemar et on en vient vite à tourner en rond désespérément… Il vaut franchement mieux prendre un des bus qui sillonnent ces zones, au moins on est sûr de ne pas se perdre. C'est à la gare routière du Ala Moana Shopping Center qu'on prend les bus n° 5, 6 et 18 qui y mènent.

# Hébergement

## À Waikiki

Séjourner à Waikiki n'est pas forcément hors de prix. De nombreuses options s'offrent aux petits budgets : auberges de jeunesse, petits hôtels familiaux en retrait de la plage, Bed and Breakfast, studios avec kitchenette… Être basé à Waikiki, c'est aussi pouvoir sillonner facilement toute l'île. À titre indicatif, la ville de Haleiwa, à l'extrême nord d'Oahu, est seulement à 1 heure de route. Et puis, Waikiki, c'est vraiment « *the place to be* » avec son effervescence perpétuelle entre surfeurs, shopping, shows de hula et night-clubs où la fête bat son plein jusqu'au petit matin. Ne pas séjourner à Waikiki, ce serait passer à côté de tout ça… et de Hawaii un petit peu. Parce que le cœur de l'archipel s'y trouve et toute son énergie si positive aussi !

## Bien et pas cher

### ■ HALE ALOHA HOSTEL HOSTELLING INTERNATIONAL

2417 Prince Edward Street
✆ (808) 926 8313
www.hostelsaloha.com
*Bus : 19 ou 20. De 26 $ pour le dortoir à 60 $ pour une chambre individuelle avec salle de bains. 3 $ de réduction pour les membres de la chaîne Hostelling International. À seulement une minute à pied de la plage.* Au cœur de Waikiki, le Hale Aloha est une auberge conviviale qui compte 60 lits en dortoir de 6 personnes et quelques chambres doubles. Il faut réserver tôt pour s'assurer un lit et le séjour ne peut excéder 7 jours. Le parking à 5 $ la journée n'offre qu'un nombre réduit de places qui profitent aux premiers arrivés. Connexion Internet payante et prêt de boogies-boards gratuit. L'absence de couvre-feu fait enfin du Hale Aloha l'hébergement favori des voyageurs fêtards à petit budget. Tant et si bien que la direction de l'établissement a fini par interdire l'alcool au sein de l'établissement.

### ■ POLYNESIAN HOSTEL BEACH CLUB

2484 Lemon Road
✆ (808) 922 1340 – Fax : (808) 262 2817
http://hostelhawaii.com
*Bus : 19 ou 20. De 23 à 30 $ en dortoir de 6 personnes, de 54 à 82 $ en chambre double selon salle de bains partagée ou non. Possibilité d'un studio pour 3 personnes entre 77 et 92 $.* Impossible de rester seul dans cette auberge où tout est mis en œuvre pour se faire de nouveaux amis. L'éventail d'activités quotidiennes est impressionnant pour une auberge de jeunesse et leur prix est attractif : excursions à thème sur toute l'île (*15 $*), immersion dans la vie festive de Waikiki jusqu'au bout de la nuit (*10 $*), soirées barbecue (*10 $*)... D'autres petites attentions intéresseront le globe-trotter soucieux de son porte-monnaie : café et thé en libre-service, prêt gracieux de masques et tubas, nombreux bons de réduction pour les bars locaux et stockage gratuit des bagages pour ceux qui voudraient faire une escapade de quelques jours sur les autres îles... Quant aux parties communes de l'auberge, elles sont propres et la cuisine est relativement spacieuse. Enfin, le personnel accueillant et disponible du Polynesian Hostel est bel et bien au diapason du « Aloha Spirit ».

### ■ SEASIDE HAWAIIAN HOSTEL

419 Seaside Avenue
✆ (808) 924 3303 – Fax : (808) 923 2111
www.seasidehawaiianhostel.com
*Bus : 20 puis 2. De 23 à 30 $ en dortoir de 4 à 8 personnes, 30 $ en chambre double avec salle de bains partagée.* Pour assurer la tranquillité des hôtes, des rideaux séparent les lits des 8 dortoirs, ce qui permet d'éviter les réveils grincheux dans la nuit, si communs aux auberges de jeunesse. Un petit hic cependant : il faut traverser les dortoirs pour accéder aux 4 chambres individuelles. La cour intérieure ombragée, à la décoration chaleureuse, est le point de ralliement de tous les résidents et c'est aussi là que s'organisent régulièrement des barbecues, à base de recettes hawaiiennes. Des randonnées vers les principaux points d'attraction d'Oahu ont lieu toutes les semaines et sont autant d'occasions de lier connaissance avec d'autres globe-trotters. Libre accès au wi-fi, mais seulement 2 cabines téléphoniques. Couvre-feu strict à 1h du matin ; les couche-tard étourdis n'auront qu'à se consoler avec le magnifique lever de soleil sur Waikiki !

### ■ WAIKIKI BEACHSIDE HOSTEL

2556 Lemon Road
✆ (808) 923 9566 – Fax : (808) 923 9599
www.waikikibeachsidehostel.com
*Bus : 19 ou 20. De 25 à 35 $ en fonction du dortoir de 4 à 8 personnes, de 67 à 90 $ en chambre double, avec cuisine et salle de bains communes.* À seulement 5 minutes de la plage, cette auberge offre aussi de nombreuses commodités. Le petit déjeuner est gratuit, la réception est ouverte toute la nuit, une grande laverie et un cybercafé sont en libre-service. L'offre la plus attractive reste celle des circuits inter-îles pas chers, littéralement pris d'assaut par les voyageurs avides d'aventure. Aucune autre auberge de jeunesse n'en organise : penser à réserver sa place dès le check-in. Et pour ceux qui veulent prolonger leur séjour, c'est l'idéal : l'établissement peut les héberger jusqu'à 30 jours.

### ■ BREAKERS

250 Beach Walk
✆ (808) 923 3181 – Fax : (808) 923 7174
www.breakers-hawaii.com
*Bus : n° 19. De 120 à 155 $ le studio jusqu'à 3 personnes, de 205 à 245 $ l'appartement de 3 à 5 personnes.* Très bon rapport qualité-prix pour cet établissement modeste à la décoration polynésienne et japonisante très pittoresque. Toutes les chambres sont équipées d'une cuisinette, ce qui permet de réaliser des économies non négligeables à Waikiki. Café et wi-fi gratuits à la réception. À ne pas manquer : la cérémonie du thé

à la japonaise, seulement les mercredi et vendredi.
Possibilité d'utiliser sans frais une des 7 places de parking de l'hôtel, mais on ne peut pas réserver sa place. Les moins rapides pourront toutefois se satisfaire d'un parking public voisin à 11 $ par jour.

■ **HAWAIIAN KING**
417 Nohonani Street ✆ (831) 239 3477
www.hawaiiankingcondo.com
*Bus : 19. De 95 à 105 $ la nuit en chambre single ou double, tarif promotionnel de 90 $ par personne pour une réservation d'une semaine minimum.* Petit hôtel familial à deux pas de la plage et de l'International Market Place. Architecture des années 1960, avec une charmante piscine ovale au milieu du jardin de l'hôtel. Personnel chaleureux et disponible. Nombreuses commodités : prêt gracieux de planches de surf, accès wi-fi à la réception, laverie en libre-service, espace barbecue. Seul inconvénient : l'absence de parking. Mais les stationnements à prix correct sont nombreux dans les environs.

■ **KAI ALOHA HOTEL**
235 Saratoga Road ✆ (808) 923 6723
http://kaialoha.magicktravel.com
*Bus : 19. 90 $ le studio de 1 à 2 personnes, de 105 à 135 $ l'appartement pour 3 à 5 personnes.* Un des plus anciens hôtels de Hawaii qui n'a rien perdu de son authenticité. Malgré le mobilier désuet, les chambres restent cosy. Une cuisine équipée dans toutes les habitations. Parfait pour les familles ou les groupes d'amis désireux de réaliser des économies. Pas de parking à l'hôtel ; il faut traverser la rue pour trouver des places pas chères.

■ **ROYAL GROVE HOTEL**
151 Uluniu Avenue
✆ (808) 923 7691 – Fax : (808) 922 7508
www.royalgrovehotel.com
*Bus : 19 ou 20. De 55 à 100 $ la chambre pour 2 personnes, la semaine à partir de 400 $ d'avril à novembre.* Un hôtel aux prix défiant toute concurrence à Waikiki. Parfait pour les familles et les budgets restreints. Mieux vaut donc réserver à l'avance ! La décoration et le mobilier sont un peu vieillots, mais une kitchenette parfaitement équipée se trouve dans de nombreuses chambres. L'air conditionné n'a pas été installé dans les chambres les plus anciennes, qui sont donc les moins chères. Bien se renseigner au moment de la réservation pour ceux qui redoutent la chaleur. Pas de parking sur place. Se rendre à l'hôtel Pacific Monarch, au coin de la rue : stationnement à 12 $ par jour.

■ **WAIKIKI PRINCE HOTEL**
2431 Prince Edward Street
✆ (808) 922 1544 – Fax : (808) 924 3712
www.waikikiprince.com
*Bus : 19. De 55 à 80 $ la nuit pour 2 personnes. Réception ouverte de 9h à 18h seulement. À deux pas de la plage.* Etablissement simple et chaleureux d'une trentaine de chambres au tarif très abordable, avec cuisinettes équipées de fours à micro-ondes et frigos. Pas de téléphone dans les chambres. En contrepartie, appels locaux gratuits à la réception. Pour les réservations d'une semaine, 6 nuits facturées au lieu de 7.

■ **WAIKIKI SAND VILLA**
2375 Ala Wai Boulevard
✆ (808) 922 4744 – Fax : (808) 926 7587
www.waikikisandvillahotel.com
*Bus : 19. À partir de 139 $ la nuit pour une chambre double. Studio de 4 personnes avec kitchenette pour moins de 300 $. Tarifs réduits pour les réservations d'une semaine.* Hôtel sans grande originalité, aux chambres correctes et fonctionnelles. Nombreuses commodités cependant : accès wi-fi au bord de la piscine et dans les chambres, jacuzzi et centre de fitness non facturés, petit déjeuner gratuit. Bien qu'éloigné de la plage, cet établissement reste une bonne affaire.

## Confort ou charme

■ **DIAMOND HEAD B&B**
3240 Noela Drive ✆ (808) 923 3360
www.diamondheadbnb.com
*Bus : 19. De 130 à 145 $ la chambre double, petit déjeuner inclus. 20 $ par nuit pour un lit supplémentaire. CB non acceptées. Paiement en espèces ou travellers chèques dès le check in. Réservation très conseillée.* Bed & Breakfast de petite taille, très convivial, à 15 minutes du Kapi'olani Park et de la plage Sans Souci. L'établissement compte seulement 3 appartements, qu'il faut réserver longtemps à l'avance ! Décoration hawaiienne boisée et colorée, typique des habitations locales dans les années 1950. Capacité d'accueil jusqu'à 4 personnes pour chaque logement. Préférer la « Princess Ruth Suite », pour le lit king size où aurait dormi l'illustre princesse de l'archipel et la vue sur le volcan Diamond Head. Pendant le petit déjeuner, Joannes, la maîtresse de maison, se joint souvent aux convives pour parler de tout et de rien. Ou comment se sentir chez soi à Hawaii.

■ **HOTEL RENEW**
129 Paokalani Avenue
✆ (808) 687 7700 – Fax : (808) 687 7701
www.hotelrenew.com
*Bus : 19 ou 20. 300 $ la nuit pour 2 personnes en moyenne.* Comme l'indique son nom, cet hôtel a été refait à neuf dernièrement, d'où les prix un peu élevés pour un établissement de sa catégorie. Mais le jeu en vaut la chandelle pour le voyageur soucieux de son confort et à la recherche d'une ambiance zen et cosy. Un cocktail de bienvenue permet aux nouveaux arrivants de souffler un peu. Pour ceux qui ont un animal, lui aussi a droit à des friandises ! Chambres spacieuses et au mobilier délicieusement design pour les amateurs. Wi-fi et appels locaux gratuits. Petit déjeuner continental, copieux et varié, servi tous les matins dans un espace lounge très agréable pour un réveil en douceur. Pas de piscine mais la plage est à 5 minutes à pied.

■ **HAWAIIANA HOTEL**
260 Beach Walk
✆ (808) 923 3811 – Fax : (808) 926 5728
http://www.hawaiianahotelatwaikiki.com
*Bus : 19. Entre 125 et 215 $ la chambre jusqu'à 3 personnes. 250 $ la chambre pour 5 personnes. Parking en face à 15 $ par jour.* Cet hôtel de seulement 3 étages, une espèce en voie de disparition à Waikiki, semble ne pas avoir bougé depuis les années 1950. Parfait pour les nostalgiques anti-buildings. Mis à part un mobilier souvent vieillot, les chambres de l'établissement sont confortables et ont toutes une cuisinette avec micro-ondes. Eviter cependant les chambres côté boulevard, plutôt bruyantes. Personnel chaleureux et facilement disponible. Nombreuses petites attentions : ananas fraîchement découpé offert à l'arrivée, café Kona et jus tropicaux à volonté le matin au bord de la piscine, espace barbecue, etc. Une convivialité toute hawaiienne pour un hôtel qui porte bien son nom.

■ **NEW OTANI KAIMANA BEACH HOTEL**
2863 Kalakaua Avenue
✆ (808) 923 1555 – Fax : (808) 922 9404
www.kaimana.com
*Bus : 19. De 160 à 395 $ la chambre double.* Une situation exceptionnelle pour cet établissement de taille modeste qui se trouve à la fois sur la magnifique plage de Sans Souci et à quelques encablures de Diamond Head. Les chambres, convenables, offrent pour la plupart une vue imprenable sur la mer. Tranquillité garantie.

■ **WAIKIKI JOY HOTEL**
320 Lewers Street
✆ (808) 923 2300 – Fax : (808) 924 4010
www.waikikijoyhotel.com
*Bus : 19 ou 20. À partir de 185 $ la chambre double, 225 $ avec kitchenette. Tarifs Internet souvent plus intéressants.* Vraiment l'adresse idéale pour se prélasser : jacuzzi et enceintes stéréo dernier cri dans chaque chambre, petit déjeuner continental offert tous les matins, un jouet gratuit pour les enfants dès le check-in... Enfin, le Joy Hotel, pourtant au cœur de l'effervescence de Waikiki, est étonnamment calme. À 5 minutes de la plage. Très bon rapport qualité-prix.

## Luxe

■ **HALEKULANI**
2199 Kalia Road ✆ (808) 923 2311
Fax : (808) 926 8004 – www.halekulani.com
*Bus : 19 ou 20. De 410 à 750 $ la chambre double.* Halekulani signifie « maison du paradis » en hawaiien et on comprend pourquoi l'hôtel porte ce nom ! Décoration raffinée, service haut de gamme et chambres de rêve avec vue superbe sur l'océan en font un lieu de résidence unique, très prisé par les jeunes mariés pour leur lune de miel.

■ **HYATT REGENCY WAIKIKI BEACH RESORT & SPA**
2424 Kalakaua Avenue
✆ (808) 923 1234 – Fax : (808) 926 3415
www.waikiki.hyatt.com
*Bus : 19 ou 20. À partir de 270 $ la chambre double. Juste en face de la statue du légendaire surfeur Duke Kahanamoku.* Très certainement, l'hôtel le plus chic de Waikiki, comme le certifient ses 4-diamants, équivalent de nos étoiles, une distinction rarissime à Honolulu. Service irréprochable, hall orné d'un luxuriant jardin tropical, boutiques à n'en plus finir, salle de sport accessible 24h/24... tout respire l'harmonie, jusqu'aux chambres spacieuses et design. Quant au bar de la piscine, c'est un pur délice le soir venu : tout en se prélassant dans l'un des deux jacuzzis extérieurs, on se laisse envoûter par les concerts live du crépuscule, un mai taï à la main. Et pour prolonger les plaisirs, rien de tel qu'un petit massage au Na Ho'ola Spa. Tester, le lomi-lomi, une potion magique contre le jet lag. Enfin, pour la petite histoire dans la grande, Barack Obama en personne a séjourné dans cet hôtel alors qu'il rendait visite à sa grand-mère malade, en pleine campagne électorale, et qu'il avait besoin de se ressourcer... Alors, malgré les prix élevés du Hyatt Regency, forcément on se dit : « *Yes, we can* » !

■ **MOANA SURFRIDER**
2365 Kalakaua Avenue
✆ (808) 922 3111 – Fax : (808) 924 4799
www.moana-surfrider.com
*Bus : 19 ou 20. De 430 à 740 $ la chambre pour 2 personnes. Suites de 1 300 à 3 500 $.* Bienvenue dans le palace-musée ! Le Moana-Surfrider est en effet le premier hôtel construit à Waikiki, en 1901, bien avant les débuts de l'essor touristique de l'archipel. Cet établissement, à l'élégance victorienne et aux chambres particulièrement classieuses, n'a rien perdu de sa fraîcheur et n'a rien à envier aux complexes hôteliers les plus modernes de la ville. Son emplacement, tout au bord de la plage, le distingue nettement de ses concurrents. Et dans ses chambres face à l'océan, même fenêtres fermées, on est bercé par le clapotis des vagues. L'imposant banian centenaire, planté juste à côté de la piscine, rend le Moana Surfrider encore plus féerique, presque éternel. Inoubliable !

■ **ROYAL HAWAIIAN HOTEL**
2259 Kalakaua Avenue
✆ (808) 923 7311 – Fax : (808) 931 7098
www.royal-hawaiian.com
*Bus : 19 ou 20. De 445 à 775 $ la chambre double. Suites à partir de 785 $.* Impossible de passer à côté du Royal Hawaiian sans le remarquer ; il est tout rose ! Construit en 1927, c'est le deuxième hôtel de Waikiki et un des symboles incontournables de l'île. D'architecture Art déco iconoclaste, cet établissement est divisé en deux ailes : une ancienne, avec des chambres aux lits à baldaquin, et une autre résolument moderne. La plage de l'hôtel, d'une largeur exceptionnelle, est une des rares de Waikiki où les adeptes de la bronzette ne sont pas serviette contre serviette !

## Autour du Ala Moana Boulevard

■ **PAGODA HOTEL**
1525 Rycroft Street ✆ (808) 941 6143
www.pagodahotel.com
*À partir de 148 $ la chambre double. 160 $ pour 4 personnes, 220 $ avec kitchenette et terrasse.* Agréable hôtel à la décoration asiatique comme le suggère son nom. À proximité du Ala Moana Shopping Center et loin de l'agitation de Waikiki. Convient parfaitement aux personnes qui veulent dévaliser les magasins du centre commercial ! Parfait également pour les familles, vu que les chambres à partir de 4 personnes ne sont vraiment pas chères, qu'elles soient avec ou sans kitchenette.

## Centre historique et financier

■ **NUUANU YMCA**
1441 Pali Highway
✆ (808) 536 3556
www.ymcahonolulu.org/locations/nuuanu
*À partir de 35 $ la chambre single.* Au cœur du centre historique. Le plus grand YMCA d'Oahu avec 78 chambres. Salle de gym et piscine en libre accès. Réservations à l'avance impossibles ; il faut appeler le jour de son arrivée pour savoir s'il y a des places.

## La vallée de Manoa et la zone universitaire

■ **HOSTELLING INTERNATIONAL HONOLULU**
2323a Seaview Avenue
✆ (808) 946 0591
www.hostelsaloha.com
*20 $ la nuit en dortoir. Dortoirs non mixtes. 2 chambres doubles à 50 $. Réductions pour les membres de la chaîne Hostelling International. Réservations à l'avance.* Charmante auberge située dans un quartier résidentiel, près de l'université de Hawaii. 7 dortoirs qui peuvent accueillir jusqu'à 40 personnes. Clientèle internationale. En libre accès : salle TV, laverie, cuisine équipée.

■ **MANOA VALLEY INN**
2001 Vancouver Drive
✆ (808) 947 6019
www.manoavalleyinn.com
*125 $ la chambre double avec salle de bains, 150 $ avec salle de bains partagée. Petit-déjeuner inclus. Réservation pour 2 nuits minimum.* Une maison victorienne classée monument historique en guise d'hôtel ! Une atmosphère d'antan, avec un mobilier et des tableaux d'époque qui séduiront les nostalgiques mais aussi les amateurs du calme car on est loin du brouhaha de Honolulu (mais de la plage aussi, hélas). La maîtresse de maison, originaire de Kauai, connaît Oahu sur le bout des doigts et se tient à la disposition de ses hôtes pour leur indiquer différents bons plans. Un jacuzzi dans le jardin.

# Restaurants

Les cuisines du monde entier, dont celle de Hawaii bien sûr, sont représentées à Waikiki. Côté budget, tous les voyageurs y trouvent leur compte, même les plus fauchés.

## À Waikiki

■ **ARANCINO**
255 Beachwalk
✆ (808) 923 5557 – www.arancino.com
*Ouvert de 10h30 à 14h30 et de 17h à 22h30. Pizzas de 11 à 20 $, pâtes de 12 à 35 $.* Le restaurant italien le plus authentique de Waikiki. Plats délicieux, préparés comme par la « mama » ! Les fans de pâtes raffolent des « spaghetti alla pescatore » (aux fruits de mer et à l'ail) et les inconditionnels de la pizza ne se lassent pas de la « owner's favorite » (aux crevettes et aux oignons de Maui). Happy-hour de 17h à 19h, sur une sélection de vins accompagnés de pupus à volonté (en-cas salés).

■ **CIAO MEIN**
Hyatt Regency
Waikiki Beach Resort & Spa
2424 Kalakaua Avenue
✆ (808) 923 1234 – Fax : (808) 926 3415
www.waikiki.hyatt.com
*Ouvert pour le dîner. Compter 35 $ en moyenne.* Situé dans le superbe hôtel Hyatt, le Ciao Mein est un restaurant qui mêle avec raffinement cuisine italienne et chinoise, comme l'indique son nom.

■ **DUKE'S CANOE CLUB**
Outrigger Waikiki
2335 Kalakaua Avenue ✆ (808) 922 2268
www.dukeswaikiki.com
*Restaurant ouvert de 17h à 22h. Bar de 11h à minuit. 20 $ le plat en moyenne.* Un des restaurants les plus populaires et les plus prisés de Waikiki. Un cadre magique avec une terrasse donnant sur la plage de l'hôtel Outrigger où les tiki (torches hawaiiennes) s'allument dès le soir venu. Décoration tropicale et musique hawaiienne. Les murs sont recouverts de photos du célèbre champion de surf, Duke Kahanamoku (1890-1968), qui reste une légende dans tout l'archipel et dont l'établissement porte le nom. Spécialités hawaiiennes et américaines à la carte. Le bon plan pour les petits budgets, c'est le « Barefoot Bar », à l'étage, où l'on peut siroter des cocktails et manger pour une dizaine de dollars seulement : grandes assiettes de pupus (en-cas salés), salades, sandwiches. Une valeur sûre !

■ **GYU-KAKU**
307 Lewers Street
✆ (808) 926 2989 – www.gk-bbq.com
*Ouvert de 11h30 à minuit. Barbecue pour 2 entre 58 et 98 $.* Restaurant de la chaîne américaine Gyu-Kaku, spécialisée en barbecue japonais, à partager à deux. La bonne affaire, c'est leur happy hour quotidienne, de 17h à 18h30 et de 22h30 à la fermeture : une sélection de barbecues et de bières à moitié prix !

■ **LEONARD'S**
933 Kapahulu Avenue ✆ (808) 737 5591
www.leonardshawaii.com
*Ouvert de 6h à 21h, du dimanche au jeudi. De 6h à 22h les vendredi et samedi.* Créée en 1952, la boulangerie Leonard's prépare depuis des décennies les fameux « malassadas ». Ce sont des beignets que les immigrés portugais, venus travailler dans les plantations de sucre au XIXe siècle, ont importés à Hawaii. Malassadas signifie « mal faits », car la recette de leur pâte était ratée et on les a recouverts de sucre pour faire illusion. C'est l'histoire du succès d'un échec, incontesté aujourd'hui ! La preuve : touristes et locaux font la queue en permanence chez Leonard's... Le beignet est à 0,70 $ et on peut en acheter à la douzaine pour 8,80 $. À la noix de coco, au chocolat ou nature, tous les parfums sont possibles !

■ **LULU'S SURF CLUB**
2486 Kalakaua Avenue
✆ (808) 926 5222 – www.lulushawaii.com
*Ouvert de 7h à 2h du matin. Compter 15 $ en moyenne pour un plat.* Bar-restaurant aux spécialités hawaiiennes et US. Décoration originale, avec des planches de surf partout. Une clientèle de surfeurs avec quelques pros comme Johnny Boy. Happy-hour de 15h à 18h : bières et cocktails entre 3 et 6 $.

■ **ONO HAWAIIAN FOOD**
726 Kapahulu Avenue ✆ (808) 737 2275
*Ouvert de 11h à 20h, du lundi au vendredi.* Petit restaurant familial qui ne paye pas de mine mais dont la cuisine traditionnelle hawaiienne est véritablement « ono » (délicieux, en hawaiien) et pas chère du tout. Une bonne façon de s'initier aux plats typiquement locaux, sans se ruiner. Au programme : lomilomi (saumon mariné), porc kalua (cuit à l'étouffée) accompagnés de poi (purée à base de taro qui est la pomme de terre hawaiienne).

■ **RAINBOW DRIVE-IN**
3308 Kanaina Avenue ✆ (808) 737 0177
*Ouvert de 7h à 21h. Plats et sandwiches entre 2 et 6,50 $.* Excellent fast-food hawaiien, très fréquenté par les locaux dont on voit souvent les files d'attente.

### ■ ROY'S

226 Lewers Street ✆ (808) 923 7697
www.roysrestaurant.com
*Repas à partir de 40 $.* Nouvelle cuisine hawaiienne concoctée par le célèbre chef Roy Yamaguchi, qui possède quelque 30 établissements de par le monde ! Celui de Waikiki est son tout premier et cela vaut le coup d'y aller ne serait-ce que pour ça. Le secret de Roy, c'est la fusion réussie de toutes les influences culinaires de la population métissée de Hawaii, de l'Asie à la Polynésie. C'est cher mais c'est de la gastronomie hawaiienne de haut niveau.

### ■ THE PYRAMIDS

758-B Kapahulu Avenue
✆ (808) 737 2900
*Ouvert de 11h à 14h et de 17h30 à 22h, du lundi au samedi. Jusqu'à 21h le dimanche. Plats entre 12,95 et 15 $.* Manger égyptien à Hawaii peut être une façon originale de se dépayser ! Les plats sont variés et typiques et, pour les affamés, le buffet à volonté servi de 11h à 14h, du lundi au dimanche, est une bonne option. Enfin, ceux qui ont envie de voir une autre danse que le hula, apprécieront le spectacle de danse du ventre qui a lieu tous les soirs (*à 19h30 et 20h30 en semaine et 30 minutes plus tôt le dimanche*).

### ■ TIKIS GRILL

Resort Quest Waikiki Beach Hotel
2570 Kalakaua Avenue
✆ (808) 923 8454 – www.tikisgrill.com
*De 10 à 30 $.* Dans un cadre exotique et idyllique, illuminé par des tiki (torches hawaiiennes) dès la tombée de la nuit (d'où le nom de l'établissement), on peut se régaler de spécialités hawaiiennes et US. Très belle terrasse avec vue sur la mer.

### ■ TORAJI-YAKINIKU

949 Kapahulu Avenue
✆ (808) 732 9996 – www.ebisu-toraji.com
*Ouvert de 17h à minuit. Menus à partager de 70 à 90 $.* Excellent restaurant de barbecue coréen. Cadre cosy et personnel aux petits soins. Happy hour de 17h à 19h, avec un plateau repas à seulement 19,75 $. De 21h à la fermeture, bières et vins sont à moitié prix.

### ■ TOP OF WAIKIKI

Waikiki Business Plaza
2270 Kalakaua Avenue – 18e étage
✆ (808) 923 3877
http://topofwaikiki.com
*Ouvert de 17h à 21h30. Dîner entre 30 et 40 $.* Le seul restaurant tournant de Waikiki avec une vue panoramique. C'est cher, mais on paie la superbe vue.

## Autour du Ala Moana Boulevard

### ■ GENKI SUSHI

1450 Ala Moana Boulevard – 1er étage
✆ (808) 942 9102
*Ouvert de 10h30 à 21h, du lundi au jeudi. Jusqu'à 22h les vendredi et samedi.* Une envie de sushis ? C'est l'adresse idéale. Cette chaîne de bars à sushis tournants connaît un succès grandissant à

*Repas gourmand autour de fruits de mer sous forme de sushi.*

Hawaii. Comme au Japon, le concept est simple : le prix des sushis qui défilent dépend de la couleur des assiettes : de 1,40 $ pour les jaunes à 4,60 $ pour les noires.

## Centre historique et financier

**■ INDIGO'S**
1121 Nuuanu Avenue ✆ (808) 521 2900
http://indigo-hawaii.com
*Ouvert pour le déjeuner et le dîner du mardi au vendredi. Seulement pour dîner le samedi. Plats de 9 à 14 $ au déjeuner et de 16 à 30 $ au dîner. Réservation recommandée.* Cuisine eurasienne avec des recettes délicieuses et étonnantes. Les crevettes grillées accompagnées de pesto et de noix de macadamia sont un pur régal. Cadre tropical et romantique à souhait!

**■ SUSHI IZAKAYA GAKU**
1329 S. King Street ✆ (808) 589 1329
*Ouvert du lundi au samedi de 17h à 23h. Sushis et sashimis de 7 à 22 $. Autres en-cas de 3 à 14 $.* L'izakaya, c'est en quelque sorte l'apéritif avec tapas, version japonaise. C'est le pendant nippon des pupus (en-cas salés) hawaiiens accompagnés de cocktails. Ce genre d'établissement s'est développé tout récemment à Hawaii. L'importante communauté hawaiienne d'origine japonaise en raffole et les nombreux touristes japonais aussi! Il se pourrait d'ailleurs bien que vous vous y retrouviez entouré de Japonais. Le Gaku est devenu La référence en matière d'izakaya à Oahu. Le chef prépare tous les plats devant les clients et c'est excellent. Essayez le « oyster shot », des huîtres au saké glacé : un pur bonheur.

## Chinatown

**■ LEGENDS SEAFOOD RESTAURANT**
Chinatown Cultural Plaza – 100th N. Beretania Street ✆ (808) 532 1868
*Ouvert de 10h30 à 14h et de 17h30 à 21h, du lundi au vendredi. De 8h à 14h et de 17h30 à 21h les samedi et dimanche. Repas de 5 à 8 $.* Le plus connu des restaurants de fruits de mer de Chinatown. Quelques bons plats à base de viande ou végétariens pour les allergiques aux fruits de mer.

**■ LITTLE VILLAGE NOODLE HOUSE**
113 Smith Street ✆ (808) 545 3008
*Ouvert de 10h30 à 22h30, du dimanche au jeudi. De 10h30 à minuit les vendredi et samedi. Compter 10 $ maximum.* Spécialités de nouilles, les meilleures de Chinatown selon les locaux!

## La vallée de Manoa et la zone universitaire

**■ WAIOLI TEA ROOM**
2950 Manoa Road ✆ (808) 988 5800
http://thewaiolitearoom.net
*Ouvert de 10h30 à 15h30, du lundi au vendredi. De 8h à 15h30 les samedi et dimanche. Compter 19 $ avec les gâteaux.* Établissement créé en 1922 et classé monument historique! À l'origine, c'était un institut d'éducation pour jeunes filles. C'est aujourd'hui un petit restaurant au raffinement très « british » où l'on prend son petit déjeuner ou son déjeuner (sandwiches et salades), accompagné de thé évidemment. Une cérémonie du thé à l'anglaise a lieu tout au long de la journée, de 10h30 à 15h30, mais sur réservation (24 heures à l'avance). C'est un peu cher cependant, mais le cadre en pleine nature et le lieu unique justifient la dépense.

# Sortir

La majorité des endroits où sortir se trouvent à Waikiki.

## Bars dansants

**■ DUKE'S CANOE CLUB**
Outrigger Waikiki – 2335 Kalakaua Avenue
✆ (808) 922 2268
www.dukeswaikiki.com
*Ouvert de 16h à minuit. Bières de 3 à 4 $, cocktails de 7 à 10 $, pupus de 6 à 10 $.* Ambiance garantie au Barefoot Bar, le bar du Duke's, une vraie institution pour les virées nocturnes à Waikiki. Clientèle locale et internationale. Musique live hawaiienne de 16h à 18h et de 22h à minuit. Également un restaurant à l'étage (voir rubrique « Restaurants »).

**■ KELLEY O'NEIL'S**
311 Lewers Street ✆ (808) 926 1777
www.irishpubhawaii.com
*Ouvert jusqu'à 4h du matin. Service restauration jusqu'à 21h seulement. Bières pression de 2,25 à 3,25 $ (après 20h).* Un pub irlandais qui est un véritable temple de la fête à Waikiki. Happy-hour de 11h à 20h. Musique live de 20h30 à 1h30, du lundi au vendredi, et les vendredi et samedi, de 17h à 3h30. Et le dimanche, c'est le jour du concert de musique traditionnelle irlandaise, de 16h à 20h. Une fois les concerts finis, on prend la direction de la piste de danse où l'on se défoule sur les tubes du moment.

■ **MOOSE MCGILLYCUDDY'S PUB AND CAFE**
310 Lewers Street
✆ (808) 923 0751
www.moosewaikiki.com
*Ouvert jusqu'à 4h du matin. Service restauration jusqu'à 22h. Entrée : 3 $ après 20h.* Juste en face du Kelley O'Neil's, c'est l'autre bar irlandais où l'on fait la fête ! Happy-hour de 16h à 19h : boissons et pupus à moitié prix. La piste de danse s'enflamme ensuite jusqu'au petit matin !

## Discothèques

■ **WONDERLOUNGE**
W Honolulu Hotel
2885 Kalakaua Avenue – 2e étage
✆ (808) 922 3734 – www.w-dhg.com
*Ouvert de 22h à 2h du matin, les vendredi et samedi. Entrée : 10 à 20 $. Bières 5 $, cocktails autour de 10 $.* La boîte la plus glam de Waikiki où il faut être vu. Shorts et tongs interdits. Tenue chic obligatoire !

■ **ZANZABAR**
Waikiki Trade Center
2255 Kuhio Avenue – 1er étage
✆ (808) 924 3939
www.zanzabarhawaii.com
*Ouvert de 21h à 4h du matin. Entrée : 10 à 15 $.* Des DJ connus à Hawaii mixent toutes les nuits dans ce club. Tenue correcte exigée.

■ **PEARL**
Ala Moana Center – Hookipa Terrace
1450 Ala Moana Boulevard
Accès : 3e étage ✆ (808) 944 8000
www.pearl-hawaii.com
*Ouvert jusqu'à 2h du matin, du lundi au jeudi. Jusqu'à 4h du matin, les vendredi et samedi. Fermé le dimanche.* Une boîte ultra-hype sur la terrasse du Ala Moana Shopping Center ! Musique électronique et RnB. Happy-hour jusqu'à 20h. On peut aussi dîner sur place, mais c'est assez cher.

## Bars et discothèques gay

■ **HULA'S BAR AND LEI STAND**
Waikiki Grand Hotel
134 Kapahulu Avenue – 2e étage
✆ (808) 923 0669 – www.hulas.com
*Ouvert de 10h à 2h du matin.* Intérieur design et exotique. DJ live tous les soirs, avec musique hawaiienne et disco à l'honneur. Le bar gay et lesbien le plus festif de Waikiki !

■ **FUSION WAIKIKI**
Waikiki Grand Hotel
2260 Kuhio Avenue – 2e étage
✆ (808) 924 2422
www.gayhawaii.com
*Ouvert de 20h à 4h du matin, les vendredi et samedi. Seulement à partir de 22h les autres jours. Entrée : 5 $.* Le seul night-club gay de Waikiki. Soirées karaoké, le lundi et le mardi. Des promotions sur les cocktails tout au long de la semaine.

## Luau

Un luau, c'est un dîner-spectacle hawaiien avec un buffet de plats traditionnels et un spectacle de hula.

■ **ROYAL HAWAIIAN HOTEL LUAU**
2259 Kalakaua Avenue
✆ (808) 923 7311
Fax : (808) 931 7098
www.royal-hawaiian.com
*Mardi et jeudi à 17h30. Adultes 97 $, enfants 54 $ (à partir de 5 ans).* Le seul luau sur la plage de Waikiki. Buffet avec toutes les spécialités.

## Spectacles de hula gratuits

■ **KUHIO BEACH**
Près de la statue Duke Kahanamoku.
Sur Kalakaua Avenue et en face d'Uluniu Avenue.
*Du lundi au jeudi, de 18h30 à 19h30, un spectacle de hula gratuit, suivi d'un cours d'initiation.* En prime, le superbe coucher de soleil sur la plage et l'allumage des torches tiki ! Arriver tôt car il y a foule !

■ **HILTON HAWAIIAN VILLAGE BEACH RESORT AND SPA**
2005 Kalia Road
✆ (808) 949 4321
www.hiltonhawaiianvillage.com
*Spectacle tous les vendredis de 19h à 20h.*

■ **HOUSE WITHOUT A KEY**
Halekulani Hotel – 2199 Kalia Road
✆ (808) 923 2311
www.halekulani.com
*Spectacle tous les soirs de 17h30 à 20h.*

# Points d'intérêt

## À Waikiki

■ **DIAMOND HEAD CRATER**
*Ouvert de 6h à 18h. Bus n° 58 et n° 22. Entrée : 1 $, le stationnement 5 $. Accès :*

*Prendre Monsarrat Avenue et suivre les panneaux indiquant le cratère.* Cratère d'un kilomètre de diamètre à l'extrémité est de Waikiki. Formé il y a 300 000 ans par une éruption volcanique explosive, il a été surnommé ainsi car, à la fin du XVIIIe siècle, des marins anglais pensaient y avoir trouvé des diamants mais ce n'était que de simples cristaux ! Bien avant, les Hawaiiens l'avaient appelé « Le'ahi », soit « couronne de feu », car la lave à son sommet permettait de guider les embarcations au large, comme une sorte de phare naturel en somme... On y accède par une randonnée (voir « Sports et loisirs »).

■ **DAMIEN MUSEUM**
130 Ohua Avenue
✆ (808) 923 2690
*Ouvert de 9h à 15h, du lundi au vendredi. Entrée libre.* Petit musée entièrement consacré au père Damien, le prêtre belge qui a consacré sa vie à la colonie de lépreux de Kalaupapa, à Molokai (voir « L'île de Molokai »). Une vidéo raconte son histoire exceptionnelle. C'est vraiment un saint pour les Hawaiiens, mais pas seulement ! Après avoir été béatifié par l'Eglise catholique (1995), le père Damien a été canonisé (donc élevé au rang de « saint ») par Benoît XVI, le 11 octobre 2009 ! Au moment de la rédaction de ce guide, des centaines de Hawaiiens avaient déjà réservé leurs billets d'avion, malgré la crise, pour partir assister à l'événement à Rome...

■ **WAIKIKI AQUARIUM**
2777 Kalakaua Avenue
✆ (808) 923 9741
http://waquarium.org
*Bus n° 2. Ouvert de 9h à 16h30. Entrée : adultes 9 $, adolescents (13-17 ans) 4 $, enfants (5-12 ans) 2 $.* Aquarium spécialisé dans la culture du corail (plus de 70 espèces). Près de 450 espèces marines y sont représentées, y compris le phoque moine hawaiien en voie de disparition. Même si c'est une attraction intéressante, on ne saurait trop conseiller de faire plutôt du snorkeling sur des sites naturels protégés, tels que Hanauma Bay (voir plus loin), où la faune marine est tout aussi protégée et colorée.

## Autour du Ala Moana Boulevard

■ **ALOHA TOWER**
1 Aloha Tower Drive
*Bus n° 19 ou 20. Ouvert de 9h à 17h. Entrée libre.* L'intérêt de la tour, c'est sa vue panoramique sur Honolulu du 10e étage (heureusement qu'il y a un ascenseur !). Construite en 1926, elle a servi pendant de nombreuses années de tour de contrôle aux bateaux de commerce et de tourisme. À noter également, l'énorme horloge à son sommet, la plus grande d'Hawaii.

■ **HAWAII MARITIME CENTER**
Pier 7- Honolulu Harbor
✆ (808) 599 3810
www.bishopmuseum.org (puis cliquer sur « Hawaii maritime center »)
*Ouvert de 8h30 à 17h. Entrée : adultes 7,50 $, enfants 4,50 $.* Histoire maritime de Hawaii des origines à nos jours, de son peuplement par les Polynésiens à l'époque moderne. Exposition d'objets rapportés par le capitaine Cook, qui a découvert Hawaii en 1778. À l'étage, un imposant squelette de baleine à bosse et une présentation de l'épopée baleinière au XVIIIe siècle. Projection d'un film intéressant, *Hokulea* (1976), qui raconte la traversée Tahiti – Hawaii sur un canoë, effectuée uniquement à l'aide de savoirs ancestraux et sans aucun instrument de navigation.

## Centre historique et financier

■ **HONOLULU ACADEMY OF ARTS**
900 S. Beretania Street
✆ (808) 532 8700
www.honoluluacademy.org
*Ouvert de 10h à 16h30, du mardi au samedi. De 13h à 17h, le dimanche. Entrée : 7 $. Gratuit le 1er mercredi et le 3e dimanche du mois.* Fondée en 1927, la Honolulu Academy of Arts possède la plus grande collection d'œuvres asiatiques des États-Unis. Également, des peintures européennes d'artistes de renom, tels que Monet, Modigliani, Cézanne ou bien Matisse. Musée parfois un peu fouillis mais intéressant.

### ARTafterdark

Chaque dernier vendredi du mois (sauf en novembre et en décembre), la Honolulu Academy of Arts devient le cœur artistique de la ville.
De 18h à 21h : concerts, expositions d'artistes contemporains, plats traditionnels, spectacles de danse... Le tout pour seulement 10 $ la soirée.

■ **PLUS D'INFORMATIONS**
✆ (808) 532 6091
ou sur le site www.artafterdark.org

## Oahu Ghost Tours

Vous en avez assez de vous la couler douce à Waikiki ? Le surf ne satisfait plus vos envies de sensations fortes ? Et si on jouait à vous faire peur... C'est l'idée originale et géniale qu'ont eue les organisateurs du Oahu Ghost Tours. 3 formules de circuits à la rencontre des fantômes de Honolulu et d'Oahu en général, de 29 à 52 $ par adulte. C'est garanti sans comédiens et sans trucage. Ce sont de vrais fantômes made in Hawaii qu'on rencontre ! Et on peut même les prendre en photo ! Enfants et cardiaques s'abstenir.

**INFORMATIONS ET RÉSERVATIONS**
www.oahughostours.com

### SAINT ANDREW'S CATHEDRAL

Queen Emma Square ✆ (808) 532 8701
www.saintandrewscathedral.net
*Ouvert du lundi au vendredi de 9h à 17h. Visite guidée gratuite tous les dimanches après la messe.* Cathédrale de style gothique, construite entre 1865 et 1958. Elle porte le nom de Saint Andrew, en hommage au roi Kamehameha IV, mort le jour de la Saint- Andrew, en novembre 1863. De très beaux vitraux encadrent l'entrée. À droite, un portrait du couple royal, Kamehameha IV et la reine Emma.

### HAWAII STATE ART MUSEUM

250 Hotel Street
✆ (808) 586 0900 – www.state.hi.us/sfca
*Ouvert du mardi au samedi de 10h à 16h. Entrée libre.* Édifié en 1872, sous le règne de Kamehameha V, ce musée abritait autrefois le Royal Hawaiian Hotel. Près de 400 œuvres d'artistes hawaiiens.

### HAWAII STATE CAPITOL

415 Beretania Street ✆ (808) 586 0146
*Ouvert du lundi au vendredi, de 8h à 16h30. Entrée libre. Visite guidée gratuite et sur demande à 13h30 (lundi, mercredi et vendredi).* C'est dans cet édifice construit en 1969 que siègent les députés de Hawaii, de janvier à avril. Une architecture originale où les pylônes sont à l'image des cocotiers de l'archipel et les deux cônes volcaniques représentent les Chambres législatives. Dans la cour intérieure, une très belle fresque sur le thème de la mer est signée d'un artiste local. Devant l'entrée sud, une statue de la reine Liliuokalani. Face à l'entrée nord, une statue du père Damien, l'illustre prêtre de Kalaupapa sur l'île de Molokai.
On peut emprunter l'ascenseur, dans la rotonde, et admirer la jolie vue du 5e étage.

### IOLANI PALACE

364 S. King Street
✆ (808) 522 0832 – www.iolanipalace.org
*Audio-tour 12 $, du mardi au samedi, de 11h45 à 15h. Visite guidée 20 $, du mardi au samedi de 9h à 11h15.* La visite du palais Iolani est essentielle pour bien comprendre l'histoire de Hawaii. Entre le Hawaiian State Capitol au nord et le Aliiolani Hale, un magnifique parc où a été édifié le seul et l'unique palais royal des États-Unis. Achevée en 1882, sa construction a duré 3 ans et a coûté la modique somme de 350 000 $. Détail étonnant : le palais a bénéficié de l'électricité quatre ans avant la Maison Blanche. Après son renversement en 1893, la reine Liliuokalani y fut assignée à résidence pendant 9 mois. Ce fut la dernière souveraine de Hawaii. L'édifice abrita ensuite les bureaux de l'administration du territoire puis, à partir de 1959, de l'État américain de Hawaii. Comme il tombait en ruine, les autorités ont envisagé de le raser mais la population locale s'y opposa. Après 9 années de travaux de restauration, il a été transformé en musée. On peut visiter les 10 pièces du palais. On doit laisser ses chaussures à l'entrée et enfiler des chaussons pour ne pas rayer les somptueux parquets. Parmi les pièces maîtresses du palais, les portraits de tous les monarques hawaiiens au-dessus de l'escalier central, un portrait du roi Louis-Philippe Ier qui témoigne de l'amitié entre les royaumes de France et de Hawaii, ainsi que les nombreux bibelots rapportés d'Europe par le roi Kalakaua qui prouvent son goût pour le luxe européen.

### ALIIOLANI HALE

417 S. King Street ✆ (808) 539 4999
*Ouvert du lundi au vendredi, de 9h à 16h. Visite guidée et gratuite du mardi au jeudi à 10h et 15h.* Siège de la Cour suprême de Hawaii, ce bâtiment abrite par ailleurs un musée intéressant qui retrace l'histoire du système judiciaire hawaiien. Il nous fait comprendre le rôle et le fonctionnement des kapu (tabous religieux hawaiiens) jusqu'à leur abolition en 1819, et les bases puritaines du premier code pénal (1827) établi sous l'influence des missionnaires.

### STATUE DE KAMEHAMEHA

Au croisement de King Street
et Merchant Street.

Une superbe statue du roi Kamehameha, noire et or, recouverte de lei (colliers de fleurs) toute l'année en hommage à ce valeureux souverain qui a réussi à unifier les îles de Hawaii en 1810.

### KAWAIAHAO CHURCH

957 Punchbowl Street ✆ (808) 522 1333

La première église des missionnaires de Hawaii. Elle est construite entièrement en pierre de corail, 14 000 morceaux au total qu'il a fallu aller chercher au fond des mers, à plusieurs mètres de profondeur ! C'est dans cette église qu'a été couronné Kamehameha V (1854) et qu'il a épousé la reine Emma (1856). Juste en face de l'entrée, la tombe du roi Lunalilo qui succéda à Kamehameha V, mais qui régna à peine plus d'une année puisqu'il mourut en 1874, à 39 ans. La messe est dite en hawaiien tous les dimanches à 8h et 10h30.

### MISSION HOUSES MUSEUM

553 S. King Street ✆ (808) 531 0481
www.missionhousesmuseum.org

*Ouvert du mardi au samedi, de 10h à 16h.*

Les maisons où vivaient les premiers missionnaires, venus s'installer sur Oahu en 1819, sont encore debout et ont été transformées en musée. Le mobilier, la vaisselle, les livres, les tableaux, la tapisserie… Tout est resté tel quel au Mission Houses Museum. On plonge donc dans le passé et le quotidien de ces protestants originaires de la région de Boston, qui ont quitté une vie confortable pour venir convertir les Hawaiiens. La plupart n'avaient jamais voyagé et ne connaissaient absolument rien de la culture hawaiienne. Ils ont donc appris la langue des autochtones pour mieux leur transmettre leurs croyances, allant jusqu'à traduire la Bible en hawaiien ; un exemplaire d'époque est d'ailleurs exposé dans le musée. La construction d'églises et d'écoles sur l'île, à la même époque, sont autant de témoignages du travail assidu de christianisation des prêtres auprès des locaux. La visite (obligatoirement guidée) des habitations est passionnante car elle permet de mieux comprendre le rôle fondamental joué par les missionnaires dans l'histoire de l'archipel. Deux visites par jour, du mardi au samedi : la première à 11h et la deuxième à 14h45. Elles sont d'autant plus intéressantes que c'est souvent un descendant direct des missionnaires qui est le guide !

## Au nord du centre historique

### BISHOP MUSEUM

1525 Bernice Street ✆ (808) 847 3511
www.bishopmuseum.org

*Ouvert de 9h à 17h. Entrée : adultes 16 $, enfants 13 $. Visites guidées (non payantes)) toutes les 30 minutes sur des thèmes divers.*

Quitte à ne visiter qu'un seul musée à Oahu, que ce soit celui-là. Malgré la queue à l'entrée, souvent impressionnante… Il retrace, de façon complète et très documentée, l'histoire et la culture de Hawaii des origines à nos jours.

Il a été fondé en 1889 par Charles Reed Bishop, en hommage à son épouse Bernice Pauahi Bishop, la dernière descendante de Kamehameha.

D'abord uniquement consacré à Hawaii, le musée s'est peu à peu ouvert sur les autres cultures du Pacifique. Ainsi il possède la plus importante collection mondiale d'objets artisanaux de Hawaii et du Pacifique ! Plus récemment, il s'est doté d'un Science Adventure Center, consacré à la volcanologie ; on peut notamment se promener à l'intérieur d'un volcan en éruption reconstitué ! Le Hawaiian Hall, sur 3 étages, s'intéresse à la culture et à l'histoire de l'archipel avant l'arrivée des Occidentaux.

*Statue du roi Kamehameha devant la Supreme State Court House.*

Le Polynesian Hall traite de toutes les autres cultures du Pacifique, y compris celles de Mélanésie et de Micronésie. Les bâtiments du musée donnent sur un grand jardin intérieur où, tout au long de l'année, se déroulent différentes animations ; on vous communiquera le programme à l'entrée. Du lundi au vendredi, à 11h et à 14h, on y présente un beau spectacle (gratuit) de hula, une bonne occasion de faire une pause entre deux visites !

**■ PUNCHBOWL NATIONAL MEMORIAL CEMETERY**

2177 Puowaina Drive ✆ (808) 566 1430

*Bus n° 15. Ouvert de 8h à 17h30 d'octobre à février. Jusqu'à 18h30, de mars à septembre.* Sur le cratère Puowaina, où étaient autrefois enterrés les alii (membres de la famille royale), se trouve un cimetière de près de 50 ha. Il accueille environ 34 000 hommes et femmes, disparus au cours des différentes guerres du XXe siècle, dont le grand-père d'Obama... Un mémorial et une exposition de photos leur rendent hommage.

**■ QUEEN EMMA'S SUMMER PALACE**

2913 Pali Highway ✆ (808) 595 3167

www.daughtersofhawaii.org

*Ouvert de 9h à 16h. Entrée : adultes 6 $, enfants 1 $. En partant du centre-ville, prendre la H1 puis la Pali Highway vers l'est.* C'est la résidence d'été de la reine Emma et de son

## Les années de Barack Obama à la Punahou School

Considérée comme la meilleure école de Hawaii, Punahou School est une école mixte privée qui accueille 3 700 étudiants, de la maternelle au lycée. Créée en 1841, elle était à l'origine réservée aux enfants des missionnaires, ce qui lui a valu d'être classée monument historique. Elle se consacre aujourd'hui à la préparation de ses élèves au cursus universitaire, et c'est une des meilleures écoles des États-Unis. Né le 4 août 1961 à Honolulu, Barack Obama a passé une grande partie de son enfance puis de son adolescence à Oahu. Issu d'un milieu modeste, il intègre la Punahou School en 1971, à 10 ans, grâce à l'obtention d'une bourse. C'est un des rares élèves afro-américains de l'école, la majorité des autres étant blancs et issus de familles aisées. « *En tant qu'adolescent afro-américain, entouré de peu d'Afro-Américains, je me suis posé la question de mon identité plus fortement que les autres.* » Il est d'ailleurs, dans les faits, en butte aux moqueries de certains de ses camarades concernant sa couleur. En effet, même si les élèves de l'école sont métissés comme la majorité des Hawaiiens, Barack n'a pas le même métissage qu'eux et en cela il est différent. C'est ainsi qu'ils décrètent un jour qu'il est amoureux de la seule fille noire de l'école. Barack nie alors connaître cette fille et avouera des années plus tard que c'était parce que cette fille le renvoyait à sa couleur et qu'il avait eu honte d'être noir. Il éprouvera pendant longtemps une certaine culpabilité à l'égard de cette fille qu'il a alors rejetée. Pendant les années du lycée, et jusqu'à l'obtention de son diplôme en 1979, il est inscrit au club de basket de Punahou, où il se fait de nombreux amis dont il est encore très proche aujourd'hui. À ce sujet, il a déclaré : « *Le basket était un refuge pour moi. C'est là que je me suis fait mes plus proches amis et que j'ai développé mon sens de la compétition et du fair-play.* » Pendant l'été 2008, l'école a ouvert son gymnase à Barack et à ses amis d'enfance afin qu'ils puissent jouer au basket, comme au bon vieux temps ! Les années de Barack Obama passées à la Punahou School ont durablement contribué à forger la personnalité du 44e président des États-Unis qu'il est devenu : « *Cette école m'a soutenu et encouragé. Elle m'a permis de grandir et de m'épanouir. Je lui en suis infiniment reconnaissant.* »

**■ PUNAHOU SCHOOL**

1601 Punahou Street ✆ (808) 944 571 – www.punahou.edu

### Sources

**■ http://obamasneighborhood.com**

Un site très complet qui recense tous les lieux fréquentés par Obama, de sa naissance à nos jours

▶ **Encadré réalisé avec l'aide de François Durpaire** co-auteur de« *L'Amérique de Barack Obama face à la crise* » écrit avec Olivier Richomme (éditions Démopolis).

époux Kamehameha IV. Ce petit palais, installé dans la vallée de Nuuanu, n'a pourtant pas été construit in situ mais acheminé en pièces détachées de Nouvelle-Angleterre par bateau. La reine Emma en hérite en 1857. Au début du XXe siècle, l'édifice victorien tombe en ruine et les autorités envisagent de le raser pour installer sur son emplacement un terrain de base-ball ! Heureusement, l'association « The Daughters of Hawaii » le restaure et en fait le palais préservé que l''on peut visiter aujourd'hui. Mobilier d'époque, nombreux bibelots et des cadeaux faits à la reine lors de ses voyages en Europe. À voir : le stéréoscope offert par Napoléon III, à l'occasion du séjour parisien de la reine.

## Chinatown

■ **TEMPLE KUAN YIN**
170 N. Vineyard Boulevard
✆ (808) 533 6361
*Bus n° 4. Ouvert de 8h30 à 14h. En face du Foster Botanical Garden.* Le plus ancien temple bouddhiste de Hawaii. Il est dédié à Kuan Yin, la déesse chinoise de la miséricorde. Les visites sont autorisées, mais il faut garder à l'esprit que c'est un lieu de prière et rester le plus silencieux possible.

■ **TEMPLE IZUMO TAISHA**
215 Kukui Street ✆ (808) 538 7778
*Ouvert de 9h à 16h.* Magnifique temple japonais dédié au dieu shinto Okuninushi No Mikoto, qui porterait chance à ceux qui le vénèrent. Des cérémonies importantes y ont lieu tous les 10 du mois, à 19h.

## La vallée de Manoa et la zone universitaire

■ **LYON ARBORETUM**
3860 Manoa Road ✆ (808) 988 0456
www.lyonarboretum.com
*Bus n° 5 puis 30 minutes de marche. Ouvert du lundi au vendredi, de 7h30 à 16h. Entrée libre mais dons bienvenus (5 $ en moyenne).* Ce parc de 77 ha dépend de l'université de Hawaii. Il a été créé en 1918, dans le cadre d'un projet de reboisement. C'est aujourd'hui une véritable réserve pour des milliers de plantes tropicales qui sont en voie d'extinction dans leur habitat naturel.

■ **CONTEMPORARY MUSEUM**
2411 Makiki Heights Drive
✆ (808) 526 1322 – www.tcmhi.org
*Bus n° 15. En voiture : après la balise 5 miles, tourner à gauche sur Makiki Heights Drive. Ouvert du mardi au samedi de 10h à 16h. Le dimanche de 12h à 16h. Entrée : 5 $. Gratuit le 3e jeudi du mois.* Petit musée d'Art contemporain. Une collection d'œuvres des années 1940 à nos jours, ainsi que des expositions temporaires. Très belle vue sur Honolulu du terre-plein du musée. On peut déjeuner sur place, pour un prix raisonnable, au Contemporary Café (*ouvert jusqu'à 14h30*).

■ **MANOA FALLS**
Au bout de Manoa Road, après le parc du Lyon Arboretum
Une fois qu'on a laissé sa voiture au parking (*5 $*), un sentier indique les chutes d'eau de Manoa Falls. La randonnée est facile (voir partie « Sports et loisirs/ randonnée ») et permet de s'immerger dans une forêt tropicale, sans trop s'éloigner de Waikiki.

### Gallery Walk

Tous les premiers vendredis du mois, de 17h à 21h, Chinatown devient le centre de la vie culturelle de Honolulu. Boutiques, galeries d'art, cafés et restaurants accueillent expositions et artistes en tout genre, avec de nombreuses animations gratuites.

■ **POUR CONNAÎTRE LE PROGRAMME EN DÉTAIL**
www.firstfridayhawaii.com

# Shopping

## À Waikiki

### Marché et centres commerciaux

■ **THE INTERNATIONAL MARKETPLACE**
2330 Kalakaua Avenue ✆ (808) 922 2000
www.internationalmarketplacewaikiki.com
*Ouvert de 8h à 22h.* Un très agréable marché ouvert où l'on peut acheter toutes sortes de souvenirs de Hawaii : T-shirts, colliers, bibelots, chemises et robes à fleurs... C'est parfois kitsch, mais les prix sont assez bas en général. Plus on s'enfonce dans les galeries du fond et moins c'est cher.

■ **ROYAL HAWAIIAN SHOPPING CENTER**
2201 Kalakaua Avenue ✆ (808) 922 2299
www.royalhawaiiancenter.com
*Ouvert de 10h à 22h.* Centre commercial où se concentrent la plupart des boutiques de luxe de Waikiki, comme Bulgari ou Fendi.

■ **DFS GALLERIA**
330 Royal Hawaiian Avenue
© (808) 931 2655 – www.dfsgalleria.com
*Ouvert de 9h à 23h.* L'autre centre commercial de luxe de Waikiki. À défaut d'autre plan, cela vaut le coup d'aller y faire un tour pour assister au spectacle (gratuit) de hula (*du mercredi au vendredi, de 17h30 à 19h30*).

### Souvenirs

■ **AVANTI FASHION**
2160 Kalakaua Avenue
© (808) 924 3232
www.avantishirts.com
Vente de T-shirts et chemises hawaiiennes vintage (années 1930 et 1950). De 60 à 80 $ en moyenne.

## Autour du Ala Moana Boulevard

■ **ALA MOANA SHOPPING CENTER**
1450 Ala Moana Boulevard
© (808) 955 9517
www.alamoanacenter.com
*Bus 19 ou 20. Ouvert de 9h à 21h, du lundi au samedi. De 10h à 19h le dimanche.* Avec ses 290 boutiques et restaurants, c'est le centre commercial en plein air le plus grand des États-Unis. On y trouve tout et pour tous les prix, des marques américaines connues aux magasins de souvenirs hawaiiens.

## Centre historique et financier

■ **ALOHA TOWER MARKETPLACE**
1 Aloha Tower Drive
© (808) 528 5700 – www.alohatower.com
*Bus 19 ou 20. Ouvert du lundi au samedi de 9h à 21h. Jusqu'à 18h le dimanche.* Nombreuses boutiques. Parmi les plus locales : la Hawaaiian Ukulele Company, qui vend des ukulélé, ou la Hawaiian Pacific Crafts, qui vend des objets faits main.

## Chinatown

### Souvenirs

■ **CINDY'S LEI SHOPPE**
1034 Maunakea Street © (808) 536 6538
www.cindysleishoppe.com
Boutique qui vend des lei de fleurs (colliers hawaiiens) divers et variés. On peut aussi en commander un, par téléphone, avec l'assemblage de fleurs souhaité. Compter entre 25 et 35 $ le lei.

### Galerie

■ **PEGGE HOPPER GALLERY**
1164 Nuuanu Avenue
© (808) 524 1160
www.peggehopper.com
Pegge Hopper est une artiste peintre, originaire d'Oakland, qui vit depuis longtemps à Oahu. Elle est surtout connue pour ses portraits de femmes hawaiiennes. Si vous voulez acheter un tableau, attention, ce n'est pas donné !

# Sports et loisirs

## À Waikiki

On a appelé « Waikiki Beach » l'ensemble des plages qui bordent Waikiki.

### Plages

■ **DUKE KAHANAMOKU BEACH**
*La plage la plus à l'ouest de Waikiki. Face à l'hôtel Hilton Village.* C'est là que le célèbre champion de surf, Duke Kahanamoku, a appris à nager et surfer dès sa plus tendre enfance. Il paraît qu'il envoie encore des ondes positives aux surfeurs qui viennent sur sa plage... C'est une des rares plages de Waikiki où il y a des arbres et donc de l'ombre. Grâce à une petite barrière rocheuse, elle est en partie mieux abritée que les autres plages et convient bien à la baignade des enfants. Pour plus d'infos sur Duke Kahanamoku, se reporter à l'article sur le surf spirit dans le chapitre « Découverte ».

■ **FORT DERUSSY BEACH PARK**
*À côté de la plage Duke Kahanamoku. Accessible de 9h à 17h.* Large et jolie plage de sable fin, juste en face du fort De Russy Park, où l'on peut jouer au volley et profiter de l'aire de pique-nique installée sur le gazon. Attention au corail coupant près du rivage.

■ **GRAY'S BEACH**
*Plage qui s'étend de l'hôtel Outrigger au Royal Hawaiian.* Dans les années 1920, un petit hôtel baptisé « Gray's by the sea » était juste en face de cette plage, ce qui lui a valu son nom. C'est la plage idéale pour nager grâce à un long couloir protégé par la barrière de corail. Pour surfer, il faut ramer et aller chercher la vague au large ; il suffit de rejoindre les autres surfeurs qu'on aperçoit au loin.

■ **ROYAL MOANA BEACH**

*Plage entre le Royal Hawaiian et le Sheraton.* Egalement appelée « Waikiki Beach » tout simplement. Spot de baignade et de bronzette. Canoës et kayaks partent souvent de là car l'eau est très calme.

■ **KUHIO BEACH**

*De l'hôtel Sheraton Moana Surfrider à Kapahulu Pier.* La jolie promenade aménagée qui borde la plage fait de Kuhio Beach un lieu vraiment romantique, où il fait bon admirer le coucher de soleil à deux ou le show de hula qui s'y déroule en début de soirée (18h30).
C'est aussi un très bon spot de surf et de boogie-board. Une statue de Duke avec sa planche de surf trône sur la plage ; elle est recouverte de lei (colliers de fleurs) en permanence.

■ **SANS SOUCI BEACH**

*En face du Kapiolani Park et près du Waikiki War Memorial Natatorium. Accessible de 9h à 16h.* Les eaux de cette plage sont abritées par l'ancienne piscine olympique (le Natatorium) et sont donc propices à la baignade. Peu profondes, elles conviennent particulièrement aux enfants. Un long couloir naturel permet aux nageurs confirmés d'aller au-delà du récif. Eloignée de l'agitation de Waikiki, cette plage est très fréquentée par les locaux qui y viennent souvent en famille. C'est pourquoi on l'a surnommée « Kamaina Beach » (la plage des locaux).

### Surf

La plage de Waikiki, grâce à ses petits rouleaux, se prête parfaitement à une initiation au surf. C'est aussi la mer idéale pour ceux qui veulent se perfectionner.

■ **SURF ACADEMY**

Hyatt Regency Waikiki
Beach Resort and Spa
2424 Kalakaua Avenue
✆ (808) 924 3263
www.hyattsurfacademywaikiki.com
Cours d'initiation au surf par le champion mondial Dane Kealoha. 100 $ les 2 heures.

### Randonnée

■ **DIAMOND HEAD**

*Bus n° 58 et n° 22. Accès : prendre Monsarrat Avenue et suivre les panneaux indiquant le cratère. Ouvert de 6h à 18h. Entrée : 1 $, le stationnement 5 $.* Un conseil : faites cette randonnée tôt le matin pour éviter la chaleur et la foule. Une randonnée assez facile de 30 minutes, jusqu'à l'accès au sommet du cratère, à 173 m d'altitude. Compter 1 heure l'aller-retour. En fin de parcours, il faut cependant monter un escalier assez pentu de 72 marches qui mène à un tunnel sombre, non éclairé et bas de plafond. Claustrophobes s'abstenir ! Peu après, un escalier plus petit mène au sommet d'où l'on a une très belle vue sur Waikiki et le littoral. N'oubliez pas votre appareil photo dans la voiture ! Au retour et au niveau du parking, un camion où l'on vend de la shave-ice (spécialité hawaiienne de glace pilée au sirop) permet de faire une halte rafraîchissante et méritée !

## Autour du Ala Moana Boulevard

### Plages

■ **ALA MOANA BEACH PARK**

*Accessible de 5h à 20h, baignade surveillée de 9h à 17h. En face du Ala Moana Shopping Center, sur Ala Moana Drive.* Cette plage d'un kilomètre de long étant protégée par une barrière de corail, ses eaux sont une vraie piscine et on peut y nager sans risques. La péninsule à gauche, appelée « Magic Island », est très fréquentée par les joggers qui apprécient ses routes aménagées et ombragées. C'est aussi un des meilleurs points de vue d'Oahu sur le coucher de soleil. Une fois la nuit tombée, ne vous attardez pas dans le coin qui devient vite dangereux et malfamé.

## La vallée de Manoa et la zone universitaire

### Randonnée

■ **MANOA FALLS TRAIL**

*Au bout de Manoa Road, après le parc du Lyon Arboretum.* La randonnée qui mène aux chutes d'eau est d'un niveau facile. Le sentier, long d'un kilomètre, monte doucement et on arrive aux Manoa Falls en 20 à 30 minutes. Pour les plus motivés, des sentiers secondaires se présentent le long du chemin. Le Aihualama Trail, le Makiki Vallley Loop, le Nuuanu Trail, le Kolowalu Trail et le Waahila Ridge Trail s'adressent aux randonneurs expérimentés. Le Moleka Trail, le Manos Cliff Trail, le Judd Trail et le Puu Pia Trail peuvent être empruntés par des débutants. Tous ces sentiers sont décrits en détail sur le site www.hawaiitrails.org

# LE CENTRE D'OAHU

## PEARL HARBOR

Pearl Harbor (le port des perles) doit son nom à la tradition de pêche à la perle dans ses eaux. En échange de la levée des barrières douanières sur le sucre hawaiien, les États-Unis obtiennent le droit de disposer de la baie dès 1887. À partir de 1906 – date de l'annexion de Hawaii par les États-Unis – ils commencent à y construire ce qui va devenir leur base militaire stratégique dans le Pacifique.

Le 7 décembre 1941 à 7h55, un raid de l'aviation japonaise attaque par surprise Pearl Harbor. L'assaut dure pendant deux heures et a des conséquences dévastatrices sur l'armée américaine : 2 400 militaires et civils sont tués, 188 avions détruits et 8 navires sévèrement abîmés ou coulés.

Le drame de Pearl Harbor provoque l'entrée des États-Unis dans la Seconde Guerre mondiale, alors que le pays était resté neutre jusque-là.

### ■ ARIZONA MEMORIAL

✆ (808) 422 0561 – www.nps.gov/usar

*À partir de Honolulu, suivre l'autoroute H1 vers l'ouest et prendre la sortie 15A indiquée par le panneau « Arizona Memorial Stadium ». Ne pas prendre la sortie « Pearl Harbor Exit » ! Continuer sur Kamehameha Highway et tourner à gauche, au quatrième feu, sur Arizona Memorial Place. Bus 20 ou 42. Entrée libre. Ouvert de 7h30 à 17h. Visite guidée de 7h45 à 15h. Tenue correcte exigée.* Un voyage à Hawaii ne saurait être complet sans la visite de Pearl Harbor. Certes, c'est un mémorial et c'est une visite solennelle que l'on n'a pas forcément envie de faire quand on est sous les cocotiers, à deux pas d'une plage idyllique. Mais il est important d'y aller quand même car cet épisode de l'histoire américaine fut un tournant dans l'histoire du monde et de l'humanité. Il a provoqué l'entrée des États-Unis dans la Seconde Guerre mondiale ; un pays qui a joué par la suite un rôle fondamental dans la résolution du conflit et qui a libéré la France. Pour se rendre sur place, on peut prendre la voiture, à condition de ne pas se tromper de sortie (voir indications en italique). Le réseau de bus d'Oahu dessert également le mémorial via deux lignes (20 et 42) pour 2,25 $ le trajet. C'est donc le même tarif que sur toutes les autres lignes de l'île.

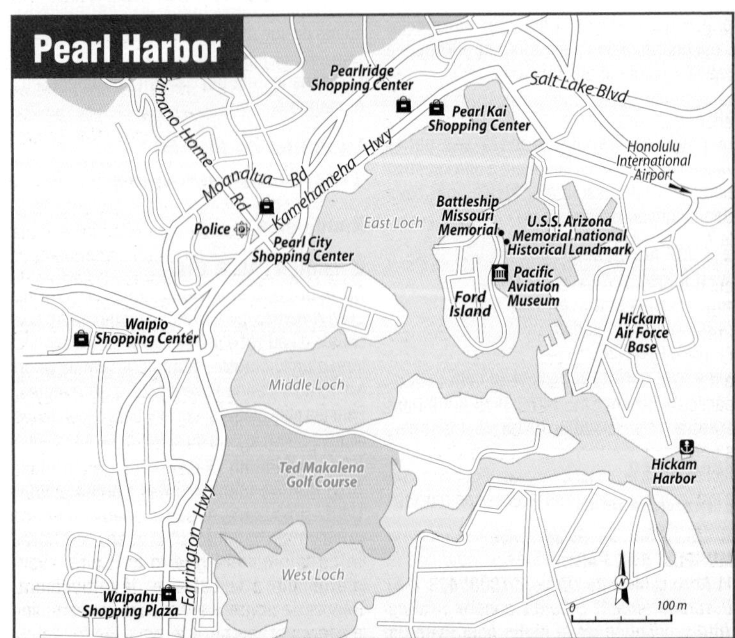

**Attention arnaque :** un service de bus dit « VIP » récupère les touristes aux hôtels de Waikiki pour les emmener à Pearl Harbor, pour 9 $ l'aller-retour. Il est vrai que le bus est climatisé et confortable mais, pour un voyage aussi court, cela ne vaut pas la dépense ! Un commentateur y fait une présentation de Pearl Harbor mais on n'apprend rien de particulier. La visite guidée, gratuite, du mémorial est de loin plus instructive ! En résumé, prenez le bus de l'île : il va aussi vite et vous ne paierez que 4 $ l'aller-retour au lieu de 9 $. L'entrée à Pearl Harbor étant gratuite, dans la mesure où c'est un mémorial, cette visite ne revient donc qu'à 4 $.

**Un autre conseil important :** il faut entreprendre la visite du mémorial tôt le matin, si possible à l'ouverture. Pour l'attribution des tickets d'entrée, ce sont les premiers arrivés qui sont les premiers servis. Et il est impossible de réserver ses billets à l'avance. Donc plus vous arrivez tard et plus vous risquez d'attendre longtemps. En haute saison (hiver et été), il faut prévoir 3 heures de queue… Enfin, si vous arrivez à midi à cette période, vous risquez de trouver les guichets fermés car les visites guidées auront déjà toutes été achetées jusqu'à 15h.

Toutes les 15 minutes, les numéros de tickets sont appelés et un groupe part pour la visite guidée qui dure 1h15. Tout commence par la projection d'un film documentaire d'une vingtaine de minutes où l'on voit des images d'archives de l'attaque de Pearl Harbor et de la seconde guerre mondiale. On embarque ensuite sur un bateau qui mène à un grand monument blanc en forme de bateau : l'*USS Arizona* Memorial. Il est juste au-dessus du bateau USS Arizona, qui gît à 12 m de fond depuis l'attaque. Bombardé par les Japonais le 7 décembre 1941, il a coulé en à peine neuf minutes, entraînant dans la mort 1 177 militaires qui reposent encore dans l'épave.

Sur un mur de marbre blanc, sont inscrits les noms de ces hommes. La plupart avaient 20 ans au plus. Les savoir enfermés dans ce bateau pour l'éternité est particulièrement émouvant. Presque 70 ans après avoir été coulé, le bateau laisse encore s'échapper de l'essence qu'on distingue facilement à la surface de l'eau. Pour certains, c'est le navire qui pleure encore ses morts…

## USS BOWFIN SUBMARINE MUSEUM AND PARK

11 Arizona Memorial Drive © (808) 423 1341
*Ouvert de 8h à 17h. Dernière visite guidée à 16h30. Billets pour la visite du sous-marin et du musée : adultes 10 $, enfants 4 $ (les moins de 4 ans ne sont pas admis dans le sous-marin mais le sont dans le musée). Billets pour le musée uniquement : adultes 5 $, enfants 3 $. Billets combinant Bowfin Submarine et Battleship Missouri : adultes 24 $, enfants 11 $.* L'*USS Bowfin* est un des rares sous-marins de la seconde guerre mondiale encore en état. Il a été mis en service un an après l'attaque de 1941 et a fait de nombreuses victimes japonaises pendant la guerre, ce qui lui a valu le surnom de « Pearl Harbor Avenger » (le vengeur de Pearl Harbor). À partir du pont, on accède à l'habitacle qu'on peut visiter ; on comprend alors le quotidien des 80 militaires qui y vivaient. Un musée complète la visite à travers l'exposition de différents objets liés aux sous-marins et la diffusion d'un film d'archives où l'on voit ces machines de guerre en action. Sur place, un monument rend hommage aux officiers de la Marine américaine disparus pendant la seconde guerre mondiale. Pour ceux qui veulent également visiter le Battleship Missouri, il existe un billet qui combine les deux et qui est plus économique (voir indications tarifaires plus haut).

## BATTLESHIP USS MISSOURI MEMORIAL

© (808) 423 2263 – www.ussmissouri.com
*Ouvert de 9h à 17h (fermeture des guichets à 16h). Achat des tickets au Visitor's Center du USS Bowfin. À partir de là, un tramway récupère les visiteurs et les emmène au Battleship Missouri Memorial. Billets : adultes 16 $, enfants 8 $. Visite guidée (1h) : adultes 23 $, enfants 15 $. Avec audio-guide (2h) pour les mêmes tarifs. Visite guidée dite « Explorer Tour » (1h30) : adultes 45 $, enfants 20 $. Réservations possibles au téléphone et sur le site Internet. Réservation recommandée pour l'« Explorer Tour ».* Après 50 années de service, le cuirassé (navire de guerre doté d'un épais blindage et de pièces d'artillerie de gros calibre) baptisé *USS Missouri* a été transformé en musée en 1998. C'est le dernier navire du genre qu'ait construit la Marine américaine. Moment historique : le 2 septembre 1945, les Japonais signent leur reddition sur le pont de ce bateau en présence du général Mac Arthur et de membres des Forces alliées. Le bateau sera ensuite envoyé sur les champs de bataille de la guerre de Corée et de la première guerre du Golfe, avant d'être mis à la retraite définitivement. Depuis, le navire a été incroyablement bien préservé et réaménagé pour les touristes.

La visite guidée d'une heure est très intéressante car ce sont des vétérans de guerre qui la commentent ! Celle dite « Explorer Tour » est plus détaillée et permet d'accéder à la salle des machines et aux dortoirs (ce que ne font pas les autres circuits).

# LE PLATEAU CENTRAL

Entre les montagnes Waianae à l'ouest et les Koolau Mountains à l'est se trouve le plateau central bordé par Pearl Harbor au sud. Plutôt rurale, la région comprend cependant un nombre non négligeable de sites intéressants à voir.

On peut s'organiser pour les visiter lors d'un trajet vers la côte nord ou ouest de l'île. Si l'on est basé à Waikiki, il est aussi possible de partir visiter un des ces sites en une demi-journée, car ils sont tous à 45 minutes de route maximum (en évitant les heures de pointe, bien sûr : partir après 9h et rentrer au plus tard à 16h).

## Hébergement

### ■ KEAIWA HEIAU STATE CAMPS

Aiea Heights Drive
✆ (808) 587 0300
www.hawaiistateparks.org

*En partant de Honolulu, suivre la Highway H1 en direction de l'ouest puis la Highway 78. Prendre la sortie « Aiea ». Bus n° 11. Permis de camper obligatoire.* Ces 4 campings se trouvent dans le magnifique parc naturel de Keaiwa Heiau, au milieu des eucalyptus et des pins. Toilettes, douches, aire de pique-nique sur place. Le permis de camper est obligatoire ; il revient à 5 $ par personne et par nuit. Faire une demande à l'adresse suivante :

### ■ STATE PARKS OFFICE

P.O. Box 621 – Honolulu, HI 96809
✆ (808) 587 0300

## Points d'intérêt

### ■ HAWAII'S PLANTATION VILLAGE

Waipahu Cultural Garden
94-695 Waipahu Street
✆ (808) 677 0110
www.hawaiiplantationvillage.org

*Ouvert du lundi au samedi de 10h à 16h30. Visite obligatoirement guidée, une toutes les heures, jusqu'à 14h. Adultes 13 $, enfants 5 $.* Entièrement restauré, ce village de plantation sucrière de 20 ha donne une vision complète et intéressante du quotidien des ouvriers qui y vivaient. De nombreux meubles et bibelots ont d'ailleurs été légués au musée par leurs descendants directs. Du milieu du XIXe siècle aux années 1940, les directeurs de plantation ont fait appel à plus de 400 000 travailleurs étrangers. La population hawaiienne (les natifs) ayant été en grande partie décimée par les maladies que les Occidentaux avaient introduites sur l'archipel, les plantations manquaient cruellement de main-d'œuvre pour développer la prometteuse culture du sucre. Chinois, Japonais, Portugais, Coréens, Philippins, en quête d'une vie meilleure, sont ainsi venus s'installer à Hawaii pour travailler dans les sucreries. Pour étouffer toute revendication salariale (les salaires étaient particulièrement bas) et casser par avance toute tentative d'union, les ouvriers étaient regroupés par ethnies dans les villages. C'est ce qu'on peut constater très clairement dans ce village-ci ; on y vivait entre soi en préservant ses traditions. Toutes les communautés religieuses avaient ainsi leur lieu de culte, comme en témoignent les temples bouddhiste et shintoïste. Cependant, ces ouvriers de toutes les origines se sont peu à peu rapprochés, mélangés, et unis contre les patrons pour revendiquer de meilleurs salaires. Au XXe siècle, des grèves importantes ont finalement obligé les directeurs de plantation à revoir les salaires à la hausse. Ce sont ces augmentations successives qui auraient contribué à couler le sucre hawaiien, le rendant plus cher face à une concurrence internationale de plus en plus rude.

### ■ HAWAIIAN RAILWAY

91-1001 Renton Road
Ewa Beach
✆ (808) 681 5461
www.hawaiianrailway.com

*Balade en train le dimanche, à 13h et à 15h. Adultes 10 $, enfants 7 $.* De la fin du XIXe siècle au début du XXe, le transport des personnes allant d'un point à l'autre de l'île et celui du sucre des plantations se faisait en train. Chaque dimanche, une balade commentée de 1h30 dans un train d'autrefois, fait revivre cette époque aux visiteurs.

### ■ WAHIAWA BOTANICAL GARDEN

1396 California Avenue
✆ (808) 621 7321

*Ouvert de 9h à 16h. Entrée libre. Sur la Highway H2, dans le centre-ville de Wahiawa.* Très agréable jardin tropical au milieu de la ville sans intérêts de Wahiawa. Des espèces rares d'arbres et de plantes qu'on peut identifier grâce à la brochure remise à l'accueil.

■ **DOLE PLANTATION**
64-1550 Kamehameha Highway
✆ (808) 621 8408
www.dole-plantation.com
*À 40 minutes de Waikiki, en prenant la H1 vers l'ouest puis la H2 vers le nord. Bus n° 52. Ouvert de 9h à 17h30. Entrée : 5 $ pour le jardin-labyrinthe, 7,50 $ la balade en petit train.* Le « Disneyland » du célèbre ananas hawaiien Dole ! Pas très authentique mais distrayant. Un très grand magasin de souvenirs où on peut acheter de l'ananas sous toutes les formes possibles et imaginables et un petit train qui fait le tour de l'exploitation. Le tout pour mieux comprendre l'histoire de ce fruit ainsi que sa croissance (18 mois en moyenne). Enfin, l'attraction majeure, qui plaît surtout aux enfants et à ceux qui le sont restés, c'est le « World's largest maze », soit le plus grand labyrinthe du monde selon le Guinness des Records ! Sur un parcours de près de 3 km, on peut se perdre dans des allées entièrement constituées de plantes et d'arbres tropicaux, 11 000 au total !

## Shopping

■ **ALOHA STADIUM SWAP MEET**
99-500 Salt Lake Boulevard
✆ (808) 486 6704
www.alohastadiumwswapmeet.net
*Ouvert de 8h à 15h les mercredi et samedi. De 6h à 15h le dimanche. Entrée : 1 $.* Un très grand marché aux puces installé sur l'aire de stationnement du Aloha Stadium. On y trouve de tout et ce n'est pas cher !

## Sports et loisirs

### Randonnée

■ **KEAIWA HEIAU STATE CAMPS**
Aiea Heights Drive ✆ (808) 587 0300
www.hawaiistateparks.org
*En partant de Honolulu, suivre la Highway H1 en direction de l'ouest puis la Highway 78. Prendre la sortie « Aiea ». Bus n° 11.* Le Aeia Loop Trail est une randonnée d'environ 7 km au cœur de la forêt, de niveau facile et sur sentier balisé. Nombreux points de vue superbes sur Pearl Harbor et les montagnes. Compter 2h30 pour l'aller. Le début du chemin est derrière les toilettes du premier et du deuxième camping.



# LA POINTE SUD-EST DE L'ÎLE

L'autoroute H1 part de Waikiki pour se transformer en Highway 72 à l'est (Kalanianaole Highway).
La succession de sites et de plages superbes, du parc régional de Koko Head à la ville de Waimanalo, méritent qu'on consacre la journée à cette partie de l'île.
Le bus n° 22, aussi appelé « Beach Bus », effectue le même parcours. L'itinéraire type, en partant de Waikiki, pourrait être celui-ci :

## LA ROUTE DES PLAGES : DE HANAUMA BAY À MAKAPUU BEACH

Le littoral de la pointe sud-ouest d'Oahu appartient, en grande partie, au parc naturel régional de Koko Head. C'est à leur grande préservation que des plages comme Hanauma Bay doivent leur beauté exceptionnelle.
Deux promontoires dominent le parc : Koko Head (196 m) et Koko Crater (368 m), qui sont deux anciens cônes volcaniques.

■ **HANAUMA BAY**
7455 Koko Kalanianaole Highway
*Accès de 6h à 18h en hiver et jusqu'à 19h en été. Tous les jours, sauf le mardi. 1 $ le parking et 5 $ par personne l'accès à la plage (gratuit pour les enfants de moins de 13 ans). Interdit de fumer.* Venir tôt pour éviter le monde et avoir une place au parking (souvent plein à craquer dès 11h). Comme il n'existe pas d'autres stationnements possibles à proximité, ne pas avoir de place compromet définitivement toute baignade à Hanauma Bay ! Si vraiment vous pensez arriver tard, il vaut mieux prendre le bus (le n° 22 à partir de Waikiki) pour éviter ce genre de déconvenue. Hanauma Bay est un des sites les plus visités d'Oahu et ses eaux turquoise apparaissent sur presque toutes les cartes postales de l'île ! Classée réserve naturelle en 1967, cette plage de sable blanc incurvée a des fonds coralliens magnifiques, fréquentés par des poissons tropicaux multicolores. C'est LA plage rêvée pour faire du snorkeling !

Pour les plus paresseux, la bronzette et la baignade y sont aussi très agréables. Très jolie vue sur Koko Head, à l'extrémité gauche de la baie.

■ **KOKO CRATER**
Juste après la balise 10 miles,
sur la Highway 72
*Bus n° 58.*

■ **KOKO CRATER BOTANICAL GARDENS**
✆ (808) 621 8408
*Ouvert de 9h à 16h. Entrée libre.* Sur environ 60 ha à l'intérieur du cratère Koko (80 ha), un jardin botanique a été aménagé en 1958. On y trouve essentiellement des plantes africaines, des cactus, des frangipaniers et des bougainvilliers.

■ **ÉQUITATION :**
**KOKO CRATER EQUESTRIAN CENTER**
408 Kealahou Street ✆ (808) 395 2628
www.greenrosedesign.com
*Balades à cheval et à poney dans le cratère. Tarifs de groupe : 40 $ pour 1h de cheval et 30 $ pour 1hde poney.*

■ **HALONA BLOWHOLE**
Près de la balise 11 miles,
sur la Highway 72
Un geyser d'eau est propulsé, à intervalles réguliers, à travers un trou creusé dans la roche par la force des vagues. Le jet est assez impressionnant puisqu'il atteint jusqu'à 9 m de hauteur, tout en émettant un bruit sourd. Ne pas aller au-delà des barrières pour voir le trou souffleur de plus près : plusieurs personnes ont fait une chute mortelle ! À noter également, la belle vue sur Molokai et Lanai à l'horizon par temps clair. Plus près, sur la gauche, on aperçoit Sandy Beach. Enfin, c'est là qu'ont été dispersées les cendres de la grand-mère de Barack Obama, qui est morte deux jours avant l'élection de son petit-fils.

■ **SANDY BEACH PARK**
*Quelques minutes après avoir passé Halona Blowhole. Plage surveillée.* La plage préférée d'Obama quand il était ado et un des meilleurs spots de boogie-board de toute l'île ! Même si on n'en fait pas, le spectacle mérite le détour et... des photos ! Ce sont en effet surtout des boogie-boarders confirmés qui fréquentent Sandy Beach pour affronter les breaks de Full Point et de Half Point. Et c'est souvent assez bluffant. Il est déconseillé aux débutants de faire du boogie-board sur cette plage car les fractures et les déchirures musculaires sont fréquentes quand on ne mesure pas encore la force des vagues. Les maîtres nageurs, qui ont l'habitude de porter secours aux pauvres malheureux, ne pourront que vous le confirmer ! Pour vous consoler, vous pouvez faire du cerf-volant sur la pelouse du parc de la plage, où c'est une

*Vue aérienne d'Hanauma Bay.*

activité phare et bien moins dangereuse… Toilettes, douches sur place.

■ **MAKAPUU POINT STATE WAYSIDE**
Juste avant Makapuu Beach,
sur la Highway 72
La route a été fermée à la circulation mais on peut garer sa voiture sur le bas-côté et faire une balade d'environ 3 km aller-retour. On de très beaux points de vue sur la côte le long du chemin, notamment sur Manana Island (l'île des « lapins » car elle en a la forme et ces rongeurs en seraient les seuls habitants !) et Kaohikaipu Island (une réserve d'oiseaux depuis 1972). Le phare qu'on aperçoit au loin a été en service pendant près d'un siècle, et marque le point le plus à l'est de l'île. Dommage qu'on ne puisse plus y accéder.

■ **MAKAPUU BEACH PARK**
Juste après Makapuu Point
*Plage surveillée de 9h à 17h30.* Une très belle plage, face à Manana Island. Excellent spot de surf et de boogie-board. Pour les pratiquants expérimentés uniquement. Elle n'est pas conseillée pour la bronzette en raison des vents forts, des nombreux rochers et de l'étroitesse du banc de sable. Il faut également éviter de s'y baigner, en raison des vagues violentes. En ce qui concerne le nombre de blessés par an, elle rivalise facilement avec Sandy Beach !

# WAIMANALO

Située au pied des montagnes Koolau, la petite ville de Waimanalo compte moins de 4 000habitants et la plupart sont des Hawaiiens natifs. Il fait bon vivre dans cette petite bourgade où l'on aime prendre son temps et saluer le nouveau venu. Rien à voir avec la folie urbaine de Waikiki, distante de 50 minutes seulement !

## Pratique

### Poste et télécommunications

■ **WAIMANALO POST OFFICE**
41-859 Kalanianaole Highway
✆ (800) 275 8777
*Ouvert de 9h à 16h30, du lundi au vendredi. De 9h à 11h le samedi.*

■ **WAIMANALO DISTRICT PARK**
41-415 Hihimanu Street ✆ (808) 259 8926
*Ouvert du lundi au vendredi, de 15h à 19h.*
Accès Internet entièrement gratuit !

## Hébergement

### Bien et pas cher

Pour le camping suivant, il faut demander un permis de camper gratuit à :

■ **THE CITY DEPARTMENT OF PARKS AND RECREATION**
Parks Permit Section
✆ (800) 523 4525
www.co.honolulu.hi.us/parks

■ **WAIMANALO BAY STATE RECREATION AREA**
Camping proche de la très agréable plage de Waimanalo. Toilettes, douches extérieures, eau potable, téléphones, aire de pique-nique, barbecue.

### Confort ou charme

■ **BEACH HOUSES HAWAII**
41-866 Laumilo Street
✆ (808) 224 6213
www.beachhousehawaii.com
*Studio à partir de 250 $. Maisons avec 6 couchages à partir de 60 $. Tarifs à la semaine ou au mois (plus avantageux).*
Plusieurs studios et cottages tout confort à louer. La plupart ont vue sur la mer ou sont tout près de la plage de Waimanalo, comme le laisse entendre le nom de la compagnie qui les loue.

## Restaurant

■ **KENEKE'S**
41-857 Kalanianaole Highway
✆ (808) 259 9800
www.kenekes.com
*Repas entre 4 et 8 $.* Fast-food local avec toutes les spécialités hawaiiennes à bas prix. Plats chauds, salades et sandwiches. À deux pas de Waimanalo Beach, idéal pour casser la croûte entre deux baignades !

## Shopping

### Galerie d'art

■ **NATURALLY HAWAIIAN**
41-1025 Kalanianaole Highway
✆ (808) 259 5354
www.PatrickChingArt.com
Cette agréable galerie expose les tableaux du talentueux et chaleureux Patrick Ching, qui ont pour thème la superbe nature de Hawaii. La plupart sont en vente.

## Sports et loisirs

### Plage

■ **WAIMANALO BEACH PARK**
*Plage surveillée de 9h à 17h30.* C'est une des plus belles plages de l'île. Une longue étendue de sable doré bordée d'eaux turquoise où l'on pourrait rester des journées entières, tellement on y est bien. Et, surtout, on n'y est pas collé serviette contre serviette! Étonnamment, les touristes ne viennent pas trop sur Waimanalo Beach car ils vont plutôt à Kailua Beach, plus au nord. La raison : Kailua Beach est plus adaptée aux touristes car sa ville est une mini-station balnéaire. Du coup, c'est plutôt Kailua Beach que les agences de voyages ou les réceptionnistes d'hôtel conseillent à leurs clients. À tort. La ville de Waimanalo est tellement plus authentique et sa plage aussi jolie et moins bondée! Enfin, les fans de snorkeling et de boogie-board seront ravis car c'est un très bon spot pour les deux activités.

# LA CÔTE AU VENT

## KAILUA

Kailua est la ville la plus au sud de la côte est, dite « au vent » (c'est la plus ventée). C'est une très jolie station balnéaire où hôtels de charme, restaurants de qualité et plages superbes sont légion. Ce n'est pas un hasard si Barack Obama a choisi Kailua pour y établir sa résidence secondaire.

### Transports

#### Voiture

Trois autoroutes (la Highway 72, la Highway 61 et la Highway 63) permettent d'accéder à Kailua. De Waikiki ou de l'aéroport de Honolulu, il faut prendre la Pali Highway (n° 61) qui y conduit directement. Pas facile de se repérer quand on arrive au niveau du centre-ville, en raison des routes qui s'entremêlent... Si l'on ne fait pas attention, on sort tout bonnement de la ville et on doit faire demi-tour. L'astuce, c'est de rester sur Kailua Road. En fait, il ne faut pas continuer tout droit quand on arrive en ville, mais tourner à droite et suivre le panneau « Visitor's Information ». Quelques minutes plus tard, juste avant que la route ne change de nom pour devenir Wanaao Road, il faut tourner à gauche pour rester sur Kailua Road qui mène tout droit à Kailua Beach.

#### Bus

À la gare routière du Ala Moana Shopping Center, il faut prendre les bus n° 56 ou 57 qui vont à Kailua. 2,25 $ le ticket, comme sur tout le réseau de bus d'Oahu.

### Pratique

#### Tourisme

■ **KAILUA INFORMATION CENTER**
Kailua Shopping Center
600 Kailua Road © (808) 261 2727
*Ouvert du lundi au vendredi, de 10h à 16h.* Dans le petit centre commercial de Kailua. Cartes et brochures gratuites.

#### Banques

Deux banques avec un distributeur fonctionnant 24h/24 :

■ **BANK OF HAWAII**
636 Kailua Road © (808) 266 4600

■ **FIRST HAWAIIAN BANK**
705 Kailua Road © (808) 261 3371

#### Poste et télécommunications

■ **KAILUA POST OFFICE**
335 Hahani Street © (808) 266 3996
*Ouvert du lundi au vendredi, de 8h à 16h30. Le samedi de 8h à 12h.*

■ **KAILUA PUBLIC LIBRARY**
239 Kuulei Road © (808) 266 9911
*Ouvert de 10h à 17h, les lundi, mercredi, vendredi, samedi. De 13h à 20h les mardi et jeudi.* Accès Internet pour ceux qui ont la Visitor's Card de 3 mois (*10 $*). Impossible d'avoir une carte pour une durée inférieure. On peut s'abonner sur place. La carte permet ensuite d'utiliser Internet dans toutes les bibliothèques de l'archipel.

■ **KAILUA RECREATION CENTER**
21 S. Kainalu Drive © (808) 266 7652
*Accès Internet gratuit.* Appeler avant car leurs horaires sont variables.

■ **AGNES PORTUGUESE BAKE SHOP**
46 Hoolai Street © (808) 262 5367
www.agnesbakeshop.com
*Ouvert du mardi au samedi, de 6h à 18h. De 6h à 14h le dimanche. 2,50 $ les 30 minutes de*

*connexion et 7 $ pour une heure.* Imprimante, scanner et fax. Cadre agréable et boulangerie excellente où on peut déguster les beignets « malasadas ».

## Santé

**■ BRAUN URGENT CARE**
Kailua Beach Center
130 Kailua Road © (808) 261 4411
*Ouvert de 8h à 20h.* Urgences assurées.

**■ CASTLE MEDICAL CENTER**
640 Ulukahiki Street © (808) 263 5500
© (808) 263 5164 (urgences)
www.castlemed.com

## Hébergement

► **À Kailua, les Bed & Breakfast cosy ne manquent pas** et sont des valeurs sûres ! Il faut cependant les réserver à l'avance car ils sont souvent pris d'assaut. Demander la liste complète à l'office du tourisme.

### Confort ou charme

**■ BEACHLANE**
111 Hekili Street
© (808) 262 8286
www.beachlane.com
*À partir de 205 $ la chambre double, à partir de 250 $ la chambre pour 4. Réservations bien à l'avance.* Un Bed & Breakfast à deux pas de la plage de Kailua Beach, comme le laisse entendre son nom. Deux chambres (une double et une quadruple) dans un cottage cosy à souhait. Cuisine et mobilier modernes. Serviettes de plage, chaises longues et boogie-boards à la disposition des clients.

**■ LANIKAI PLANTATIONS**
1436 Aalapapa Drive
© (808) 561 1851
http://www.vrbo.com/85154
*Réservation pour 30 jours minimum. À partir de 130 $ la nuit la location de la maison pour 4 personnes et du cottage pour 2. Réservations au moins 2 mois à l'avance.* Les fans d'Obama vont être ravis car ce Bed & Breakfast est juste en bas de la route où se trouve sa résidence secondaire ! Quand il y passe ses vacances en famille, il n'est pas rare de le croiser dans le coin. L'hébergement en lui-même est vraiment confortable et original. C'est une maison de plantation des années 1930 qui a été admirablement bien réaménagée. Cuisine parfaitement équipée et terrasse très agréable. Rien de tel pour se détendre que d'écouter un des CDs de musique hawaiienne de la collection que le propriétaire a mis à disposition dans le salon. Le tout à quelques minutes à pied de la magnifique plage de Lanikai Beach, qui est sans aucun doute une des plus belles plages du monde ! Prêt gratuit de kayak et de matériel de plongée. Wi-fi et barbecue.

**■ PAPAYA PARADISE**
335 Hahani Street © (808) 266 3996
www.kailuaoahuhawaii.com
*À partir de 100 $ la nuit pour 2. 15 $ par personne supplémentaire. Petit déjeuner consistant inclus. Réservation pour 3 nuits minimum.* Charmant Bed & Breakfast avec 2 appartements pouvant accueillir jusqu'à 4 personnes. Décoration simple mais hawaiienne. Piscine commune, avec une très jolie vue sur les montagnes. Boogie-boards et masques et tubas à disposition.

## Restaurants

### Bien et pas cher

**■ ALOHA SALADS**
600 Kailua Road © (808) 262 2016
www.alohasalads.com
*Àcôté de l'office du tourisme. Ouvert de 10h30 à 20h. 10 $ maximum.* Salades à composer soi-même ou déjà prêtes. Ingrédients frais et variés.

**■ CINNAMON'S RESTAURANT**
315 Uluniu Street
© (808) 261 8724
www.cinnamonsrestaurant.com
*Ouvert pour le petit déjeuner et le déjeuner, de 7h à 14h. Pas de service pour le déjeuner le dimanche. Compter environ 10 $ pour un petit déjeuner et 12 $ pour le déjeuner.* Un établissement connu pour ses onctueux « cinnamon's rolls » (gâteaux à la cannelle) faits maison et ses omelettes géantes préparées d'après des recettes locales. Soupes, sandwiches et salades au croisement des cuisines US et hawaiienne.

**■ KALAPAWAI CAFE**
306 S.Kalaheo Avenue
© (808) 262 4359
www.kalawaimarket.com
*Repas entre 15 et 20 $.* À côté du supermarché du même nom, un petit restaurant très bon marché qui marie cuisines méditerranéenne et hawaiienne. Salades, soupes, plats chauds et sandwiches (*8 $*).

### Bonne table

**BACI BISTRO**
30 Aulike Street
✆ (808) 262 7555 – www.bacibistro.com
*Ouvert du lundi au vendredi, de 11h30 à 14h et de 17h30 à 22h. Repas entre 20 et 25 $. Réservation recommandée.* Excellent restaurant italien dont la réputation n'est plus à faire. Une cuisine italienne authentique à un prix raisonnable.

### Points d'intérêt

**ULUPO HEIAU**
*Près de Kailua. En direction de Kailua, sur la Pali Highway, prendre Uluoa Street à gauche puis la première à droite. Le heiau est derrière le parking du YMCA.* Comme tous les heiau (temple), celui d'Ulupo a été quasiment détruit après l'abolition de la religion hawaiienne en 1819. Le terrain a successivement servi de champ de taro puis de rizière, cultivée par les immigrants chinois, au XIXe siècle. Les marais environnants ont favorisé la pousse de plantes et de fleurs natives, ce qui rend la balade dans les ruines de ce temple bien agréable.

### Sports et loisirs

#### Plages

**KAILUA BEACH PARK**
*Sur Kawailoa Road. Bus n° 70.* Les eaux turquoise de cette baie sont enchanteresses et font de cette plage une des plus belles des États-Unis. Grâce à son excellente exposition aux vents, c'est aussi le meilleur spot de surf, de kitesurf et de planche à voile d'Oahu, tout au long de l'année mais surtout en hiver. Les îlots de Popoia et Mokulua qu'on aperçoit au loin sont des réserves naturelles de protection d'oiseaux, qu'il est possible de rejoindre uniquement en kayak. C'est une balade très agréable à faire.

**LANIKAI BEACH PARK**
*Après avoir passé Kailua Beach Park, prendre à gauche au niveau du stop vers Alala Road. Continuer sur Aalapapa Drive qui devient ensuite Mokulua Drive. Bus 70.* C'est vraiment la plus belle plage du monde. Tout simplement sublime. Les mots manquent pour la décrire et rendre justice à sa beauté. Sable blanc et fin, eaux transparentes et calmes... C'est la plage rêvée pour bronzer, nager ou faire du snorkeling. En outre, on voit peu de monde sur Lanikai Beach car elle est plus difficile d'accès que les autres. Pour les couples, atmosphère romantique garantie !

#### Kayak, surf, kitesurf et planche à voile

**KAILUA SAILBOARDS AND KAYAKS**
130 Kailua Road
✆ (808) 262 2555
www.kailuasailboards.com
Plusieurs excursions en kayak dont celle vers les îlots de Popoia et Mokulua. C'est un must ! 4h de balade avec déjeuner inclus : 69 $ par adulte et 59 $ par enfant. Cours de surf en groupe : 89 $ pour 1h30. Cours de surf individuel : 109 $ pour 1h. Location de planches de surf (*25 $ la journée*), kayaks (*39 $ la demi-journée*), kiteboards (*45 $ la journée*), boogie-boards (*16 $ la journée*), planches à voile (*de 69 à 89 $ la journée*).

**NAISH HAWAII**
155 Hamakua Drive
✆ (808) 262 6068
www.naish.com
Ecole de sports nautiques fondée par Robby Naish, champion du monde de planche à voile en 1976 à seulement 13 ans ! C'est une véritable icône dans le monde de la planche à voile, tout comme Kelly Slater l'est pour les surfeurs. Ce n'est pas lui qui tient cette école mais sa famille. À partir de 45 $ le cours collectif de planche à voile et 65 $ le cours individuel. Location de planches à voile (de 45 à 50 $ la journée) et de kiteboards (30 $ la journée). Nombreuses vidéos d'introduction au kitesurf sur le site de Naish Hawaii.

## DE KANEOHE À KAHUKU

Kaneohe est une petite ville d'environ 35 000 habitants à partir de laquelle commence la route de la côte est.
Cette côte, la plus riche en points d'intérêt et en activités diverses, s'étend jusqu'à Kahuku Point par la Kamehameha Highway.
C'est aussi la dernière ville où l'on peut encore faire ses courses ou retirer de l'argent. Ensuite, banques et supermarchés se raréfient et il faut attendre d'être sur la côte nord pour les retrouver.

### Transports

#### Bus

Le bus n° 55, le « Circle Island », parcourt toute la côte est sur la Kamehameha Highway.
Le bus n° 65 aussi, mais ses arrêts sont moins nombreux.

## Pratique

### Banques

**BANK OF HAWAII**
45-001 Kamehameha Highway – Kaneohe
✆ (808) 233 4670
Distributeur 24h/24

### Poste et télécommunications

**LAIE POST OFFICE**
55-5510 Kamehameha Highway
Suite 20 ✆ (808) 293 0337
*Ouvert du lundi au vendredi de 9h à 15h30. Le samedi, de 9h30 à 11h30.*

**KANEOHE PUBLIC LIBRARY**
45-829 Kamehameha Highway
✆ (808) 233 4670
*Ouvert de 10h à 17h les mardi, jeudi, vendredi. De 10h à 17h le dimanche. De 10h à 20h les lundi et mercredi.* Accès Internet pour ceux qui ont la Visitor's Card de 3 mois (*10 $*). Impossible d'avoir une carte pour une durée inférieure. On peut s'abonner sur place. La carte permet ensuite d'utiliser Internet dans toutes les bibliothèques de l'archipel.

**KANEOHE DISTRICT PARK**
45-660 Kamehameha Highway
✆ (808) 233 7309
*Ouvert de 17h à 19h le lundi, mercredi et vendredi.* Accès Internet gratuit.

### Santé

**STRAUB KANEOHE FAMILY HEALTH CENTER**
45-056 Kamehameha Highway
✆ (808) 233 6200
*Ouvert de 8h à 19h30, du lundi au samedi. De 10h à 17h30 le dimanche.* Sur rendez-vous uniquement.

**LONG'S DRUGS**
46-047 Kamehameha Highway
✆ (808) 235 4511
*Ouvert de 7h à minuit.* Pharmacie et drugstore.

OAHU

## Permis de camper

Pour tous les campings, un permis de camper est obligatoire et il faut le demander à l'avance. Deux types de campings : ceux qui dépendent des parcs nationaux (State Parks) pour lesquels le permis est gratuit et ceux qui dépendent du comté ou de Honolulu pour lesquels le permis est payant (*5 $ par personne et par nuit*). Restent quelques cas particuliers : le camping de Malaekahana State où le permis est à 8,34 $ par nuit et par personne ; il faut le demander à l'association « Friends of Malaekahana » qui gère le camping directement. Pour le camping du Hoomaluhia Botanical Garden, le permis est gratuit et il faut le demander au Visitor's Center. En ce qui concerne les campings de Kualoa et de Swanzy Beach, c'est un bureau de la mairie de Kaneohe qui délivre les permis. Selon le cas, il faut faire établir le permis de camper à l'une des adresses suivantes :

**DEPARTMENT OF LAND AND NATURAL RESSOURCES**
Division of State Parks – 1151 Punchbowl Street – Honolulu
✆ (808) 587 0300 – www.hawaii.gov/dlnr/dsp

**DEPARTMENT OF PARKS AND RECREATION**
Parks and Permit Section ✆ (808) 523 4525 – www.co.honolulu.hi.us/parks

**KANEOHE CITY HALL**
Kaneohe Satellite – Windward Shopping Center – 45-480 Kaneohe Drive
✆ (808) 235 4571
*Ouvert du lundi au vendredi de 9h à 17h. Le samedi de 8h à 16h.*

**HOOMALUHIA BOTANICAL GARDEN**
Vistor's Center – 45-680 Luluku Road ✆ (808) 233 7323

**FRIENDS OF MALAEKAHANA**
56-335 Kamehameha Highway – Laie HI 96762
✆ (808) 293 1736 – www.malaekahana.net

## Hébergement

À partir de Kaneohe, sur toute la côte est, les Bed & Breakfast, nombreux à Kailua, cèdent la place aux campings. C'est la principale solution d'hébergement dans cette région et elle a pour avantage d'être peu coûteuse !

### ■ HOOMALUHIA BOTANICAL GARDENS

Vistor's Center – 45-680 Luluku Road
✆ (808) 233 7323
*Camping autorisé le week-end seulement, du vendredi 9h au lundi 16h.* Bienvenue aux amoureux de la nature ! Le site de ce camping est simplement superbe puisqu'il est niché au cœur du magnifique jardin botanique Hoomaluhia qui s'étend sur pas moins de 160 ha. Le seul hic, c'est l'humidité que génère cette luxuriante végétation tropicale. Toilettes, douches et aires de pique-nique.

### ■ KUALOA REGIONAL PARK

49-479 Kamehameha Highway – Kaneohe Bay
*Sur la Kamehameha Highway, environ 1 mile avant d'arriver au Kualoa Ranch. Camping possible seulement du lundi au mardi et du vendredi au dimanche.* Plutôt familial en raison d'une plage aux eaux peu profondes à proximité. Douches, toilettes.

### ■ SWANZY BEACH PARK

51-369 Kamehameha Highway
*Environ 10 minutes après le Kualoa Ranch, sur la Kamehameha Highway. Réservation au moins 2 semaines à l'avance. Camping possible seulement du lundi au mardi et du vendredi au dimanche.* Près de Swanzy Beach, une plage idéale pour la pêche et le snorkeling, ce qui explique pourquoi le camping accueille beaucoup de pêcheurs et de plongeurs. Toilettes, douches, terrain de basket.

### ■ MALAEKAHANA CAMPGROUNDS

Kamehameha Highway ✆ (808) 293 1736
www.malaekahana.net
*Sur la Kamehameha Highway, 5 minutes après Laie en allant vers le nord. Tente : 8,34 $ par personne et par nuit. Cabane pour 2 personnes : 40 $ et 50 $ avec des enfants. Yourte (pour 6 personnes) : 130 $ la nuit. Cottage : pour 4 personnes 80 $ la nuit, pour 6 personnes 130 $.* Camping tranquille. Cabanes, cottages et yourtes très agréables. À proximité de la plage de Laie Bay.

## Restaurants

Très peu de restaurants sur la côte est, de Kaneohe à Kahuku. Mais dans les environs de Kahuku, le long de la Kamehameha Highway, on trouvera sur le bord de la route des camionnettes à crevettes (shrimp trucks), qui valent bien mieux que d'éventuels restaurants en ce qui concerne le rapport qualité-prix (*de 10 à 12 $ l'assiette*). À condition d'aimer les crevettes, bien sûr, on mange local et pas cher ! La région de Kahuku a en effet pour spécialité l'aquaculture des crevettes ; elles sont donc récoltées chaque matin et préparées dans les cuisines de ces camionnettes. Parmi les recettes les plus populaires : les crevettes à l'ail ou beurre-citron. Accompagnés de riz, ces crustacés sont tout simplement délicieux et les portions consistantes.

### ■ GIOVANNI'S SHRIMPS

57-083 Kamehameha Highway
✆ (808) 293 1839
Historiquement, c'est la première camionnette du genre à Kahuku. Et l'établissement le revendique haut et fort sur les panneaux ! Surtout, depuis que d'autres camionnettes se sont installées à proximité et que la concurrence est devenue féroce... On ne peut pas rater la camionnette de Giovanni's en tout cas ; c'est la première qu'on voit et sa carrosserie blanche est littéralement recouverte de graffitis.
Le problème, c'est que comme c'est la plus ancienne, cette « camionnette star » est la plus fréquentée par les touristes. Et on peut faire la queue très longtemps avant d'être servi... Les morts de faim auront du mal à supporter calmement les effluves alléchants de grillades. Un vrai supplice de Tantale !

### ■ ROMY'S KAHUKU PRAWNS & SHRIMPS HUT

56-781 Kamehameha Highway
✆ (808) 232 2202
www.romyskahukuprawns.org
*Ouvert de 10h30 à 18h.* Pour ceux qui ont vraiment très faim et qui n'ont pas eu la force d'attendre chez Giovanni's, les crevettes sont au même prix chez Romy's et il y a beaucoup moins de monde ! C'est même quasiment désert par moments. On peut alors déguster tranquillement ses crevettes sur la terrasse. Un pur moment de bonheur.

## Points d'intérêt

### ■ BYODO IN

47-200 Kahekili Highway ✆ (808) 239 8811
*Ouvert de 8h à 17h30. Entrée : adultes 2 $, enfants 1 $.* Construit en 1968 pour célébrer le centenaire de l'arrivée des premiers immigrants japonais à Hawaii, le Byodo In est en réalité la parfaite réplique d'un temple nippon situé près de Kyoto. C'est un magnifique édifice rouge, entouré d'un lac en pleine nature où s'ébattent

paons, cygnes noirs et « koi » (carpes). Il est très agréable de se promener dans cette nature aménagée avec une minutie propre aux jardins bouddhistes. Le gong du temple est relativement impressionnant ; il pèse trois tonnes ! Il porterait bonheur à ceux qui le font résonner. À l'intérieur, on peut voir également un beau bouddha de 3 m.

■ **HOOMALUHIA BOTANICAL GARDEN**
45-680 Luluku Road ✆ (808) 233 7323
*Sur la Kamehameha Highway, prendre Luluku Road sur la gauche. Bus n° 55. Ouvert de 9h à 16h. Visite guidée gratuite le samedi à 10h et le dimanche à 13h.* Superbe jardin tropical de 160 ha, avec de nombreuses plantes natives de Hawaii. Les sentiers sont balisés et on se balade aisément dans le parc.

■ **NUUANU PALI LOOKOUT**
*Au nord de la Pali Highway, avant l'intersection avec la Kamehameha Highway. Ouvert de 9h à 16h. Entrée libre.* Situé sur la crête des montagnes Koolau, le Nuuanu Pali Lookout (305 m) est très populaire car la vue qui s'y déploie sur la côte au vent est imprenable, particulièrement sur Kaneohe Bay. C'est du haut de cette falaise qu'en 1795 Kamehameha, qui se battait pour l'unification des îles hawaiiennes, précipita les 400 soldats de l'armée adverse dans le vide. Grâce à cette victoire, le roi conquit la totalité de l'archipel.

■ **ALII TOURS**
Kualoa Tropical Garden
49-227A Kamehameha Highway
✆ (808) 237 1960 – www.chiefsielu.com
*Entrée : adultes 15 $, gratuit pour les enfants de moins de 10 ans.* Visite du jardin tropical et dégustation de fruits locaux. Une présentation vivante et originale avec un spectacle traditionnel hawaiien amusant. Même Barack Obama est fan. La preuve, c'est qu'il pose sur la page d'accueil de leur site Internet !

■ **POLYNESIAN CULTURAL CENTER**
55-370 Kamehameha Highway – Laie
✆ (808) 293 3333 – www.polynesia.com
*Au nord de la Kamehameha Highway, à la balise 19 miles. Visite du village seul : 45 $ par adulte et 35 $ par enfant. Forfait avec village, spectacle et dîner : de 60 à 225 $ par adulte et de 35 à 175 $ par enfant.* Sept villages de Polynésie reconstitués nous donnent ici un aperçu de toutes les cultures polynésiennes : Samoa, Aetearoa, Fidji, Hawaii, Tahiti, îles Marquises et Tonga. La plupart des danseurs et acteurs sont originaires de l'archipel polynésien. Beaucoup sont même étudiants à Oahu ! On peut se contenter de la visite du village seulement, mais c'est dommage. Des spectacles de danses et de chants polynésiens ont lieu entre 12h30 et 19h ; pour en voir un, il faut réserver un forfait (village, spectacle, dîner). C'est parfois un peu kitsch mais c'est une façon distrayante de découvrir l'histoire et les traditions de Polynésie. Le dîner (inclus dans le prix du spectacle) offre l'occasion de goûter à presque toutes les spécialités polynésiennes, mais sans une goutte d'alcool. La raison ? C'est l'Eglise mormone qui gère le centre !

■ **TEMPLE MORMON**
55645 Naniloa Loop ✆ (808) 293 9297
*À Laie, prendre la première à droite après le Shopping Center.* Un immense temple blanc trône en haut du terrain d'une ancienne plantation de 2 400 ha, rachetée par les mormons en 1865. Il est interdit de le visiter, mais si vous prenez une photo à l'entrée, on viendra gentiment vous voir pour vous inviter à faire un tour… et vous parler religion ! Difficile ensuite de repartir, car des bénévoles bien intentionnés feront tout pour vous initier à leurs croyances… Autant être prévenu !

## Shopping

■ **TROPICAL FARMS OUTLET**
49-227A Kamehameha Highway
✆ (808) 237 7321 – www.macnutfarm.com
*Au Kualoa Ranch.* Vente de noix de macadamia à tous les parfums et dégustation gratuite (y compris de café Kona-macadamia).

## Sports et loisirs

■ **KUALOA RANCH ET KUALOA PARK**
49-560 Kamehameha Highway
✆ (808) 237 7321
www.kualoa.com
*Ouvert de 8h à 17h.* Un ranch de 1 600 ha, où les paniolos (cow-boys hawaiiens) faisaient de l'élevage au XIXe siècle. Avec le développement du tourisme, ils se sont reconvertis dans d'autres activités et organisent de nombreuses excursions à travers leur ranch. Parmi les plus populaires : Balades à cheval (1h, 63 $, ou 2h, 93 $), le « Movie Tour » en bus (21 $) qui fait visiter les sites de tournages célèbres au ranch (Jurassic Park, Lost, Godzilla), les cours de hula (1 heure, 21 $). Le parc régional de Kualoa, dont l'entrée se trouve au sud de celle du ranch côté mer, est juste en face de l'îlot de Mokolii, aussi appelé Chinaman's Hat (le chapeau du Chinois) en raison de sa forme conique. À marée basse, on peut marcher de la mini plage du parc jusqu'à l'îlot.

# LA CÔTE NORD

La côte nord s'étire de Kahuku Point, au nord, à Kaena Point, au sud-ouest. Le rythme de vie y est relax et les principales villes, Waimea et Haleiwa, peu peuplées et à taille humaine. Mais, avant tout, c'est LA région où le surf est roi à Oahu ! Si, en été, les plages de Waimea ou Haleiwa sont relativement calmes et propices à la baignade, c'est tout l'inverse en hiver, quand les vagues se déchaînent et attirent les surfeurs du monde entier. Deux importantes compétitions internationales s'y déroulent entre novembre et février : la « Superbowl of Waveriding » et la « Triple Crown of Surfing ». En partant de Honolulu, on peut gagner la côte Nord en prenant la H1 puis la H2 et, enfin, la route 803, 99 ou 83. Le bus n° 52 fait, quant à lui, le trajet Honolulu – Haleiwa.

## DE WAIMEA À SUNSET BEACH

Des kilomètres de plages magnifiques s'étendent de Waimea à Sunset Beach. Pas vraiment de ville ni même de centre-ville digne de ce nom, mais le long de la route, se sont installés des petits commerces (snacks, boutiques de surf). Une promenade protégée, parallèle à la Kamehameha Highway, relie Waimea et Sunset Beach ; elle est très sympa pour les cyclistes et les coureurs car on y a une très belle vue sur toute la côte.

### Pratique

#### Supermarché

**FOODLAND**
59-720 Kamehameha Highway
© (808) 638 8081
*À l'intersection de Kamehameha Highway et de Pupukea Road. Ouvert de 6h à 11h.* Le plus grand supermarché de la côte nord. Un important rayon de produits frais à emporter (sandwiches, salades, sushis). Distributeur de billets sur place.

### Hébergement

**BACKPACKERS**
59-788 Kamehameha Highway
© (808) 638 7838
http://backpackers-hawaii.com
*27 $ la nuit en dortoir, 62 $ en chambre double, de 120 à 145 $ le studio pour 4 personnes. Cabanes sur la plage : de 72 $ pour 2 personnes à 290 $ pour 8 personnes.* Auberge de jeunesse confortable et propre, à deux pas de la plage Three Tables.Plusieurs formules d'hébergement : dortoirs, studios ou cabanes sur la plage. Les dortoirs sont spacieux (4 à 6 personnes) mais les studios pour 4 un peu étroits. Prêt de boogie-boards, masques et tubas. Internet sur place.

**KE IKI BEACH BUNGALOWS**
59-579 Kamehameha Highway
© (808) 638 8829 – www.keikibeach.com
*Bungalow pour 2 à 3 personnes à partir de 195 $ la nuit ; pour 4 à 6 personnes 230 $.* Des bungalows installés sur la plage, entre Shark's Cove et Ehukai Beach Park. On ne peut pas rêver meilleur emplacement et c'est un vrai bonheur pour les surfeurs qui y trouvent même des planches à leur disposition !

### Restaurants

**TED'S BAKERY**
59-024 Kamehameha Highway
© (808) 638 8207
*En face de Sunset Beach. Ouvert de 7h à 18h. Plats à 8 $ en moyenne.* Une boulangerie réputée pour ses onctueux beignets portugais, les fameux malassadas, et sa tarte « chocolate haupia » (au chocolat et à la noix de coco). Plats chauds et salades.

**ISLAND SHACK**
59-254 Kamehameha Highway
© (808) 638 9500
*Au nord de Waimea. Ouvert de 11h à 21h30. Repas 10 $ en moyenne.* Un snack qui sert de délicieux plats locaux. Une ambiance décontractée où le « Aloha Spirit » rime avec les tubes de reggae qui passent en boucle.

**NORTH SHORE COUNTRY MARKET**
Kamehameha Highway
*Face à Sunset Beach.* Un marché bio qui se tient tous les samedis. On peut acheter des produits frais et des plats à emporter aux fermiers de la région. Prix très corrects.

### Points d'intérêt

**PUU O MAHUKA HEIAU**
*Sur la Kamehameha Highway, prendre Pupukea Road au niveau du Foodland. Route cabossée, rouler lentement.* Construit vers 1600, c'est le plus grand heiau (temple) d'Oahu… enfin, ce qu'il en reste. Comme tous les heiau, il a été en grande partie détruit en 1819, au moment de l'abolition de la religion hawaiienne. Quelques

murs sont cependant debout et on distingue encore l'enceinte des principaux bâtiments. Dédié au dieu de la guerre, il aurait été le théâtre de nombreux sacrifices humains. Le temple étant perché sur une colline, la vue sur la baie de Waimea est splendide. C'est aussi l'endroit idéal pour admirer un magnifique coucher de soleil sur la mer, tandis que les ruines couleur terre revêtent des nuances de rouge et d'orange, particulièrement belles. Un moment de paix loin de la frénésie sportive des plages en contrebas.

### ■ WAIMEA VALLEY'S GARDENS

59-864 Kamehameha Highway
© (808) 638 7766
www.waimeavalley.net
*Ouvert de 9h à 17h. Entrée : adultes 10 $, enfants 5 $ (à partir de 4 ans).* Parc culturel et botanique avec près de 6 000 espèces de plantes tropicales, dont certaines très rares ou endémiques de Hawaii. Des visites guidées gratuites, très intéressantes, ont lieu tout au long de la journée (*10h, 11h, 13h, 14h*). Au programme : histoire des plantes natives, fabrication de lei (colliers de fleurs), cours de hula et récits de légendes hawaiiennes.

## Sports et loisirs

### Plages

Une série de plages qui à elles seules constituent la Mecque du surf !

### ■ WAIMEA BAY BEACH PARK

*En face du Waimea Valley's Gardens. Près de la balise 5 miles sur la Kamehameha Highway. Baignade surveillée de 9h à 17h.* Dans la superbe baie de Waimea, une grande plage de sable doré. En été, Waimea Beach est parfaite pour la baignade, le snorkeling ou la plongée sous-marine. En hiver, la mer se déchaîne et les vagues peuvent atteindre jusqu'à 10 m de hauteur ! Le spectacle des surfeurs en action vaut vraiment le coup d'œil à cette période, même si on n'y connaît rien ! Aire de pique-nique, toilettes, douches. Parking gratuit, mais il faut arriver tôt car il se remplit rapidement et quand il n'y a plus de place, on est obligé d'en prendre une payante à proximité…

### ■ SHARK'S COVE

Entre le Foodland et Kalalua Point
L'été, cette plage est un des meilleurs spots de snorkeling et de plongée sous-marine d'Oahu. C'est en effet une réserve marine protégée dont les fonds marins riches peuvent facilement rivaliser avec ceux de Hanauma Bay (voir « La pointe sud-est de l'île »). Barrières de corail, grottes, poissons multicolores, tortues marines sont très faciles à observer. On y rencontre aussi des requins (dits « requins corail »), mais ils sont gentils et ne vous feront rien, sauf si vraiment vous leur cherchez des noises… En marchant vers le sud, on accède à Pupukea Beach. En marchant vers le nord, à Three Tables Beach (appelée ainsi en raison des trois plateaux rocheux qui émergent à la surface de l'eau, à marée basse). Ce sont aussi d'excellents spots de plongée en été. Douches et toilettes sur place. Pour ceux qui les auraient oubliés à l'hôtel, masque, palmes et tuba sont en vente ou en location dans des kiosques installés juste en face de la plage.

### ■ EHUKAI BEACH PARK

Sur Kenui Road
*Baignade surveillée de 9h à 17h.* En hiver, cette plage est réservée aux surfeurs de haut niveau. C'est là qu'a lieu chaque mois de décembre la compétition de surf « Pipeline Masters », où les pros viennent défier la Banzai Pipeline. En raison de sa forme cylindrique quasi parfaite, c'est une des vagues les plus impressionnantes du monde. Mais sa proximité avec le corail en fait aussi une vague très dangereuse ; Malik Joyeux, une icône du surf tahitien, y a ainsi perdu la vie en 2005.

*Énorme vague à Waimea, île d'Oahu.*

## Triple Crown of Surfing

Les meilleurs surfeurs du monde se retrouvent sur la côte nord d'Oahu, de la mi-novembre à la mi-décembre, pour participer au championnat des « Triple Crown ». Ces trois importantes compétitions sont le Hawaiian Pro, au Haleiwa Beach Park ; la World Cup of Surfing ; et, enfin, les Pipemasters, à Banzai Pipeline.

■ **PLUS D'INFORMATIONS**
www.triplecrownofsurfing.com

Contrairement aux autres plages, la baignade n'y est pas très sûre en été car les courants restent assez forts, mais c'est juste ce qu'il faut pour les fans de boogie-board. Toilettes et douches sur place.

■ **SUNSET BEACH PARK**
Juste au nord d'Ehukai Beach. Baignade surveillée de 9h à 17h. Toilettes sur place.
Si, en été, on peut se baigner et faire bronzette sur cette magnifique plage au sable moelleux et doré, c'est absolument impossible en hiver ! Les vagues de 10 m de haut en moyenne, que les surfeurs chevronnés défient, sont particulièrement dangereuses. Des surfeurs téméraires et inexpérimentés y ont, hélas, déjà laissé des plumes. Prudence donc.

# HALEIWA

Avec à peine plus de 2 200 habitants, la petite ville de Haleiwa est l'emblème incontournable de la côte nord et la capitale officieuse du surf mondial.
Galeries d'art et boutiques de surf aux devantures colorées, restaurants hawaiiens et vendeurs de shave-ice, plages superbes dont les vagues gigantesques sont défiées chaque hiver par les rois de la glisse mondiale… autant d'éléments pittoresques qui font de Haleiwa un site majeur d'Oahu qu'il ne faut manquer sous aucun prétexte.
À seulement 45 minutes de Honolulu, la douceur de vivre de cette bourgade pleine d'authenticité est aussi reposante pour les touristes qui résident à Waikiki et désirent oublier l'effervescence urbaine. Une journée suffit pour la visiter.

## Transports – Orientation

Haleiwa est au croisement de la route 83 qui parcourt la côte Nord et de la route 99 qui arrive de Honolulu. Le centre-ville de Haleiwa s'organise sur un axe unique (la route 83) le long duquel s'alignent commerces et restaurants, de l'Anahulu Bridge au rond-point qui mène vers Mokuleia et Waialua.
Pour aller en bus à Haleiwa, il faut prendre le n° 52 (Wahiawa/Circle Isle) qui part de Honolulu (station du Ala Moana Center) et rejoint la côte Nord en traversant Wahiawa. Compter tout de même 1h30 pour le trajet Honolulu – Haleiwa en bus. Le tarif est le même que sur le reste du réseau, à savoir 2,25 $.

## Pratique

### Banques

Les deux banques suivantes ont un distributeur qui fonctionne 24h/24 :

■ **BANK OF HAWAII**
66-165 Kamehameha Highway
✆ (808) 637 6235

■ **FIRST HAWAIIAN BANK**
66-135 Kamehameha Highway
✆ (808) 637 5034

### Pharmacie

■ **HALEIWA PHARMACY**
66-145 Kamehameha Highway
✆ (808) 637 9393
*Ouvert du lundi au vendredi, de 9h à 17h30. Le samedi jusqu'à 15h30.*

### Poste et télécommunications

■ **HALEIWA POST OFFICE**
66-437 Kamehameha Highway
✆ (808) 637 1711
*Ouvert de 8h à 16h, du lundi au vendredi. De 9h à 12h le samedi.*

■ **COFFEE GALLERY**
North Shore Market
66-250 Kamehameha Highway
✆ (808) 637 5355
*Ouvert de 7h à 20h. 1 $ les 10 minutes de connexion. Wi-fi gratuit.* Très bon café hawaiien (*1,50 $*).

## Hébergement

Haleiwa n'a pas d'hôtels. Les formules d'hébergement possibles se limitent donc à des appartements ou des chambres à louer. La liste des annonces du moment est affichée à l'entrée du Celestial Natural Foods (près de la poste) et de la Coffee Gallery (au North Shore Market Place, sur la Kamehameha Highway).

Quant au camping de Haleiwa, on ne peut y planter sa tente que quelques jours par semaine.

### KAIAKA BEACH PARK

66-449 Haleiwa Road

*Accessible du vendredi au mardi inclus. Permis de camper gratuit.* Un camping qui a pour principal avantage d'être sur la plage (attention aux courants forts cependant) et pour inconvénient majeur de n'être ouvert que du vendredi au mardi. Ce sont surtout des surfeurs qui le fréquentent, mais aussi quelques SDF. Toilettes, douches et aire de pique-nique sur place. Le permis de camper est obligatoire et gratuit. Il faut en faire la demande à l'adresse suivante :

### DEPARTMENT OF PARKS AND RECREATION

Parks and Permit Section

© (808) 523 4525

www.co.honolulu.hi.us/parks

## Restaurants

### Sur le pouce

### WAIALUA BAKERY

66-200 Kamehameha Highway

© (808) 637 9079

*Ouvert du lundi au samedi de 9h à 16h.* Une excellente boulangerie où on peut prendre son petit déjeuner ou son déjeuner. Tout est bio et bon ! Jus de fruits pressés et smoothies onctueux (*de 3 à 8 $*) accompagnés de pain grillé aromatisé (celui au fromage et aux herbes est sûrement le meilleur) sont parfaits pour commencer la journée. Au déjeuner, des sandwiches originaux et savoureux caleront les plus affamés pour une somme modique (*7 $*), et notamment le « Hungry Hawaiian » (le Hawaiien affamé), à base de dinde et d'ananas, qui porte vraiment bien son nom !

### Bien et pas cher

### GRASS SKIRT GRILL

66-214 Kamehameha Highway

© (808) 637 4852

*Ouvert de 11h à 18h. Repas 10 $.* Un petit restaurant à la décoration colorée qui sert toutes les spécialités hawaiiennes à base de poisson ! Pêché du jour, bien sûr ! En accompagnement, c'est généralement salade ou riz.

### KUA AINA

67-160 Kamehameha Highway

© (808) 637 6067

*Ouvert de 11h à 20h. Burger entre 7 et 8 $. Menu avec boisson et frites à partir de 10 $.* Un fast-food à la hawaiienne ! Spécialités d'hamburgers consistants et croustillants, avec des ingrédients exotiques. Leur sandwich star est le « pineapple burger » ; un mélange sucré-salé onctueux dont l'odeur seule suffit à ouvrir l'appétit. Une adresse particulièrement appréciée par les locaux.

OAHU

*L'arche d'entrée de Liliuokalani Protestant Church à Haleiwa.*

## Bonne table

### HALEIWA JOE'S

66-011 Kamehameha Highway
✆ (808) 637 8005
www.haleiwajoes.com
*Ouvert de 11h30 à 16h15. De 17h30 à 21h30 du lundi au jeudi et jusqu'à 22h30 le week-end. Plats à 15-20 $.* Le restaurant le plus chic de Haleiwa, dans un cadre exotique et décontracté. Plats à base de poisson et de fruits de mer. Très bonne carte de vins au verre (*6-7 $*). À l'heure de l'apéro, la « happy-hour », de 16h30 à 18h30, plaira aux petits budgets : pupus variés (en-cas salés) et boissons à moitié prix. Très bon rapport qualité-prix.

## Points d'intérêt

### NORTH SHORE SURF AND CULTURAL MUSEUM

66-250 Kamehameha Highway
✆ (808) 637 8888
*Ouvert de 10h à 18h, les lundi, mercredi, vendredi. De 11h à 18h, les jeudi, samedi et dimanche. Entrée libre mais dons appréciés.* Un musée à l'ambiance décontractée et empli d'« Aloha Spirit », comme le sont les surfeurs à Hawaii. Posters, photos et planches de surf collectors de toutes les légendes du surf. On peut acheter certains objets exposés.

### LILIUOKALANI PROTESTANT CHURCH

66-090 Kamehameha Highway
✆ (808) 637 9364
*En face des boutiques de shave-ice.* Une très jolie église qu'il serait dommage de manquer ! Comme c'est juste en face des vendeurs de shave-ice, autant aller y faire un tour avant ou après avoir mangé sa glace. La reine Liliuokalani passait tous ses étés à Haleiwa et venait assister à l'office dans cette église ; c'est pour cette raison que l'édifice porte aujourd'hui son nom et qu'un grand portrait de la reine trône à l'intérieur. Autre clin d'œil à cette reine bien-aimée : une horloge originale où les chiffres ont été remplacés par les 12 lettres de Liliuokalani !

## Shave-ice

La shave-ice est une spécialité hawaiienne. C'est de la glace pilée parfumée au sirop, savoureuse et pas chère (*2 $*). Barack Obama et ses filles en raffolent ! Ils en achètent à chaque fois qu'ils viennent passer des vacances sur Oahu !
La glace aurait été créée au XIXe siècle, à l'époque où Hawaii était une terre de plantation sucrière. Les ouvriers avaient pour habitude de saupoudrer du sucre sur de la glace pilée pour se donner de l'énergie et se rafraîchir après de longues heures de travail dans les champs, en plein soleil. Plus tard, le sucre a été remplacé par des sirops de toutes les couleurs et à tous les parfums.
Les locaux en dégustent régulièrement. Leurs glaces préférées sont à base de « azuki beans » (haricots rouges sucrés japonais) ou d'un mélange ananas-coco. Et, une fois qu'on y a goûté, on ne peut que cautionner !
Ainsi, Haleiwa n'est pas seulement la capitale du surf, c'est aussi la capitale de la shave-ice ! Les deux meilleurs fabricants de l'île y vendent leurs produits :

### MATSUMOTO SHAVE ICE

66-087 Kamehameha Highway ✆ (808) 637 4827 – www.matsumotoshaveice.com
*Ouvert de 8h30 à 18h. De 1,75 à 2,75 $.* L'établissement de shave-ice le plus connu à Haleiwa et même à Oahu ! Pour preuve, la longue et constante file d'attente à l'entrée. Une boutique de souvenirs permet de faire ses emplettes en attendant que la file avance…

### AOKI'S SHAVE ICE

66-117 Kamehameha Highway ✆ (808) 637 4827 – www.aokisshaveice.com
*Ouvert de 12h à 18h30. Sur le même trottoir que Matsumoto Shave Ice. Même qualité, mêmes prix et beaucoup moins de monde.* On ne saurait trop conseiller aux plus impatients d'aller directement chez Aoki's ! S'il y a beaucoup de clients potentiels devant Matsumoto, ce n'est pas parce que c'est le meilleur mais parce que c'est un des arrêts obligés de tous les bus de touristes… Enfin, la boutique est beaucoup plus chaleureuse que celle de Matsumoto. Elle est tenue par la même famille depuis 25 ans et, aujourd'hui, ce sont les petits-enfants Aoki qui s'en occupent.

## Shopping

### Boutiques de sport

**■ HAWAII SURF & SAIL**
66-160 Kamehameha Highway
✆ (808) 637 2663
*Vente de matériel et de tenues pour les surfeurs et les véliplanchistes.* Le patron, Joe Sanchez, est un personnage et il assiste vraiment bien ses clients.
Si vous lui montrez ce guide, il vous fera une réduction de 10 % sur votre facture !

**■ HALEIWA SURF N SEA**
62-595 Kamehameha Highway
✆ (808) 637 7873 – www.surfnsea.com
Une grande variété d'articles pour les surfeurs, aussi bien au niveau de leur matériel que de leurs tenues. Également, un rayon de souvenirs avec T-shirts et autres bibelots évoquant Haleiwa.

### Galeries

Haleiwa regorge de galeries d'art en tout genre, dont certaines méritent vraiment le détour !

**■ RON ARTIS GALLERY**
North Shore Market Place
66-250 Kamehameha Highway
✆ (808) 261 8118 – www.ronartis.com
*Ouvert de 11h à 17h.* Une galerie vraiment incroyable ! Si vous devez n'en visiter qu'une, que ce soit celle-là. Ron Artis a plusieurs cordes à son arc. Il réalise des peintures murales un petit peu partout dans l'île et dans tout l'archipel. On en dénombre près de 800 à son actif ! Il a récemment peint une fresque très amusante où la star « Bo », le chien de la famille Obama, est sur une plage avec ses copains chiots de toutes les couleurs (pour symboliser les différentes origines ethniques des Américains). On peut la voir sur un mur de la Kamehameha Highway, à Haleiwa. L'autre spécialité de Ron, c'est la récup des planches des champions de surf, cassées ou abîmées, auxquelles il donne une deuxième vie en en faisant des œuvres d'art. C'est ainsi qu'on peut voir, à l'entrée de sa galerie, une série de planches, belles et originales, accrochées le long de la clôture. Celle en forme de tortue est l'ancienne planche de Kelly Slater ! Le prix de ces magnifiques œuvres va de 500 à 7 500 $. Enfin, la galerie de Ron fait aussi office de salle de concerts et de studio d'enregistrement ! Ron, sa femme et leurs onze enfants (oui, onze !) ont un groupe de jazz blues, la Ron Artis Family Band, et se produisent régulièrement sur place. La mère chante et le reste de la famille joue d'un instrument. On peut les écouter sur leur site Internet et acheter leurs disques en ligne.

### Haleiwa Art Walk

Chaque dernier samedi du mois, de 18h à 21h, les galeries d'art restent ouvertes plus tard et de nombreuses animations ont lieu dans les rues environnantes : concerts, spectacles de hula, expositions-ventes d'œuvres d'art... C'est le même concept que celui de la « Gallery Walk », qui a lieu à Honolulu tous les premiers vendredis du mois, dans le quartier de Chinatown.

## Sports et loisirs

### Plages

Les plages de Haleiwa ne sont certes pas aussi belles que celles de Sunset Beach ou de Waimea, mais elles sont tout de même jolies et très prisées en hiver par les surfeurs pour leurs impressionnants rouleaux.
Pour connaître avec précision l'état de la mer et des rouleaux avant d'aller surfer, connectez-vous sur : www.surfline.com
Une webcam est branchée en direct sur les principaux spots d'Oahu, et de Haleiwa en particulier !

**■ HALEIWA ALII BEACH PARK**
66-167 Haleiwa Road
*Accès de 6h 22h. Baignade surveillée de 9h à 17h30.* Eaux calmes en été mais déchaînées en hiver. On y dénombre 3 breaks importants au large, vers la gauche : Walls, Avalanche et Haleiwa. Avis aux jeunes surfeurs fous : ne tentez pas les deux premiers, mais le troisième est à votre portée. Toilettes, douches et aire de pique-nique sur place.

**■ HALEIWA BEACH PARK**
*Sur la gauche, en direction de Waimea Bay, après avoir passé le pont Anahulu.* 2 breaks fameux pendant l'hiver, sur la droite de la plage : Puaena et Puaena Point. A réserver aux experts en surf ! En été, cette plage est peu fréquentée mais accueille une importante compétition de canoë et le « Haleiwa Arts Festival », qui présente l'art et l'artisanat local. Toilettes, douches, terrain de basket et aire de pique-nique.

■ **KAIAKA BEACH PARK**
*Accès de 7h à 18h45.* La plage n'est pas top et l'eau est plutôt trouble, même l'été. Mais le parc verdoyant tout proche est vraiment parfait pour pique-niquer. On peut aussi se servir des douches du camping.

■ **KAWAILOA BEACH**
Longue plage qui s'étend de Puaena Point à Waimea. Très peu de baigneurs mais beaucoup de surfeurs locaux. Cette plage compterait de nombreux spots secrets que seuls les Hawaiiens connaissent et qu'ils veulent garder pour eux. Le break sur Laniakea Beach, plus au sud, baptisé Lani's, est cependant « grand public ». On croise aussi beaucoup de tortues marines sur cette Laniakea Beach, ce qui lui a valu le surnom de « Turtle Beach ». Un petit peu plus au nord, Chun's Reef est aussi un excellent spot de surf, beaucoup plus accessible aux débutants.

### Surf et autres sports nautiques

■ **DEEP ECOLOGY**
66-456 Kamehameha Highway
✆ (808) 637 7946
www.deepecologyhawaii.com
*Excursions de plongée sous-marine entre 135 et 175 $ la journée. Location de matériel de snorkeling (12 $ par jour) et de boogie-boards (10 $ par jour).* Egalement des circuits de whale-watching ou de dolphin-watching, à partir de 99 $ les 3h (seulement de janvier à avril).

■ **HALEIWA SURF N SEA**
62-595 Kamehameha Highway
✆ (808) 637 7873
www.surfnsea.com
La meilleure adresse pour prendre des cours de surf dispensés par de vrais pros. Le cours débutant (3h) est à 85 $ par personne et celui de perfectionnement (3h) à 170 $. On peut aussi faire une sortie plongée sous-marine (*à partir de 95 $ pour les débutants et de 75 $ pour les confirmés*). Mais l'excursion la plus insolite, c'est le « Shark Tours » : on vous emmène au large au-dessus d'un banc de requins, on vous place dans une cage et on plonge la cage dans l'eau. 120 $ la frayeur ! Un conseil : si vous avez eu peur en voyant Les Dents de la mer, n'y allez pas. Même si les requins sont en fait des animaux assez peureux et inoffensifs, ça n'empêche pas de s'angoisser une fois dans la cage...

## DE WAIALUA À KAENA POINT

Après avoir été pendant longtemps au cœur du commerce de bois de santal, Waialua a développé une importante industrie sucrière au XIXe siècle. Malheureusement, depuis la disparition de celle-ci en 1996, la ville n'a guère su se reconvertir dans d'autres productions agricoles et n'est plus aujourd'hui qu'une ville résidentielle de près de 4 000 habitants. Si on poursuit sa route jusqu'à la pointe ouest de la côte nord, les commerces du petit centre-ville de Waialua sont les derniers où on peut faire quelques emplettes.
Pour rejoindre Kaena Point (pointe ouest de la côte), il faut prendre la Farrington Highway à partir de Waialua, mais la route ne va pas jusqu'au bout ; il faut continuer à pied (voir, plus loin, la partie « Sports et loisirs/ randonnée »).
Pour accéder à Waialua à partir de Haleiwa, il faut suivre la route 83 vers l'ouest et, à partir de Honolulu, la route 803 vers le nord. Le bus n° 76 relie Haleiwa à Waialua.

### Pratique

#### Banques

■ **WAIALUA FEDERAL CREDIT UNION**
67-292 Goodale Avenue
✆ (808) 637 5980
*Distributeur 24h/24.*

#### Poste et télécommunications

■ **WAIALUA POST OFFICE**
62-079 Nauahi Street ✆ (800) 275 8777
*Ouvert du lundi au vendredi de 8h30 à 16h.*

■ **WAIALUA PUBLIC LIBRARY**
62-068 Kealohanui Street
✆ (808) 637 8286
*Ouvert de 9h à 18h les mardi et jeudi. De 9h à 17h le vendredi. De 9h à 14h le samedi.* Accès Internet pour ceux qui ont la Visitor's Card de 3 mois (*10 $*). Impossible de s'abonner pour une durée inférieure mais la carte est ensuite valable dans toutes les bibliothèques de l'archipel.

### Hébergement

Aucun hôtel à Waialua, il faut donc aller dans la bourgade de Mokuleia voisine pour camper. C'est la seule solution pour ceux qui veulent dormir dans le coin.

**■ CAMP MOKULEIA**
68-729 Farrington Highway
© (808) 637 3131
www.campmokuleia.com
*Tente 10 $ la nuit, chambre dans le lodge 65 $, cottage 85 $.* Un camping tenu par l'Eglise épiscopale, mais on n'est pas obligé d'être croyant pour y planter sa tente ! Une situation idéale au beau milieu de la plage, une agréable piscine et la possibilité de louer des kayaks (15 $ la journée) sont les points forts du Camp Mokuleia.

## Sports et loisirs

### Plage

**■ MOKULEIA BEACH PARK**
Une plage aux courants assez forts, mais un très bon spot de kitesurf si on est prudent. Toilettes et douches sur place.

### Randonnée

**■ KAENA POINT**
Une randonnée de 2h environ (l'aller simple) et de niveau facile. Pour accéder à la pointe nord-ouest de l'île, baptisée Kaena Point, il faut marcher car la route s'arrête au bout de la Farrington Highway. Le parking le plus proche du sentier de randonnée, où on peut laisser sa voiture, est celui de Mokuleia Beach. On rejoint ensuite assez facilement le sentier à pied. Le chemin longe l'ancien chemin de fer de l'industrie sucrière et mène directement à Kaena Point. On trouve là un écosystème protégé, qui fait partie du Kaena State Park, avec de nombreuses plantes natives de Hawaii. C'est aussi un lieu chargé de légendes dans la tradition hawaiienne selon laquelle les âmes des personnes récemment décédées rejoindraient celles de leurs ancêtres à cet endroit précis. Ça fait froid dans le dos et ceux qui croient aux fantômes apprécieront ! En tout cas, le vrai danger, ce n'est pas tant les fantômes que de laisser des affaires de valeur dans sa voiture... De nombreux vols ont été constatés, donc ne laissez rien de visible dans votre véhicule.

### Vols de loisir

À partir de l'aérodrome de Dillingham Airfield, situé côté montagne juste avant la fin de la Farrington Highway, il est possible de survoler la région.
Planeur et sauts en parachute, au choix ! Pour les amateurs de sensations fortes.

**■ PACIFIC INTERNATIONAL SKYDIVING CENTER**
68-760 Farrington Highway
© (808) 637 7472
www.pacific-skydiving.com
Pour sauter en parachute (*à partir de 159 $*).

**■ THE ORIGINAL GLIDER RIDES**
P.O. Box 626 – Waialua
© (808) 637 0207
www.honolulusoaring.com
*Vols en planeur : 79 $ les 10 minutes et 215 $ pour 1h. Tarifs dégressifs pour 2 personnes. Également des vols acrobatiques, à partir de 165 $ par personne pour 15 minutes.*



# LA CÔTE SOUS LE VENT

La côte ouest d'Oahu, dite sous le vent, est abritée par la chaîne de montagnes de Waianae. C'est la plus sauvage et la moins visitée. Ce sont surtout des Hawaiiens natifs qui y vivent et ils n'aiment pas beaucoup les touristes... Il est même recommandé d'éviter les zones isolées à la nuit tombée car certains touristes y ont déjà été agressés. Cependant, de très jolies plages bordent la côte et il serait dommage de s'en priver ! Toutefois, ces dernières années, à la suite de l'augmentation de la pauvreté sur l'archipel et la crise, de nombreux campings sauvages, habités principalement par les SDF, se sont installés sur ces plages. Ce qui ne donne pas une très bonne image de Hawaii aux visiteurs et explique également pourquoi les tours opérateurs déconseillent souvent cette partie de l'île. Parmi les différentes villes qui se succèdent sur la côte du sud au nord, les principales sont Nanakuli, Waianae, Makaha. Ce sont avant tout des villes résidentielles (chacune d'environ 10 000 habitants), sans charme particulier et qu'il ne vaut pas la peine de visiter. Les banques, postes, cliniques et supermarchés de leur centres-villes sont néanmoins bien utiles (voir « Pratique »).

## Transports

### Voiture

C'est le moyen le plus simple pour aller sur la côte ouest.

En partant de Honolulu, il faut prendre la H1 vers l'ouest qui devient ensuite la Farrington Highway (route n° 93). Compter 40 minutes de trajet en moyenne.

### Bus

Les bus n° 93 (Waianae Coast Express) et n° 40 partent du Ala Moana Shopping Center, à Honolulu, et vont jusqu'à Makaha. Le trajet dure 1h30.

## Pratique

### Banques

Deux banques avec distributeur :

■ **BANK OF HAWAII**
68-760 Farrington Highway
✆ (808) 696 4227
*Ouvert du lundi au jeudi de 8h30 à 16h. Le vendredi, de 8h30 à 18h.*

■ **FIRST HAWAIIAN BANK**
86-020 Farrington Highway
✆ (808) 696 7042
*Ouvert du lundi au jeudi de 8h30 à 16h. Le vendredi, de 8h30 à 18h. Le samedi, de 9h à 13h.*

### Poste et télécommunications

■ **NANAKULI POST OFFICE**
87-2070 Farrington Highway
*Ouvert du lundi au vendredi de 12h à 16h.*

■ **WAIANAE POST OFFICE**
86-014 Farrington Highway
*Ouvert du lundi au vendredi de 8h à 16h15. Le samedi, de 9h à 12h.*

■ **WAIANAE PUBLIC LIBRARY**
85-625 Farrington Highway
✆ (808) 697 7868
Accès Internet avec la Visitor's Card de 3 mois (*10 $*). Impossible de s'abonner pour une durée inférieure, mais cette carte permet ensuite d'accéder à Internet dans toutes les autres bibliothèques de l'archipel.

### Santé

■ **WAIANAE HEALTH CENTER**
86-260 Farrington Highway
✆ (808) 696 7081 – www.wcchc.com
Urgences assurées 24h/24.

## Sortir

■ **PARADISE COVE LUAU**
92-1089 Alii Nui Drive
Kapolei ✆ (808) 842 5911
www.paradisecovehawaii.com
*À partir de 80 $ par adulte, 70 $ par adolescent et 60 $ par enfant.* À environ 40 minutes de Waikiki et en bord de mer, ce luau (dîner-spectacle traditionnel hawaiien) est de loin l'un des plus populaires de l'île. Toutes les spécialités culinaires de l'archipel sont au menu et le spectacle est tout simplement superbe. Enfin, contrairement au luau du Polynesian Cultural Center (voir partie « La côte au vent »), le Paradise Cove Luau n'étant pas géré par l'Église mormone, on y sert de l'alcool !

## Points d'intérêt

■ **KANEAKI HEIAU**
*Sur la Farrington Highway, prendre Makaha Valley Road et rejoindre Mauna Olu Street. Ouvert du mardi au dimanche de 10h à 14h. Entrée libre.* C'est un des heiau (temple) du XVIIe siècle les mieux restaurés de l'archipel. À l'origine, il était dédié à Kane, le dieu de l'agriculture, mais au moment de la conquête de l'archipel par Kamehameha Ier, au début du XIXe siècle, c'est finalement Ku – le dieu de la guerre – qui le supplanta. De nombreux sacrifices humains ont eu lieu dans ce temple pour honorer Kane et Ku.

■ **KANEANA CAVE**
Au sud de Kaena State Park
Cette grotte de 91 m de profondeur a été creusée par la mer, il y a des milliers d'années. Les prêtres hawaiiens y ont célébré leurs rites jusqu'à l'abolition de leur religion en 1819.

## Sports et loisirs

### Plages

Des plages désertes et préservées s'étendent le long de la Farrington Highway. Ne laissez pourtant pas d'objets de valeur dans la voiture car les vols sont nombreux dans les parkings. Si on séjourne à Waikiki, on peut très bien consacrer une journée ou une demi-journée à la découverte de ces plages. Les voici, du sud au nord :

■ **KAHE POINT BEACH PARK**
Si le rivage rocheux de cette plage n'en fait pas un lieu de baignade agréable, c'est cependant un très bon spot de snorkeling et de pêche. À noter : on a une très jolie vue sur toute la côte Ouest au niveau des rochers. Toilettes, douches et aire de pique-nique sur place.

### HAWAIIAN ELECTRIC BEACH PARK

Cette plage est située en face d'une centrale électrique, d'où son nom. Mais elle est surtout réputée pour être un très bon spot de surf et les amateurs de ce sport l'ont rebaptisée « Tracks », en référence au chemin de fer qui la traversait autrefois. Ici, pêche, kayak, snorkeling et baignade sont des activités praticables sans risques en été, mais avec prudence en hiver (en raison des courants plus forts).

### NANAKULI BEACH PARK

*Au sud de Maili. Accès de 9h à 17h. Baignade surveillée.* Très fréquentée par les locaux, cette plage est fort agréable pour la baignade dans sa partie sud. C'est aussi un bon spot de boogie-board dans sa partie nord, où la mer est plus agitée. Toilettes, douches, terrain de basket.

### MAILI BEACH PARK

*Accès de 9h à 17h. Baignade surveillée.* Une longue plage à réserver aux surfeurs expérimentés. Deux breaks exceptionnels : « Tumble Land » au milieu et « Green Lanterns » à l'extrémité nord. Toilettes, douches et aire de pique-nique.

### POKAI BAY BEACH PARK

*À Waianae. Accès de 9h à 17h. Baignade surveillée.* Les eaux de Pokai Beach étant protégées par une longue barrière de corail, c'est une des plages les plus sûres pour la nage et la baignade. Au sud de la plage, le Kuilioloa Heiau (temple) dont les ruines ont été bien érodées par la mer.

### MAKAHA BEACH PARK

*Au nord de Makaha Valley Road. Accès de 9h à 17h. Baignade surveillée.* En hiver, les rouleaux de Makaha Beach peuvent atteindre jusqu'à 5 m de haut. C'est donc une plage très prisée par les surfeurs chevronnés et plusieurs compétitions s'y déroulent. En été, la mer, plus calme, est sans risques pour les nageurs et les fans de snorkeling. Les Makaha Caverns (grottes sous-marines creusées dans le corail et la lave) deviennent alors l'attraction majeure du coin : dauphins, raies manta et poissons multicolores y sont nombreux. Toilettes, aire de pique-nique, douches.

### KEAWAULA BAY

*Accès de 9h à 17h. Baignade surveillée.* Également appelée « Yokohama Bay », cette plage incurvée aux eaux cristallines est tout simplement superbe. Au confluent des courants ouest, nord et sud, la mer est souvent très agitée et les vagues atteignent jusqu'à 6 m de hauteur en hiver et 3 m en été. Seuls les boogie-boarders et les surfeurs expérimentés peuvent défier ces gigantesques rouleaux. Douches et toilettes.

## Randonnée

### KAENA POINT TRAIL

Au bout de la Farrington Highway, dans Kaena State Park

Une randonnée facile, de 2h l'aller-retour, à travers le Kaena State Park. Le sentier suit le tracé de l'ancien chemin de fer. De très beaux points de vue sur l'océan tout le long du parcours. On observe également de nombreuses espèces protégées, comme les albatros de Laysan, qui nichent dans le parc naturel de Kaena Point State Park.

OAHU

*Tortues marines endémiques d'Hawaii.*

# BIG ISLAND

*Waipio Valley Overlook.*

# Big Island

*Hawaii a été surnommée « Big Island » en raison de son importante superficie (10 500 km²) qui fait d'elle la plus grande île de l'archipel hawaiien mais pas la plus peuplée (167 000 habitants). Toutefois, on utilise surtout le terme « Big Island » pour éviter les malentendus et ne pas prendre la partie pour le tout, soit « Hawaii l'île » pour « Hawaii l'archipel ».*

*Big Island concentre les principales caractéristiques des autres îles : des forêts tropicales denses, de jolies chutes d'eau, de magnifiques jardins botaniques et des plages de sable blanc aux eaux turquoise... Cependant, elle a aussi ses spécificités propres et pas des moindres ! Sur ses terres, on trouve ainsi à la fois le volcan le plus actif du monde, le Kilauea, et l'observatoire d'astronomie le plus important et le plus performant du monde, situé au sommet du Mauna Kea.*

*Formée il y a 400 000 ans à peine, Big Island est la plus jeune des îles de Hawaii et elle en a toute la fougue ! Entre le feu du Kilauea (écoulements permanents de lave) et la glace du Mauna Kea (neige au sommet), elle présente 11 zones climatiques différentes et semble en perpétuelle évolution. C'est ainsi que depuis 1983, pas moins de 201 ha de nouvelle terre se sont formés à Big Island en raison du durcissement de la lave au contact de l'océan.*

*Malgré toute cette instabilité, les terres de Big Island sont pourtant fertiles et son agriculture ne cesse de se développer. Du XIXe siècle à la moitié du XXe, plus encore que sur les autres îles, c'était l'industrie du sucre qui prospérait à Big Island. Mais en raison d'une forte concurrence internationale, toutes les plantations ont fini par fermer à la fin du XXe siècle. Dès lors, les champs de canne à sucre ont été rapidement « recyclés »... Ils ont été remplacés par des caféières (surtout sur la côte de Kona), des champs de noix de macadamia et, plus récemment, par des fermes bios.*

*Enfin, historiquement, Big Island est l'île des origines. En 1778, le capitaine Cook découvre Hawaii en débarquant à Big Island, dans la baie de Kealakekua, et c'est aussi là qu'il sera assassiné, onze ans plus tard, par les Hawaiiens au cours d'une bataille.*

*L'autre personnage-clé de Big Island est Kamehameha Ier (1758-1819), ce roi qui a unifié l'archipel en 1810. Il a passé le plus clair de sa vie sur cette île. Il est né au nord de la côte de Kohala, a été élevé dans la vallée de Waipio et est mort à Kailua-Kona, sur la côte ouest.*

## Les immanquables de Big Island

- **Assister** au coucher de soleil au sommet du Mauna Kea et y commencer une initiation à l'astronomie.
- **Voir** la coulée de lave du Kilauea se jeter dans l'océan.
- **Faire** du snorkeling ou nager avec les dauphins à Kealakekua Bay.
- **Participer** à une randonnée équestre avec les cow-boys de Waimea.
- **Visiter** une exploitation de café sur la côte de Kona.

## L'arrivée à Big Island

### Avion

Big Island a deux grands aéroports : l'un sur la côte ouest, à Kona, et l'autre sur la côte est, à Hilo. En fonction de votre lieu de résidence sur Big Island, optez sur l'aéroport le plus proche car les trajets sont longs. À titre d'information, il faut 2h30 pour relier Hilo à Kona et vice versa.

**KONA INTERNATIONAL AIRPORT AT KEAHOLE**
Keahole Airport Road
✆ (808) 329 3423
www.state.hi.us/dot/airports/hawaii/koa
La plupart des vols internationaux atterrissent à Kona, sur la côte touristique où se concentrent les plus belles plages et les plus beaux hôtels de l'île.

**HILO INTERNATIONAL AIRPORT**
Airport Access Road
✆ (808) 934 5840
www.state.hi.us/dot/airports/hawaii/ito
Malgré son nom, cet aéroport accueille très peu de vols internationaux mais surtout des vols inter-îles.

## Vols directs du continent US/Canada à Big Island

■ **AIR CANADA**
✆ (888) 247 2262 – www.alaskaair.com

■ **ALASKA AIRLINES**
✆ (800) 426 0333 – www.alaskaair.com

■ **AMERICAN AIRLINES**
✆ (800) 433 7300 – www.aa.com

■ **CONTINENTAL AIRLINES**
✆ (800) 231 0856 – www.continental.com

■ **DELTA AIRLINES**
✆ (800) 221 1212 – www.delta.com

■ **UNITED AIRLINES**
✆ (800) 241 6522 – www.ual.com

## Vols inter-îles

■ **HAWAIIAN AIRLINES**
✆ (800) 367 5320 – www.hawaiianair.com

■ **ISLAND AIR**
✆ (808) 484 6541 – www.islandair.com

■ **GO ! AIRLINES**
✆ (888) 435 9462 – www.iflygo.com

■ **PACIFIC WINGS**
✆ (888) 575 4546 – www.pacificwings.com

## Depuis l'aéroport

Aucune desserte des aéroports par les transports en commun. Certains hôtels mettent cependant une navette gratuite à la disposition de leurs clients, mais il faut la réserver à l'avance. Pour les autres, ce sera taxi, shuttle ou voiture de location.

■ **SPEEDISHUTTLE**
✆ (808) 329 5433 – www.speedishuttle.com
Réservation en ligne possible et conseillée. Service disponible seulement à l'aéroport de Kona.

### Taxi

▸ **De l'aéroport de Kona.** Environ 30 $ la course de l'aéroport au centre-ville de Kailua-Kona. 60 $ si on se rend dans un des complexes hôteliers plus au nord, sur la côte dite « Kohala Coast ».

■ **ALOHA TAXI**
✆ (808) 325 5448

■ **KONA AIRPORT TAXI**
✆ (808) 329 7779

▸ **De l'aéroport de Hilo.** Compter 15 $ la course de l'aéroport au centre de Hilo, à moins de 10 km de distance.

■ **HILO HARRY'S TAXI**
✆ (808) 935 7091

■ **SHAKA TAXI & TOURS**
✆ (808) 987 1111
Shuttle

### Location de voitures

Les bureaux des grandes agences de location sont à la sortie de l'aéroport, mais il faut prendre une navette pour aller chercher son véhicule. Réservez votre voiture à l'avance, surtout pendant les périodes de haute saison touristique.

▸ **À l'aéroport de Kona :**

■ **ALAMO**
✆ (808) 329 8896 – www.goalamo.com
*Un supplément de 25 $ par jour pour les conducteurs de 21 à 25 ans.*

■ **AVIS**
✆ (808) 327 3000 – www.avis.com

■ **BUDGET**
✆ (808) 329 8511 – www.budget.com

■ **DOLLAR**
✆ (808) 329 3162 – www.dollar.com
*Un supplément de 25 $ par jour pour les conducteurs de 21 à 25 ans.*

■ **ENTERPRISE**
✆ (808) 331 2509 – www.enterprise.com

■ **HARPER CAR & TRUCK RENTAL**
✆ (808) 969 1478
www.harpershawaii.com
Location de 4X4.

■ **NATIONAL**
✆ (800) 227 7368 – www.nationalcar.com

■ **THRIFTY**
✆ (808) 367 5238 – www.trifty.com

▸ **À l'aéroport de Hilo.** En dehors de ces deux loueurs locaux, les grandes enseignes de location sont les mêmes qu'à l'aéroport de Kona.

■ **ADVANCED AUTO**
76-A Keaa Street ✆ (808) 969 9998
www.autorentalshawaii.com
Une agence locale aux tarifs souvent moins élevés que ceux des grands loueurs, à condition de réserver à l'avance. Advanced Auto est située à Hilo, mais une navette gratuite (à réserver) conduit les clients de l'aéroport à l'agence où les attend leur véhicule.

# Big Island

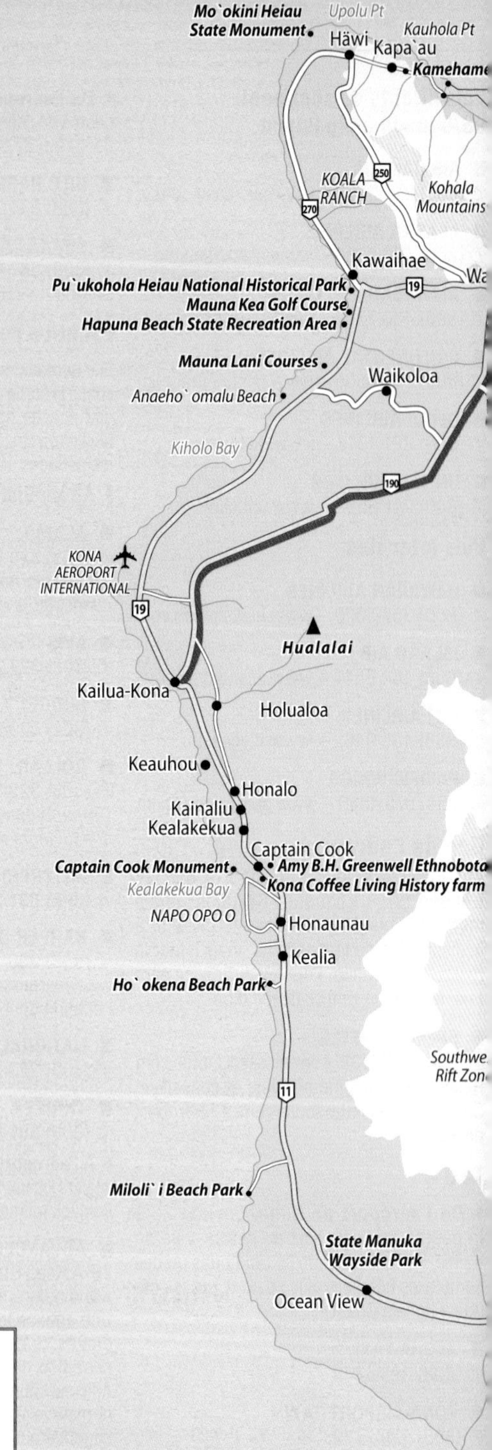

Mo`okini Heiau
State Monument
Upolu Pt
Häwi
Kapa`au
Kauhola Pt
Kamehame
250
KOALA
RANCH
270
Kohala
Mountains
Kawaihae
Pu`ukohola Heiau National Historical Park
19
Mauna Kea Golf Course
Hapuna Beach State Recreation Area
Mauna Lani Courses
Waikoloa
Anaeho` omalu Beach
Kiholo Bay
190
KONA
AEROPORT
INTERNATIONAL
19
Hualalai
Kailua-Kona
Holualoa
Keauhou
Honalo
Kainaliu
Kealakekua
Captain Cook
Captain Cook Monument
Amy B.H. Greenwell Ethnobota
Kona Coffee Living History farm
Kealakekua Bay
NAPO OPO O
Honaunau
Kealia
Ho` okena Beach Park
Southwe
Rift Zon
11
Miloli` i Beach Park
State Manuka
Wayside Park
Ocean View
0
10 km
Route principale
Route secondaire
Petite route
Ligne de bus
Parc national
Ka Lae
(South Pt)

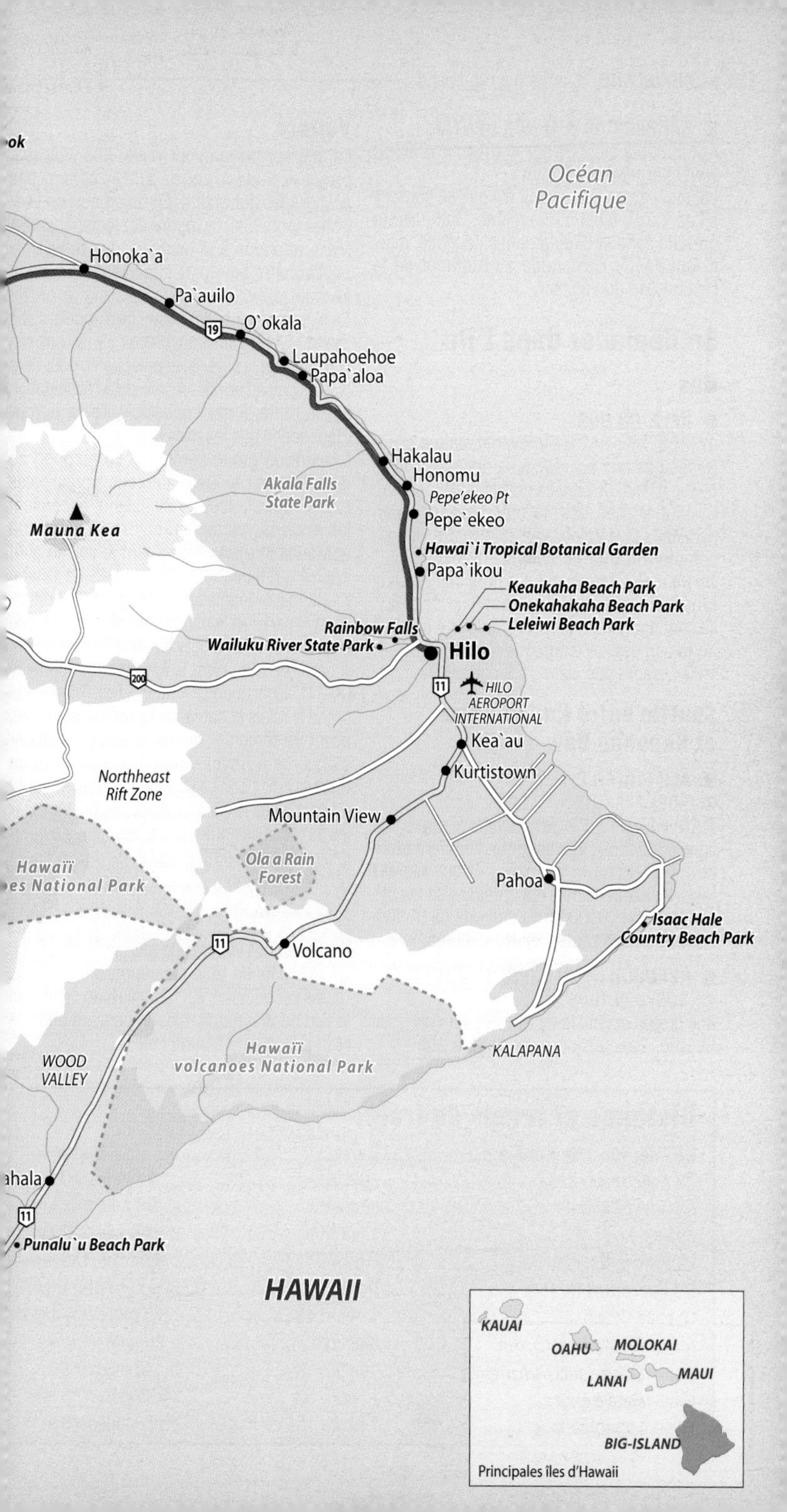

ok

Océan
Pacifique

Honoka`a
Pa`auilo
19
O`okala
Laupahoehoe
Papa`aloa
Hakalau
Honomu
Akala Falls
State Park
Pepe'ekeo Pt
Mauna Kea
Pepe`ekeo
Hawai`i Tropical Botanical Garden
Papa`ikou
Keaukaha Beach Park
Onekahakaha Beach Park
Leleiwi Beach Park
Rainbow Falls
Wailuku River State Park
Hilo
200
11
HILO
AEROPORT
INTERNATIONAL
Kea`au
Kurtistown
Northeast
Rift Zone
Mountain View
Hawaii
es National Park
Ola a Rain
Forest
Pahoa
Isaac Hale
Country Beach Park
11
Volcano
KALAPANA
WOOD
VALLEY
Hawaii
volcanoes National Park
ahala
11
Punalu`u Beach Park

HAWAII

KAUAI
OAHU
MOLOKAI
LANAI
MAUI
BIG-ISLAND
Principales îles d'Hawaii

■ **HARPER CAR & TRUCK RENTAL**
456 Kalanianaole Street ✆ (800) 852 9993
www.harpershawaii.com
Location de 4X4. Le loueur n'a pas de bureaux à l'aéroport, il est à Hilo même. Une navette gratuite conduit directement à l'agence, mais il faut l'avoir demandée au moment de la réservation du véhicule.

# Se déplacer dans l'île

## Bus

■ **HELE-ON BUS**
✆ (808) 961 8521 – www.heleonbus.org
Réseau de bus qui relie les principales villes de Big Island. Un service gratuit mais restreint. La plupart des bus ne fonctionnent qu'en semaine et les trajets sont souvent très longs ; compter 3h pour faire Kona – Hilo !
On peut se procurer les horaires des bus aux offices du tourisme et au terminus de Hilo. Ils sont également en ligne sur le site Internet de la compagnie d'autobus (voir ci-dessus). Valise, sac à dos, vélo : 1 $ par article.

## Shuttle entre Kailua-Kona et Keauhou Bay

■ **ALII SHUTTLE**
✆ (808) 775 7121
*2 $ le ticket et 5 $ le pass pour la journée.* Une ligne d'autobus circulant entre l'embarcadère de Kailua-Kona et Keauhou, et qui dessert les principaux complexes hôteliers de la côte sur Alii Drive. Du lundi au samedi, de 8h30 à 20h30, un bus toutes les 90 minutes.

■ **KEAUHOU HONU EXPRESS SHUTTLE**
✆ (808) 329 1688
Bus gratuit qui fait le même parcours que l'Alii Shuttle. Tous les jours, de 7h30 à 20h.

## Voiture

Le meilleur moyen pour visiter l'île. Volcans, plages et chutes d'eau ne sont en général pas accessibles autrement. En résumé, si on veut visiter toute l'île, la voiture est indispensable. Mais, attention à la longueur des trajets, ils peuvent être bien plus importants que ne le laissent prévoir les distances sur la carte. Ce n'est pas par hasard que l'île s'appelle « Big Island » ! À titre indicatif, prévoir : 3h30 entre la côte ouest et la côte est et presque 7h pour faire le tour complet de l'île ! Au niveau de l'orientation sur la route, il est impossible de se perdre étant donné que les axes autoroutiers majeurs forment un grand cercle qui correspond au périmètre de l'île. Deux autoroutes principales font en effet le tour de Big Island, encerclant les anciens volcans au centre (Mauna Loa et Mauna Kea) et contournant le volcan actif appelé « Kilauea », au sud-ouest. La Queen Kaahumanu Highway (n° 19) part de Kailua-Kona et parcourt la moitié nord de l'île, avant de redescendre sur la côte est où elle rejoint Hilo. À partir de Hilo, c'est la Mamalahoa Highway (n° 11), aussi appelée « Hawaii Belt Road », qui prend le relais et parcourt la moitié sud de l'île, avant de remonter la côte ouest et terminer sa course à Kailua-Kona (où commence la Highway n° 19 !). La Highway 190 relie, quant à elle, Kailua-Kona à Waimea, en passant par les terres. À ces autoroutes, viennent s'ajouter des routes secondaires qu'on ne peut prendre qu'en 4X4. Sinon, c'est le dommage assuré et la plupart des contrats d'assurances des loueurs ne prennent pas en charge les incidents impliquant les voitures de tourisme ordinaires. La plus connue et la plus importante de ces routes secondaires est Saddle Road : elle relie le sud de Waimea à Hilo, en passant entre le Mauna Kea et le Mauna Loa.

## Distance et temps de trajet

| De l'aéroport de Kona à | Durée | Distance |
|---|---|---|
| Hapuna Beach | 30 min | 25 miles/40 km |
| Kamuela/Waimea | 55 min | 38 miles/61 km |
| Kealakekua Bay | 1 heure | 26 miles/42 km |
| Volcanoes National Park | 3 heures | 96 miles/155 km |
| **De l'aéroport de Hilo à** | **Durée** | **Distance** |
| Hapuna Beach | 1 heure 45 | 73 miles/117 km |
| Kailua-Kona | 3 heures | 96 miles/155 km |
| Kaimu Black and Sand Beach | 1 heure 15 | 30 miles/48 km |
| Kamuela/Waimea | 1 heure 35 | 55 miles/88 km |
| Volcanoes National Park | 1 heure 15 | 30 miles/48 km |

# LA CÔTE DE KONA

La côte de Kona s'étend de Kailua-Kona à la pointe sud de l'île. Avec la côte de Kohala, c'est une partie touristique de l'île. Ensoleillement à l'année, plages de rêve, hôtels et restaurants pour tous budgets, activités sportives variées...
Autant d'éléments qui font le bonheur des visiteurs !
Enfin, c'est de cette région productrice de café que provient le nom du café hawaiien le plus connu, le fameux café Kona.

## KAILUA-KONA

Avec près de 10 000 habitants, Kailua-Kona, souvent simplement appelée Kona, est la ville la plus visitée de Big Island. Conséquence directe : un grand nombre de boutiques et de restaurants destinés aux touristes sont regroupés dans Kona, ce qui rend cette ville peu authentique.
Au-delà de son centre-ville, Kailua-Kona s'étend plus au sud, le long de la Keauhou Bay. Au cours du XXe siècle, c'est là que, à la suite du développement du tourisme à Hawaii, sont apparus de nombreux hôtels de luxe.
Enfin, Kailua-Kona permet d'accéder à la Kohala Coast, au nord, et à la baie de Kealakekua, au sud, deux sites beaucoup plus préservés et d'une grande beauté.

### Transports

#### Bus

Un aller-retour Kona-Hilo par jour. Départ de Kona, devant le Macy's, à 6h45 du matin, et arrivée à Hilo à 10h5. Dans l'autre sens : départ de Hilo, de la Prince Kuhio Plaza, à 13h10, et arrivée à Kona à 16h25. Du lundi au samedi seulement.

#### Scooter

■ **SCOOTER BROTHERS**
75-5725 Alii Drive
✆ (808) 327 1080
www.scooterbrothers.com
*Ouvert du lundi au dimanche de 10h à 18h. CB obligatoire. Location de scooter possible à partir de 18 ans, même sans permis de conduire. Tarifs : 20 $ l'heure, 39,95 $ les 4h 69,95 $ la journée et 266 $ la semaine.* Un moyen de transport sympathique pour se promener dans Kona ou aller à la plage !

### Pratique

#### Tourisme

Pas d'office du tourisme à Kona. Il est à Hilo ! Mais on peut se procurer brochures et cartes gratuites à l'aéroport.

#### Banques

■ **BANK OF HAWAII**
75-5595 Palani Road
✆ (808) 326 3900
Distributeur 24h/24.

#### Poste et télécommunications

■ **KAILUA-KONA POST OFFICE**
74-5577 Palani Road
✆ (808) 331 8307
*Ouvert du lundi au vendredi de 8h30 à 16h30. Le samedi de 9h30 à 13h30.*

■ **KAILUA-KONA PUBLIC LIBRARY**
75-138 Hualalai Road
✆ (808) 327 4327
*Ouvert de 11h à 19h le mardi. De 9h à 17h les mercredi, jeudi et samedi. De 11h à 17h le vendredi.* Accès Internet avec la Visitor's Card de 3 mois (*10 $*). Impossible de souscrire un abonnement pour une durée inférieure, mais la carte permet ensuite d'avoir accès à Internet dans toutes les autres bibliothèques de l'archipel.

■ **BEACH DOG INTERNET CAFE**
Kona Square Marketplace
✆ (808) 937 2278
*En face de Kailua Pier. Wi-fi gratuit si on consomme sur place (café 2 $, sandwiches entre 4 et 7 $).* 6 ordinateurs avec accès Internet : 5 $ les 30 minutes et 8 $ l'heure.

#### Santé

■ **KONA COMMUNITY HOSPITAL**
79-1019 Haukapila Street
✆ (808) 322 9311
*À 15 minutes de Kona, à Kealakekua.* Urgences assurées 24h/24.

■ **LONGS DRUGS**
Lanihau Shopping Center
75-5595 Palani Road
✆ (808) 329 1632
*Ouvert de 8h à 21h du lundi au samedi. De 8h à 18h le dimanche.*

## Orientation

Kona est située au milieu de la côte ouest de l'île, à l'abri du mont Hualalai. Pour s'y rendre de l'aéroport, il faut prendre la Highway 19 vers le sud. Cette même route permet d'aller à Waimea, au nord, et de continuer jusqu'à Hilo, à l'est. Pour aller au sud de Kona, sur la côte de Kohala où se trouvent complexes hôteliers et belles plages, il faut prendre la Highway 11 vers le sud.

## Hébergement

### Bien et pas cher

■ **KOA WOOD HALE INN**
75-184 Ala Ona Ona Street
✆ (808) 326 7018
www.konaseasidehotel.com
*25 $ la nuit en dortoir non mixte. 55 $ la chambre single et 65 $ la double.* Une auberge de jeunesse cosy avec des dortoirs spacieux. 4 chambres doubles avec TV et 2 salles de bains à partager. Cuisine commune, grande et propre. Location de vélos à 5 $ la journée. Accès Internet pour 1 $ par jour.

■ **KONA SEASIDE HOTEL**
75-5646 Palani Road ✆ (808) 922 8061
www.konaseasidehotel.com
*À partir de 89 $ la chambre double. Tarifs plus bas si réservation sur leur site Internet.* Un hôtel au confort basique mais de bon rapport qualité-prix et avec une situation centrale. Éviter les chambres qui donnent sur Alii Drive car elles sont bruyantes. Deux piscines.

■ **KONA TIKI HOTEL**
75-5968 Alii Drive
✆ (808) 329 1425 – www.konatiki.com
*De 72 à 86 $ la chambre double, 96 $ avec kitchenette, petit déjeuner inclus. Réservations à l'avance.* Un hôtel bien sympathique en bord de mer. Les chambres aux 2e et 3e étages sont plus lumineuses. La piscine est petite mais elle surplombe l'océan et on y a une vue imprenable sur le coucher de soleil.

### Confort ou charme

■ **BEAR'S PLACE GUEST HOUSE**
72-1071 Puukala Road
✆ (808) 325 7563 – ✆ (808) 990 1383
www.bearsplacekona.com
*Studio de 75 à 115 $ la nuit à 2, 10 $ par personne supplémentaire.* À 5 minutes du centre-ville, dans un quartier résidentiel de Kailua-Kona, une jolie maison de 3 studios parfaitement aménagés. Des lanai (terrasses), on a vue sur la côte de Kona et c'est l'endroit idéal pour prendre son petit déjeuner ! Les maîtresses de lieux, Nanette et sa mère, sont chaleureuses et conseillent volontiers les voyageurs dans leur découverte de Big Island. Wi-fi gratuit et kitchenette avec micro-ondes et machine à café. Lave-linge et sèche-linge en libre service. Boogie-boards et serviettes de plage mis à la disposition des clients.

■ **KING KAMEHAMEHA'S KONA BEACH HOTEL**
75-5660 Palani Road ✆ (808) 329 2911
www.konabeachhotel.com
*Chambre double de 95 à 179 $ (en fonction de la vue ou non sur l'océan).* Un des plus anciens hôtels de Kona. Le mobilier des chambres et la décoration sont donc un peu vieillots mais le tout a un certain charme. Le principal avantage du Kona Beach est sa situation en plein centre-ville, mais au calme. Il a même une plage privée très tranquille !

*Hulihee Palace, Kona.*

## Kava, quesako?

Le *kava* ou « Hawaiian Awa » (*Piper methyscum*) est une boisson relaxante naturelle. L'antidépresseur local en quelque sorte. On la prépare généralement en trempant dans de l'eau la racine de la plante pulvérisée au pilon. Elle a un goût très particulier qu'on pourrait comparer à celui d'une infusion froide, légèrement poivrée et amère. Avant leur contact avec les Européens, c'était la seule boisson enivrante que connaissaient les Hawaiiens ! À consommer donc avec modération.

### uxe

**SHERATON KEAUHOU BAY ESORT & SPA**
'8-128 Ehukai Street © (808) 930 4900
www.sheratonkeauhou.com
*)e 350 à 460 $ la chambre double, de 900 à ? 500 $ la suite.* À la pointe de la baie de eauhou où la roche noire (issue de la lave urcie) contraste avec une mer bleu azur, le heraton Keauhou Bay, construit en forme 'étoile afin que toutes les chambres aient ue sur la mer, s'étend sur près de 9 ha. s'étend même tellement qu'on s'y perd acilement et que l'atmosphère en devient arfois impersonnelle. Heureusement, des iscines à la décoration tropicale redonnent n peu de vie à l'ensemble. Le Crystal Blue ar est assez agréable à l'heure de l'apéro, e soir venu. À la tombée de la nuit, on peut bserver les raies mantas dans la baie, juste côté du bar.

## estaurants

Jne large gamme de restaurants, de très on rapport qualité-prix, à Kailua-Kona. lotamment, le long du bord de mer.

### ien et pas cher

**ISLAND LAVA JAVA**
'5-5799 Alii Drive © (808) 327 2161
ttp://islandlavajavakona.com
*)uvert de 6h à 22h. Compter 10 $ le jour et 20 $ en soirée.* Excellente adresse pour le etit déjeuner : un très bon café Kona (café ocal et d'onctueux cinnamon rolls (gâteaux la cannelle). En prime : une jolie terrasse ace à la mer et la connexion wi-fi gratuite our les clients ! Sandwiches et salades pour e déjeuner et le dîner.

**KANAKA KAVA**
Coconut Grove Market Place
75-5803 Alii Drive
© (808) 883 6260
www.kanakakava.com
*De 10 à 15 $ le repas, le verre de kava inclus.* Voilà une bonne occasion de goûter au kava, la fameuse boisson traditionnelle hawaiienne (voir encadré) ! Si on ajoute à cela une cuisine locale authentique et une clientèle de joyeux drilles habitués, il serait dommage de passer à côté...

**MIXX BISTRO BAR**
King Kamehameha Center
75-5626 Kuakini Highway
© (808) 329 7334
www.konawinemarket.com
*Repas de 10 à 15 $, avec un verre de vin.* Un bar à vin à Hawaii ! Et une cuisine saine et bio pour accompagner la dégustation. Le tout dans une atmosphère cosy et jazzy, avec des concerts live dans le patio, en soirée et le dimanche après-midi.

**SEIJI BREW GARDEN & SUSHI**
75-7699 Alii Drive
© (808) 329 7278
*Ouvert du mardi au dimanche de 11h30 à 21h. Compter environ 10 $.* Un petit restaurant familial donnant sur une cour intérieure agrémentée d'un joli jardin où est installée une terrasse. Le chef est un Japonais né à Tokyo et prénommé Seiji (d'où le nom de l'établissement). Il a fait ses armes dans les plus grands restaurants nippons du continent américain pendant une vingtaine d'années. En plus des sushis, préparés devant vous, on y sert toutes les spécialités japonaises, du teriyaki aux nouilles ou aux tempura. Le tout pour une somme modique. Leur formule dite « Volcano », qui combine California Rolls légèrement épicés et tempura aux crevettes, est une vraie bonne affaire, à seulement 9,50 $.

### Bonnes tables

**LA BOURGOGNE**
77-6400 Nalani Street © (808) 329 6711
*À 3 miles de Kailua-Kona, sur la Highway 11, en roulant vers le sud. Une énorme pancarte indique « La Bourgogne » sur la droite. Ouvert de 18h à 22h, du mardi au samedi. Dîner entre 40 et 50 $.* À ne manquer sous aucun prétexte ! Surtout si on est français... et un brin chauvin aussi. Comme le dit l'écriteau à l'entrée, il faut prononcer « Lah-bor-goan-yuh ».

*Parc historique national de Pu'uhonua O Honaunau.*

Cela dit, le propriétaire est un Californien prénommé Gallaher Moore, francophile mais pas francophone, qui a ouvert cet établissement en 1993 après avoir officié plusieurs années dans des restaurants gastronomiques français sur le continent américain. Pourquoi la Bourgogne ? Sûrement parce que ça sonne bien ! Toutes les spécialités de l'Hexagone figurent sur la carte : cassoulet, suprême de canard, moules à la bretonne... Enfin, la cuisine est bonne et la déco, pleine de clichés sur les « Frenchies », en fera sourire plus d'un !

## Sortir

Certes, Big Island n'est pas l'île de la fête. Rien à voir avec Oahu ou Maui. Mais, bien souvent, on entend dire que Kailua-Kona est une ville festive et que c'est « the place to be » si on veut aller danser. Tout est relatif... Elle l'est sûrement pour les habitants de Big Island, en comparaison avec le reste de l'île où la vie nocturne est égale à zéro. Mais pour le touriste un peu fêtard, c'est la déception assurée. Certes, des bars sont ouverts tard mais ils sont souvent à moitié vides et personne ne danse malgré la musique poussée à fond. Le soir, c'est agréable pour prendre un verre, mais ça s'arrête là ! Sans compter que la plupart ferment à 23h.

### Bars

**■ HUGGO'S ON THE ROCKS**

5828 Kahakai Road ✆ (808) 329 1493

Une bonne programmation de concerts liv Rock, jazz et musique hawaiienne à l'honneu Une clientèle plus âgée et plus huppée qu dans les autres bars de la ville.

**■ LULU'S**

75-5819 Alii Drive ✆ (808) 331 2633

Un DJ professionnel mixe les tubes d moment, tous les week-ends, dans ce ba qui est de loin un des plus animés de la vill Une piste de danse où se déhanchent touriste et locaux.

**■ OCEANS SPORTS BAR & GRILL**

Coconut Grove Marketplace

75-5811 Alii Drive ✆ (808) 327 9494

Comme tous les bars des sports dignes d ce nom, l'Ocean Sports a une belle tabl de billard et des dizaines de téléviseurs qu retransmettent les matchs du moment. Mai c'est pendant le week-end que l'animation ba son plein, grâce aux indémodables soirée karaoké !

### Spectacles

**■ ISLAND BREEZE LUAU**

King Kamehameha's Kona Beach Hotel

75-5660 Palani Road ✆ (808) 326 4969

www.islandbreezeluau.com

*De 17h30 à 20h30, du mardi au jeudi et l dimanche. Entrée : 70 $.* Un des plus beau luau (dîner-spectacle traditionnel hawaiien de Big Island, sur la plage de l'hôtel Kin Kamehameha. Le spectacle est bien men et vivant. Parmi les séquences les plu surprenantes : l'arrivée de la flotte royal en canoë. Open-bar et buffet de diverse spécialités hawaiiennes.

## Points d'intérêt

**■ KONA HISTORICAL SOCIETY**

Greenwell Store – 81-6551 Mamalahoa Highway ✆ (808) 938 8825

www.konahistorical.org

Cette association protège le patrimoin historique de Kailua-Kona et de toute l côte de Kona. Ses membres organisen régulièrement une visite guidée des principau sites du centre-ville de Kailua-Kona, visit baptisée « The Historic Kailua Village Walkin Tour » (15 $ par personne). Le circuit, rich d'informations passionnantes, dure 1h15 e une brochure de photos d'archives du villag de Kailua est comprise dans le prix. Il fau réserver sa place une semaine à l'avance mais si le nombre de personnes inscrites es inférieur à 10, la visite peut être annulée.

### AHUENA HEIAU

King Kamehameha's Kona Beach Hotel
75-5660 Palani Road ✆ (808) 329 2911
*Dans l'enceinte de l'hôtel King Kamehameha. Visite gratuite de 9h à 16h.* Ce heiau a été particulièrement bien restauré et mérite qu'on y fasse un tour. C'est un temple construit par le roi Kamehameha, qui a régné sur Hawaii de 1813 à 1819, pour honorer Lono, le dieu de l'agriculture et de la prospérité. Originaire de la région, le roi lui-même venait souvent se recueillir dans ce heiau. L'oiseau que l'on voit sur la plus grande statue est un pluvier doré : il aurait guidé vers Hawaii les premiers Polynésiens venus s'installer sur l'archipel.

### HULIHEE PALACE

75-5718 Alii Drive ✆ (808) 329 1877
www.huliheepalace.org
*Ouvert de 9h à 16h en semaine. De 10h à 16h le week-end. Entrée : 5 $.* Les États-Unis comptent trois palais royaux sur leur territoire et ils sont tous à Hawaii ! Le Hulihee Palace est l'un d'eux. Ce ravissant édifice de 2 étages a été construit en 1838 par le gouverneur John Adams Kuakini. Les matériaux sont à la fois nobles et solides : pierres de corail et de lave ainsi que du bois de Koa. Ce n'est pas étonnant qu'il ait si bien résisté au tremblement de terre de 2006, même si les membres de « The Daughters of Hawaii » (association à but non lucratif qui veille sur les monuments historiques hawaiiens) ont dû effectuer de nombreuses réparations par la suite. Certains dommages sont d'ailleurs encore visibles à l'intérieur du bâtiment et le travail de restauration se poursuit. Le ticket d'entrée sert à les financer et d'éventuels dons sont les bienvenus. Après avoir été la résidence d'été du roi David Kalakaua, pendant les années 1880, le palais revint ensuite au prince Kuhio, avant d'être laissé peu à peu à l'abandon au XXe siècle. Heureusement que les locaux ont tout mis en œuvre pour en faire le musée qu'on peut visiter aujourd'hui ! Parmi les pièces les plus intéressantes, on peut y voir des lances et des javelots ayant appartenu au roi Kamehameha.

### KAILUA PIER

Le quai de Kailua-Kona, dit « Kailua Pier », se trouve au bout de l'Alii Drive. Construit en 1918, il concentre toutes les activités touristiques marines et c'est de là que partent la plupart des excursions en mer. La digue est aussi un bon spot de pêche ; attention toutefois à ne pas attraper les pauvres tortues marines, assez nombreuses dans ces eaux. Enfin, chaque mois d'octobre, c'est le point de départ du triathlon international « Ironman », qui, comme le laisse entendre son nom, est très difficile ! Ainsi, les nageurs doivent parcourir d'une traite une distance de 4 km. Oui, rien que ça !

### MOKUAIKAUA CHURCH

75-5713 Alii Drive
✆ (808) 329 0655 – www.mokuaikaua.org
C'est la plus ancienne église de l'État de Hawaii. Construite en 1820 par les missionnaires, elle a été agrandie en 1836 au moyen de pierres de heiau (temple), la religion hawaiienne ayant été abolie en 1819. Son impressionnant clocher de 35 m fait de cette église le plus haut édifice de la ville. Il a d'ailleurs longtemps servi de point de repère aux navigateurs à l'approche des côtes…

*Mokuaikaua Church, Kona.*

**Ironman**

Tous les mois d'octobre a lieu l'« Ironman », qui est un des triathlons les plus difficiles au monde. Les épreuves sont en effet ardues : 4 km à la nage, 180 km à vélo et 42 km de course à pied. Le tout en une seule journée ! Le vainqueur empoche la coquette somme de 100 000 $. Bien méritée tout de même !

■ **MAUKA MEADOWS**
75-5476 Mamalahoa Highway
Holualoa ✆ (808) 322 3636
http://maukameadows.com
*Ouvert de 9h à 16h. Dernière admission à 15h30. Entrée libre.* Un magnifique jardin tropical de plusieurs hectares. Nombreux arbres fruitiers et plantes endémiques de Hawaii. Pendant la promenade, on peut cueillir les fruits de saison et les déguster tranquillement ! Tout au long de l'année, les visiteurs de ce petit jardin d'Éden se régalent ainsi de bananes onctueuses, qui ne connaissent pas de saison. Une magnifique terrasse dotée d'une superbe piscine (où il est interdit de se baigner, hélas) surplombe la baie de Kailua-Kona ; on peut s'y reposer en sirotant un petit café Kona produit sur place. Le bonheur ! Les amateurs peuvent en acheter un paquet dans une boutique à proximité (*entre 10 et 19 $ l'unité selon le poids*).

## Shopping

### Artisanat

■ **MADE ON THE BIG ISLAND**
King Kamehameha's Kona Beach Hotel
75-5660 Palani Road ✆ (808) 326 4949
Comme le laisse entendre son nom, ce magasin vend exclusivement des objets d'artisanat fabriqués à Big Island. Pour tous les budgets.

### Artiste de rue

■ **NAPUA**
Box 501 – Kailua-Kona, HI 96745
✆ portable (808) 557 9586
napua.aloha@yahoo.com
*L'artiste travaille sous le grand banyan en face du quai. Si vous ne le trouvez pas, appelez-le sur son portable, il est forcément dans le coin. Roses, poissons, oiseaux : 2 $. Paniers : 10 $.* Napua est un Hawaiien natif (polynésien) d'une cinquantaine d'années, qui fabrique un tas de petits objets avec des feuilles de bananier. C'est joli, pas cher et ça se conserve pendant des mois. Quand les feuilles sèchent elles ne cassent pas et l'objet garde sa forme d'origine.
Pendant que Napua fabrique votre souvenir il vous racontera l'histoire des premiers Polynésiens de Hawaii ou vous récitera un de ses poèmes, car il est aussi poète. Demandez-lui de réciter « *The Essence of Destiny* », c'est certainement le plus beau.

### Marchés

■ **ALII GARDENS MARKETPLACE**
75-6129 Alii Drive
✆ (808) 334 1381
www.aliigardens.com
*Du mercredi au dimanche de 9h à 17h.* Fleurs, bijoux, café et même ukulélé sont en vente sur ce marché où il fait bon se promener.

■ **KONA INN FARMERS MARKET**
Kona Inn Shopping Village
75-7544 Alii Drive
*Le mercredi et samedi de 7h à 15h. Sur le parking du Kona Inn Shopping Village.* L'autre grand marché de produits bios à Big Island.

## Sports et loisirs

C'est à Kailua-Kona que se trouvent tous les loueurs de matériel de sport et les tours opérateurs qui organisent de nombreux circuits à thème dans la région.

### Plages

De très jolies plages bordent la côte de Kailua-Kona et les environs. En roulant du nord au sud, on peut s'arrêter aux plages suivantes :

■ **KUA BAY – MANINIOWALI**
*Sur la Highway 19, entre la balise 88 et 89 miles. À 20 minutes de marche du parking.* Une superbe plage de sable fin aux eaux cristallines. Parfaite pour la nage et le snorkeling.

■ **MAKALAWENA BEACH**
*Sur la Highway 19, entre les balises 89 et 90 miles. À 30 minutes de marche du parking.* Déserte et préservée, c'est une magnifique plage, mais attention aux rochers de lave très coupants ! Ses eaux peu profondes sont idéales pour la bronzette et la baignade.

■ **OLD KONA AIRPORT PARK BEACH**
*Au bout de la Highway 19, à droite, juste avant*

*la Highway 11. Accès de 7h à 20h. Toilettes, douches et aire de pique-nique.* L'ancien aéroport de Kona a fermé dans les années 1970. Peu après, une plage et un parc ont été aménagés. Mais en raison d'un rivage rocheux, la baignade y est risquée. Mieux vaut se contenter d'une séance de snorkeling ou de bronzage. Un break baptisé « Old Airport » attire également les amateurs de surf.

■ **KAMAKAHONU BEACH**
*À l'intersection d'Alii Drive et Palani Road. Accès jusqu'à 19h.* Des eaux claires et calmes, idéales pour les enfants. La pause parfaite pour les familles.

■ **WHITE SANDS BEACH**
*Sur la Highway 11, à 4 miles au sud de Kailua-Kona. Accès de 7h à 20h. Baignade surveillée de 9h à 17h. Toilettes, douches.* Une jolie plage de sable blanc abritée par les cocotiers. Un très bon spot pour les boogie-boarders et les fans de plongée. Attention aux nombreux rochers au moment d'entrer dans l'eau.

■ **KAHALUU BEACH PARK**
*Sur Alii Drive, à 5 miles au sud de Kailua-Kona.* Une plage dont le sable est gris en raison de l'érosion des pierres volcaniques. La mer, abritée par une barrière rocheuse, est très fréquentée par les tortues marines et... les plongeurs qui viennent les observer. Attention cependant aux courants forts dès qu'on dépasse la zone protégée par les rochers !

## Boogie-board et surf

La location de boogie-boards ou de planches de surf revient en moyenne à 10 $ par jour et 60 $ la semaine.

■ **HONOLUA SURF COMPANY**
Kona Shopping Village
75-5744 Alii Drive
✆ (808) 329 1001
www.honoluasurf.com

■ **PACIFIC VIBRATIONS**
75-5702 Likana La ✆ (808) 329 4140
www.laguerdobros.com

## Kayak

■ **OCEAN SAFARI'S KAYAK ADVENTURES**
Kamehameha III Road
✆ (808) 326 4699
www.oceansafariskayaks.com
Plusieurs sorties guidées en kayak. La plus belle est la « Sea Cave Tour » (3h30), qui part de Keauhou Bay et qui permet de visiter les grottes marines le long de la côte de Kona. Tarif : 64 $ par personne. Location de kayak à la journée : 25 $ le single et 40 $ le double.

## Snorkeling

■ **CAPTAIN ZODIAC**
74-425 Kealakehe Parkway
✆ (808) 329 3199 – www.captainzodiac.com
*L'excursion de snorkeling : 93 $ par adulte et 78 $ par enfant.* Cette agence organise des excursions en Zodiac vers Kealakekua Bay (durée 4h) avec 2 départs par jour de Honokohau Harbor (entre l'aéroport et Kailua-Kona), à 8h15 et 13h. (Plus d'informations à la rubrique « Sports et Loisirs/La côte au sud de Kailua-Kona ».)

## Nager avec les dauphins

Si vous avez toujours rêvé de nager avec les dauphins, leur rencontre dans les eaux cristallines de la côte de Kona vous laissera un souvenir impérissable.

■ **DOLPHIN DISCOVERIES**
Keauhou Bay
✆ (808) 322 8000
www.dolphindiscoveries.com
*130 $ l'excursion de 4h, repas inclus.* Départs de Keauhou Bay à 7h45 et retour à 12h.

■ **DOLPHIN JOURNEYS**
75-5822 Pelekila Place
✆ (800) 384 1218
www.dolphinjourneys.com
*De 100 à 175 $ l'excursion de 4h, repas inclus. Départs du quai de Kailua-Kona à 8h30 et retour à 13h.*

## Plongée sous-marine

■ **KONA HONU DIVERS**
74-5583 Luhia Street
✆ (808) 324 4668
www.konahonudivers.com
*De 95 à 170 $ l'excursion de plongée.* Sorties plongée pour tous les niveaux. Pendant les pauses, on a droit à de délicieux cookies et à des tranches d'ananas juteuses ! La plongée la plus impressionnante est celle de nuit, à la rencontre des raies manta lumineuses...

# LA CÔTE AU SUD DE KAILUA-KONA

De Keauhou, au sud de Kailua-Kona, à Milolii Beach Park, s'étend la côte de Kona à proprement parler. C'est la partie la plus ensoleillée et la plus touristique de Big Island. Le long de la Mamalahoa Highway (n° 11) se succèdent de petits villages paisibles et résidentiels, comme Kealakekua, Captain Cook ou bien Honaunau.

Quant à la côte elle-même, elle est très préservée, comme l'atteste la magnifique baie de Kealakekua aux eaux cristallines et protégées. Cette partie de l'île est également forte d'un riche passé, comme le prouvent le parc historique national de Puuhonua O Honaunau ou le monument dédié au capitaine Cook.
Enfin, ce n'est pas un hasard si cette région de forte ruralité compte de nombreuses fermes bios où l'on produit aussi bien des fruits et légumes que du café.

## Transports

Le meilleur moyen de transport pour se rendre sur la côte de Kona, c'est la voiture. Par la Highway 11, c'est un jeu d'enfant !

### Bus

**■ HELE-ON BUS**
✆ (808) 961 8521
www.heleonbus.org
Le bus (gratuit) Hilo – Kona passe à Kailua-Kona à 16h25 ; il arrive à Kealakekua à 17h10 et à Captain Cook 5 minutes après. Un seul passage par jour dans ce sens donc et la ligne ne fonctionne que du lundi au samedi. Il est vraiment bien plus pratique de prendre la voiture !

## Pratique

### Banque

**■ BANK OF HAWAII**
81-6638 Mamalahoa Highway
✆ (808) 322 9377
Distributeur 24h/24.

### Poste et télécommunications

**■ KEALAKEKUA POST OFFICE**
Kona Center – Mamalahoa Highway
✆ (800) 275 8777
*Ouvert de 9h à 16h30 du lundi au vendredi. De 9h30 à 12h30 le samedi.*

**■ KEALAKEKUA PUBLIC LIBRARY**
81-6638 Mamalahoa Highway
✆ (808) 323 7585
*Ouvert de 12h à 18h les lundi et mardi. De 13h à 19h le mercredi. De 10h à 16h le samedi.* Accès Internet avec la Visitor's Card de 3 mois (*10 $*). Impossible de souscrire à un abonnement pour une durée inférieure, mais la carte permet aussi d'utiliser Internet dans toutes les bibliothèques de l'archipel.

### Santé

**■ KONA COMMUNITY HOSPITAL**
79-1019 Haukapila Street
Kealakeakua
✆ (808) 322 9311 – www.kch.hhsc.org
Urgences assurées 24h/24.

**■ OSHIMA DRUGS**
79-400 Mamalahoa Highway
✆ (808) 322 3313
*Ouvert du lundi au vendredi de 9h à 18h. Le samedi de 9h à 17h.*

## Hébergement

### Bien et pas cher

**■ PINEAPPLE PARK**
81-6363 Mamalahoa Highway
Captain Cook ✆ (808) 323 2224
http://pineapple-park.com
*25 $ la nuit en dortoir, 65 $ en chambre double avec salle de bains commune, 85 $ avec salle de bains privative.* Une auberge de jeunesse toute simple qui a pour principal avantage d'être en plein centre de Captain Cook, entre les balises 110 et 111 miles. Les chambres doubles sont un peu petites pour le prix. Préférer le dortoir, de meilleur rapport qualité-prix. Une grande cuisine parfaitement équipée, un barbecue dans le patio, des kayaks à louer (*de 30 à 50 $ la journée pour un single et de 55 à 60 $ pour un double*). Accès Internet pour 10 $ de l'heure.

**■ HOTEL MANAGO**
81-6155 Mamalahoa Highway
Captain Cook
✆ (808) 323 2224
www.managohotel.com
*Chambre avec salle de bains commune, 33 $ la single, 36 $ la double. Avec salle de bains privative, de 56 à 75 $ la single, de 59 à 78 $ la double, de 65 à 70 $ la quadruple. Egalement, chambre à la semaine à partir de 336 $, ou au mois à partir de 1 120 $, les prix variant en fonction de la vue et de la salle de bains privative ou non.* Cet hôtel au confort basique est de loin un des moins chers de la côte de Kona. Construit en 1917 par la famille Manago, des immigrés japonais, le bâtiment n'est pas de la première fraîcheur mais cela lui confère un certain charme. La chambre la plus confortable, et la plus chère, est celle de style nippon, avec un tatami et un « furo » (bain traditionnel japonais).

## Confort ou charme

### ■ BELLE VUE KONA

P.O. Box 670 – Kealakekua
✆ (808) 328 9898
www.kona-bed-breakfast.com
*De 95 à 165 $, le studio pour 2 personnes. Réservations à l'avance.* Ce superbe Bed & Breakfast, niché sur une colline verdoyante, surplombe la baie de Kealakekua. La vue y est tout simplement sublime ! Le must, c'est de s'allonger sur un des transats dans le jardin et d'admirer le coucher de soleil sur l'océan… L'hôtesse, Viviane Baker, parle couramment le français et est vraiment aux petits soins pour ses clients. Ses deux studios, l'Orchid Suite et la Rose Garden Suite, sont très bien aménagés et ont tout le confort moderne : TV câblée, accès wi-fi, frigo, micro-ondes, machine à café… Sans oublier leurs très agréables lanai (terrasses) où il fait bon flâner en écoutant le silence. Une affaire en or !

### ■ RAINBOW PLANTATION

81-6327B Mamalahoa ✆ (808) 323 2393
www.rainbowplantation.com
*De 88 à 109 $ la chambre double.* Au milieu d'une plantation de noix de macadamia (à consommer à volonté !), une ravissante maison de 4 chambres. Dans chaque unité : salle de bains, frigo et télé. Paons, poules et perroquets peuplent les jardins, ce qui donne parfois l'impression d'être en pleine jungle ! On est loin de l'agitation urbaine de Kailua-Kona.

## Restaurants

### ■ ALOHA ANGEL CAFÉ

79-7384 Mamalahoa Highway
Kainaliu ✆ (808) 322 3383
*Ouvert de 8h à 14h30 et de 17h à 21h. Repas entre 15 et 20 $.* Un petit café juste à côté de l'Aloha Theater. Produits exclusivement bios. Une offre variée de sandwiches et de salades au déjeuner ; plats chauds au dîner. Ce qui fait le succès de ce restaurant, c'est avant tout sa jolie terrasse d'où la vue sur Kealakekua Bay est somptueuse. Ainsi, même si le service est habituellement assez long, on se console facilement avec le paysage et une bonne dose d'« Aloha Spirit » (la zen attitude hawaiienne).

### ■ PAPARONI'S

82-6127 Mamalahoa Highway
Captain Cook ✆ (808) 323 2661
*En face du commissariat de police et juste à côté de la Banana Bread Bakery (boulangerie). Ouvert du lundi au samedi de 11h à 21h. Le dimanche de 16h à 21h. Compter de 8,95 à 15,95 $.* Un véritable coin d'Italie à Hawaii. La décoration et surtout les tubes italiens qui passent en boucle, tout y est. Il faut dire que la patronne, Dina Kahele, est à moitié italienne. La plupart des ingrédients faits maison sont propres à ravir les plus fins palais : à l'évidence, pesto, sauce tomate et pain ne viennent pas du supermarché ! Pasta et pizza composent l'essentiel de la carte. La palme revient aux pizzas dont on choisit soi-même les ingrédients et la taille. Inutile de commander la plus grande, la moyenne (*à 11,95 $*) étant à même de satisfaire les plus affamés. Une bonne sélection de vins, made in Italy également : valpolicella, montepulciano, chianti.

### ■ TESHIMA

79-7251 Mamalahoa Highway
✆ (808) 322 9140
*À l'intersection de la Mamalahoa Highway et de la route n° 180. Pas de CB. Ouvert de 6h30 à 13h45 et de 17h à 21h. Compter entre 10 et 18 $.* Un restaurant japonais à la décoration toute simple mais à la cuisine authentique et délicieuse. Depuis son ouverture par la famille Teshima, en 1929, il ne désemplit pas ! Pour déjeuner, prenez un bento (plateau repas traditionnel) sans hésiter : c'est frais, bon et roboratif !

### ■ THE COFFEE SHACK

83-5799 Mamalahoa Highway
Captain Cook ✆ (808) 328 9555
www.coffeeshack.com
*Entre les balises 108 et 109 miles. Ouvert de 7h30 à 15h. Repas complet 15 $ en moyenne.* Une très bonne adresse pour le petit déjeuner ou le déjeuner. Excellent café Kona er des omelettes fondantes à se damner. Si on ajoute à cela une terrasse avec une vue superbe sur Kealakekua Bay, un service irréprochable et des prix vraiment corrects, que demander de plus ?

## Points d'intérêt

### ■ KEALAKEKUA BAY

Au bout de Napoopoo Road
Un des plus beaux sites de Big Island. Des montagnes aiguisées dominent une mer turquoise emplie de corail et de bancs de poissons multicolores. Les dauphins sont friands de ce paradis marin qu'ils aiment à fréquenter tôt le matin, avant que ne débarquent la centaine de touristes venus explorer la baie, munis de masques et tubas.

C'est par la mer que l'accès à la baie est le plus simple. Sinon, il faut aller au bout de Napoopoo Road et y garer sa voiture. De là, on accède à la mini plage de Napoopoo Beach qui fait partie de la baie. Les eaux calmes de Kealakekua sont parfaites pour la nage, la plongée et le kayak.

**AMY B. H. GREENWELL ETHNOBOTANICAL GARDEN**

82-6188 Mamalahoa Highway
Captain Cook ✆ (808) 323 3318
www.bishopmuseum.org/greenwell

*Ouvert du lundi au vendredi de 8h30 à 17h. Entrée libre mais dons bienvenus (4 $ minimum). Visite guidée payante (5 $) les mercredi et vendredi à 13h. Visite guidée gratuite chaque 2e samedi du mois à 10h.* Sur environ 5 ha, plus de 250 plantes endémiques de Hawaii. Le parc met en lumière les liens culturels forts qu'entretiennent, depuis toujours, les Hawaiiens avec ces plantes et la nature en général.

**GREENWELL STORE**

81-6551 Mamalahoa Highway
✆ (808) 323 3222
www.konahistorical.org

*Ouvert du lundi au vendredi de 9h à 15h. Entrée libre mais dons bienvenus.* Sur la propriété de Henry N. Greenwell, construite en 1850, on trouvait tout à la fois : un ranch, un bureau de poste, une grande boutique et la maison des Greenwell.

Aujourd'hui, il ne reste de cette immense propriété qu'un bâtiment érigé en 1875 et classé monument historique. Il abrite un musée passionnant où a été reconstituée la boutique de l'époque. Comme à la Kona Coffee Living History Farm, la muséographie est vivante et c'est une vendeuse en tenue qui présente les différents articles vendus à l'époque. Tous sont riches d'enseignements sur cette période ; on découvre notamment le rôle majeur que jouaient les cow-boys hawaiiens dans l'économie et le commerce de cette période.

## Le monument du capitaine Cook

Le monument qui rend hommage au capitaine James Cook (1728-1779) est un obélisque blanc d'environ 8 m de haut, sur la côte nord-ouest de la baie de Kealakekua. Il a été érigé en 1878 par les Anglais, en souvenir de leur compatriote tué par les Hawaiiens dans cette même baie, en 1779. On peut accéder au monument par la mer (l'obélisque est vraiment au bord de l'eau) ou par un petit sentier appelé le « Captain Cook Monument Trail » (début du sentier au bout de Napoopoo Road ; compter 2h30 l'aller-retour). Navigateur et explorateur anglais, le capitaine Cook a découvert Hawaii en 1778 et, ironie du sort, il a débarqué dans la baie où il allait mourir un an plus tard. Deux débarquements qui donnèrent lieu à deux malentendus que l'on peut imputer à une soudaine et peut-être brutale rencontre entre deux civilisations. Les Occidentaux et les Hawaiiens ne parlaient pas la même langue et n'avaient pas la même culture ; il était difficile pour eux de se comprendre, surtout dès leur première rencontre… C'est pourquoi quand le capitaine Cook débarque à Kealakekua Bay en novembre 1778, il est bien loin de se douter qu'on va le prendre pour un dieu ! En effet, il ne pouvait pas savoir qu'il arrivait au moment des festivités célébrant le dieu de la moisson Lono et que les Hawaiiens allaient le prendre pour son incarnation humaine ! Ce premier débarquement se passe donc plutôt bien, vu qu'il est accueilli comme un dieu vivant et qu'on le couvre d'offrandes… La situation est tout autre un an plus tard… en février 1779. Un des bateaux de Cook a subi des dommages matériels suite à une tempête et l'équipage est contraint de débarquer à Kealakekua Bay pour y effectuer des réparations. Circonstance qui va entraîner la destruction immédiate du mythe entourant le capitaine Cook dans l'esprit des Hawaiiens : jamais un véritable dieu n'aurait pu être affaibli par une simple tempête ! Cook devient donc un menteur et l'homme à abattre, ce qui sera bientôt chose faite : il est tué par plusieurs coups violents portés à la tête et son corps est emporté… Après moult négociations, l'équipage réussit à récupérer le corps du capitaine. Enfin, ce qu'il en reste ! Cook a en effet été découpé en petits morceaux et on n'a jamais retrouvé la totalité du corps. D'après les historiens, les Hawaiiens en auraient mangé une partie ! Car, selon la tradition, manger le corps de son ennemi permettait de s'emparer de son pouvoir, de son *mana*. Triste fin pour le pauvre Cook tout de même, au nom prédestiné pour un homme qui allait finir cuit dans une marmite !

C'est également ici que se trouve le siège de la Kona Historical Society, qui protège le patrimoine historique de la côte de Kona et organise des visites guidées du centre-ville de Kailua-Kona.

### HIKIAU HEIAU

Au bout de Napoopoo Road

La plupart des heiau (temple) ayant été détruits après l'abolition de la religion hawaiienne (1819), le Hikiau Heiau n'est qu'un ensemble de ruines comme tous les autres... Il faut cependant tâcher d'imaginer ce temple du temps où il était immense et un lieu de culte majeur pour les habitants de la région. Dédié au dieu des moissons Lono, il a été le théâtre de nombreuses cérémonies en l'honneur du capitaine Cook, en 1778, les Hawaiiens ayant cru voir en ce dernier l'incarnation de leur dieu ! (voir l'encadré sur le monument du capitaine Cook).

### KONA PACIFIC FARMERS COOPERATIVE

82-5810 Napoopoo Road – Captain Cook

✆ (808) 328 2411 – www.kpfc.com

Cette coopérative rassemble plus de 300 producteurs locaux de café Kona. Créée en 1910, elle s'est peu à peu agrandie et c'est aujourd'hui la plus ancienne et la plus importante coopérative de café Kona à travers les États-Unis. 900 tonnes de café sont traitées sur place chaque année !

La visite des champs de café et de l'usine est gratuite. Des visites guidées, d'une durée de 20 minutes, ont également lieu tous les jours à 10h et 14h. La saison de production du café s'étend de juillet à janvier, c'est donc la période où les visites sont les plus intéressantes car l'activité est intense.

Dans la boutique de la coopérative, on a droit à une dégustation gratuite et on peut acheter un (ou plusieurs) paquet de café Kona produit in situ. Si on devient accro, on peut aussi se faire envoyer du café à domicile en commandant sur leur site Internet (voir ci-dessus).

### FRUIT PARK – 12 TREES PROJECT

82-5810 Napoopoo Road

Captain Cook

✆ (808) 772 6930 – ken@kona.net

*Dans l'enceinte de la Kona Pacific Farmers Cooperative. Entrée libre mais dons bienvenus.*

Ken Love, un des plus grands arboriculteurs de l'archipel, a fondé ce jardin éducatif sur les arbres fruitiers de Hawaii, il y a 5 ans. Au début, seulement 12 arbres avaient été plantés, c'est pourquoi le parc s'appelle aussi « 12 Trees Project ». Aujourd'hui, on en dénombre une soixantaine. Ken tente de réintroduire des fruits endémiques de Hawaii. Il a ainsi réintroduit une espèce de banane locale, dite « lahilahi », qui avait complètement disparu de la région et qui se développe sans problème dans le parc depuis plusieurs années. Il est interdit de cueillir des fruits, mais, si vous désirez participer à une séance de dégustation, il faut téléphoner à Ken et convenir d'un rendez-vous. Il se fera un plaisir de vous faire goûter les spécialités de son jardin ! Certains fruits sont vraiment étonnants, telle la Rollinia Deliciosa avec son goût de crème brûlée !

*Captain Cook Monument, Kealakekua Bay.*



### KONA COFFEE LIVING HISTORY FARM

81-6551 Mamalahoa Highway

Kealakekua ✆ (808) 323 3222

www.konahistorical.org

*Ouvert du lundi au jeudi de 9h à 14h. Visite guidée à 10h et 14h (se présenter à 13h15 au plus tard). Entrée : adultes 20 $, enfants de 5 à 12 ans 5 $.* À faire absolument. Intéressant et original, ce musée reconstitue, d'une manière vivante et animée, l'histoire des pionniers du café Kona, de 1920 à 1945. La ferme où il se trouve était tenue par la famille Uchida, des immigrants japonais. Le personnel en tenue d'époque évolue dans la ferme, comme le faisaient les Uchida dans leur vie quotidienne et on peut à tout moment leur demander des explications sur ce que l'on voit.

Grâce à cette présentation ludique, le passé acquiert beaucoup plus d'épaisseur et on assimile facilement bien plus de connaissances que dans un musée classique ! Ainsi, on peut pénétrer dans la cuisine des Uchida où la mère de famille prépare des musubi (boules de riz), que l'on peut goûter, ou bien observer un employé japonais cueillant les fruits des caféiers. On assiste aussi à tout le processus de fabrication artisanale du café à cette période : de la « kuriba » (moulin qui enlève les peaux du fruit du caféier pour n'en garder que le grain) à la « hoshidana » (plate-forme en tôle pour sécher les grains).

#### ■ SAINT BENEDICT'S PAINTED CHURCH

84-5140 Painted Church Road
Captain Cook

Une très jolie église, toute blanche à l'extérieur et colorée à l'intérieur. C'est le missionnaire catholique, John Velge, qui a construit cette église de 1899 à 1904. Et c'est lui qui a peint les scènes religieuses que l'on peut voir sur les murs et le plafond du bâtiment. Son but était de raconter aux Hawaiiens l'histoire de la Bible en images et sans passer par l'anglais que la plupart des natifs ne comprenaient pas.
Une messe y est célébrée tous les week-ends. De l'entrée, la vue sur la baie de Kealakekua est prodigieuse. Jolie photo garantie.

#### ■ PU'UHONUA O HONAUNAU NATIONAL HISTORICAL PARK

✆ (808) 328 2288
www.nps.gov/puho

*Accès : prendre la Highway 11 en direction du sud puis la route 160 entre les balises 103 et 104 miles. Le parc est 7 km plus bas. Ouvert de 7h à 20h. 5 $ par véhicule et 3 $ par personne (si on est à pied).* Ce parc historique national, au nom hawaiien difficilement prononçable, était, au XVIe siècle, une ville protégée et fortifiée. Ses remparts, de 310 m de long et de 3 m de haut, faisaient de cette cité un véritable refuge pour différentes catégories de la population dont la vie pouvait être menacée. Les femmes en temps de guerre et les briseurs de kapu (tabous de la religion hawaiienne) vivaient ainsi en nombre dans ce village. Le heiau Hale o Keawe, où serait enterré un ancêtre du roi Kamehameha Ier, a été soigneusement restauré et sa visite est intéressante. La côte du parc est particulièrement agréable : ses eaux sont propices au snorkeling et à la baignade. On y observe également des tortues marines et des dauphins à long bec.

## Sports et loisirs

### Plages

#### ■ KEALAKEKUA BAY

Un des meilleurs spots de baignade et de snorkeling de Big Island (voir rubrique « Points d'intérêt »).

#### ■ MILOLII BEACH PARK

*Sur la Highway 11, en direction du sud et au niveau de la balise 89 miles.* Milolii est un ancien village de pêcheurs qui a été complètement ravagé par une coulée de lave en 1926. La lave durcie est présente jusque sur sa plage, qui n'est pas idéale pour faire bronzette en raison de son littoral accidenté mais qui est un très bon spot de surf.

### Nager avec les dauphins

#### ■ DOLPHIN SPIRIT OF HAWAII

P.O. Box 171 – Captain Cook
✆ (800) 874 8555
www.dolphinspiritofhawaii.com

Trish Regan et Doug Hackett ont longtemps vécu en Californie. Mais, un jour, Trish aurait ressenti « l'appel d'un dauphin », alors même qu'elle traversait une période de crise. Las de leur quotidien sur le continent US, le couple décida de tout plaquer et alla s'installer à Big Island. Une fois sur l'île, Trish nage avec les dauphins et retrouve la sérénité… Aussi décide-t-elle de rester près de ces mammifères marins qui lui apportent tant de bonheur. C'est une fort belle histoire et, si cela a marché pour elle, pourquoi cela ne marcherait-il pas pour vous ?
C'est ainsi que Doug et Trish ont mis rapidement au point des séjours tout-inclus où l'on vient se ressourcer auprès des dauphins.
Toutefois, pour pouvoir nager avec les dauphins, on est obligé de prendre le package complet d'une semaine, comprenant l'hébergement dans la belle résidence du couple, les repas et la nage avec les dauphins, soit environ 2 000 $ pour la semaine.
Enfin, l'atmosphère d'ensemble de ce stage étant assez mystique, il vaut mieux que les cartésiens, esprits forts et libres, s'abstiennent et optent plutôt pour une simple séance de nage avec les dauphins, proposée par les agences de Kailua-Kona (voir « Sports et loisirs », dans la partie « Kailua-Kona »).

### Snorkeling

La plupart des excursions de snorkeling ont lieu à Kealakekua Bay.

**■ CAPTAIN ZODIAC**
74-425 Kealakehe Parkway – Kailua-Kona
✆ (808) 329 3199
www.captainzodiac.com
*L'excursion de snorkeling 93 $ par adulte et 78 $ par enfant.* Cette agence organise des excursions en Zodiac vers Kealakekua Bay (durée 4h), avec 2 départs par jour de Honokohau Harbor (entre l'aéroport et Kailua-Kona), à 8h15 et 13h. Sensations fortes garanties à bord ! Les pilotes du bateau foncent et ça décoiffe ! Ils ont également beaucoup d'humour et on ne s'ennuie pas une seconde.
En saison (période de reproduction, de décembre à avril), on peut observer des baleines à bosse sur le parcours. C'est fort impressionnant car on se sent tout petit avec la dizaine de touristes sur le petit bateau ! Mais elles ne sont pas méchantes et on ne risque rien... Avec un peu de chance, vous aurez comme guide Deron, le champion national d'apnée US 2008, qui, dès qu'il voit un dauphin, plonge et part à sa rencontre pour le photographier ! Une fois à Kealakekua Bay, tout le monde enfile ses palmes, masque et tuba fournis par l'équipage et va admirer les magnifiques poissons multicolores au-dessus de la barrière de corail, juste en dessous du monument au capitaine Cook (l'explorateur qui a découvert Hawaii et qui a été tué à cet endroit). Au bout de 30 minutes environ, tout le monde remonte sur le Zodiac et a droit à une collation et un en-cas salé ou sucré (inclus dans le prix). Sur le chemin du retour, le bateau fait encore quelques arrêts intéressants, notamment devant d'impressionnants tunnels formés par la lave et des grottes creusées par la mer.
Enfin, la directrice de Captain Zodiac, Linda Zabolski, d'origine française, est totalement bilingue. Elle adore la France et sera ravie de vous donner des renseignements sur les excursions qu'elle organise mais aussi sur Big Island qu'elle connaît par cœur !

### Kayak

Kealakekua Bay est le meilleur spot de kayak de la côte de Kona. Toutes les agences y organisent des excursions.

**■ KONA BOYS**
79-7539 Mamalahoa Highway
Kealakekua
✆ (808) 328 1234 – www.konaboys.com
*De 125 à 159 $, l'excursion d'une demi-journée à Kealakekua Bay, un repas inclus. Location du kayak à la journée : 47 $ le single et 67 $ le double. Tarifs à la semaine : 150 $ le single et 275 $ le double.*



## LA POINTE SUD DE L'ÎLE

La région de Kau, qui correspond à la pointe sud de l'île, est la partie la plus déserte de Big Island ; elle compte un peu moins de 6 000 habitants. Cependant, les paysages et les plages y sont superbes et préservés. Une nature si prodigieuse qu'elle a particulièrement inspiré Mark Twain lors de sa visite sur l'île. Ka Lae, ou South Point, est à l'extrême sud de Big Island mais aussi des États-Unis !
Il n'existe en effet pas de point plus au sud dans les autres États américains. C'est ici qu'auraient débarqué les premiers Polynésiens venus s'installer à Hawaii, en 750 apr. J.-C. En remontant sur le flanc est de South Point, on accède successivement à Green Sand Beach, une plage de sable vert, et à Punaluu Beach, une plage de sable noir.
Il faut une bonne journée pour visiter cette partie de Big Island et prendre le temps d'aller sur ses plages aux couleurs étonnantes. Certains essaient de combiner cette visite avec celle du volcan, mais ce n'est pas une bonne idée. On se retrouve alors obligé de survoler la région pour se laisser assez de temps pour la visite du parc national des Volcans.
C'est dommage... Sans compter que le trajet de Kailua-Kona à South Point est long : 2h30 en moyenne.

### Transports

Le meilleur moyen de locomotion pour se rendre sur la pointe sud de l'île est incontestablement la voiture.
Certes, le bus passe dans la région mais la fréquence de ses passages est si faible que le voyage relève d'un véritable parcours du combattant. Pour que le bus marque un arrêt dans la région, il faut téléphoner la veille (avant 15h) à la compagnie.
Celle-ci vous communique alors l'heure précise de passage du bus qui fait Hilo – Kau. Seulement un arrêt par jour, dans un sens comme dans l'autre.

### Bus

■ **HELE-ON BUS**
✆ (808) 961 8521 – www.heleonbus.org

## Pratique

### Banques

■ **KAU FEDERAL CREDIT UNION**
95-5664 Mamalahoa Highway
✆ (808) 929 7334
*Distributeur accessible du lundi au samedi de 9h à 16h.*

■ **BANK OF HAWAII**
Pahala Shopping Center
96-3163 Pikake Street ✆ (808) 928 8356
Distributeur 24h/24.

### Poste et télécommunications

■ **NAALEHU POST OFFICE**
95-5663 Mamalahoa Highway
✆ (808) 275 8777
*Ouvert du lundi au vendredi de 7h45 à 13h et de 14h à 16h15. De 10h15 à 11h15 le samedi.*

■ **PAHALA POST OFFICE**
Pahala Shopping Center
96-3163 Pikake Street ✆ (808) 928 9815
*Ouvert du lundi au vendredi de 8h à 16h. Le samedi de 8h30 à 11h.*

■ **NAALEHU PUBLIC LIBRARY**
95-5669 Hawaii Belt Road
Naalehu ✆ (808) 939 2442
Accès Internet avec la Visitor's Card de 3 mois (*10 $*). Pas de souscription possible pour une durée inférieure, mais la carte donne ensuite accès à Internet dans toutes les autres bibliothèques de l'archipel.

### Santé

C'est dans la petite bourgade de Pahala que se trouvent l'hôpital et l'unique pharmacie de la région.

■ **KAU HOSPITAL**
1 Kamani Street
Pahala ✆ (808) 928 8331
*Ouvert du lundi au vendredi de 8h à 16h30.*
Urgences assurées 24h/24.

■ **KAU COMMUNITY PHARMACY**
Suite 36 – 96-115 Kamani Street
Pahala ✆ (808) 928 6252
*Ouvert de 8h à 17h les lundi, mercredi et vendredi. De 8h à 15h le mardi.*

## Orientation

La Highway 11, qui forme une boucle entre Kailua-Kona et Hilo, mène directement à la pointe sud de l'île, que l'on parte de la côte ouest ou est de Big Island.
La Highway 11 change de nom en fonction de sa situation géographique, devenant la « Mamalahoa Highway » à l'ouest et « la Hawaii Belt Road » à l'est.
Au sud de la Highway 11, South Point Road conduit tout droit à Ka Lae (pointe sud).

## Hébergement

L'offre de logements réservés aux touristes est réduite et il faut réserver tôt. Dans cette région calme et reculée, on trouve principalement des Bed & Breakfast, où le séjour peut être une bonne occasion de se ressourcer.

### Bien et pas cher

■ **BOUGAINVILLEA BED & BREAKFAST**
P.O. Box 6045 – Ocean View
✆ (808) 929 7089
www.bougainvilleabedandbreakfast.com
*79 $ la chambre single et 89 $ la double, 15 $ par couchage supplémentaire. Réservations bien à l'avance.* Très sympathique B&B, niché sur les hauteurs de la petite ville d'Ocean View. Jolie vue sur South Point à partir des lanai (terrasses) des 4 chambres, chacune avec salle de bains privative. Jacuzzi dans le jardin. Le petit déjeuner préparé par les propriétaires, Martie et Don Nitsche, est un pur régal.

■ **HALE O LUNA**
P.O. Box 686 – Pahala
✆ (808) 928 8144 – www.pahala.info
*À partir de 89 $ la chambre double, 139 $ la maison entière (capacité de 4 à 6 personnes).* Situé à quelques minutes du parc national des Volcans, ce B&B est installé dans une ancienne maison de plantation des années 1930. Particulièrement bien restaurée, elle offre tout le confort moderne (cuisine équipée, lave-linge… ) tout en ayant conservé objets et meubles d'époque. Les 2 chambres sont spacieuses et ont chacune une salle de bains privative. Wi-fi gratuit.

■ **MARGO'S CORNER**
P.O. Box 447 – Naalehu
✆ (808) 929 9614
www.margoscorner.com
*À proximité de Punaluu Black Sand Beach. À partir de 90 $ la chambre double et*

*130 $ la suite jusqu'à 6 personnes, 30 $ supplémentaires par personne au-delà de 2. Tente dans le jardin 30 $ par personne. Réservations au moins 7 jours à l'avance et pour 2 nuits minimum.* C'est une maison rose au milieu d'un jardin zen japonais, lui-même entouré d'une oasis tropicale. La chambre double et la suite ont une salle de bains privative, mais seule la suite est équipée d'un sauna. Le petit déjeuner est inclus dans tous les cas, même pour les campeurs. Un hébergement de très bon rapport qualité-prix et où on est sûr de décompresser !

### Confort ou charme

**KALAEKILOHANA**
94-2152 South Point Road
© (808) 939 8052 – www.kau-hawaii.com
*À partir de 199 $ la chambre double, petit déjeuner inclus.* Une charmante maisonnette en pleine nature qui fait office de Bed & Breakfast. 4 chambres spacieuses avec douche, lanai (terrasse) et wi-fi. Un petit déjeuner délicieux et consistant est servi tous les matins, de 7h à 9h, dans la salle de séjour de la maison. Mais l'originalité de ce B&B réside surtout dans son programme d'ateliers d'initiation à la culture hawaiienne. Ils ont lieu sur place car les patrons tiennent à ce que leurs clients se détendent tout en s'instruisant. On peut ainsi suivre un cours de fabrication de lei (collier de fleurs hawaiien) ou s'initier à l'art des plumes d'oiseaux et à leur symbolique chez les Hawaiiens. Tarif : 45 $ l'atelier, durée 3h.

## Restaurants

Très peu de restaurants dans le coin ! Ce n'est pas la région où on peut s'attabler devant un long dîner. On y trouve plutôt des petits snacks, mais pas mauvais du tout, avec une ambiance vraiment typique et des produits de qualité.

**PUNALUU BAKE SHOP**
95-5642 Mamalahoa Highway
Naalehu © (808) 929 7343
www.bakeshophawaii.com
*Ouvert de 9h à 17h. Pour un petit déjeuner, avec café, jus de fruits et pain sucré, compter entre 6 et 8 $.* Une excellente boulangerie qui fabrique du pain sucré hawaiien à tous les parfums ! Les plus cotés sont les pains aromatisés à la mangue ou au taro (pomme de terre locale). C'est la halte gourmande parfaite au petit déjeuner, et le meilleur moyen de prendre des forces avant une randonnée au parc national des Volcans (c'est sur la route !). Sur place ou à emporter.

**HANA HOU**
95-1148 Naalehu Spur Road
Naalehu © (808) 929 9717
*Ouvert de 7h à 15h du lundi au jeudi. Jusqu'à 20h les vendredi et samedi. Plats et sandwiches entre 7 et 14 $.* Petit restaurant qui mêle cuisine US et hawaiienne. Le chef met un point d'honneur à n'utiliser que des ingrédients produits à Big Island.

## Points d'intérêt

**KULA KAI CAVERNS**
Ocean View © (808) 929 9725
www.kulakaicaverns.com
*Accès : suivre le panneau indiquant « Kula Kai Caverns » sur la Mamalahoa Highway (n° 11) à Ocean View. Visite guidée simple (30 à 45 minutes) : adultes 15 $, enfants 6-12 ans 10 $. Excursion de spéléologie (plusieurs formules) : de 30 à 195 $ par adulte et de 30 à 65 $ par enfant.* Les cavernes de Kula Kai sont en fait des tunnels formés par la lave durcie, il y a plus de mille ans ! C'est une curiosité géologique étonnante, à découvrir absolument. Claustrophobes s'abstenir.

**KA LAE – SOUTH POINT**
En roulant vers le sud sur la Mamalahoa Highway, tourner dans South Point Road, à droite (juste après la balise 70 miles), et continuer tout droit. À un moment, la route se divise en deux : prendre à gauche et continuer jusqu'au parking. Marcher vers le phare, South Point est juste derrière !
Le bout de terre le plus au sud des États-Unis ! C'est aussi là qu'auraient débarqué les premiers Tahitiens venus s'installer à Hawaii en 750 apr. J.-C. car c'est le point de Hawaii le plus proche de Tahiti ; les trous creusés dans la roche près du rivage auraient servi à amarrer leurs canoës. La convergence des vents est et ouest fait de Ka Lae un site particulièrement venteux (attention aux casquettes !) et propice à une très bonne pêche (à condition d'être très prudent en raison d'un relief très accidenté). Il est par ailleurs formellement déconseillé de nager ou de plonger dans ces eaux aux très forts courants. Le long de la route, on remarquera les multiples éoliennes, la plupart aujourd'hui hors service. Enfin, le parking de South Point étant entièrement gratuit, faites-le savoir à certaines personnes mal intentionnées qui essaient quand même de ponctionner les touristes.

### Pourquoi du sable vert ?

Non, les Martiens n'ont pas vécu à Hawaii ! L'explication de ce phénomène de coloration étrange du sable est purement géologique.
Les rochers volcaniques anciens qui surplombent la plage contiennent de l'olivine, un minéral vert. Or l'érosion des rochers causée par la mer entraîne l'éparpillement de milliers de grains verts (issus de l'olivine) sur le sable de la plage.

#### WOOD VALLEY TEMPLE

P.O. 250 – Pahala
✆ (808) 928 8539 – www.nechung.org
Un magnifique temple bouddhiste, construit en 1973 par le Tibétain Nechung Rinpoche. Le dalaï-lama y a prononcé une allocution en 1980 et en 1994. On peut visiter les jardins, assister à une cérémonie ou encore y séjourner pour une véritable retraite spirituelle (*de 65 à 75 $ la chambre single et de 85 à 150 $ la double*).

## Sports et loisirs

### Plages

#### PAPAKOLEA GREEN SAND BEACH

*A partir du parking de South Point, compter 6 km de marche aller-retour.* Le sable de Papakolea Sand Beach est d'une couleur rare : il est vert !
Mais, attention, pour contempler cette petite merveille, une randonnée est nécessaire, ce qui décourage souvent les amateurs de farniente. Cependant, si on s'équipe de bonnes chaussures (tongs à proscrire), qu'on est prudent dans la descente vers la plage et qu'on boit beaucoup d'eau, cette marche est d'un niveau tout à fait accessible au plus grand nombre.

#### PUNALUU BLACK SAND BEACH

*Sur la Highway 11 (Hawaii Belt Road), en remontant vers le nord, prendre la petite route à droite, entre les balises 56 et 57 miles.* Une magnifique plage de sable noir, une couleur due à l'érosion de la lave durcie, où viennent pondre les tortues marines. Une fois n'est pas coutume, elles ne sont pas effrayées par les touristes, pourtant nombreux à fréquenter Punaluu Beach, mais elles en auront pris l'habitude ! C'est l'occasion rêvée pour faire de superbes photos de ces tortues ou nager à leurs côtés…

### Randonnée

#### MANUKA STATE WAYSIDE

*Sur la Highway 11, au nord de la balise 81 miles. Entrée libre.* Conçu dans les années 1930, ce parc de 3 ha abrite 48 espèces de plantes endémiques de Hawaii et une centaine d'autres en provenance de tout le Pacifique. C'est en suivant le sentier balisé « Manuka Loop Trail », long de 3 km, qu'on découvre cette prodigieuse nature. Il est conseillé de mettre de vraies chaussures de randonnée car le terrain est accidenté par endroits. Mais on n'est pas obligé de faire toute la randonnée ; on peut se contenter d'une petite marche pour se dégourdir les jambes et profiter de l'aire de pique-nique aménagée pour déjeuner au grand air.
Ne pas oublier le spray antimoustiques, ces insectes étant voraces dans le parc !

# HAWAII VOLCANOES NATIONAL PARK

Les deux seuls et uniques volcans actifs de l'archipel hawaiien, le Kilauea et le Mauna Loa, se trouvent dans le parc national des Volcans de Hawaii qui s'étend sur 133 200 ha. De ces deux volcans est née Big Island, il y a 400 000 ans. Le Mauna Loa n'est pas entré en éruption depuis 1984, mais il reste actif selon les volcanologues car il peut se réveiller à tout moment. La situation est tout autre pour le Kilauea qui est plus jeune et en éruption permanente aujourd'hui ; les spécialistes le considèrent même comme le volcan le plus actif du monde. Au fil du temps, la lave s'est écoulée à partir de deux endroits différents du Kilauea… C'est d'abord le sommet du Kilauea qui a connu une éruption continuelle, du XIXe siècle à 1982. Pendant les 26 ans qui ont suivi, le sommet est resté relativement calme, mais, en 2008, le cratère Halemaumau (situé au sommet) a été le théâtre de deux éruptions successives (en mars et en avril) alors qu'il était calme depuis 1924. Ce cratère ne crache pas de lave mais il émet des gaz formant une fumée de couleur rouge orange qu'on distingue mieux à la tombée de la nuit. Le flanc est du Kilauea s'est réveillé, quant à lui, le 3 janvier 1983, propulsant de la lave en fusion par le cône du PuuOo. Depuis, l'éruption est constante. Les coulées de lave, lentes, épaisses et à plus de 1 000 °C, dévalent la côte sud-est du parc et se déversent en permanence dans l'océan, ce qui modifie constamment la géographie locale. Depuis 1983, pas moins de 201 ha de nouvelle terre se sont formés à Big Island en raison du durcissement de la lave au contact de l'océan. Même si les éruptions du Kilauea ne sont pas dangereuses en elles-mêmes pour l'homme (elles ne sont pas de nature explosive et l'évacuation de la population peut se faire en toute tranquillité), les écoulements de lave qu'elles entraînent anéantissent tout sur leur passage… Sur la partie est du Kilauea, ils ont détruit plusieurs hameaux, et recouvert 15 km de route et 120 km² de terre ! Du fait de leur activité lente, le Mauna Loa et le Kilauea ont des pentes assez douces, qui ont permis l'aménagement de routes dans tout le parc. On peut donc accéder aux principaux sites en voiture et décider de faire une randonnée ou plusieurs pour approfondir la découverte des volcans. Pour une visite complète du parc, il faut donc prévoir de passer 2 à 3 jours sur place. Pour les divers services (essence, banques, hôtel…), on peut se rendre au village de Volcano, situé aux portes du parc.

## Transports

### Voiture

Pour pouvoir vraiment visiter le parc national des Volcans, la voiture est indispensable. Pour ceux qui n'ont pas de voiture de location, on recommande vivement de réserver une visite guidée auprès d'une agence spécialisée (tous les contacts dans la rubrique « Sports et loisirs »).

### Un paysage lunaire ?

Pour préparer leur atterrissage sur la Lune, les astronautes de la NASA se sont entraînés sur l'un des cratères du Kilauea, le Kilauea Iki, et dans le désert de Kau (au sud du Sommet). La raison ? Les fortes similitudes du terrain du volcan avec celui de la Lune !

### Bus

Le Hele-On Bus, via la ligne Kau-Hilo, fait un aller-retour par jour entre la gare routière de Hilo et le Visitor's Center du parc. À partir de Hilo, on peut donc se rendre au parc pour une visite d'une journée et retourner à Hilo le soir même.

Mais il faut être matinal : le bus part à 5h du matin de la gare routière pour arriver au Visitor's Park Center à 6h10 et n'en repartir qu'à 17h50 ! Pour les moins matinaux et ceux qui veulent visiter le parc en plusieurs jours, il existe une autre option : on peut prendre les bus qui partent du terminal de Hilo, à 14h40 ou à 16h40, et dormir sur place. Prenez le temps de vérifier les horaires des bus sur le site de Hele-On Bus.

■ **HELE-ON BUS**
✆ (808) 961 8521
www.heleonbus.org



## Le point chaud : la clef de voûte des volcans de Hawaii

Les îles de Hawaii, toutes volcaniques, sont nées d'une gigantesque machine à volcans : le point chaud (ou « hotspot »).

Il s'agit d'un endroit d'où surgit le magma mais comme il appartient au manteau terrestre, le point chaud est fixe. C'est pourtant un seul et même point chaud qui aurait créé tous les volcans, qui ont à leur tour donné naissance aux îles de l'archipel… Comment expliquer ce phénomène ?

C'est en fait la plaque tectonique du Pacifique qui bouge et glisse sur le point chaud, entraînant la formation successive des volcans-îles de Hawaii. Leur alignement sur un arc de cercle, du nord au sud, suit ainsi chronologiquement la formation des îles. Au fur et à mesure des mouvements de la plaque, les volcans seraient ainsi coupés du point chaud et s'endormiraient. C'est ainsi que l'île la plus ancienne, Kauai (5 millions d'années), est au nord de l'archipel et que l'île la plus jeune, Big Island (400 000 ans), est au sud. C'est sous le Kilauea, à Big Island, que se trouverait actuellement le point chaud qui a formé toutes les autres îles.

Les volcanologues ont découvert dans les années 1950, un volcan sous-marin au large des côtes de Big Island qu'ils ont baptisé « Loihi » et qu'ils croyaient éteint. Mais, comme il est entré en éruption en 1996, il est clair qu'il est récent et partage le même point chaud que celui du Kilauea.

Ce volcan deviendra certainement la nouvelle île d'Hawaii, d'ici 10 000 à 100 000 ans.

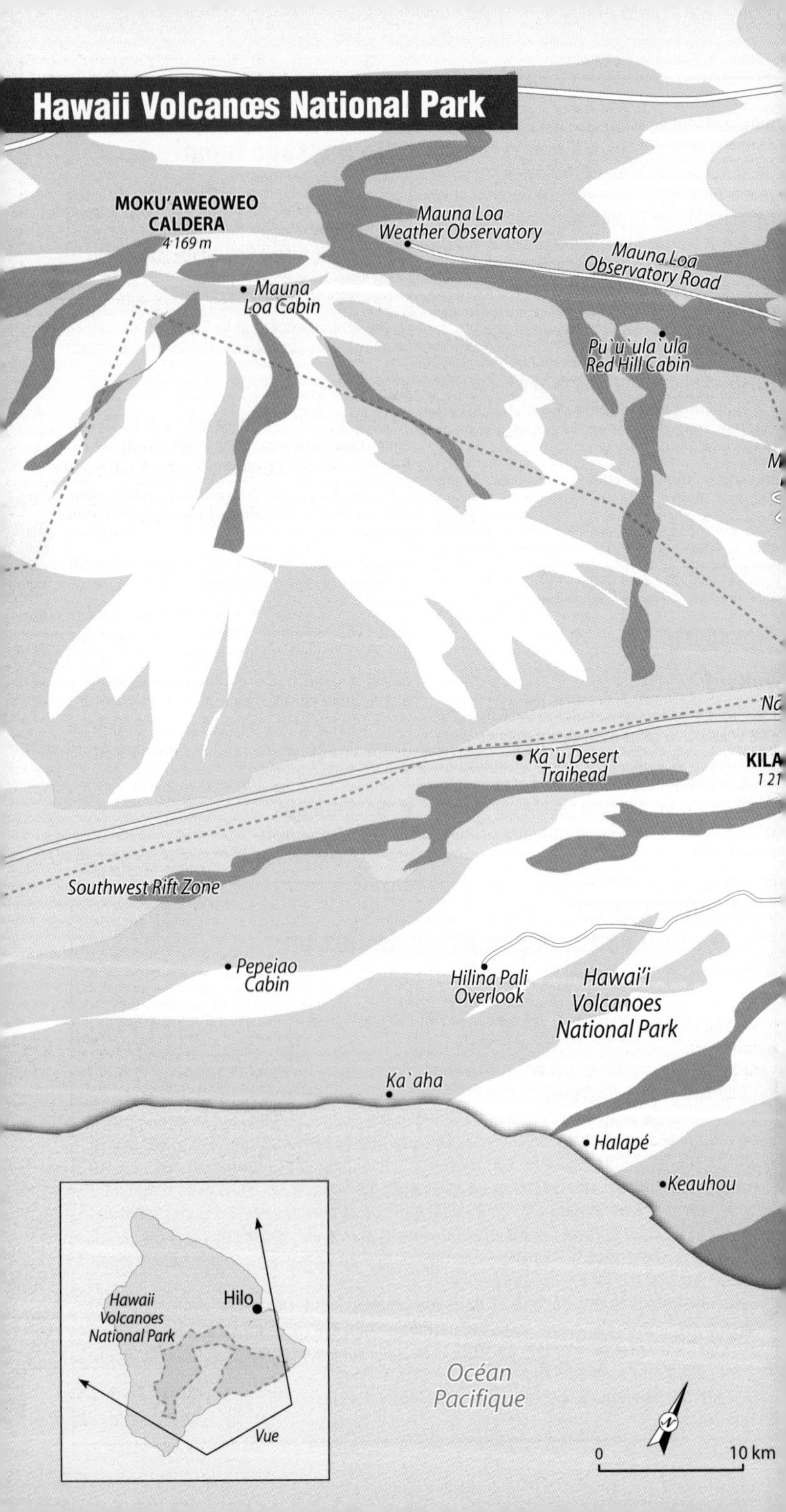
Hawaii Volcanœs National Park
MOKU'AWEOWEO
CALDERA
4 169 m
Mauna Loa
Weather Observatory
Mauna Loa
Observatory Road
Mauna
Loa Cabin
Pu`u`ula`ula
Red Hill Cabin
Ka`u Desert
Traihead
KILA
1 21
Southwest Rift Zone
Pepeiao
Cabin
Hilina Pali
Overlook
Hawai'i
Volcanoes
National Park
Ka`aha
Halapé
Keauhou
Hawaii
Volcanoes
National Park
Hilo
Vue
Océan
Pacifique
N
0
10 km

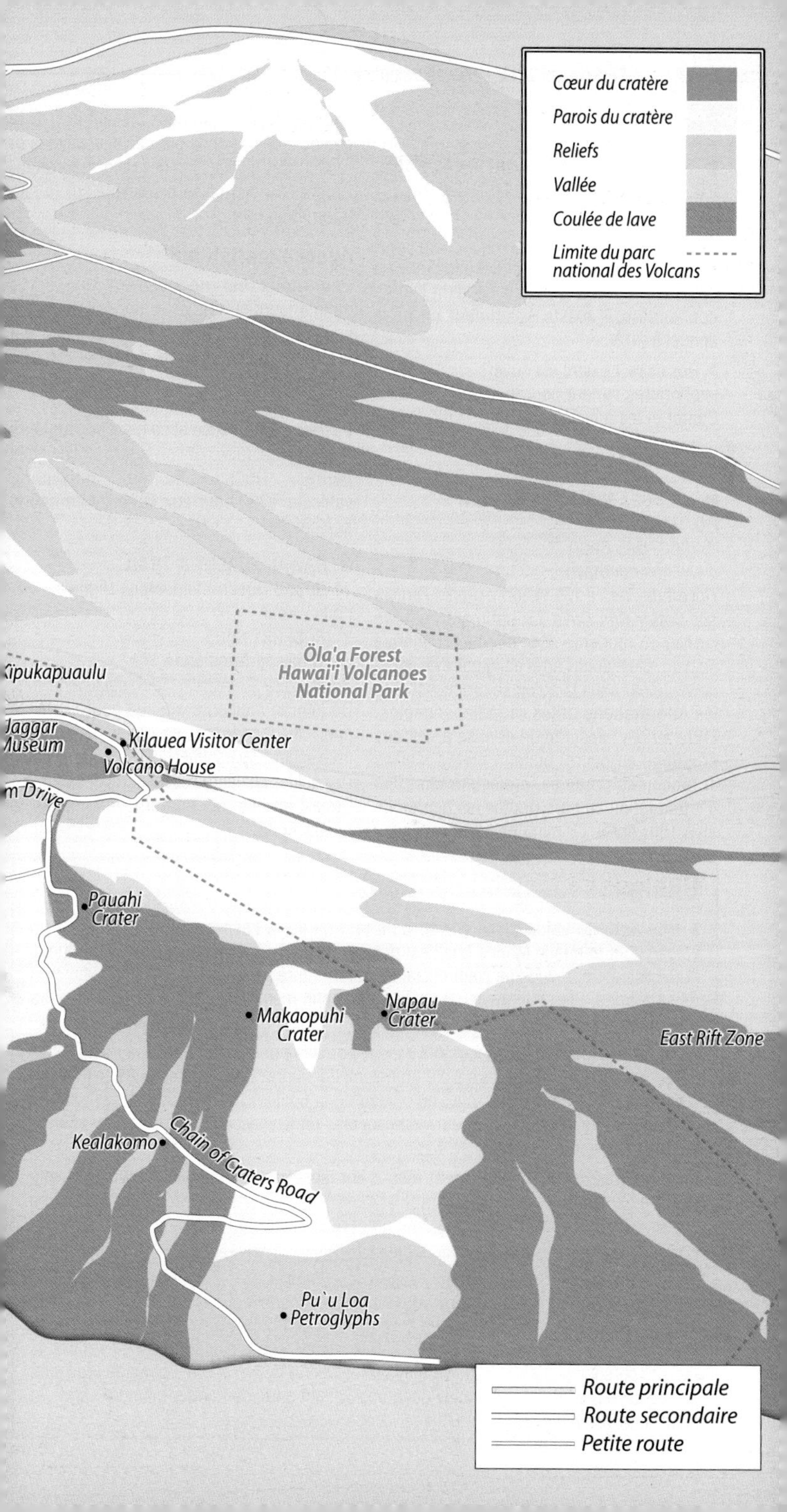

Cœur du cratère
Parois du cratère
Reliefs
Vallée
Coulée de lave
Limite du parc national des Volcans
Öla'a Forest
Hawai'i Volcanoes
National Park
Kipukapuaulu
Jaggar
Museum
Kilauea Visitor Center
Volcano House
m Drive
Pauahi
Crater
Makaopuhi
Crater
Napau
Crater
East Rift Zone
Kealakomo
Chain of Craters Road
Pu`u Loa
Petroglyphs
Route principale
Route secondaire
Petite route

## Pratique

### HAWAII VOLCANOES NATIONAL PARK

P.O. Box 52
✆ (808) 985 6000
www.nps.gov/havo

**Tarifs.** 10 $ par voiture et 5 $ par piéton ou cycliste. L'entrée est valable pendant 7 jours consécutifs. Il existe également un pass annuel à 20 $.

**Horaires.** Le parc est ouvert 24h/24, mais les horaires varient pour le Kilauea Visitor's Center et les musées (voir plus loin).

## Office du tourisme

### KILAUEA VISITOR'S CENTER

P.O. Box 52
✆ (808) 985 6000
www.nps.gov/havo
*Ouvert de 7h45 à 17h. À 200 m après l'entrée sur Crater Rim Drive.* Le bâtiment héberge l'office du tourisme et la direction générale du parc. C'est donc l'arrêt obligatoire en début de visite car c'est là qu'on se procure toutes les informations utiles et indispensables. Entre autres : description et mise à jour des éruptions en cours, bulletin météo, cartes et brochures gratuites, projection d'un film d'introduction au parc (toutes les heures de 9h à 16h ; durée 25 minutes). Tout au long de la journée : présentation de la géologie des volcans par des spécialistes et randonnées guidées par des rangers (gratuit). Programme actualisé disponible sur le site Internet du parc.

## Agence touristique

Pour ceux qui ne peuvent consacrer qu'une journée à la visite du parc mais qui veulent se concentrer sur l'essentiel, il est vraiment recommandé de réserver une randonnée guidée auprès de cette agence locale.
Le parc est immense et ce n'est pas toujours facile de tout faire par soi-même en quelques heures... Quant à ceux qui n'ont pas de véhicule, c'est pour eux la meilleure option également.

### HAWAII FOREST & TRAIL

74-5035B Queen Kaahumanu Highway
Kailua-Kona
✆ (808) 331 8505
www.hawaii-forest.com
*Adultes 169 $, enfants 139 $, déjeuner inclus.* De loin, la meilleure agence pour visiter le parc. Des randonnées de 12h en petit groupe (maximum 12 personnes) et pour tous niveaux. Des guides chaleureux et experts des volcans. Départ en bus des bureaux de l'agence, à Kailua-Kona.

## Quelques recommandations...

**Une activité volcanique variable :** il faut garder à l'esprit que le Kilauea est un volcan actif et que le Mauna Loa l'est potentiellement. Par conséquent, des éruptions nouvelles et imprévues peuvent entraîner la fermeture de certaines parties du parc ou de sa totalité. Bien téléphoner la veille ou le matin même pour s'assurer que la visite peut se faire dans des conditions normales.

**Météo :** le temps est très variable dans le parc et peut changer d'une heure à l'autre. Il peut pleuvoir et même faire froid au niveau du sommet du Kilauea, situé à 1 240 m d'altitude ! Cependant, plus bas, au niveau de la coulée de lave, le temps est sec et venteux... Prévoir donc plusieurs épaisseurs, un k-way, une polaire et de bonnes chaussures de randonnée.

**Nourriture :** en dehors du petit restaurant (sans grand intérêt) du Volcano House Hotel, aucun autre endroit pour s'attabler dans le parc ! Il faut donc faire des provisions avant... Ne pas oublier l'eau, qu'il faut prendre en quantité.

**Air :** la fumée volcanique dégagée par la caldera du Kilauea ou l'écoulement de la lave dans l'océan porte le nom de « Vog » (de « Volcanic Smog »). Elle peut causer des maux de tête et des irritations nez/yeux/gorge/peau. Les femmes enceintes, les jeunes enfants, les personnes cardiaques ou asthmatiques doivent éviter de respirer cette fumée. C'est au niveau de la caldera que le « vog » est le plus épais et c'est donc là que les personnes sensibles doivent avant tout éviter de se rendre. Le nuage provoqué par l'écoulement de la lave dans l'océan est, quant à lui, de danger moindre car il est assez loin des visiteurs.

### Eau potable

Peu d'eau potable dans le parc. Mieux vaut en acheter à l'avance, surtout si on prévoit de faire une randonnée.
Pour les étourdis, on en trouve au Visitor's Center, au Jaggar Museum, au Thurston Lava Tubes et au camping de Namakani Paio (qui a aussi des douches !).
Quant à l'eau de source disponible dans les refuges des chemins de randonnée, il faut impérativement la traiter avec des cachets pour la purifier.

### Essence

Les deux stations d'essence les plus proches du parc se trouvent dans le village de Volcano.

■ **VOLCANO STORE**
19-4005 Haunani Road ✆ (808) 967 7210
*Ouvert de 5h à 19h.*

■ **ALOHA GAS STATION**
Kilauea General Store
19-3972 Volcano Road ✆ (808) 967 7555
*Ouvert de 6h30 à 19h15.*

### Santé

Pas d'hôpital dans le parc. Se rendre à Hilo (à 45 minutes).

■ **HILO MEDICAL CENTER**
1190 Waianuenue Avenue
✆ (808) 974 4700
Urgences assurées 24h/24.

### Banques

Comme pour l'essence, le distributeur 24h/24 le plus proche du parc est à Volcano. Ou alors, il faut aller à Hilo, qui est plus loin. Penser à retirer de l'argent avant de vous rendre dans le parc ou de prendre la route.

## Orientation

Par la Highway 11 (Hawaii Belt Road), on accède au parc national des Volcans, qui n'a qu'une seule entrée. Elle se trouve à 48 km au sud-ouest de Hilo (45 minutes de route) et à 154 km au sud-est de Kailua-Kona (2h30 à 3h de route).
À l'intérieur même du parc, deux routes principales : la Crater Rim Drive, qui fait le tour de la caldera du Kilauea (voir encadré « Caldera ») sur environ 18 km, et la Chain of Craters Road, qui descend sur le flanc est du Kilauea en direction de la côte pour se terminer au niveau de la coulée de lave actuelle. C'est à la fin de cette route qu'on peut prendre le chemin de randonnée pour voir l'écoulement de lave dans l'océan. Deux routes secondaires viennent compléter le réseau routier du parc : la Hilina Pali Road, qui permet d'aller dans la partie ouest du parc, et la Mauna Loa Road, qui remonte le Mauna Loa jusqu'à son sommet où se trouve le début d'un chemin de randonnée.

## Hébergement

### Bien et pas cher

2 campings dans le parc. C'est gratuit mais limité à 7 nuits par mois (avec un maximum de 30 par an). Le Visitor's Center délivre les permis de camper. Cependant, ce sont les premiers arrivés qui sont les premiers servis ; il peut donc arriver que les campings soient complets en haute saison. Pour plus d'informations (notamment sur les disponibilités au jour le jour), téléphoner au standard général du parc.

■ **NAMAKANI PAIO CAMPGROUND**
*À environ 5 km à l'ouest de l'entrée du parc, sur la Highway 11.*
Camping agréable abrité par les arbres koa et les eucalyptus. Toilettes, douches. Également, 10 cabanes qui peuvent héberger 2 personnes pour 55 $ la nuit (à réserver au Volcano House Hotel, plus bas)

■ **KULANAOKUAIKI CAMPGROUND**
*Prendre Chain of Craters Road puis la Hilina Pali Road. Le camping est indiqué à droite sur la route, 6 km plus bas.* Camping spartiate. Pas d'ombre, pas d'eau et de la lave durcie au sol. Parfait pour ceux qui veulent se couper du monde ou se préparer pour le prochain Koh Lanta !

### Confort ou charme

■ **VOLCANO HOUSE HOTEL**
P.O. Box 53
Hawaii Volcanoes National Park
✆ (808) 967 7321
www.volcanohousehotel.com
*De 100 à 230 $ la chambre double.*
Cet hôtel, qui surplombe le sommet du Kilauea, a été construit en 1877 pour héberger les nombreux visiteurs qui venaient observer la lave du cratère Halemaumau alors en éruption. Des chambres les plus chères, on a une vue imprenable sur la caldera du Kilauea (voir encadré « Caldera »). Les autres sont confortables mais leur déco est un peu quelconque.

## Qu'est-ce qu'une caldera ?

Même si une caldera ressemble à un cratère, ce n'est pas tout à fait ça ! C'est en fait une énorme dépression volcanique plus ou moins circulaire et qui peut atteindre jusqu'à 25 km de diamètre. Elle est créée par l'effondrement de la partie centrale du volcan lui-même dû aux éruptions qui ont vidé la chambre magmatique sous-jacente. Une caldera contient donc souvent plusieurs cratères dont certains peuvent entrer en éruption tandis que d'autres se sont endormis. C'est ainsi que le cratère Halemaumau est entré en éruption en mars et avril 2008, alors qu'il était resté calme depuis 1924.

## Manifestation

### KILAUEA CULTURAL FESTIVAL

www.nps.gov/havo

*Au camp militaire, à proximité du Visitor's Center. Entrée libre (incluse dans le prix du ticket d'entrée au parc).* À la mi-juillet, le parc accueille un festival culturel qui réunit des artistes de tout l'archipel. Démonstrations de hula, concerts de musique traditionnelle, ateliers d'artisanat local et dégustation gratuite de plats hawaiiens.

## Points d'intérêt

Différentes haltes à faire le long des deux routes principales du parc, soit la Crater Rim Drive et la Chain of Craters Road. La route secondaire de Mauna Loa Road mérite également un détour.

Si on veut s'arrêter partout, prévoir une journée entière.

### Le long de la Crater Rim Drive

#### KILAUEA CALDERA

Avec son sol couleur de cendre, ses 18 km de circonférence, ses 165 m de profondeur et ses émanations de fumée orangée, la caldera du Kilauea est une des plus impressionnantes au monde.

Du XIXe siècle jusqu'au début des années 1980, c'était vraiment la partie la plus active du volcan. Dans les années 1800, un lac entier de lave avait même fait son lit dans la caldera !

#### THOMAS A. JAGGAR MUSEUM

*Ouvert de 8h30 à 17h.* Un arrêt de 30 minutes au moins s'impose dans ce petit musée qui explique en détail la complexité géologique du parc et l'évolution de ses volcans.

Il porte le nom d'un vulcanologue qui a dirigé, en 1912, l'Observatoire des volcans, voisin du musée mais interdit aux visiteurs. C'est également Thomas A. Jaggar qui, soutenu par de nombreux scientifiques, a fait pression sur le gouvernement américain pour que cette zone volcanique devienne un parc national.

À l'extérieur du musée, un très beau point de vue sur le cratère Halemaumau et ses émissions de fumée orange. Photo à prendre !

#### DEVASTATION TRAIL

*Au niveau de Puu Puai Overlook (point de vue).* Un sentier de moins d'un kilomètre, très facile à parcourir, qui montre les ravages causés par l'éruption du cratère Kilauea Iki en 1959. À voir cette étendue de lave durcie, qui peut imaginer qu'une forêt tropicale poussait là autrefois ? D'où le nom du chemin.

#### THURSTON LAVA TUBE

Un des sites les plus visités du parc. Ce tunnel de lave a été formé il y a 500 ans. Les fortes précipitations de la région ont permis à l'eau de s'infiltrer dans la roche et à la végétation de se développer. Les fougères sont ainsi très nombreuses.

Le tunnel est éclairé sur une cinquantaine de mètres, ce qui suffit amplement pour la visite. Les plus aventureux peuvent partir explorer la partie obscure du tunnel (334 m), à condition d'avoir une lampe de poche.

### Le long de la Chain of Craters Road

#### HILINA PALI ROAD

Cette route croise la Chain of Craters Road et s'enfonce dans le désert de Kau. Ses paysages lunaires sont vraiment impressionnants et il est dommage que les visiteurs fassent souvent l'impasse sur ce trajet ! La route est stoppée net à la Halina Cliff, une montagne formée par les écoulements de lave du cône PuuOo. Le Hilina Pali Overlook (706 m) offre un point de vue superbe sur l'océan.

#### PUU LOA PETROGLYPS

*Au sud de la Chain of Craters Road.* La plus grande collection de pétroglyphes se trouve sur les flancs du Puu Loa. On y dénombre pas moins de 15 000 dessins !

**HOLEI SEA ARCH**

*Un peu avant la fin de la Chain of Craters Road, sur la côte.* Une arche de près de 30 m de haut en pleine mer. Contrairement à la plupart des arches marines de Hawaii, elle n'est pas constituée de pierre mais de lave durcie que la mer a creusée. Selon la légende, c'est là que Pele (déesse des volcans) se serait violemment disputée avec sa sœur Namakaokahai (déesse des océans).

**LA COULEE DE LAVE**

*Au bout de la Chain of Craters Road.* Il faut se garer et parcourir le sentier balisé à pied. On marche sur une étendue de lave durcie noire, assez impressionnante. Tout au bout, sur la droite, flotte un énorme nuage de fumée provoqué par l'écoulement de la lave, issue du PuuOo, dans l'océan. La plupart du temps, on ne voit véritablement que le nuage et pas de lave. Il faut venir avant le lever du soleil ou à la tombée de la nuit pour distinguer la couleur de la lave. Quoi qu'il en soit, et même si c'est très tentant, il ne faut jamais s'écarter des sentiers balisés ! Le sol est instable et bouillant : il a été fatal à beaucoup de curieux imprudents. Enfin, avant de partir, il est recommandé d'appeler le standard du parc pour savoir avec précision où se situe la coulée de lave : le volcan est actif et les changements de trajectoire se produisent quotidiennement. C'est une question de chance, en fait... Si jamais, lors de votre séjour sur Big Island, vous entendez dire que la coulée est particulièrement facile à observer, car on le sait en général assez vite, il faut aussitôt vous rendre dans le parc car cela ne durera peut-être pas.

## Le long de la Mauna Loa Road

*La route débute au nord-ouest de l'entrée du parc. Elle croise la Highway 11.* En roulant sur la Mauna Loa Road, on traverse une belle forêt tropicale. Tout au début de la route, il faut faire une halte au Kipuka Puaulu, une enclave de forêt entourée de lave durcie. Des toilettes et une aire de pique-nique sont sur place. On s'élève ensuite progressivement jusqu'aux 2 031 m d'altitude du Mauna Loa Lookout ; c'est là que s'achève la route pavée. De ce point de vue, on peut admirer l'impressionnante montagne Mauna Loa. C'est le plus grand volcan du monde car il s'élève à 17 km de hauteur à partir de sa base sous-marine. Son sommet culmine à 4 170 m, ce qui en fait le deuxième plus haut sommet de Big Island (après le Mauna Kea, qu'on verra plus loin). Enfin, avec ses 5 271 km², le Mauna Loa occupe la moitié de Big Island, à lui tout seul ! C'est également au niveau du Mauna Loa Lookout que commence le chemin de randonnée (Mauna Loa Trail) qui mène au sommet du Mauna Loa ; à réserver aux marcheurs aguerris car il faut compter 3 jours pour faire l'aller-retour !

# Shopping

## Galerie

**VOLCANO ART CENTER GALLERY**

P.O. Box 129 – Volcano ✆ (808) 967 7565
www.volcanoartcenter.org

*Ouvert de 9h à 17h. Entrée libre.* Cette galerie, créée par une association à but non lucratif, expose plus de 300 artistes hawaiiens.

Le bâtiment qui héberge le Volcano Art Center a lui-même une longue histoire. C'était l'emplacement d'origine du Volcano House Hotel (1877) qui a été presque entièrement détruit par un incendie en 1921. Certains murs d'origine ont cependant été préservés et on les distingue facilement dans la galerie. Par la suite, s'y trouvait même un bureau de poste (voir la boîte aux lettres au fond du couloir) et l'édifice lui-même a manqué d'être détruit dans les années 1970. Ce sont des artistes qui se sont mobilisés et l'ont restauré pour en faire une galerie destinée à promouvoir les jeunes talents. À voir également, les expositions de photos sur les dernières éruptions du Kilauea.

## Vin

**VOLCANO WINERY**

35 Pii Mauna Drive – Volcano
✆ (808) 967 7772 – www.volcanowinery.com

*Ouvert de 10h à 17h30. Entrée libre.* Les seuls et uniques vignobles de Big Island sont à deux pas du volcan Kilauea. On peut les visiter et acheter dans la boutique le vin produit sur place. La dégustation est gratuite. Demandez à tester les vins à succès de la Volcano Winery : le Guava Wine, qui est à base de goyave, ou le Macadamia Nut Honey Wine, à base des noix de macadamia.

### Kipuka ?

Ce terme hawaiien désigne une étendue de verdure préservée malgré les écoulements de lave. Le contraste entre le vert de la végétation et la couleur anthracite de la lave durcie est insolite. Le kipuka est donc une sorte de petit miracle !

Tout comme pour le vin des Tedeschi Vineyards à Maui (l'autre vignoble de l'archipel), la qualité du breuvage n'est pas exceptionnelle, mais il est toujours amusant de découvrir du vin hawaiien ou d'acheter une bouteille en souvenir (16 $ en moyenne).

## Sports et loisirs

### Hélicoptère

Découvrir le Kilauea en hélicoptère est magique car les panoramas sont superbes. L'idéal c'est de prendre un vol tôt le matin car on distingue mieux les coulées de lave à l'aurore.

**BLUE HAWAIIAN HELICOPTERS**
Waikoloa Heliport ✆ (808) 961 5600
www.bluehawaiian.com
La compagnie d'hélicoptères de loin la plus sûre d'Hawaii. Les départs se font de l'héliport de Waikoloa situé sur la côte de Kohala, sur la highway 19, au nord de Kailua-Kona.
Le vol de 2h, dit « Big Island Spectacular » survole le Kilauea, la côte de Hamakua et la montagne Kohala. Tarifs par personne : de 424,80 $ à 531 $ en fonction du confort de l'appareil.
Tout au long du vol, on est filmé par une caméra intérieure tandis qu'une autre filme les panoramas et enregistre les commentaires du pilote. Une fois l'appareil posé, on peut se faire graver un DVD et l'acheter pour 25 $ : un souvenir qui vaut la dépense !

### Vélo

Découvrir le Kilauea à VTT est assez sportif mais inoubliable. Paresseux s'abstenir.

**VOLCANO BIKE TOURS**
P.O. Box 7474 – Hilo ✆ (808) 934 9199
www.bikevolcano.com
*3h de circuit guidé à VTT à travers le Parc National des Volcans pour 129 $ par adulte et 99 $ par enfant. Repas et boissons inclus.*
Un camion suit le groupe et récupère ceux qui sont trop fatigués pour continuer. Parmi les différents arrêts, un stop à la Volcano Winery (voir ci-dessus) pour une dégustation de vins gratuite mais attention aux abus car après il faut reprendre le vélo ! Ceux qui ne roulent plus très droit après peuvent toujours terminer le circuit dans le camion mais c'est tellement dommage…

### Randonnée

Pour vraiment connaître le parc national des Volcans, il faut faire au moins une ou deux randonnées. Il faut dormir sur place pour pouvoir consacrer 2 ou 3 jours à la visite, randonnée incluse.
Dans tous les cas : prévoir des provisions d'eau et de nourriture en conséquence, de la crème solaire, un k-way, une lampe de poche, une trousse de secours, de bonnes lunettes de soleil, des chaussures de randonnée solides et un pantalon plutôt qu'un short.
Une brochure détaillée des randonnées est à disposition au Visitor's Center. Avant de partir en randonnée, il est fortement conseillé de s'y renseigner également sur les conditions météo et les éventuelles éruptions. Toutes les randonnées sont présentées en détail, carte à l'appui, sur le site Internet du parc : www.nps.gov/havo puis cliquer sur « Things to do » et, enfin, sur « hike ».
Si vraiment vous ne voulez faire qu'une seule randonnée, privilégiez le Kilauea Iki Trail, qui traverse le cratère Kilauea Iki. Même si l'aller-retour ne prend que 3h, le chemin est riche d'informations sur le Kilauea et en réunit les principales caractéristiques (végétation, paysages lunaires, etc.).

# LA RÉGION DE PUNA

Adossée au deux volcans actifs de l'île et éloignée de l'agitation touristique, Puna est une jolie région verdoyante qui plaît beaucoup aux visiteurs ayant soif d'aventure.

## VOLCANO

La petite bourgade de Volcano, d'à peine 2 000 habitants, était, au XIXe siècle, une ville de plantation sucrière grâce à la fertilité de son sol volcanique. Le village a gardé tout son charme d'antan et il est particulièrement agréable de séjourner dans l'un des nombreux Bed & Breakfast qui s'y multiplient depuis une vingtaine d'années.
Par la Highway 11 (Hawaii Belt Road), on arrive aisément à Volcano en voiture, que l'on vienne du nord ou du sud de l'île. Le bus y conduit également (ligne Hilo – Volcano : www.heleonbus.org) mais les horaires ne sont pas très pratiques et il faut donc prévoir d'y dormir une nuit.

## Pratique

### Tourisme

■ **VOLCANO VISITOR'S CENTER**
19-4084 Volcano Road ✆ (808) 967 8662
*Ouvert de 9h à 17h.* Brochures et cartes gratuites.

### Poste et télécommunications

■ **VOLCANO POST OFFICE**
19-4030 Old Volcano Road ✆ (800) 275 8777
*Ouvert du lundi au vendredi de 7h30 à 15h30. Le samedi de 11h à 12h. 4 $ les 20 minutes de connexion et 10 $ les 24h.*

■ **VOLCANO LAVA ROCK CAFE**
19-3972 Old Volcano Road
✆ (808) 967 8526
*Ouvert de 7h30 à 17h le lundi, de 7h30 à 21h du mardi au samedi, de 7h30 à 16h le dimanche.*

## Hébergement

Les B&B de Volcano sont régulièrement pris d'assaut. La règle d'or est donc de réserver tôt !

### Bien et pas cher

■ **HOLO HOLO INN**
19-4036 Kalani Honua Road ✆ (808) 967 7950
www.enable.org/holoholo
*17 $ la nuit en dortoir unisexe et 45 $ en chambre double avec salle de bains privative.* Une auberge de jeunesse propre et bien tenue. Clientèle du monde entier. Grande cuisine et accès Internet gratuit. Ce n'est cependant pas le temple de la fête : silence obligatoire à partir de 22h.

■ **VOLCANO INN**
19-3820 Old Volcano Road ✆ (808) 896 6851
www.volcanoinnhawaii.com
*De 79 à 129 $ la chambre double. Tarifs dégressifs à partir de 2 nuits sur place. Petit déjeuner non inclus.* Un établissement au confort simple mais suffisant. Les chambres les plus chères ont une kitchenette, un frigo et un micro-ondes. Café et thé servis à volonté dans la salle commune. Wi-fi gratuit pour tout le monde.

### Confort ou charme

■ **CARSON'S VOLCANO COTTAGES**
6th Street ✆ (808) 967 7683
www.carsonsvolcanocottage.com
*De 115 à 130 $ la chambre double, petit déjeuner inclus.* Un B&B de très bon rapport qualité-prix, au milieu de la forêt tropicale. 3 chambres cosy dans des cottages à la décoration hawaiienne des années 1950. Salles de bains privatives et télé câblée.

## Restaurants

■ **KIAWE KITCHEN**
19-4005 Old Volcano Road
✆ (808) 967 7711
*Ouvert de 12h à 14h30 et de 17h30 à 21h. Fermé le mercredi. Pizza 15 $.* De délicieuses pizzas cuites au feu de bois. L'idéal après une randonnée au volcan !

■ **THAI THAI RESTAURANT**
19-4084 Old Volcano Road
✆ (808) 967 7969
*Ouvert de 17h à 21h. Entre 11 et 16 $ l'assiette.* Les plats de nouilles sont généreusement servis dans ce petit établissement familial. Une bonne façon de reprendre des forces après une longue journée de marche au volcan Kilauea. Essayez les nouilles aux crevettes ou au curry, ce sont les plus goûteuses.

# PAHOA

La ville hippie de Big Island ! C'est ici que viennent se ressourcer de nombreux visiteurs en quête de spiritualité car les cours de yoga et de méditation y sont légion.
En guise de plaisanterie, les locaux ont coutume de dire que les témoins protégés par la justice américaine sont envoyés à Pahoa, car seuls des hippies vivent là-bas et que personne n'aurait l'idée de venir les chercher dans ce village de moins de 1 000 habitants !

## Transports

La voiture est obligatoire car les bus ne s'arrêtent pas à Pahoa.
En venant de Volcano, continuer vers le nord sur la Highway 11 jusqu'à l'intersection avec la route 130, sur la droite. C'est cette dernière qu'il faut prendre car elle mène tout droit à Pahoa.

## Pratique

### Banques

■ **FIRST HAWAIIAN BANK**
Government Main Road
✆ (808) 965 8621
Distributeur 24h/24.

## Poste et télécommunications

### ■ PAHOA POST OFFICE

15-2859 Puna Road © (808) 275 8777
*Ouvert du lundi au vendredi de 8h30 à 16h. Le samedi de 11h à 14h.*

### ■ PAHOA PUBLIC LIBRARY

15-3070 Pahoa Kalapana Road
© (808) 965 2171
*Ouvert de 13h à 20h le lundi. De 9h à 17h du mardi au vendredi.* Accès Internet avec la Visitor's Card de 3 mois (*10 $*). Pas d'abonnement possible pour une durée inférieure, mais la carte donne accès à Internet dans toutes les autres bibliothèques de l'archipel.

## Pharmacie

### ■ PAHOA RX PHARMACY

15-2866 Government Road
© (808) 965 7535
*Ouvert du lundi au vendredi de 9h à 17h. Le samedi de 9h à 12h.*

## Hébergement

### ■ YOGA OASIS

13-678 Pohoiki Road
© (808) 965 8460 – www.yogaoasis.org
*75 à 145 $ la single et de 100 à 125 $ la double, 45 $ la nuit en camping, petit déjeuner inclus.* Comment devenir zen ou le rester ? Pour répondre à la question, l'établissement offre un cours de yoga à tous ceux qui y séjournent. De très belles cabanes colorées et confortables. Les 4 chambres de la Yoga House sont encore plus jolies. Les petits budgets peuvent se rabattre sur le camping.

### ■ KALANI OCEANSIDE RETREAT

RR2 Box 4500
© (808) 965 7828 – www.kalani.com
*Sur la route 137, entre les balises 17 et 18 miles. Chambre double à partir de 60 $. En camping 35 $ par personne et 60 $ pour un couple. Cabanes de 75 à 145 $.* L'originalité du Kalani Oceanside Retreat, c'est son vaste programme de cours de yoga et de danse, gratuits pour ses clients. Les différentes propositions d'hébergement, de la chambre double à la cabane en passant par le camping, tiennent compte de tous les budgets.

## Restaurants

### ■ LUDI'S

Pahoa Village Road © (808) 965 5599
*Ouvert du lundi au samedi de 9h à 18h. 10 $ le plat en moyenne. Pas de CB.* Cuisine des Philippines à petits prix. Un restaurant très fréquenté par les locaux.

### ■ PAOLO'S BISTRO

333 Pahoa Village Road © (808) 965 7033
*Ouvert du mardi au dimanche de 17h30 à 21h. 15 $ le repas.* Un petit restaurant italien cosy où l'on mange comme chez la mama !

## Points d'intérêt

Pahoa est au sommet d'un triangle formé par les routes 130, 132 et 137. Le triangle d'or en quelque sorte, car tous les sites intéressants et les plus beaux paysages y sont concentrés !

### ■ LAVA TREE STATE PARK

*Sur la Highway 32*
Une curiosité de la nature à ne pas manquer ! Suite à une éruption du Kilauea, en 1790, la forêt tropicale a été complètement détruite dans cette zone. Des arbres moulés dans la lave durcie sont les témoignages impressionnants de cette catastrophe. Certains font plus de 4 m de haut ! Pour des photos insolites.

### ■ CAPE KUMUKAHI LIGHTHOUSE

*Près de l'intersection de la Highway 132 et 137.* C'est le phare miraculé de l'éruption du Kilauea de 1960 qui a complètement rasé de la carte le village de Kapoho. La lave s'est tout bonnement arrêtée au pied de l'édifice ! Selon la légende, Pelé (déesse des volcans) voulut protéger les pêcheurs en sauvant le phare.

### ■ LAVA POOLS

*Sur la Highway 137, prendre Kapoho-Kai Road et aller tout au bout.* Des piscines naturelles d'eau chaude produites par l'activité volcanique.
Une halte de rêve pour se détendre après une rude randonnée au Kilauea.
Seul l'accès des piscines proches de l'océan est autorisé au grand public, les autres étant sur une propriété privée.

### ■ KALAPANA

Ou plutôt feu Kalapana… C'était en effet, autrefois, un village prospère de pêcheurs mais, entre 1989 et 1991, les coulées de lave du volcan l'ont presque intégralement rasé de la carte. Il reste quelques maisons mais elles n'ont ni électricité ni eau et leurs propriétaires ne parviennent pas à les revendre (malgré de multiples annonces dans les journaux et leurs prix bradés). Un fast-food baptisé Verna's est encore debout ; il est amusant d'aller y savourer un milk-shake (*de 5 à 6 $*).

■ **STAR OF THE SEA PAINTED CHURCH**

*Sur la Highway 130, au nord de Kalapana.* Cette église a été sauvée par les habitants de Kalapana lors de la coulée de lave destructrice de 1989-1991. Ils l'ont déplacée à cet endroit en 1990. Construit en 1930 par le missionnaire catholique Evarest Gielen, le bâtiment est parfaitement conservé et on peut encore y voir les fresques bibliques réalisées par le même prêtre. Les offices n'y ont plus lieu car, depuis son transfert, l'église a été transformée en un centre religieux communautaire.

## Sports et loisirs

### Plages

■ **KEHENA BEACH**

*Sur la Highway 137, au niveau de la balise 19 miles.* Cette plage de sable noir, privée en semaine, s'anime pendant le week-end. Les babas cool et les hippies de l'île aiment s'y retrouver... nus ! Mais si vous décidez de garder votre maillot, on ne vous regardera pas trop de travers.

■ **ALANUIHAHA PARK**

*Accès de 7h à 19h. Baignade surveillée de 9h30 à 16h45.* Une jolie plage dont les eaux sont protégées par une barrière rocheuse. Sur cette côte, c'est un des seuls endroits où l'on peut se baigner et nager en toute sécurité. Toilettes sur place.

■ **ISAAC HALE BEACH PARK POHOIKI BEACH**

*Sur la Highway 137, au sud d'Alanuihaha Park.* Un des rares spots de surf de Big Island. 4 breaks du sud au nord : 1st Bay, 2nd Bay, Shacks et Bowls. Aire de pique-nique.



# HILO

Hilo (40 750 habitants) est, avec Kailua-Kona, la deuxième plus importante ville de Big Island. Mais tout les oppose ! Kailua-Kona est ensoleillée et ultra touristique tandis que Hilo est très pluvieuse (une des villes les plus humides de l'archipel) et réservée. Ce n'est pas un hasard si la plupart des Hawaiiens natifs (polynésiens) habitent Hilo et les environs ; c'est le cœur même de l'« Aloha Spirit » de l'île.

Si les vents forts ne font pas de ses plages une destination balnéaire, les environs de Hilo sont verdoyants et propices aux balades. C'est également la cité la plus proche du parc national des Volcans ou du Mauna Kea.

Quant à son centre-ville, il garde son charme d'antan, malgré les terribles tsunamis qui l'ont dévasté en 1946 et 1960.

Enfin, Hilo n'étant pas une destination très touristique, les prix y sont beaucoup moins élevés qu'à Kailua-Kona, surtout en ce qui concerne l'hébergement.

## Transports

### Bus

■ **HELE-ON BUS**

✆ (808) 961 8521

www.heleonbus.org

Hilo est une des villes les mieux desservies par le réseau de bus local. Mais si ce service est gratuit, il est aussi restreint... La plupart des lignes ne fonctionnent qu'en semaine et les trajets sont souvent très longs ; compter 3h pour faire Kona-Hilo !

On peut se procurer les horaires des bus à l'office du tourisme et à la gare routière de Hilo (Mooheau Bus Terminal). Ils sont également en ligne sur le site Internet de la compagnie d'autobus (voir ci-dessus). Valise, sac à dos, vélo : 1 $ par article.

### Taxi

■ **HILO HARRY'S TAXI**

1410 Kinoole Street ✆ (808) 935 7091

*Service de 5h à 22h uniquement.*

■ **SHAKA TAXI**

1410 Kinoole Street ✆ (808) 987 1111

*Service 24h/24.*

### Vélo

■ **DA KINE BIKE SHOP**

12 Furneaux Lane

✆ (808) 934 9861

www.bicyclehawaii.com

*Ouvert du lundi au samedi de 12h à 18h.* Cette agence ne loue pas de vélos mais pratique un système de vente / rachat de vélos d'occasion (entre 100 et 300 $). On peut donc acheter son vélo au début de son séjour et le revendre à la fin, si on le souhaite.

## Pratique

### Tourisme

■ **HAWAII VISITOR'S BUREAU**
250 Keawe Street
✆ (808) 961 5797 – www.bigisland.org
*Ouvert du lundi au vendredi de 8h à 16h30.*
Cartes et brochures gratuites.

### Banques

Les banques, nombreuses à Hilo, ont toutes des distributeurs 24h/24.

### Poste et télécommunications

■ **HILO MAIN POST OFFICE**
1299 Kekuanaoa Street ✆ (808) 275 8777
*Ouvert de 8h à 16h30 du lundi au vendredi. De 8h30 à 12h30 le samedi.*

■ **HILO DOWNTOWN POST OFFICE**
154 Waianuenue Avenue
✆ (808) 275 8777
*Ouvert du lundi au vendredi de 8h à 16h. Le samedi de 12h30 à 14h.*

■ **HILO PUBLIC LIBRARY**
300 Waianuenue Avenue
✆ (808) 933 8888
*Ouvert de 11h à 19h du mardi au mercredi. De 9h à 17h les jeudi et samedi. De 10h à 17h le vendredi.* Une très jolie bibliothèque au cadre verdoyant et à moitié en plein air. Accès Internet avec la Visitor's Card de 3 mois (*10 $*). Pas d'abonnement possible pour une durée inférieure, mais la carte donne accès à Internet dans toutes les autres bibliothèques de l'archipel.

■ **BEACH DOG INTERNET CAFE**
62 Kinoole Street ✆ (808) 961 5207
*3 $ les 20 minutes et 8 $ l'heure.*

### Santé

■ **HILO MEDICAL CENTER**
1190 Waianuenue Avenue
✆ (808) 974 4700 – www.hmc.hhsc.org
Urgences assurées 24h/24.

■ **ULULANI PHARMACY**
868 Ululani – Suite 107
✆ (808) 934 9400

## Orientation

En tant que centre névralgique de la côte est de Big Island, Hilo est particulièrement bien desservie. Elle est à l'intersection de la Highway 11, qui mène tout droit au parc national des Volcans, et de la Highway 19, qui traverse la côte Hamakua jusqu'à Waimea,

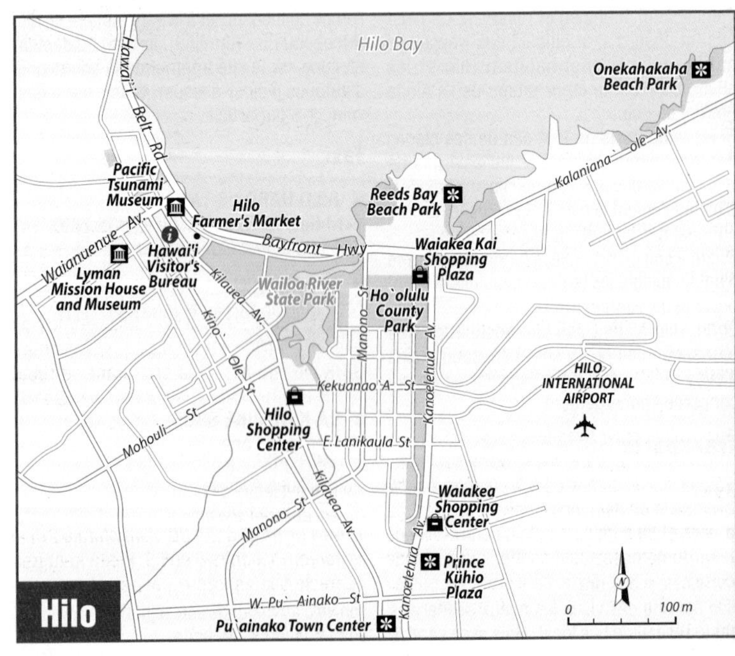

au nord. La Saddle Road mène, quant à elle, directement au Mauna Kea.
Le centre-ville possède 3 axes majeurs parallèles à la baie de Hilo : la Kamehameha Avenue, la Kilauea Avenue et la Kinoole Avenue. Les trois débouchent sur la Waianuenue, qui devient Kaumana Drive puis Saddle Road dans son prolongement ouest.

## Hébergement

### ■ ARNOTT'S LODGE

98 Apapane Road
✆ (808) 981 2055
www.arnottslodge.com
*En partant du centre de Hilo, prendre la Kalanianaole Avenue et rouler jusqu'à l'intersection avec Apapane Road, sur la gauche. 25 $ par personne en dortoir et 10 $ en camping. Chambre double de 60 à 70 $.* Installée sur une superbe étendue de verdure, cette auberge de jeunesse présente le meilleur rapport qualité-prix de Hilo. Le directeur, Doug Arnott, est un Australien chaleureux qui vit depuis des années à Big Island et gère particulièrement bien son auberge. Il se montre plein d'attentions pour ses clients et organise souvent des soirées à thème. C'est ainsi que, chaque fin de semaine, il offre un repas à tous ceux qui séjournent dans son établissement : pizzas et bières à volonté ! Quant à la salle TV commune, elle est équipée d'un écran plat géant et on peut y visionner les films de la « DVDthèque », à volonté également.
Enfin, le service le plus intéressant de l'Arnott's Lodge, c'est son offre d'excursions guidées dans le parc national des Volcans (*65 $*) et au Mauna Kea (*110 $*). Les résidents ont droit à des tarifs vraiment bas comparés à ceux des agences de l'île et c'est très pratique quand on n'a pas de voiture.
Cuisines et lave-linge. Accès Internet : wi-fi gratuit mais postes payants (2 $ les 20 minutes et 6 $ l'heure). Location de vélos et de palmes, masques et tubas.

### ■ HILO BAY HOSTEL

101 Waianuenue Avenue
✆ (808) 933 2771 – www.hawaiihostel.net
*25 $ la nuit en dortoir, 65 $ la chambre double avec salle de bain individuelle.* Une auberge propre et bien tenue en plein centre-ville de Hilo. Nombreuses commodités : une grande cuisine, des lave-linge, wi-fi gratuit et postes d'accès à Internet (3 $ les 30 minutes, 5 $ pour 1h).

### ■ DOLPHIN BAY HOTEL

333 Iliahi Street
✆ (808) 935 1466
www.dolphinbayhotel.com
*De 109 à 159 $ la chambre double, de 129 à 179 $ les chambres pour 3 à 5 personnes.* Très bon rapport qualité-prix. 18 chambres toutes équipées d'une kitchenette et de la TV câblée. Café et fruits frais gratuits dans le lobby.

### ■ WILD GINGER INN

100 Puueo Street
✆ (808) 935 5556
www.wildgingerinnhilo.com
*74 $ la chambre double, 69 $ la triple, 104 $ la quadruple.* Un hôtel tout simple dans une ancienne maison d'ouvriers de plantation. Un joli jardin tropical avec un espace barbecue. Toutes les chambres ont une kitchenette et une TV. Fruits offerts de 8h à 10h.

## Restaurants

### ■ BEAR'S COFFEE

106 Keawe Street
✆ (808) 935 0708
*Ouvert du lundi au samedi de 7h à 17h. Le dimanche de 8h à 12h. Compter de 4 à 8 $. Pas de CB.* Le rendez-vous favori des locaux pour le petit déjeuner. Ce sont les gaufres onctueuses (*4-5 $*) et le bon café qui font le succès de l'établissement. Au déjeuner, salades (*7-8 $*) consistantes et énormes sandwiches (*5-7 $*).

### ■ BAYFRONT COFFEE, KAVA & TEA COMPANY

116 Kamehameha Avenue
✆ (808) 935 1155
*Ouvert de 10h à 21h du lundi au jeudi. De 10h à 22h le samedi. Salades et sandwiches bio entre 3 et 6 $.* Ce petit restaurant au cadre chaleureux fabrique et vend sa propre kava, la boisson hawaiienne qui fait tourner la tête (voir encadré « Kava » à la rubrique « Restaurants » de Kailua-Kona). Ses prix étant corrects (*4 $ le demi et 5 $ la pinte*), c'est l'occasion de le goûter ! Concerts live tous les soirs.

### ■ CAFÉ 100

969 Kilauea Avenue
✆ (808) 935 8683
*Ouvert de 6h45 à 20h30. Fermeture à 21h le vendredi. Plat entre 6 et 8 $.* Restaurant très apprécié par les locaux pour son loco moco (assiette de riz recouverte d'un steak, d'une omelette et de sauce).

■ **CAFÉ PESTO**
308 Kamehameha Avenue
✆ (808) 969 6640 – www.cafepesto.com
*Ouvert de 11h à 21h du lundi au jeudi et le dimanche. Jusqu'à 22h les vendredi et samedi. Compter entre 9 et 14 $ pour déjeuner ou dîner.* Un joli cadre avec des hauts plafonds, un sol en damier et une superbe vue sur la baie de Hilo en prime ! Cuisine italo-hawaiienne, avec pizzas, pâtes, sandwiches et salades.

■ **MIYO'S**
400 Hualani Street ✆ (808) 935 2273
*Ouvert du lundi au samedi de 11h à 14h et de 17h30 à 20h30. Repas à moins de 15 $.* Un restaurant japonais où l'on mange comme au Japon car, outre les sushis, on y sert de nombreuses autres spécialités, comme les tempuras ou les nouilles udon. La cuisine est très bonne, mais la salle est parfois un peu bruyante.

■ **ROYAL SIAM**
Prince Kuhio Shopping Plaza
70 Mamo Street ✆ (808) 961 6100
*Fermé le dimanche. Moins de 10 $ le repas.* Restaurant familial thaï où sont servies toutes les spécialités. Les crevettes grillées à l'ail et la noix de coco sont excellentes !

## Sortir

Hilo est encore moins festive que Kailua-Kona, qui l'est déjà si peu. C'est dire…
Les bars se comptent donc sur les doigts de la main et l'ambiance est souvent un peu éteinte.
Enfin, les locaux n'aiment pas trop voir des nouvelles têtes dans leurs bars et s'énervent vite quand ils sont éméchés. Et les histoires de touristes violemment molestés ne sont pas rares ! Il faut donc savoir se faire tout petit si on veut vraiment prendre un verre à Hilo. Ou tout simplement laisser tomber.

### Bars

■ **CRONIE'S BAR**
11 Waianuenue Avenue ✆ (808) 961 6100
Bar des sports où, pour trouver de l'animation, il faut venir les soirs de concerts live ou de matches.

■ **SHOOTER'S BAR & GRILL**
121 Banyan Drive ✆ (808) 969 7069
Un autre bar des sports, qui se transforme en night-club à la nuit tombée. Musique live ou karaoké.

## Manifestation

► **Merrie Monarch Festival.** Quand David Kalakaua accéda au trône en 1883, Hawaii était sous l'influence des missionnaires depuis un demi-siècle. Trouvant le hula trop sensuel, ces derniers avaient décidé d'interdire cette danse qui continua cependant d'exister dans la clandestinité. Or, David Kalakaua l'a réintroduit officiellement en intégrant un spectacle de hula à la cérémonie de son sacre. De manière générale, tout au long de son règne, il a poursuivi ce travail de réhabilitation de la culture traditionnelle hawaiienne. Son goût prononcé pour la danse et la musique lui ont même valu le surnom de « Merrie Monarch » (le monarque joyeux). Pour rendre hommage à ce roi bien-aimé, le dernier de Hawaii, un festival, baptisé « Merrie Monarch Festival », a lieu chaque année juste après Pâques. Au programme, entre autres manifestations, une grande parade et un concours de danse hula, avec des participants originaires de toutes les îles du Pacifique.

## Points d'intérêt

■ **IMILOA ASTRONOMY CENTER**
UH Hilo Science & Technology Park
600 Imiloa Place
✆ (808) 969 9700
www.imiloahawaii.org
*Ouvert du mardi au dimanche de 9h à 16h. Entrée : 14,50 $.* À la fois centre culturel hawaiien et musée d'astronomie, ce centre apporte de nombreux éléments pédagogiques sur les recherches conduites au sommet du Mauna Kea où rien n'est véritablement expliqué. Pour bien comprendre ce qui se passe au Mauna Kea, il est donc fortement conseillé de visiter l'Imiloa Astronomy Center avant. Tout prend sens une fois qu'on est au sommet et c'est passionnant.
Nombreuses animations high-tech et projections au planétarium tout au long de la journée.

■ **BANYAN DRIVE**
Cette avenue circulaire, bordée d'une cinquantaine de banians immenses et touffus, commence au niveau de l'hôtel Hawaiian Namiloa Resort (93 Banyan Drive). Ces arbres ont été plantés, entre 1933 et 1972, par des célébrités qui venaient visiter l'île.
À chaque star, son banian et sa plaque commémorative. Même Franklin Roosevelt a fait planter un arbre lors de son passage à Big Island, le 25 juillet 1934 ! Richard Nixon,

alors qu'il était sénateur, en a fait planter un en 1952, mais il fut moins chanceux que Roosevelt : son arbre a été déraciné par une tempête... 20 ans plus tard, sa femme a replanté un arbre à ce même emplacement.

### ■ LILIUOKALANI GARDENS

Banyan Drive – Lihiwai Street
✆ (808) 961 8311
Ce parc de 12 ha a été créé au début du XXe siècle pour rendre hommage aux premiers immigrants japonais sur l'île. Pagodes, étangs à poissons, buissons savamment taillés... Tout rappelle l'univers des jardins nippons et leurs merveilles. Une très jolie promenade à faire !

### ■ PEEPEE FALLS – BOILING POTS

*À environ 3 miles (5 km) au nord-ouest de Hilo, sur la Waianuenue Avenue.* Quatre torrents de la rivière Wailuku se jettent du haut d'une barrière rocheuse, créant des tourbillons impressionnants qui ont valu à ces chutes, dites de Peepee, le surnom de « Boiling Pots » (théières en ébullition). Ce site est moins célèbre que celui des Rainbow Falls, mais il mérite qu'on s'y arrête, ne serait-ce que pour la photo.

### ■ RAINBOW FALLS

*Sur la Waianuenue Avenue, à 1 mile (1,6 km) du centre-ville, prendre la Rainbow Drive sur la droite.* De superbes chutes se jettent dans une rivière. Au lever du soleil, on aperçoit souvent un arc-en-ciel à travers la vapeur d'eau, d'où le nom de Rainbow Falls (les chutes de l'arc-en-ciel).

### ■ KAUMANA CAVES

*Sur Saddle Road, entre les balises 4 et 5 miles.* Un dédale de grottes étonnant où des racines d'arbres pendent par endroits. Comme les tunnels ne sont absolument pas éclairés, un bon matériel de spéléologie est recommandé et il faut avoir au minimum une lampe frontale et des chaussures fermées non glissantes. Ne pas d'aventurer seul à l'intérieur ni aller trop loin... On se perd facilement. Claustrophobes s'abstenir.

### ■ LYMAN MUSEUM & MISSION HOUSE

276 Haili Street ✆ (808) 935 5021
www.lymanmuseum.org
*Ouvert du lundi au samedi de 9h30 à 16h30. Entrée : 10 $.* Construit en 1839 pour les missionnaires David et Sarah Lyman, c'est le plus ancien bâtiment en bois de Big Island. La maison (Mission House) a été restaurée et sa visite permet d'imaginer la vie quotidienne des missionnaires au XIXe siècle.
Juste à côté, le Lyman Museum, construit en 1973, nous dispense toutes sortes d'informations sur Hawaii : la formation des îles et des volcans, l'histoire des premiers habitants de l'archipel et les observatoires d'astronomie du Mauna Kea. Des artistes locaux sont aussi exposés régulièrement dans une des galeries

### ■ MAUNA LOA MACADAMIA FACTORY

Macadamia Road
✆ (808) 966 8618
www.maunaloa.com
*Ouvert de 8h30 à 17h30. Entrée libre.* On s'y promène au milieu de plantations d'arbres de noix de macadamia qui s'étendent sur plusieurs hectares. Dans le Visitor's Center, on peut déguster des noix tandis qu'une vidéo décrit le processus de leur récolte et de leur préparation. Une boutique de souvenirs vend des paquets de noix à tous les parfums, parfaitement conditionnés pour le transport en avion.

### ■ NAHA AND PINAO STONES

300 Waianuenue Avenue
*En face de la Hilo Public Library (bibliothèque).* Naha et Pinao sont deux énormes pavés. La pierre Pinao serait l'ancien pilier d'un temple construit près de la rivière Wailuku. Quant à la pierre Naha, elle aurait été soulevée par le roi Kamehameha du temps où il était adolescent... On dit qu'une prophétie hawaiienne avait prédit que celui qui serait capable d'un tel tour de force deviendrait le roi de toutes les îles. La prophétie s'est avérée puisque c'est Kamehameha Ier qui a unifié l'archipel en 1810...

### ■ PACIFIC TSUNAMI MUSEUM

130 Kamehameha Avenue
✆ (808) 935 0926
www.tsunami.org
*Ouvert du lundi au samedi de 9h à 16h. Entrée : 7 $.* Ce musée est dédié à toutes les victimes des tsunamis qui ont dévasté Hilo en 1946 et 1960. Des photos et des films d'archives racontent longuement ces deux catastrophes. À voir : la maquette du centre-ville de Hilo, tel qu'il était avant le drame.
Une salle présente les différentes parties du monde qui ont été frappées par les tsunamis au XXe siècle, notamment celui de 2004 en Asie.

■ **HILO COFFEE MILL**
17-995 Volcano Road © (808) 968 1333
www.hilocoffeemill.com
*Ouvert de 8h à 16h du lundi au vendredi.*
On oublie souvent que le café n'est pas seulement produit sur la côte de Kona mais aussi dans d'autres régions de Big Island, notamment autour de Hilo, comme en témoigne la compagnie Hilo Coffee Mill.
Cette entreprise produit son café sur place, mais elle travaille également avec de petits exploitants de la côte est. Le but ? Les soutenir financièrement et faire reconnaître cette partie de l'île comme une région de production de café à part entière. On peut se promener à travers les champs de café et observer les torréfacteurs en action. Une boutique vend du café fabriqué *in situ* : les prix sont un peu moins élevés que ceux du café Kona car la marque est moins connue.
Enfin, si vous partez de Hilo pour vous rendre dans le parc national des Volcans, la Hilo Coffee Mill est sur la route ! Alors, autant y faire une halte pour déguster un de leurs délicieux cafés (dans le petit bistrot, à l'intérieur du bâtiment principal) !

## Shopping

■ **MOST IRRESISTIBLE SHOP**
256 Kamehameha Avenue © (808) 959 6515
Des souvenirs faits main en provenance de tout le Pacifique ! Comme le dit le nom du magasin, il est très difficile de résister et de ne rien acheter.

## Sports et loisirs

### Plages

Les amateurs de farniente et de bronzette vont être déçus : les plages de Hilo ne sont pas exceptionnelles en raison d'un rivage rocheux et de forts vents.

■ **HONOLII BEACH PARK**
*Au nord de Hilo, sur la Highway 19.* Un spot de surf avant tout. Les courants sont trop forts pour la baignade et l'étendue de sable trop réduite pour la bronzette.

■ **REEDS BAY BEACH PARK**
*Sur Banyan Drive et Kalanianaole Avenue.* Une crique aux eaux calmes et peu profondes, très agréable pour la baignade. Parfaite pour les tout-petits.

■ **ONEKAHAKAHA BEACH PARK**
*Sur Kalanianaole Avenue, à l'est de Hilo.* Une plage de sable blanc et une mer peu profonde. Idéal pour la baignade en famille et le snorkeling. Toilettes, douches, aire de pique-nique.

■ **LELEIWI BEACH PARK**
*Sur Kalanianaole Avenue, à l'est de Hilo.* Cette mer, fréquentée par les dauphins et les tortues marines, est un très bon spot de snorkeling. Aire de pique-nique à proximité.

# LE MAUNA KEA

Faire une bataille de boules de neige ou du snow-board à Hawaii ? C'est possible au Mauna Kea, mais en hiver uniquement... Mauna Kea signifie en effet « montagne blanche » en hawaiien, car elle est souvent recouverte de neige en hiver. Cependant, les températures sont glaciales tout au long de l'année à son sommet en raison de ses 4 205 m d'altitude. Et si on mesure sa hauteur à partir de sa base sous-marine, c'est même la plus haute montagne du monde puisqu'elle mesure alors 10 230 m. L'Everest, avec ses 8 840 m d'altitude, est largement dépassé ! Mais ce n'est ni la neige ni même la taille du Mauna Kea qui en font une des montagnes les plus célèbres et les plus utiles du monde. C'est la pureté du ciel à son sommet. Grâce à cette incomparable pureté, Mauna Kea est le point le plus clair de la planète pour l'observation des astres. Le plus important observatoire d'astronomie du monde s'est donc tout naturellement installé à son sommet. Il regroupe 13 télescopes ultra perfectionnés, dont le CFHT (Canada-France-Hawaii), qui sont des outils de travail précieux pour les chercheurs originaires des onze pays qui financent l'observatoire. Si le ciel est si clair au sommet du Mauna Kea, ce n'est pas en raison de son altitude mais de la qualité de

### La lumière orange des lampadaires

Pour éviter toute pollution lumineuse du ciel, les autorités ont limité l'intensité des ampoules des lampadaires dans les villes aux alentours du Mauna Kea. C'est pourquoi ils ont cette étrange couleur orange.

son atmosphère. L'air très sec, sans pollution ni nuages ou humidité, permet de mesurer avec précision le rayonnement infrarouge des étoiles ou des planètes. Enfin, le Mauna Kea est bien à l'abri de toute interférence lumineuse en provenance des villes, ce qui rend le ciel parfaitement noir ; les astronomes peuvent alors l'étudier dans ses moindres détails. C'est ainsi qu'ils ont pu découvrir l'existence de satellites autour de Jupiter et de Saturne ou d'astéroïdes autour de Neptune. Les visiteurs ne peuvent pas pénétrer dans les différents observatoires, mais les passionnés d'astronomie se régaleront car c'est vraiment là qu'on observe le mieux les astres et les différentes constellations. Quant à ceux qui n'y connaissent rien, avant de se rendre au sommet du Mauna Kea, ils seraient bien inspirés de visiter l'Imiloa Astronomy Center, à Hilo, qui propose une véritable initiation à la science des étoiles. Enfin, l'attraction touristique majeure à cette altitude, c'est le spectacle sublime du coucher de soleil sur le Mauna Kea. Le ciel revêt une couleur rose intense inoubliable et les photos prises à cette occasion sont magiques.

## Quelques recommandations

**L'altitude :** pour s'acclimater progressivement à l'altitude, il faut faire des petites haltes le long de la montée en voiture et s'arrêter pendant au moins 1h30 au Visitor's Center.Une fois là-haut, il ne faut pas courir ni faire d'efforts violents car la teneur en oxygène de l'air est réduite et on a tôt fait de s'épuiser ou même de faire un malaise.Il faut donc être en forme et reposé avant d'entreprendre l'excursion au Mauna Kea. Ceux qui ont fait de la plongée sous-marine dans les dernières 24h, qui souffrent de problèmes cardiaques ou respiratoires, les femmes enceintes ainsi que les enfants de moins de 16 ans, ne doivent pas aller jusqu'au sommet mais arrêter leur visite au niveau de l'Onizuka Visitor's Center où l'altitude est encore tolérable pour eux.

**Le froid :** même s'il neige surtout en hiver sur le Mauna Kea, les températures sont glaciales toute l'année. Prévoir impérativement des habits chauds, type polaires.

## Les Hawaiiens et la neige du Mauna Kea

Si vous allez visiter le Mauna Kea en plein hiver, période où la neige est la plus abondante sur la montagne, vous croiserez certainement des camions transportant de la neige qui redescendent la route. Ce ne sont pas des chasse-neige mais des camions appartenant à des locaux. Et vous vous demanderez sûrement : que font-ils donc de toute cette neige ?

Il s'agit en fait d'une fantaisie toute locale... Les Hawaiiens ne voient jamais la neige et pour eux c'est vraiment exotique ; ils en amassent donc un maximum au Mauna Kea pour pouvoir faire des bonhommes de neige dans leur jardin ou des batailles de boules de neige sur la plage !

## Transports – Orientation

On accède au Mauna Kea uniquement par Saddle Road, la seule route qui traverse Big Island en son centre. Pour la rejoindre à partir de Kailua-Kona, il faut prendre la Highway 190 qui la croise sur sa droite avant d'arriver à Waimea. À partir du centre-ville de Hilo, il faut suivre Waianuenue Avenue et continuer sur Kaumana Drive (au moment où la route se divise en deux), qui devient ensuite Saddle Road. La route en elle-même est tortueuse car elle monte doucement entre le Mauna Kea et le Mauna Loa qui sont des montagnes très élevées. Au niveau de la balise 28 miles, deux routes croisent Saddle Road : l'une va vers le nord et l'autre vers le sud. C'est celle vers le nord qui mène au Mauna Kea, l'autre va au Mauna Loa Observatory (un observatoire météo réservé aux scientifiques et fermé au public). De nombreux loueurs de voitures déconseillent d'ailleurs de la prendre et certains ont même une clause qui exclut de couvrir les éventuels dommages causés au véhicule sur ce trajet. En réalité, si on fait attention, la route n'est pas si chaotique que ça car elle a été bien refaite ces dernières années. Il est cependant raisonnable de prévoir des chaînes à neige en hiver car la route devient très glissante au fur et à mesure qu'on approche du sommet du Mauna Kea. Si vraiment vous préférez ne pas prendre de risques, il est possible de réserver une excursion au Mauna Kea auprès de différentes agences touristiques (voir « Pratique »).

De Hilo, le trajet jusqu'au Mauna Kea prend 1h30 en moyenne. Compter 1h en partant de Waimea. En incluant le temps du trajet, le spectacle du coucher de soleil et l'observation des étoiles, la visite du Mauna Kea prend 5h au total.

## Pratique

### Centre d'information des visiteurs

**ONIZUKA VISITOR'S CENTER**
✆ (808) 961 2180
www.ifa.hawaii.edu/info/vis
*Ouvert de 9h à 22h.* Situé à 2 883 m d'altitude, l'Onizuka Visitor's Center est un excellent point d'observation du ciel. Plusieurs télescopes sont à la disposition des visiteurs désireux de s'initier à l'astronomie. Une boutique vend livres, cartes et brochures pour ceux qui veulent aller plus loin. Tous les soirs, de 18h à 22h, a lieu une séance (gratuite) d'observation des étoiles, commentée par un spécialiste. Le centre organise également des excursions gratuites vers le sommet du Mauna Kea pendant le week-end (voir « Visites guidées »). C'est également ici qu'il faut s'arrêter pour s'acclimater à l'altitude avant de poursuivre sa route vers le sommet.

### Visites guidées

Les excursions vers le Mauna Kea partent en début ou milieu d'après-midi afin que les visiteurs puissent arriver à temps au sommet pour admirer le coucher de soleil. À la nuit tombée, la plupart organisent une séance d'observation des astres et fournissent jumelles ou télescopes.

**ARNOTT'S LODGE & HIKING ADVENTURES**
✆ (808) 969 7097
www.arnottslodge.com
*90 $ par personne.* L'excursion part de Hilo et le minibus peut aller chercher les visiteurs directement à leur hôtel. Les guides ne sont pas des spécialistes d'astronomie mais s'y connaissent bien en culture polynésienne ; ils expliquent comment les premiers habitants de Hawaii ont réussi à naviguer jusqu'à l'archipel en s'orientant uniquement d'après les étoiles. Vous aurez peut-être la chance d'avoir le jeune Keoki comme guide... Il étudie la culture et la langue hawaiiennes à l'université de Hilo et vous racontera de nombreuses légendes hawaiiennes et des anecdotes sur la vie locale avec beaucoup d'humour. Du coup, le trajet passe très vite. À la nuit tombée, des jumelles sont prêtées aux clients et le guide leur fait un rapide cours d'initiation à l'astronomie. Parkas fournies, mais dîner non inclus.

**HAWAII FOREST & TRAIL**
✆ (808) 331 8505
www.hawaii-forest.com
*165 $ par personne.* Les guides de cette agence ont en général de très bonnes connaissances en astronomie et leurs explications sont claires. Télescopes, gants et parkas fournis. Petits gâteaux et chocolat chaud également, au moment du coucher du soleil. Dîner inclus.

**ONIZUKA VISITOR'S CENTER**
✆ (808) 961 2180
www.ifa.hawaii.edu/info/vis
*Gratuit.* Le Visitor's Center organise des visites guidées gratuites du sommet du Mauna Kea, tous les samedis et dimanches à 13h et 17h. Il n'est pas nécessaire de réserver sa place à l'avance mais il faut obligatoirement disposer d'un 4X4. Les touristes suivent ensuite le véhicule du guide à la queue leu leu jusqu'au sommet.

# LA CÔTE HAMAKUA

De Hilo à Waimea, le long de la Highway 19, le paysage est à couper le souffle : chutes d'eau, champs à perte de vue et panoramas superbes sur l'océan.
Cette partie de l'île était une terre d'exploitation de la canne à sucre, du XIXe au XXe siècle, mais l'industrie sucrière a totalement disparu de la région dans les années 1990. Depuis, les autorités ont engagé un travail de valorisation et de préservation des sites historiques de la région. Entre le vieux centre de Hilo, les façades 1900 des bâtiments de Honokaa et le Hawaii Botanical Garden, la côte propulse le visiteur dans le Hawaii d'antan.

## DE PEPEEKEO DRIVE À WAIPIO VALLEY

En remontant la côte Hamakua, de Hilo à Waipio Valley, on peut faire de nombreux arrêts intéressants.

### Le long de Pepeekeo Drive/ Papaiko Road

Cette route débute à environ 8 km au nord de Hilo, sur la Highway 19. Il faut alors suivre le panneau bleu qui indique la « Pepeekeo Scenic Drive ». Tout au long de cette route de près de 7 km, on traverse une jolie jungle tropicale et on a de très beaux points de vue sur l'océan. A la fin de ce parcours, on regagne aisément la Highway 19 et on peut ainsi poursuivre sa découverte de la côte Hamakua.

**■ HAWAII TROPICAL BOTANICAL GARDEN**
27-717 Old Mamalahoa Highway
Papaikou
✆ (808) 964 5233
www.hawaiigarden.com
*Ouvert de 9h à 16h. Entrée : 15 $.* Environ 2 km après le début de la Pepeekeo Drive, on arrive à ce très beau Jardin botanique qui mérite une visite. Surplombant la belle baie d'Onomea, 7 ha de terrain réunissent plus de 2 000 espèces d'arbres, de plantes et de fleurs (orchidées, palmiers, broméliacées...). Un sentier aménagé permet de se promener dans ce petit coin de paradis.

### Akaka Falls State Park

*Sur la Highway 19, légèrement au nord de Honomu, une route vers l'intérieur des terres mène aux chutes. Accès gratuit 7j/7.* Un chemin de randonnée, aménagé au milieu d'une forêt tropicale luxuriante et odorante, permet d'accéder en 10 minutes à deux chutes d'eau impressionnantes : Kahuna (124 m) et Akaka (137 m). Toilettes et aire de pique-nique près du parking.

### Honokaa

*Sur la Highway 19, à une soixantaine de kilomètres de Hilo, prendre la route 240 qui mène à Honokaa.* Cette petite ville d'environ 2 000 habitants était autrefois un des moteurs de l'industrie sucrière de la région, jusqu'à la fermeture de sa dernière usine dans les années 1990. Mais la ville n'est pas tombée en ruine pour autant... Ce sont à présent les magasins d'antiquités, les galeries d'art et les magasins de vente de vêtements de seconde main qui ont pris la relève. Honokaa est même devenue, au fil du temps, la deuxième ville refuge des hippies de Big Island, avec Pahoa. Malgré ces changements, Honokaa a su garder son charme d'antan, comme en témoignent les façades années 1920 des magasins de sa rue principale. Un halte à Honokaa, pour une petite balade ou du shopping, constitue donc un moment fort agréable lors du parcours de la côte Hamakua.

## WAIPIO VALLEY

Entourée par des montagnes de 620 m de haut, la vallée de Waipio était autrefois très appréciée des monarques hawaiiens qui y avaient établi leur résidence. Grâce à l'irrigation constante de la vallée par la rivière Waipio, la nature y est généreuse et de multiples arbres fruitiers y prospèrent ; on peut ainsi cueillir mangues, goyaves et noix de coco à volonté ! Alors que la vallée est quasiment inhabitée aujourd'hui, c'était une des régions les plus peuplées de l'île du XIIIe au XVIIe siècle. La capitale de l'île en somme. La population vivait alors essentiellement de la culture du taro (pomme de terre hawaiienne) qui, peu à peu, a cédé la place à la forêt tropicale qu'on voit actuellement, même s'il reste encore quelques champs de taro. Le tsunami de 1946, qui a durement frappé la vallée, a fait fuir définitivement la plupart des habitants de cette région, redevenue progressivement totalement sauvage (pour le plus grand bonheur des touristes !).

### Orientation

Pour accéder à la vallée, il faut remonter la Highway 19 jusqu'à Honokaa et prendre la route 240. Tout au bout se trouve le point de vue « Waipio Valley Lookout » et, à proximité, une route qui descend au cœur de la vallée. Le hic, c'est que le dénivelé de cette route est si important (20-35 %) qu'une simple voiture peut la descendre mais en aucun cas la remonter. Il faut donc avoir un 4X4 ou réserver une excursion à cheval (voir « Sports et loisirs »). La solution la moins coûteuse est la marche ! Mais si le chemin est assez court (1,6 km) et vite parcouru, la montée au retour est beaucoup plus éprouvante, surtout s'il fait chaud !

### Points d'intérêt

**■ WAIPIO VALLEY LOOKOUT**
Ce point de vue sur la vallée Waipio est superbe et c'est l'endroit idéal pour faire des photos ! On peut même s'en contenter et ne pas descendre dans la vallée si c'est la beauté du panorama qu'on recherche avant tout. Plus bas, il n'existe en effet aucun autre point de vue qui puisse rivaliser avec le Waipio Valley Lookout.

## Sports et loisirs

Parcourir la vallée à cheval ou en 4X4 est beaucoup moins fatiguant qu'à pied !

### Équitation et 4X4

**■ NAALAPA STABLES**
✆ (808) 775 0419
www.naalapastables.com
*88 $ par personne pour 2h30 de visite guidée à cheval.*

**■ WAIPIO RIDGE STABLES AND WAIPIO RIM BACKROAD ADVENTURES**
✆ (808) 775 7291 (équitation)
✆ (808) 775 1122 (4X4)
www.waipioridgestables.com
*85 $ par personne pour 2h30 de visite guidée à cheval. 159 $ par personne pour 3h d'excursion en 4X4.*

### Randonnée

Outre la marche qui mène du parking du point de vue à la vallée, on peut faire différentes randonnées une fois qu'on est en bas. Deux sentiers mènent respectivement aux chutes d'eau de Kalauahine Falls et aux Hilawe Falls. Un troisième conduit à la plage Waipio Beach, qui est avant tout un spot de surf et où les courants sont trop forts pour la baignade. Cependant, ce sont des randonnées assez difficiles et il est recommandé de les faire avec un guide. L'agence Hawaiian Walkways organise ainsi régulièrement une randonnée vers les chutes d'eau.

**■ HAWAIIAN WALKWAYS**
Mamane Street – Honokaa
✆ (808) 775 0372
www.hawaiianwalkways.com

# WAIMEA

Cette ville, qu'on appelle aussi « Kamuela », contraste avec le reste de Big Island. C'est avant tout une terre d'élevage dont tout le développement est lié au mythique Ranch Parker. Tout commence en 1793, quand George Vancouver offre un petit troupeau au roi Kamehameha Ier.

Celui-ci fait se reproduire les animaux du troupeau et déclare qu'il est kapu (interdit) de les chasser. Le bétail a été ainsi protégé pendant 10 ans, tant et si bien qu'il a fini par envahir tous les terrains voisins ! Certains habitants ont même dû quitter leur maison pour céder la place à ces bêtes sacrées... Comme il devenait urgent de gérer au mieux ce troupeau, le roi décida de le confier à un certain John Palmer Parker.

Ce dernier, accomplissant sa tâche parfaitement, devient vite le chouchou du roi, qui lui offre un lopin de terre à proximité du Mauna Kea. Parker s'approprie progressivement les terrains à proximité, à tel point que sa propriété finit par atteindre la superficie de 90 000 ha. C'est là qu'il établira le fameux Ranch Parker.

Alors que le dernier héritier Parker, Samuel Smart, est mort il y a une dizaine d'années, la très riche corporation Parker reste le moteur économique principal de Waimea. Elle finance notamment l'hôpital public, une école privée et les festivals de la ville.

Waimea est donc encore aujourd'hui une terre d'agriculture et d'élevage où l'on trouve de nombreuses fermes bios et où l'on croise souvent les fameux « paniolos » (cow-boys hawaiiens). La ville mérite donc qu'on lui consacre une journée, ne serait-ce que pour s'imprégner de cette ambiance « country » si étonnante à Big Island. On peut, par exemple, aller observer les étoiles au Mauna Kea, rentrer dormir à Waimea et visiter la ville le lendemain. C'est aussi le point de chute idéal pour ceux qui vont à Kailua-Kona ou à Hilo.

## Transports

### Avion

■ **WAIMEA-KOHALA AIRPORT**
✆ (808) 885 3300
*À environ 2 km au sud de Waimea.* Cet aéroport accueille principalement des vols inter-îles. Les rotations les plus fréquentes sont : Honolulu (Oahu) / Waimea ou Kahului (Maui) / Waimea. Tous les vols vers ou en provenance de l'aéroport de Waimea sont assurés par la compagnie Pacific Wings.

■ **PACIFIC WINGS AIRLINES**
✆ (808) 887 2104
www.pacificwings.com

### Bus

■ **HELE-ON BUS**
✆ (808) 961 8521
www.heleonbus.org
La ligne Hilo/Kailua-Kona s'arrête au Parker Ranch Center dans les deux sens.
Les horaires de la ligne ne permettent cependant pas de faire un aller-retour dans la journée. Dans le sens Hilo/Kailua-Kona : départ de Hilo à 13h30 et arrivée au Parker Ranch à 15h20. Dans le sens inverse : départ de Kailua-Kona à 6h45 et arrivée au Parker Ranch à 8h50.
Attention : cette ligne ne fonctionne pas le dimanche !
Bus gratuit, comme tout le réseau Hele-On.

### Taxi

Une seule et unique compagnie de taxis dessert Waimea et sa région !

■ **ALPHA STAR TAXI**
64-204 Wailani Place
✆ (808) 885 4771

## Pratique

### Banques

■ **BANK OF HAWAII**
67-1191 Mamalahoa Highway
✆ (808) 885 7995

■ **FIRST HAWAIIAN BANK**
Parker Ranch – Mamalahoa Highway
✆ (808) 885 7991

### Poste et télécommunications

■ **KAMUELA POST OFFICE**
65-1197 Mamalahoa Highway
✆ (800) 275 8777
*Ouvert de 8h à 16h30 du lundi au vendredi. De 9h à 12h le samedi.*

■ **THELMA PARKER MEMORIAL LIBRARY**
67-1209 Mamalahoa Highway
✆ (808) 887 6067
Accès Internet avec la Visitor's Card de 3 mois (*10 $*). Impossible de souscrire un abonnement pour une durée inférieure, mais la carte permet ensuite d'avoir accès à Internet dans toutes les autres bibliothèques de l'archipel.

### Santé

■ **NORTH HAWAII COMMUNITY HOSPITAL**
67-1125 Mamalahoa Highway
✆ (808) 885 4444

■ **VILLAGE PHARMACY**
65-1267 Kaiwaihae Road
✆ (808) 885 4824
*Ouvert de 8h30 à 17h30 du lundi au vendredi. De 8h30 à 14h le samedi.*

## Orientation

Située au pied des montagnes Kohala, au nord de Big Island, Waimea est à l'intersection de la Hawaii Belt Road (n° 19), qui dessert l'île de Kailua-Kona à Hilo ; et de la Mamalahoa Highway (n° 190), qui relie directement Kailua-Kona à Waimea.

## Hébergement

### Bien et pas cher

■ **WAIMEA GARDENS COTTAGE**
Box 520 ✆ (808) 885 8550
www.waimeagardens.com
*150 $ le cottage pour 2 personnes. De 165 à 180 $ le cottage pour 3. Petit déjeuner inclus. Réservation pour 3 nuits minimum et paiement total exigé 45 jours avant l'arrivée.*
Au milieu d'un grand jardin fleuri, 3 cottages confortables et parfaitement équipés. Dans chaque maisonnette : un coin jardin, une cuisine, une salle de bains avec une grande baignoire et l'accès wi-fi.

## L'histoire des paniolos

Au milieu du XIXe siècle, les vaqueros (cow-boys mexicains) sont venus à Big Island pour prêter main-forte aux Hawaiiens qui s'occupaient de troupeaux. Et ce sont eux qui leur ont enseigné les rudiments du métier de cow-boy !
Comme ils parlaient espagnol, les locaux les ont baptisés « Paniolos », qui est une déformation du mot « espagnol ». Ce mot désigne, depuis cette époque, les cow-boys hawaiiens en général.

## Confort ou charme

### ■ AAH, THE VIEWS !

66-1773 Alaneo Street ✆ (808) 885 3455
www.aaatheviews.com
*De 175 à 185 $ la chambre double. Pas de CB.* Un sympathique Bed & Breakfast dans les hauteurs de Waimea. 4 chambres avec de grandes fenêtres qui permettent d'admirer la jolie vue sur la montagne et la rivière (d'où le nom du B&B). Chacune dispose d'une kitchenette avec frigo ainsi que du wi-fi. Parmi les autres services : un sauna ouvert à tous les clients, un masseur à disposition et des cours de yoga.

### ■ BELLE VUE

P.O. Box 1295 ✆ (808) 885 7732
www.hawaii-bellevue.com
*De 85 à 155 $ l'appartement pour 2.* Un Bed & Breakfast admirablement situé avec une « belle vue ». De la terrasse des appartements, le panorama est grandiose puisqu'on voit à la fois la ville de Waimea, le Mauna Loa, le Mauna Kea, la côte Kohala et l'océan ! Dans chaque suite : un salon, une cuisine, une chambre, la TV et un lanai (terrasse). Enfin, Viviane Baker, la maîtresse des lieux, parle couramment français et sera ravie de vous conseiller pendant votre séjour.

### ■ JACARANDA INN

65-1444 Kawaihae Road
✆ (808) 885 8813
www.jacarandainn.com
*Chambre double de 119 à 225 $. Cottage 225 $ pour 2 personnes, 350 $ pour 4, 450 $ pour 6. Petit déjeuner inclus.* Construit en 1897, cet établissement était autrefois la résidence du manager du Ranch Parker. La déco de la maison restaurée contraste vraiment avec le style des cow-boys de la région. Partout, des fleurs, comme le montrent les nombreux motifs muraux et les noms des chambres (Hibiscus, Orchidée, Bégonia, etc.). Au total, 8 chambres confortables dont la plupart ont un jacuzzi. Le cottage a proximité a été entièrement refait et ses résidents peuvent profiter du grand jacuzzi extérieur.

## Restaurants

### ■ HULI SUE'S BBQ AND GRILL

64-957 Mamalahoa Highway
✆ (808) 885 6268 – www.hulisues.com
*Ouvert de 11h30 à 20h30. Entre 12 et 20 $.* Un restaurant de spécialités hawaiiennes qui ne paye pas de mine mais où la cuisine est délicieuse. Leur menu barbecue (*15-20 $*), avec viande au choix et quatre sauces différentes, est vraiment une bonne affaire, on comprend qu'il ait fait le succès de l'établissement ! Pour les végétariens, il y a aussi de très bonnes salades à la carte (*12 $*) dont les légumes viennent de la ferme voisine.

### ■ CHEF DANIEL'S SEAFOOD CAFÉ

65-1259 Kawaiahae Road
✆ (808) 887 2200 – www.danielthiebaut.com
*Ouvert pour le dîner uniquement. De 30 à 40 $ le repas.* Le chef Daniel Thiébaut est un Français expatrié de Lorraine ! Ses plats de poissons et fruits de mer sont au confluent des cuisines hawaiienne et française. Pour les fins gourmets.

### ■ MERRIMAN'S

Opelo Plaza – 65-1227 Opelo Road
✆ (808) 885 6822
www.merrimanshawaii.com
*Ouvert du lundi au vendredi de 11h30 à 13h30 et de 17h30 à 21h. De 40 à 50 $ le repas.* La nouvelle cuisine hawaiienne concoctée par le célèbre chef Peter Merriman est véritablement excellente. Tous les produits sont bios et on peut même visiter les fermes dont ils proviennent. Parmi les plats qui ont le plus de succès, la palme revient sans aucun doute à l'ahi (poisson) au wok ou au Kahua Ranch lamb (agneau).

## Points d'intérêt

### ■ PARKER RANCH HISTORIC HOMES

✆ (808) 885 5433
www.parkerranch.com
*Au sud de Waimea sur la Highway 190, tourner à droite au bout de 1,5 km environ. Ouvert de 10h à 17h du lundi au samedi. Entrée : 8,50 $. Ticket combiné avec le Park Ranch Museum : 14 $.* On peut visiter deux maisons de la famille Parker qui ont été particulièrement bien préservées : la Mana Hale et la Puuopelu.

La plus récente, la Puuopelu (1862), abrite un musée où sont exposées plusieurs toiles impressionnistes que collectionnait Richard Palmer Smart, le dernier héritier Parker, qui était aussi chanteur à Broadway !

#### PARKER RANCH VISITOR'S CENTER AND MUSEUM

67-1185 Mamalahoa Highway
✆ (808) 885 7655
www.parkerranch.com
*Ouvert de 9h à 17h du lundi au samedi. Dernière admission à 16h. Entrée : 7 $. Ticket combiné avec le Park Ranch Historic Homes : 14 $.* Le musée retrace l'épopée Parker, qui commence avec John Palmer Parker qui a fondé le ranch (1847) et finit avec son dernier descendant, disparu en 1992. On y découvre notamment que John Palmer Parker a épousé la petite-fille du roi Kamehameha et que donc ses petits-enfants étaient d'ascendance royale !

#### KAMUELA MUSEUM

✆ (808) 885 4724
*Au croisement de la Highway 19 et de la Highway 250. Entrée : 5 $.* Une collection éclectique d'objets artisanaux de Hawaii et d'ailleurs. À voir : la collection d'armes hawaiiennes anciennes et la jolie table en bois de koa qui appartenait autrefois au Iolani Palace (palais royal) à Honolulu.

### Shopping

#### DAN DELUZ'S WOODS

64-1013 Mamalahoa Highway
Kurtistown
✆ (808) 885 5856
www.deluzwoods.com
Des centaines de bijoux artisanaux en bois. Ils sont réalisés à partir d'une cinquantaine d'espèces d'arbres hawaiiens, comme le koa ou le manguier.

### Sports et loisirs

#### Équitation

Vous jouiez aux cow-boys quand vous étiez petit ? Voilà une occasion de passer du rêve à la réalité ! Plusieurs agences organisent des balades à cheval dans les environs de Waimea et on s'y croirait !

#### DAHANA RANCH

P.O. Box 1293 ✆ (808) 885 0057
www.panioloadventures.com
*Balade de 1h30 : 70 $ ; de 2h : 100 $ ; de 2h30 :130 $.*

#### PANIOLO RIDING ADVENTURES

✆ (808) 889 5354
www.panioloadventures.com
*96 $ la balade de 2h30 dans un ranch.*



# LA CÔTE DE KOHALA

Des plages superbes, des complexes hôteliers de luxe, des heiau (temples) sur la montagne Kohala, de jolies chutes d'eau et des ateliers d'artistes sont autant de multiples facettes de la côte de Kohala.

La visite de cette partie de l'île permet donc à la fois de partir à la découverte d'une nature redevenue sauvage et de se plonger dans l'histoire des origines de Hawaii et de l'épopée sucrière.

## LE NORD DE LA CÔTE

La pointe nord de la côte de Kohala fait partie d'une des plus anciennes montagnes volcaniques de Big Island. Elle a été ainsi sculptée par les forts courants marins et les vents violents de la région. Hawi (938 habitants) et Kapaau (1 159 habitants) sont les seuls villages de la région. Ils étaient autrefois de véritables moteurs de l'industrie sucrière, mais, aujourd'hui, ils sont entourés de champs de canne et de voies de chemin de fer à l'abandon.

C'est aussi au nord de la côte de Kohala qu'est né Kamehameha Ier, le roi qui a unifié les îles de l'archipel en 1810.

### Transports

Hawi est à l'intersection des routes 250 et 270 tandis que le village de Kapaau se trouve dans le prolongement ouest de la route 270, qui s'achève au point de vue de Pololu Valley Overlook. Pour accéder à cette région, mieux vaut être en voiture car le Hele-On Bus (www.heleonbus.org) n'y passe pas souvent (départ, à 6h20, de Kapaau, vers Hawi et la côte sud de Kohala ; retour, à partir du Hilton Waikola, à 16h15).

### Pratique

#### Banques

Deux distributeurs 24h/24.

■ **BANK OF HAWAII**
54-388 Akoni Pule Highway
✆ (808) 889 1073

■ **KOHALA MAILBOX**
55-3419 Akoni Pule Highway
✆ (808) 889 0498

## Essence

■ **HAWI SHELL STATION**
55-503 Hawi Road ✆ (808) 889 5211
*Ouvert du lundi au vendredi de 5h30 à 18h30. Le samedi de 6h à 18h30. Le dimanche de 8h à 16h.*

## Poste et télécommunications

■ **HAWI POST OFFICE**
55-515 Hawi Road
Kapaau ✆ (800) 275 8777
*Ouvert de 8h30 à 12h et de 12h30 à 16h du lundi au vendredi. De 9h à 10h le samedi.*

■ **BOND MEMORIAL PUBLIC LIBRARY**
54-3903 Akoni Pule Highway
Kapaau ✆ (808) 889 6655
Accès Internet avec la Visitor's Card de 3 mois (*10 $*). Impossible de souscrire un abonnement pour une durée inférieure, mais la carte permet ensuite d'avoir accès à Internet dans toutes les autres bibliothèques de l'archipel.

## Librairie

■ **KOHALA BOOK SHOP**
54-3885 Akoni Pule Highway
Kapaau ✆ (808) 889 6400
*Ouvert de 9h à 17h du lundi au samedi.* La plus grande librairie de livres d'occasion sur l'île. Nombreux ouvrages sur la culture hawaiienne.

## Santé

■ **KOHALA HOSPITAL**
54-383 Hospital Road
Kapaau ✆ (808) 889 6211

■ **KAMEHAMEHA PHARMACY**
54-3877 Akoni Pule Highway
Kapaau ✆ (808) 889 6161
*Ouvert de 9h à 12h30 et de 13h30 à 17h les lundi, mardi, jeudi et vendredi. De 9h à 13h le mercredi.*

## Hébergement

Pour camper sur l'île de Big Island, il faut demander un permis (payant) au bureau du comté. On peut leur écrire ou remplir une demande en ligne (voir ci-dessous). Par personne et par nuit, compter 5 $ pour les adultes, 2 $ pour les 13-17 ans et 1 $ pour les moins de 12 ans.

■ **PARKS AND RECREATION COUNTY OF HAWAII**
101 Pauahi Street – Suite 6
Hilo, HI 96720 ✆ (808) 961 8311
www.co.hawaii.hi.us/parks/parks.htm

■ **MAHUKONA BEACH PARK**
*Sur la Highway 270, au nord de Lapakahi Historical Park.*
Le camping idéal pour les amateurs de snorkeling ou de plongée sous-marine. Cette mer est en effet riche en épaves et poissons multicolores. Douches, toilettes et électricité. Pas d'eau potable.

■ **KAPAA BEACH PARK**
*Sur la Highway 270, entre les balises 15 et 16 miles.*
Aire de camping près d'une plage au rivage rocheux mais dont les eaux calmes sont propices à la baignade. Toilettes et tables de pique-nique.

■ **KOHALA'S GUEST HOUSE**
52-277 Keokea Park Road
Kapaau ✆ (808) 889 5606
www.kohalaguesthouse.com
*À quelques minutes de Keokea Beach Park et du Pololu Valley Lookout. À partir de 59 $ la chambre single, 135 $ le duplex.* 2 petites maisons. La première avec une chambre single, une cuisine et un séjour. La deuxième est un duplex avec une cuisine, 3 chambres doubles, une TV et un lave-linge.

## Restaurants

Bien que le nord de la côte de Kohala soit un peu isolé, il compte pas mal de petits restaurants. Regroupés à Hawi, ils sont en général d'un bon rapport qualité-prix.

■ **BAMBOO RESTAURANT**
55-3415 Akoni Pule Highway
Hawi ✆ (808) 889 5555
www.bamboorestaurant.info
*Ouvert de 11h30 à 14h30 et de 18h à 21h du mardi au samedi. De 11h à 14h le dimanche. Compter 15 $ en moyenne.* Une décoration tout en bambou pour un restaurant tout simple. Il est installé dans un hôtel qui hébergeait les travailleurs des plantations sucrières au début du XXe siècle. Cuisine hawaiienne authentique et à petits prix.

Concerts d'artistes locaux tous les soirs ; John Keawe (guitariste assez connu sur l'île : www.johnkeawe.com) s'y produit deux fois par mois.

**KOHALA COFFEE MILL**
Akoni Pule Highway
Hawi ✆ (808) 889 5577
*En face du Bamboo Restaurant. Ouvert de 6h30 à 18h du lundi au vendredi. De 7h à 17h30, samedi et dimanche.* Idéal pour le petit déjeuner ou le déjeuner. Un large choix de thés, cafés et smoothies (*2-4 $*). Des sandwiches consistants (5 $), des assiettes de pâtes (*8 $*) et des glaces aux parfums variés (*2-4 $*).

**KOHALA RAINBOW CAFE**
54-3897 Akoni Pule Highway
Kapaau ✆ (808) 889 0099
*Ouvert de 10h à 16h du lundi au vendredi. De 11 à 17h, samedi et dimanche. Entre 8 et 12 $.* Un des rares endroits pour casser la croûte à Kapaau. Sandwiches, salades et wraps préparés avec des produits bios. Essayez l'excellent « Kamehameha Wrap », composé de porc kalua, fromage, tomates et oignons de Maui.

## Points d'intérêt

**MOOKINI HEIAU**
*Sur la Highway 270, suivre la direction « Ulopu Airport » vers la balise 20 miles. Au niveau de l'aéroport, prendre le sentier parallèle à l'aéroport, à gauche. Attention : sentier boueux, à faire à pied ou en 4X4 uniquement.* Cet immense heiau (temple) a été construit en 480 apr. J.-C., en haut d'une montagne face au volcan Haleakala (île de Maui). Cet emplacement aurait, paraît-il, un mana (pouvoir spirituel) particulièrement fort. Il était dédié à Ku, dieu de la guerre, et c'est seulement dans les temples qui vouaient un culte à ce dieu qu'étaient pratiqués les sacrifices humains. On peut encore voir le pavé de roche volcanique où des centaines de gens ont été sacrifiés.
Cent mètres plus bas est indiqué le lieu de naissance de Kamehameha, en 1758.
Selon la légende, il est né pendant une nuit de tempête. Juste après sa naissance, le ciel se serait soudain puissamment illuminé et les Hawaiiens en auraient déduit qu'un grand homme venait de naître… D'après les astronomes, cette lumière aurait été due au passage de la comète de Halley, en 1758 justement.

**POLOLU VALLEY**
*Au bout de la Highway 270.*
Le point de vue du Pololu Valley Lookout est superbe : les vagues propulsées par le vent viennent s'écraser sur les montagnes rocheuses et une superbe plage de sable noir. À proximité, un sentier très raide descend dans la vallée et longe la côte.

**KING KAMEHAMEHA STATUE**
*À Kapaau, en face du Old Kohala Courthouse, près de la Highway 270.* La statue du roi a été sculptée à l'échelle réelle : Kamehameha était très imposant et mesurait près de 2 m !
Pour l'anecdote, cette statue devait, à l'origine, être installée dans le centre historique de Honolulu, sur King Street, en 1880, mais le bateau qui la transportait a coulé ! On l'a donc remplacée par une copie. Mais, deux ans plus tard, la statue originale fut retrouvée par un Américain au Port Stanley, dans les îles Falkland. Ce dernier la ramena à Big Island et les autorités décidèrent de l'installer près du lieu de naissance de Kamehameha. À croire que c'était une volonté d'outre-tombe du roi lui-même ! Il aurait en effet certainement désiré avoir une statue à son effigie sur sa terre natale et pas seulement sur Oahu.
Tous les 11 juin, jour du Kamehameha Day, la statue est recouverte de lei (colliers de fleurs hawaiiens).

## Sports et loisirs

### 4X4

**ATV OUTFITTERS**
Kapaau
✆ (808) 889 6000
www.outfittershawaii.com
*Le circuit en 4X4 : 129 $ par conducteur pour 2h (80 $ par passager), 179 $ par conducteur pour 3h (130 $ par passager), 249 $ par conducteur pour 4h (130 $ par passager).* Une manière originale de découvrir la côte Nord de Kohala : un groupe de touristes en 4X4 suivent un guide lui-même en 4X4. Plusieurs thèmes de visite : l'histoire, les chutes d'eau, la forêt tropicale…
Tous les guides sont natifs de la région et ont plein d'anecdotes à raconter.

# LE SUD DE LA CÔTE

Avec les plus belles plages de Big Island et 363 jours d'ensoleillement par an, le sud de la côte de Kohala accueille tout naturellement les hôtels les plus luxueux.

Il n'existe pas de ville sur cette partie de l'île, qui n'est finalement peuplée que par les touristes logeant dans les complexes hôteliers haut de gamme. En somme, le principal intérêt de cette région réside dans ses magnifiques plages.

## Hébergement

Ceux qui ont les moyens de se loger dans les hôtels de luxe qui bordent la côte auront l'embarras du choix. Les deux établissements suivants en font partie.

### HILTON WAIKOLOA VILLAGE

425 Waikoloa Beach Drive
© (808) 886 1234
www.hiltonwaikoloavillage.com
*À partir de 249 $ la chambre double. De 1 000 à 5 800 $ la suite.* De vastes jardins, un lagon au centre, des terrains de tennis et de golf, un spa, des chambres très confortables où rien ne manque... Que demander de plus ? Une baisse des prix peut-être, mais là on rêve !

### MAUNA LANI RESORT

68-1400 Mauna Lani Drive
© (808) 885 6622 – www.maunalani.com
Le seul 5-étoiles de Big Island. Il suffit de le visiter pour constater que tout absolument y est parfait !

## Point d'intérêt

### PUUKOHOLA NATIONAL HISTORIC SITE

Sur la Highway 270, à Kawaihae.
*Ouvert de 7h30 à 16h. Entrée libre.* En 1790, un voyant avait prédit à Kamehameha que s'il faisait construire un heiau (temple) dédié au dieu de la guerre Ku en haut de la montagne Puukohola et qu'il y faisait sacrifier son principal rival, Keooua Kuahuula, il parviendrait à conquérir toutes les îles de Hawaii. Cette prophétie se concrétisa en 1810 !
À partir du Visitor's Center, il faut marcher un petit peu avant d'atteindre le heiau lui-même. À voir également : le Mailekini Heiau, qui servait de point de repère aux navigateurs et qui aurait été construit en 1550.

## Sports et loisirs

### Plages

Les plus belles plages de sable blanc de Big Island méritent qu'on y consacre une journée. Sauf si on n'aime ni la baignade ni la bronzette ! Pour y accéder, il faut souvent passer par les hôtels situés juste en face. Heureusement, ces plages sont restées publiques et gratuites ! Du nord au sud, on peut successivement découvrir les plages suivantes :

#### MAUNA KEA BEACH

*Sur la route 19, entre les balises 68 et 69 miles. Accès autorisé du lever au coucher du soleil. Baignade surveillée à partir de 8h.* Une plage de sable blanc incurvée aux eaux turquoise qui figure sur de nombreuses cartes postales. Elle est parfaite pour la baignade toute l'année et, en hiver, c'est un bon spot de surf en raison d'une mer plus agitée.
On accède à la plage par le Mauna Kea Beach Hotel. Si on n'est pas client de l'hôtel, il faut demander un « Beach Parking Pass » à l'entrée, qui permet de laisser sa voiture au parking toute la journée. Attention : il faut venir tôt car les places s'envolent à vue d'œil !

#### HAPUNA BEACH

*Sur la route 19, entre les balises 69 et 70 miles. Accès autorisé de 7h à 20h. Baignade surveillée de 9h à 16h.* C'est incontestablement une des plus belles plages des États-Unis. L'image idéale qu'on se fait de Hawaii ! Ici, on peut nager en toute tranquillité car les eaux sont très calmes. En hiver, elles s'agitent un peu plus, pour la plus grande joie des boogie-boarders !

#### WAIALEA BEACH – 69 BEACH

*Sur la Highway 19, tourner dans Puako Road entre les balises 70 et 71 miles. Puis prendre la première à droite, au niveau du portail. Une route cabossée conduit ensuite au parking et à la plage.* Une plage si secrète et tranquille que les jeunes Hawaiiens l'ont surnommée avec malice « 69 Beach »... Très bon snorkeling à la pointe nord-est de la plage. Baignade sans danger.

#### ANAEHOOMALU BEACH

*Accès de 6h à 18h par le Hilton Waikoloa Village.* Encore une très jolie plage de sable blanc ! Bon spot de planche à voile mais aussi de baignade et de snorkeling.

#### KIHOLO BAY

*Sur la Highway 19, prendre la route entre les balises 82 et 83 miles et rester sur la voie de droite quand la route se divise en deux. Accès 24h/24.* Une étendue de sable plus réduite que sur les autres plages mais avec une eau tout aussi transparente. Les tortues marines viennent souvent pondre sur le rivage et, avec le snorkeling, c'est l'attraction touristique principale.

# MAUI

*Oheo Gulch, les sept piscines sacrées.*

# Maui

*« Maui no ka oi ! » ont coutume de dire les habitants de Maui. Cette expression qui signifie « Maui est la meilleure ! » n'est finalement pas si loin de la réalité, quand on connaît les innombrables richesses de cette île. D'une superficie de 1 887 km² et peuplée de 135 000 habitants, Maui est la deuxième île la plus importante de l'archipel. Moins développée que sa voisine Oahu, et avec des paysages aussi somptueux que ceux de Kauai, c'est une île vivante où l'on ne s'ennuie jamais, mais c'est aussi une île reposante grâce à sa nature merveilleuse et paisible. Avec ses superbes plages de sable fin à l'ouest et au sud, ses excellents spots de surf et de planches à voile au nord, ses ballets de baleines à bosse à l'ouest, sa paradisiaque et tropicale route de Hana à l'est, son majestueux volcan Haleakala, comment ne pas succomber à tant de charme ? Et ce n'est pas tout, Maui rime aussi avec ruralité et authenticité. Champs de canne à sucre et d'ananas au centre, exploitations agricoles et jardins botaniques le long de la Kula Highway, vignes et ranchs dans l'arrière-pays sont autant d'occasions de s'immerger dans un certain art de vivre. Maui est également synonyme d'histoire et de culture. La ville de Lahaina, ancienne capitale du royaume de Hawaii et de l'épopée baleinière au XIXe siècle, regorge de musées et de sites passionnants. Quant à Paia, c'était la capitale hippie de Hawaii dans les années 1960. Compte tenu d'une telle diversité, le surnom de Maui, « île de la Vallée », peut sembler assez réducteur. Une raison purement géologique : Maui est née de deux volcans sortis des eaux, il y a 2 millions d'années. Aujourd'hui endormis et baptisés « West Maui », à l'ouest, et « Haleakala », à l'est, ils sont reliés par une grande vallée, qui a donc valu son surnom à l'île. Enfin, Maui est une porte ouverte sur les îles toutes proches de son comté, Lanai et Molokai, des perles sauvages dont on peut aisément combiner la visite lors d'un séjour sur l'île.*

### Les immanquables de Maui

- **Parcourir** la route de Hana et se baigner dans les eaux émeraude des Twin Falls.
- **Assister** au lever du soleil sur le volcan Haleakala et faire une randonnée dans le cratère.
- **Lézarder** au soleil à Makena Beach.
- **Regarder** les windsufeurs pros défier les vagues à Hookipa Beach.
- **Faire** une excursion de whale-watching sur la côte ouest.
- **Apprendre** à surfer à Napili Bay.

## L'arrivée à Maui

### Avion

**KAHULUI INTERNATIONAL AIRPORT**
✆ (888) 872 3890
C'est l'aéroport principal de l'île et le deuxième de Hawaii par l'importance de son trafic. Il accueille de nombreux vols directs de l'ouest des États-Unis et du Canada, et presque autant de vols inter-îles.

### Compagnies aériennes inter-îles

Pour les vols en provenance de l'extérieur, se reporter à la rubrique « Avion » d'Oahu.

**GO !**
✆ (888) 435 9462 – www.iflygo.com

**HAWAIIAN AIRLINES**
✆ (800) 367 5320 – www.hawaiianair.com

**ISLAND AIR**
✆ (808) 484 2222 – www.islandair.com

**MOKULELE AIRLINES**
✆ (808) 426 7070
www.mokuleleairlines.com

### Depuis l'aéroport

**BUS**
www.mauicounty.gov/bus
Les bus n° 10 et n° 35 desservent l'aéroport de 6h à 21h, toutes les heures en moyenne. Ils sont directs pour Kahului, Pukalani, Paia, Haiku. Pour les autres destinations, il faut changer de bus. Demander conseil au chauffeur ou consulter la carte des bus (gratuite et présente sur un présentoir dans chaque bus). 1 $ le trajet.
Attention, si votre bagage est trop gros pour être rangé sous votre siège, vous ne serez pas autorisés à monter dans le bus. Pour les voyageurs à sacs à dos, pas de problème.

*Randonnée sur le cratère du volcan Haleakala.*

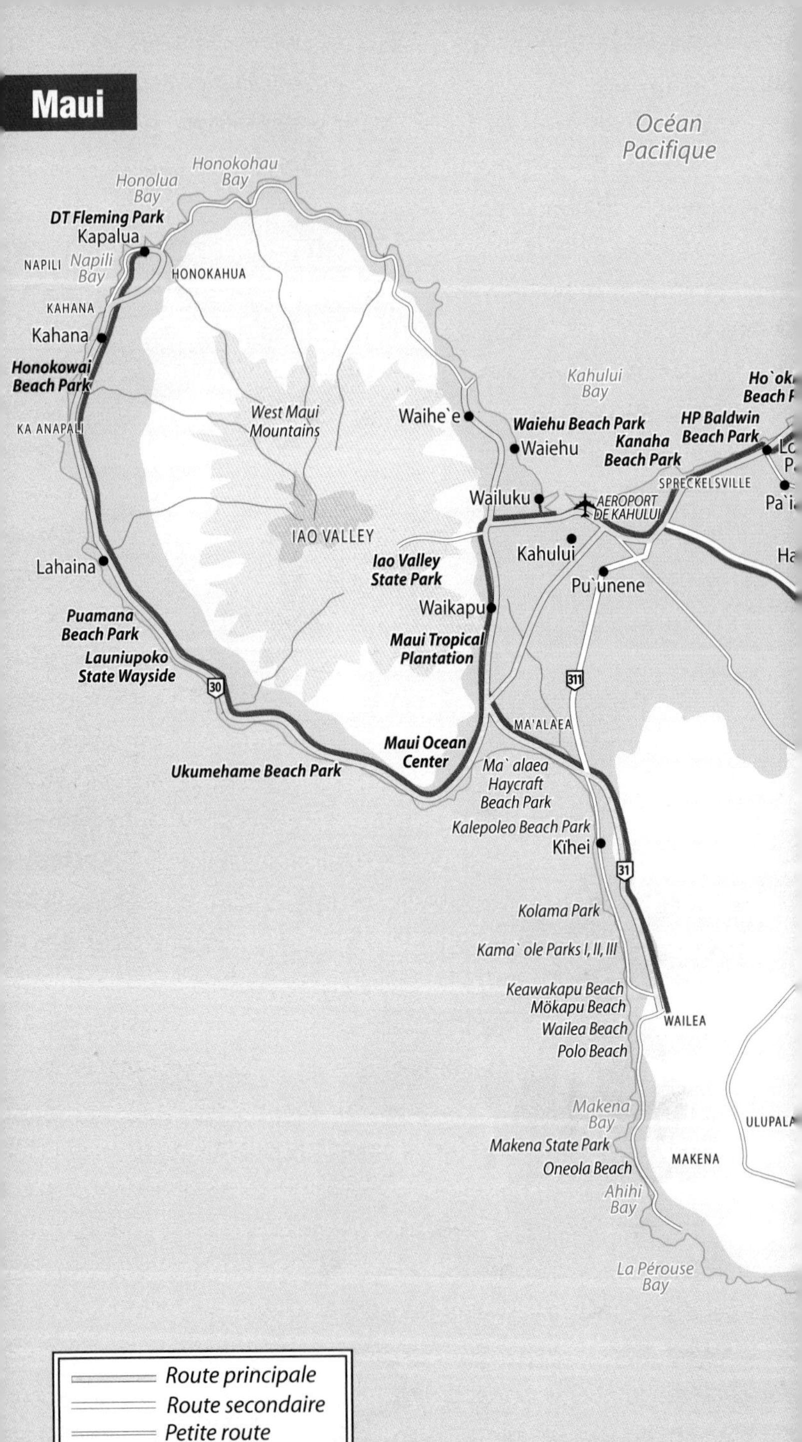
Maui
Océan Pacifique
Honokohau Bay
Honolua Bay
DT Fleming Park
Kapalua
NAPILI
Napili Bay
HONOKAHUA
KAHANA
Kahana
Honokowai Beach Park
KA ANAPALI
West Maui Mountains
Waihe`e
Kahului Bay
Waiehu Beach Park
Waiehu
Kanaha Beach Park
HP Baldwin Beach Park
SPRECKELSVILLE
Wailuku
AEROPORT DE KAHULUI
IAO VALLEY
Kahului
Lahaina
Iao Valley State Park
Pu`unene
Waikapu
Puamana Beach Park
Maui Tropical Plantation
Launiupoko State Wayside
30
311
MA'ALAEA
Maui Ocean Center
Ukumehame Beach Park
Ma` alaea Haycraft Beach Park
Kalepoleo Beach Park
Kihei
31
Kolama Park
Kama` ole Parks I, II, III
Keawakapu Beach
Mökapu Beach
WAILEA
Wailea Beach
Polo Beach
Makena Bay
Makena State Park
MAKENA
Oneola Beach
Ahihi Bay
La Pérouse Bay
Route principale
Route secondaire
Petite route
Ligne de bus
Parc national

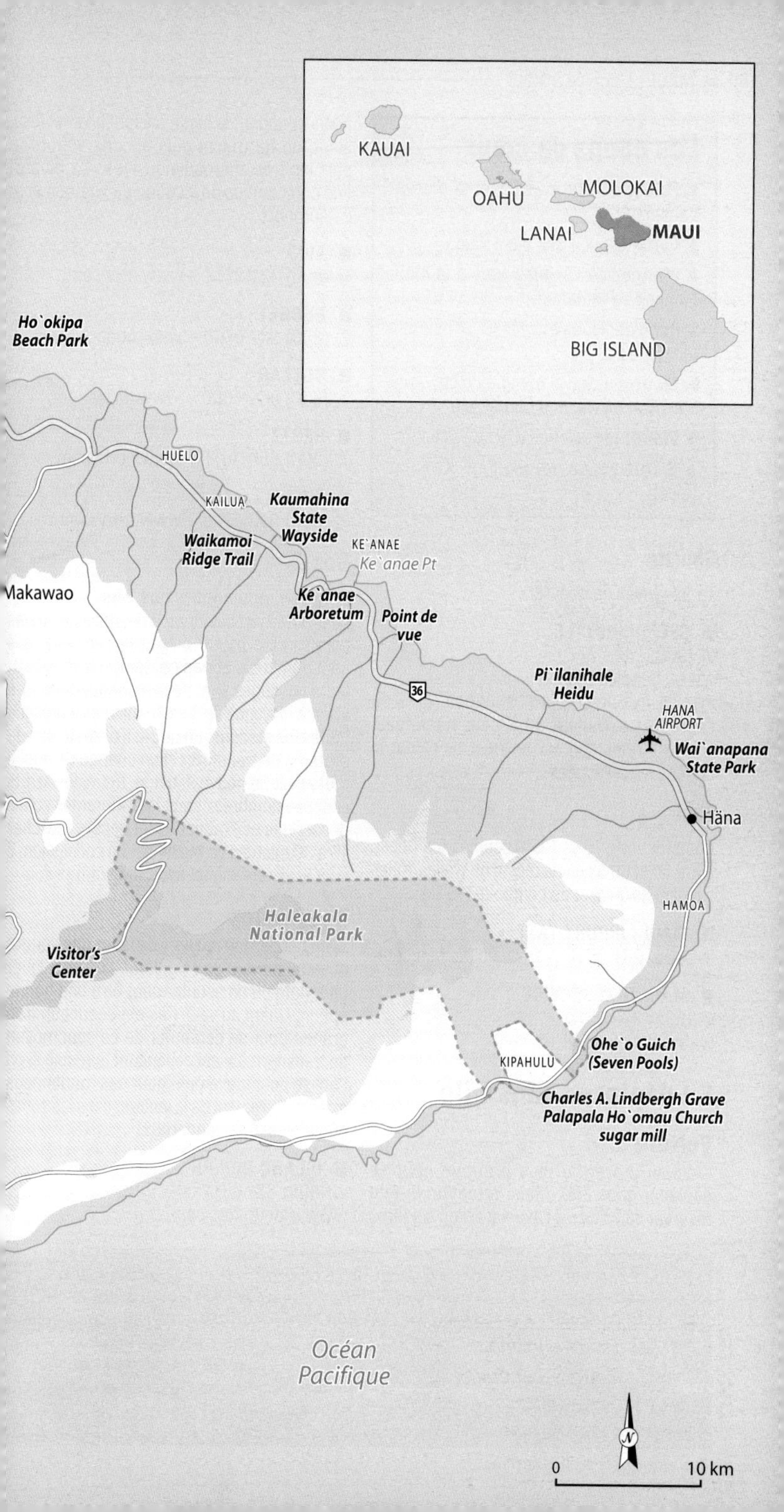
KAUAI
OAHU
MOLOKAI
LANAI
MAUI
BIG ISLAND
Ho`okipa
Beach Park
HUELO
KAILUA
Kaumahina
State
Wayside
Waikamoi
Ridge Trail
KE`ANAE
Ke`anae Pt
Makawao
Ke`anae
Arboretum
Point de
vue
36
Pi`ilanihale
Heidu
HANA
AIRPORT
Wai`anapana
State Park
Häna
HAMOA
Haleakala
National Park
Visitor's
Center
Ohe`o Guich
(Seven Pools)
KIPAHULU
Charles A. Lindbergh Grave
Palapala Ho`omau Church
sugar mill
Océan
Pacifique
N
0
10 km

## Les coups de cœur

- **Flâner** dans les ruelles et le port de Lahaina.
- **Faire** des courses bio à Paia.
- **Manger** de l'ananas frais à la Maui Pineapple Plantation.
- **Déguster** les vins de Maui aux Tedeschi Vineyards.
- **Monter** à cheval comme un cow-boy hawaiien au ranch d'Ulupakua.
- **Visiter** les galeries d'art à Wailuku.
- **S'initier** au kitesurf à Kanaha Beach.

### Shuttle

Tarifs élevés en général.

**SPEEDISHUTTLE**
✆ (808) 242 7777
www.speedishuttle.com
Prix en fonction de la destination. 38 $ de l'aéroport à Wailea, 54 $ pour Kaanapali. 10 % de réduction sur le trajet de retour si on réserve à l'avance.

### Taxi

Compter entre 70 et 105 $ pour la côte Ouest, entre 50 et 60 $ pour la région de Wailea/Kihei. Il faut aussi penser au pourboire (15 %).

**MAUI AIRPORT TAXI**
✆ (808) 281 9533 – www.nokaoitaxi.com

**MAUI TAXI SERVICE**
✆ (808) 276 9515
www.mauipleasanttaxi.com

## Se déplacer dans l'île

### Voiture

C'est le moyen le plus pratique pour se déplacer dans l'île. Mais, attention, il faut réserver sa voiture à l'avance si l'on séjourne à Maui pendant la haute saison (hiver et été), sinon on ne trouve plus aucune voiture, à part les très chères limousines ! La plupart des compagnies de location de voitures sont à l'aéroport.

**AVIS**
✆ (800) 321 3712 – www.avis.com

**BUDGET**
✆ (800) 527 0700 – www.budget.com

**DOLLAR**
✆ (800) 800 4000 – www.dollar.com

**HERTZ**
✆ (800) 654 3011 – www.hertz.com

**THRIFTY**
✆ (808) 952 4238 – www.trifty.com

### Bus

**www.mauicounty.gov/bus**
Le bus dessert bien toute l'île, mais ne va pas dans l'arrière-pays ni près du volcan. Si les bus sont ponctuels et peu coûteux (1 $ le trajet), leurs passages sont peu fréquents. D'où une attente moyenne de 30 à 40 minutes à presque toutes les stations. En outre, il n'existe pas de système de transfert : si on change de bus, il faut payer un nouveau ticket. Enfin, les arrêts sont peu nombreux dans les différentes zones desservies et il faut souvent encore marcher 15 à 30 minutes en moyenne. En conclusion, il vaut vraiment mieux avoir une voiture !

### Deux-roues

Si on n'a pas les moyens de louer une voiture et qu'on ne veut pas « galérer » en bus, louer une moto ou un scooter peut être une bonne option. Quant au vélo, l'île est beaucoup trop grande pour se contenter de ce seul moyen de transport, qui est cependant agréable si on l'utilise ponctuellement pour des randonnées ou en complément de la voiture, dans les zones où ce n'est pas dangereux.

**ISLAND RIDERS**
✆ (808) 874 0311
www.islandriders.com

*Vue aérienne sur la route de Hana.*

# L'OUEST DE L'ÎLE

Grâce à des plages sublimes et un fort ensoleillement, l'ouest de Maui est de loin la zone la plus touristique de l'île. Lahaina en est le pôle principal car c'est de là que partent la plupart des excursions en bateau (snorkeling, plongée sous-marine, whale-watching...) mais aussi car c'est la seule « vraie ville » de cette région avec des musées, des dizaines de boutiques et une vie nocturne animée.

## LAHAINA

Lahaina signifie « soleil sans pitié » en hawaiien car il y fait souvent très chaud, surtout l'été ! Les habitants de la côte est, plutôt pluvieuse, viennent régulièrement s'y réfugier le week-end pour y retrouver le beau temps. Abritée par les montagnes de West Maui, la ville est en effet bien isolée des vents et donc des intempéries.

Mais un mythe hawaiien veut que la sécheresse ait frappé la ville pour des raisons plus sombres... Après être entré dans une folle colère, un chef de Maui aurait tué tous ses prêtres et peu après une chaleur intense s'abattit sur les lieux. Attention cette malédiction solaire frappe aussi les plaisanciers qui ne veulent pas sacrifier leur tube de crème solaire à Lahaina. Coup de soleil garanti !

Mais que de monde à Lahaina ! Pourquoi ? Tout simplement car c'est LE port touristique de l'île et donc le point de départ de tous les ferries vers les îles voisines de Lana'i et Moloka'i. La recrudescence de boutiques souvenirs en tous genres n'a fait qu'amplifier le va-et-vient permanent de milliers de voyageurs. C'est en effet la seule ville de la côte Ouest qui ait un centre-ville digne de ce nom où on peut tout faire à pied. À côté de cette agitation parfois éprouvante, le centre regorge de sites historiques et fait office de mini-musée à lui tout seul. L'histoire d'Hawaii est en effet intimement liée à celle de la ville. En 1798, le roi Kamehameha III choisit d'établir à Lahaina, la capitale du royaume de l'archipel qu'il vient d'unifier. Elle le restera jusqu'en 1845, date à laquelle Honolulu lui en vole le titre. Dans la première moitié du XIXe siècle, les marins européens venus chasser la baleine à bosse dans les eaux de Maui, très portés sur l'alcool et les vahinés, vont faire régner sur la ville une atmosphère de débauche que les missionnaires protestants – débarqués quasi en même temps – ne vont avoir cesse de combattre. La vente de produits dérivés de baleines prospère jusqu'au milieu du siècle. C'est ensuite l'industrie du sucre permet ensuite à Lahaina juste avant que le tourisme ne prenne le relais au XXe siècle.

### Transports

#### Bus

■ **www.mauicounty.gov/bus**

Le bus local dessert plutôt bien Lahaina. La station d'où partent et arrivent tous les bus se trouve dans le centre commercial Wharf Cinema Center, au 658 Front Street, et elle en porte le nom. À partir de là, on peut gagner, sans changement, le Sud, direction Ma'alea par le bus n° 20, et le Nord-Ouest jusqu'à Ka'anapali, par le bus n° 25. Le bus n° 23, le « Lahaina Villager », qui permet de faire le tour de la ville, est gratuit, contrairement aux autres qui appliquent la tarification habituelle de 1 $ le trajet. Attention à la fréquence des bus : seulement un bus par heure ! Ceux qui envisagent de faire de longs trajets en bus, n'hésiteront pas à appeler la compagnie de bus qui leur indiquera le chemin le plus rapide.

■ **MAUI TRANSIT OFFICE**
✆ (808) 270 7511

#### Taxi

Le taxi n'est vraiment pratique que pour ceux qui logent dans les environs de Lahaina, car il est relativement cher et difficile à trouver si on ne le réserve pas à l'avance. Quelques adresses au cas où :

■ **AB TAXI**
✆ (808) 667 7575 – 24h/24

■ **ISLAND TAXI**
✆ (808) 667 5656 – jusqu'à 23h

■ **PARADISE TAXI**
✆ (808) 661 4455 – jusqu'à 2h du matin

#### Voiture

Pour circuler dans Lahaina, mieux vaut éviter la voiture, car c'est une ville parfaitement adaptée aux piétons. Mais en raison du peu de fréquence des bus, mieux vaut en avoir une pour s'y rendre ! Autre paradoxe, la ville manque cruellement de places de parking et la plupart sont payantes.

Quelques rares exceptions à la règle du parcmètre cependant...
Les 3e heures de stationnement sont gratuites au parking à l'angle de Front Street et Prison Street mais il ne faut pas dépasser le temps autorisé car les policiers sont à l'affût et les amendent pleuvent vite !

### Ferry

Un moyen facile et bon marché pour se rendre sur les îles de Maui, Molokai et Lanai voisines.

#### MOLOKAI PRINCESS

✆ (808) 667 6165
www.molokaiferry.com
Embarquement au quai n° 3. En moyenne, 2 A/R par jour entre Lahaina et le port de Kaunakakai, à Molokai. Durée du trajet : 90 minutes. Traversée souvent mouvementée en raison du fort courant dans le canal. Sujet au mal de mer? Prendre un cachet avant ou s'abstenir ! Et comme ce serait dommage quand même, l'équipage fournit des sachets aux plus nauséeux. Départ de Lahaina pour Kaunakakai tous les jours à 7h15, sauf le dimanche, puis à 18h. Départ de Kaunakakai pour Lahaina tous les jours à 5h15, sauf le dimanche, et à 16h. Se présenter 30 minutes avant pour le check-in. 40 $ l'aller simple pour les adultes et 20 $ pour les enfants à partir de 3 ans ; en dessous, c'est gratuit !

#### EXPEDITIONS FERRY

✆ (808) 661 3756 – www.go-lanai.com
5 A/R par jour entre Lahaina et le port de Manele, à Lanai. Départs de Lahaina, sur le quai en face du Pioneer Inn, de 6h45 à 17h45. Départs de Lanai de 8h à 18h45. 30 $ l'aller simple pour les adultes, 20 $ pour les enfants. Se présenter 30 minutes avant l'embarquement.

### Moto

Très agréable moyen de transport pour sillonner les plages de la côte ouest à partir de Lahaina.

#### ISLAND RIDERS

126 Hinau Street ✆ (808) 661 9966
www.islandriders.com
*Bon marché. 45 $ pour une location de moto de 8h à 17h, 54 $ pour 24h.*

### Vélo

Pour parcourir encore plus agréablement la ville, l'idéal est d'allier marche et vélo.

#### WEST MAUI CYCLES

1087 Limahana Place ✆ (808) 661 9005
www.westmauicycles.com
*De 15 à 60 $ la journée, selon qu'on loue un vélo de ville ou un VTT. Entre 60 et 220 $ la semaine selon les mêmes critères.*

## Pratique

### Office du tourisme

#### LAHAINA VISITOR'S CENTER

648 Wharf Street ✆ (808) 667 9193
www.visitlahaina.com
*Ouvert tous les jours de 9h à 17h.* Situé dans le Old Lahaina courthouse, l'ancien palais de justice, à côté du banian géant. Cartes et brochures très pratiques, en libre-service. Boutique souvenirs et musée retraçant l'histoire de la ville.

### Banques

Deux établissements avec un distributeur 24h/24 :

#### BANK OF HAWAII

880 Front Street ✆ (808) 661 8781

#### FIRST HAWAIIAN BANK

215 Papalua Street ✆ (808) 661 3655

### Internet

#### BUNS OF MAUI

880 Front Street ✆ (808) 661 5407
*Ouvert de 8h à 17h.* 10 cents la minute, mais seulement 4 ordinateurs. De délicieux cinnamon rolls (gâteaux à la cannelle) !

#### LAHAINA PUBLIC LIBRARY

680 Wharf Street ✆ (808) 662 3950
*Ouverte de 12h à 20h le mardi, de 9h à 17h les mercredis et jeudisi, de 10h30 à 16h30 les vendredi et samedi. Fermée les dimanches et lundis.* Accès à internet à condition de prendre la carte d'abonnement de 3 mois à 10 $.

## Orientation

Lahaina, située au milieu de la côte ouest, a pour avantage d'être traversée par la Highway 30 qui permet de sillonner rapidement toute la côte. Il faut moins de 20 minutes pour gagner le Nord jusqu'à Kapalua.
La ville, guère étendue, peut se résumer à son centre-ville. Front Street en est l'axe majeur. Parallèle à l'autoroute, la rue longe le bord de mer et ses multiples voies perpendiculaires mènent tout droit à l'autoroute

## ébergement

omme on peut tout faire à pied à Lahaina et ue les nuits y sont plutôt animées, se loger ur place est une bonne option. Les différents ôtels de charme au centre-ville et le camping à roximité sont bien plus agréables que les chaînes ôtelières de luxe à Ka'anapali, plus au nord dont s prix élevés en feront fuir plus d'un !

### ien et pas cher

**CAMP OLOWALU**
00 Olowalu Village Road
(808) 661 4303 – www.campolowalu.com
*amping, à 10 miles au sud de Lahaina, juste près l'Olowalu Store. Location de cabanes quipées tout confort : 20 $ la nuit par personne, 0 $ en tente. Près de l'eau et calme.*

**OLD LAHAINA HOUSE**
07 Ilikahi Street
(808) 667 4663 – www.oldlahaina.com
*hambres doubles de 89 à 139 $. Check-in à artir de 15h.* Au cœur du quartier résidentiel, n hôtel cosy au confort simple. Impossible e manquer sa façade rose. Wi-fi et air onditionné dans les chambres. Piscine au nilieu d'un petit jardin tropical.

### Confort ou charme

**LAHAINA INN**
127 Lahainaluna Street
✆ (808) 661 0577 – www.lahainainn.com
*De 150 à 205 $ la nuit la chambre double, suites entre 210 et 230 $ la nuit pour 6 à 8 personnes. Parking 7 $ par jour. Check-in à 13h.* Atmosphère début XX^e^, avec mobilier d'époque et absence de télé dans les chambres pour faire plus authentique... Un établissement moderne quand même puisqu'on y a installé le téléphone et la climatisation. Idéal pour les couples en quête de romantisme.

**MAKAII INN**
1415 Front Street
✆ (808) 662 3200 – www.makaiinn.net
*De 105 à 180 $ le bungalow pour 2.* Dans la partie calme de Front Street, un ensemble de bungalows sur 2 étages, tous agréables et bien agencés. Cuisines parfaitement équipées et salles de bains refaites à neuf. Mais pas de climatisation, heureusement que la véranda et les ventilateurs sont là, pas de téléphone et pas de femme de ménage ! Déco chaleureuse mais parfois kitsch. Laverie sur place. Parking inclus.



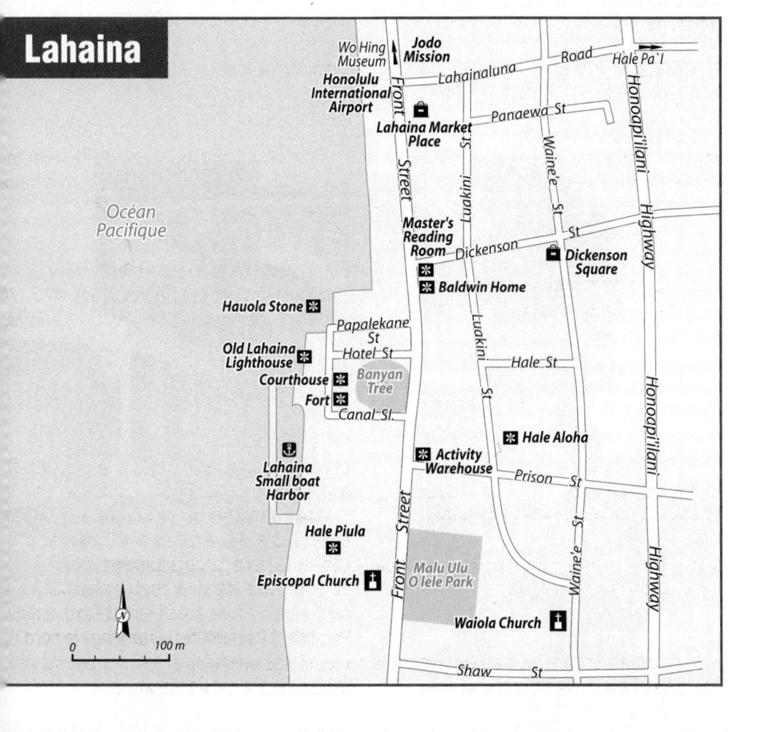

## Restaurants

La ville regorge de restaurants en tout genre qui visent surtout une clientèle touristique, d'où des prix souvent majorés. Mais il reste possible de bien manger sans se ruiner.

### Bien et pas cher

#### ■ ALOHA MIXED PLATE

1285 Front Street ✆ (808) 661 3322
www.alohamixedplate.com
*Prix très abordables.* Restaurant en plein air, face à la mer. Cuisine multiculturelle typiquement hawaiienne, du kailua pig en passant par les kalbi coréens ou le canard laqué. Formules déjeuner avec différents assortiments de 6 à 12 $. Sandwiches autour de 9 $. Ne pas manquer le Mahi Mahi Sandwich, avec sa délicieuse sauce sésame-aïoli. Grande variété de cocktails à déguster en terrasse face au coucher de soleil.

#### ■ ALOHA THAI CUISINE

658 Front Street ✆ (808) 661 1971
*Ouvert de 9h à 21h. Environ 10 $.* Dans une des galeries du Wharf Cinema Center, à proximité de la station de bus, un petit restaurant familial sans prétention qui sert une honnête cuisine thaïe.

#### ■ COOL CAT CAFE

658 Front Street ✆ (808) 667 0908
www.coolcatcafe.com
*Ouvert de 10h30 à 22h30. À l'intérieur du Wharf Cinema Center.* Large choix de burgers et de sandwiches dans un cadre très années 1970. Goûtez le Hula Ham pour sa succulente sauce au fromage et à l'ananas. Concerts live tous les soirs.

#### ■ KIMO'S

845 Front Street ✆ (808) 661 4811
www.kimosmaui.com
*Le restaurant ferme à 22h30 mais le bar reste ouvert jusqu'à 1h30. Plats de 10 à 15 $ au déjeuner mais les prix doublent au dîner.* Fruits de mer et burgers au menu. Vue imprenable sur le port, Molokai et Lanai. En dessert, ne manquez pas l'onctueuse glace Hula Pie. Concerts tous les soirs à partir de 20h.

#### ■ LAHAINA STORE GRILLE & OYSTER BAR

744 Front Street ✆ (808) 661 9090
*Plats de 13 à 40 $.* Bon restaurant de fruits de mer, avec une très belle vue sur l'océan. Le must : s'y rendre pour assister au coucher de soleil en sirotant un Martini au bar. L'inconvénient : un peu cher mais on paye la vue.

#### ■ PIONEER INN

658 Wharf Street ✆ (808) 270 4858
*Juste en face des quais où l'on embarque pour Molokai et Lanai. Ouvert à partir de 7h du matin Compter de 5 à 10 $.* Idéal pour le petit déjeuner avant de prendre le bateau.

*Terrasses donnant sur la rue.*

De la terrasse, on peut aisément voir la file du check-in et en partir au bon moment. Service rapide et attentionné dans un établissement historique dont le cadre début XXe a été joliment préservé. Recettes appétissantes d'œufs brouillés aux ingrédients variés. Les cocktails « Eye Openers », à base de vodka et jus de fruits, rechargeront les batteries des plus fatigués.

### Bonne table

#### CHEZ PAUL

820 Olowalu Village Road
✆ (808) 661 3843 – www.chezpaul.net
Rouler 6,5 km au sud de Lahaina sur la Highway 30 puis prendre Olowalu Road.
*Plats à partir de 30 $. Réservation recommandée.* Pour les nostalgiques de la cuisine française, un petit détour par « Chez Paul » s'impose. Le chef provençal Patrick Callarec, qui a fait ses armes au Ritz-Carlton, décline à merveille les spécialités de l'Hexagone. La palme revient à sa crème brûlée servie dans un demi-ananas ! Soirée jazz live tous les samedis.

## Sortir

Lahaina est la ville qui bouge le plus sur Maui mais toutes proportions gardées… Pas de discothèques pour autant et rien à voir avec les nuits endiablées de Waikiki sur l'île plus festive d'Oahu ! Pour trouver un peu d'ambiance, il faut se balader le long de Front Street où la plupart des restaurants reçoivent des groupes de musique dès le crépuscule. La ville compte plusieurs bars de nuit où se réfugient les fêtards invétérés, mais tous ferment à 2h au plus tard. À savoir : tous les jeudis, le quotidien « Maui news » publie également un supplément – le « Maui Scene » – avec toutes les idées sorties du week-end.

### Bars

#### HARD ROCK CAFÉ

900 Front Street ✆ (808) 667 7400
*Ouvert jusqu'à minuit. Entrée : 10 $ après 22h.* C'est vrai que tous les Hard Rock Café se ressemblent, mais celui-là a une programmation plus originale que la moyenne. Tous les lundis soir, à partir de 22h30, on peut assister aux concerts reggae aux sonorités hawaiiennes de la star locale Marty Dread ! À ne pas louper !

#### MOOSE MCGILLYCUDDY'S

844 Front Street ✆ (808) 891 8600
*Ouvert jusqu'à 2h du matin. Entrée libre. Burgers, bières, cocktails de 3 à 7 $.* Pub avec 2 pistes de danse et un DJ tous les soirs. Happy hours de 19h à 22h. Ambiance de folie le week-end !

#### MULLIGAN'S AT THE WHARF

658 Front Street ✆ (808) 661 8881
www.mulligansontheblue.com
*À l'étage, au Wharf Cinema Center. 2h de parking gratuit dans le centre commercial, sur présentation du ticket au bar. Jusqu'à 1h30 du matin. Plats à moins de 10 $ et boissons à partir de 3 $.* L'Irlande à Hawaii ! Fish and chips à volonté et à toute heure, sans compter les pintes de Guinness qui coule à flots. Musique irlandaise live chaque vendredi à partir de 19h. Rock acoustique les autres soirs dès 22h.

### Hula

#### LAHAINA CANNERY MALL

1221 Honapiilani Highway
✆ (808) 661 5304
www.lahainacannerymall.com
Shows de hula gratuits dans ce centre commercial tous les mardis et jeudis à 19h. Les samedis et dimanches à 13h, ce sont les enfants qui dansent et c'est gratuit aussi !

### Luau

Le banquet traditionnel hawaiien, ou luau, reste la meilleure façon d'admirer plus longuement les danseurs de hula et surtout de se régaler de spécialités hawaiiennes. Ces dîners-spectacles, qui ont régulièrement lieu dans des hôtels hauts de gamme, sont souvent des pièges à touristes en raison de leur prix relativement élevé et de leur très contestable authenticité. Toutefois, on peut assister à deux luau dignes de ce nom à Lahaina :

#### THE FEAST AT LELE

505 Front Street
✆ (808) 667 5353 – www.feastatlele.com
*Adultes 110 $, enfants 80 $. Le spectacle débute à 17h30 en hiver et à 18h en été. Réservation recommandée.* « Lele » est le nom ancien de Lahaina. Le luau a lieu sur la plage où la famille royale de Maui avait pour habitude d'organiser des fêtes similaires. Dîner assis où défilent les plats les plus savoureux de Polynésie. Un voyage culinaire entre Hawaii, Tahiti, les îles Samoa ou Tonga. Le spectacle, bien ficelé, ponctue le dîner de saynètes aussi instructives que divertissantes. Côté prix, ce luau est de loin le plus cher de l'île, mais c'est le top du top.

## Associations à connaître

### Lahaina Restoration Foundation

Association à but non lucratif qui restaure les sites historiques de Lahaina et publie la brochure gratuite Lahaina : A Walking Tour of Historic and Cultural Sites. Disponible au Old Lahaina Courthouse Museum et à la bibliothèque.

■ **www.lahainarestoration.org**

### Maui Nei

Une association à but non lucratif qui s'emploie à faire connaître l'histoire de Lahaina selon le point de vue des Hawaiiens natifs. Circuit de 2h avec des guides locaux et où légendes et tradition orale sont à l'honneur. Seulement une à trois fois par mois et en fonction du nombre de participants.

■ **www.mauinei.com**

■ **OLD LAHAINA LU'AU**
1251 Front Street
✆ (808) 661 9925
www.oldlahainaluau.com
*Adultes 92 $, enfants 62 $. Réservation recommandée. Le spectacle débute à 17h45 d'octobre à mars et à 17h15 d'avril à septembre.* Le luau le plus authentique de Maui. Open bar et buffet de plats traditionnels hawaiiens avec, entre autres délices, du saumon lomi lomi (dés de saumon marinés à la tomate et aux oignons), du a'hi poke (thon cru mariné au soja légèrement épicé) ou du haupia (pudding à la noix de coco). Les moments-clés de l'histoire de Hawaii, de l'arrivée des Tahitiens aux prémices du tourisme, sont racontés à travers chants et danses. Les danseurs pratiquent les deux formes de hula, ce qui est rare, le hula moderne et le hula ancien, dit « kahikiko ».

## Comédie musicale

■ **ULALENA**
Maui Theatre – 878 Front Street
✆ (808) 661 9913 – www.ulalena.com
*Adultes de 59,50 à 69,50 $, enfants de 39,50 à 49,50 $.* Une comédie musicale de 1h15 digne de Broadway ! Inspiré du Cirque du Soleil, le spectacle mêle chants et danses traditionnel. à des performances acrobatiques moderne pour raconter l'histoire de Hawaii depuis le origines.
Possibilité de prendre un package spectacle dîner (dans un restaurant haut de gamme d la ville), mais ce n'est pas vraiment une bonn affaire puisque c'est 50 $ de plus ; presqu le prix du spectacle...

## Points d'intérêt

La visite du riche centre historique de Lahain peut se faire en une demi-journée, certain sites n'étant pas accessibles au public.

■ **BALDWIN HOME MUSEUM**
696 Front Street
✆ (808) 661 3262
www.lahainarestoration.org
*Ouvert de 10h à 16h. Entrée : 3 $.* Constru entre 1834 et 1835, ce bâtiment en pierre e en corail était la maison du missionnaire e médecin, le révérend Dwight Baldwin. Il a fall environ 5 mois au Dr. Baldwin et à sa famill pour arriver à Hawaii après avoir quitté leu Connecticut natal.
Grâce à une restauration réussie et u mobilier préservé en l'état, la résidence d missionnaire reflète bien son époque. Mais l plus intéressant est la visite du dispensaire, l première clinique de Lahaina. On y découvr notamment que le Dr a sauvé la vie de plus d 10 000 habitants de Maui lors de la terribl épidémie de variole, en 1853.

■ **BANYAN TREE**
Banyan Square – Front Street
*Entre Hotel Street et Canal Street.* Impossibl de manquer ce banian immense – le plu grand des États-Unis – qui occupe tout une place ! Importé des Indes et planté e 1873 pour célébrer les 50 ans de présenc des missionnaires à Lahaina, il est deven une sorte d'oasis privilégiée et ombragé dans cette ville où le soleil frappe fort. A coucher du soleil, il faut y faire une petit halte pour écouter la centaine de mainates qu viennent y chanter une douce mélodie ! Tous le week-ends, de nombreux artistes locau y exposent toiles et sculptures. Enfin, chaqu 24 avril, l'arbre a droit à son anniversaire, ave gâteau, bougies, spectacle et tout et tout...

■ **HALE PA'AHAO**
187 Prison Street
✆ (808) 667 1985
*Ouvert de 10h à 16h. Fermé le dimanche Entrée libre.* Datant des années 1850, c'es

la deuxième prison construite à Lahaina. Sa fonction était encore la même : remettre les marins débauchés dans le droit chemin, c'est-à-dire celui des missionnaires. Lors de la visite, on constate ainsi que les principaux chefs d'accusation étaient la fornication, l'alcoolisme et la conduite de chevaux en état d'ébriété. Littéralement, « Hale Pa'ahao » signifie « coincé dans la maison de fer », en référence aux boulets et aux chaînes des prisonniers.

### HALE PA'I

980 Lahainaluna Road
✆ (808) 661 3262
*Ouvert du lundi au vendredi de 10h à 15h. Entrée libre mais donations bienvenues.* « Hale Pa'i », ou la maison de l'imprimerie. C'est la première de l'île. Elle est située à côté du lycée public de Lahaina, qui est l'ancien séminaire de Lahainaluna créé par les missionnaires en 1831. Six ans plus tard, ces derniers et leurs étudiants traduisaient la Bible en hawaiien, rédigeaient des textes historiques et créaient le premier journal de l'archipel (1834).

### HOLY INNOCENTS EPISCOPAL CHURCH

561 Front Street
✆ (808) 661 4202
Une petite église au style sobre construite en 1927. À noter : les tableaux d'oiseaux qui ont aujourd'hui disparu mais qui étaient des espèces endémiques d'Hawaii.

### JODO MISSION

12 Ala Moana Street
✆ (808) 661 4304
*Juste avant d'arriver au Lahaina Cannery Mall. Entrée libre.* Véritable havre de paix, cette mission bouddhique a été fondée en 1968 pour célébrer le centenaire de l'arrivée des premiers immigrants nippons. Les bâtiments de la mission ne sont pas ouverts au public, mais la promenade dans les jardins est très agréable et permet d'admirer la somptueuse pagode et l'impressionnant bouddha géant, le plus grand hors du Japon.

### LAHAINA COURTHOUSE

649 Wharf Street
✆ (808) 661 0111
*Ouvert de 9h à 17h. Entrée libre.* Édifié en 1859 et restauré en 1999, ce bâtiment a rempli successivement plusieurs fonctions : palais de justice de la ville, bureau du gouverneur, bureau de poste et tribunal de police. Aujourd'hui, le Lahaina Town Action Committee (le comité d'actions culturelles) et le Lahaina Heritage Museum occupent les lieux. On y trouve la brochure gratuite du Walking-Tour, un circuit de visite illustré d'une carte indiquant les principaux sites. Également sur place, une galerie d'art et la très active « Lahaina Arts Society » qui soutient les artistes locaux.

### LAHAINA-KA'ANAPALI & PACIFIC RAILROAD

975 Limahana Place ✆ (808) 667 6851
www.sugarcanetrain.com
*Départs de 10h15 à 16h. 20,95 $ l'aller-retour.* Balades à bord de la réplique de la locomotive à vapeur qui circulait à la grande époque de l'industrie sucrière. Cet ancien train de marchandise transformé en pittoresque attraction touristique emmène les visiteurs de Lahaina à Ka'anapali. De très belles vues panoramiques agrémentent la balade.

### SEAMEN'S HOSPITAL

1024 Front Street
*Fermé au public.* Construit en 1833, l'édifice a d'abord servi de lieu de retraite au roi Kamehameha III qui, en cachette des missionnaires, pouvait y boire de l'alcool et y retrouver sa sœur, la princesse Nahi'ena'ena, avec laquelle il entretenait une relation incestueuse.
En 1844, la structure, cédée aux États-Unis, devint un hôpital destiné à soigner les marins malades, très nombreux à l'époque baleinière.

*Le Baldwin Home Museum construit à base de corail.*

### WAIOLA CHURCH

535 Waine'e Street ✆ (808) 661 4349
*Entrée libre.* Détruite à plusieurs reprises par un incendie et deux tempêtes au début du XIXe siècle, l'église a été restaurée en 1951. Juste à côté, le cimetière de Waine'e où reposent plusieurs monarques dont Kamehameha Ier.

### WO HING MUSEUM

858 Front Street ✆ (808) 661 5553
*Ouvert de 10h à 16h. Entrée : 1 $.* Visible au beau milieu de Front Street, ce temple chinois construit par la Wo Hing Society atteste de l'importance de l'immigration chinoise à Lahaina. Un musée intéressant, avec objets artisanaux et photos d'époque.

## Shopping

Avec ses innombrables boutiques qui se succèdent dans ses ruelles, Lahaina semble être un bon plan pour le shopping. Le problème, c'est que c'est un peu kitsch et que ça sent l'attrape-touriste à plein nez ! Restent les centres commerciaux, plus éloignés du centre-ville mais au choix plus large et, surtout, aux prix plus bas !

## Centres commerciaux

### LAHAINA CANNERY MALL

1221 Honoapiilani Highway
✆ (808) 661 5304
www.lahainacannerymall.com
*Ouvert tous les jours de 9h à 21h. À noter : le supermarché Safeway ouvert 24h/24.*

### LAHAINA CENTER

900 Front Street ✆ (808) 667 9216
www.lahainacenter.com
Agréable centre commercial en plein air. Allez faire un tour chez Hilo Hattie, LA boutique de vêtements made in Hawaii, bon marché.

### LAHAINA FOODLAND

840 Waine'e Street ✆ (808) 661 0975
*Ouvert de 6h à minuit tous les jours.* Supermarché avec un rayon souvenirs et confiserie à prix imbattables, comme dans la plupart des magasins de l'enseigne Foodland disséminés dans l'archipel.

## Souvenirs

### LAHAINA HAT CO

705 Front Street ✆ (808) 661 8230
*Ouvert de 9h à 21h.* Superbes chapeaux de paille dans tous les styles.

### NA MEA HAWAII STORE

Baldwin Home
120 Dickenson Street ✆ (808) 661 5707
*À l'intérieur du Baldwin Home Museum.* Bon rapport qualité-prix, ce qui est rare pour une boutique de musée. Divers objets d'artisanat local. En fouillant un peu, on trouve son bonheur.

*Lahaina Courthouse.*

■ **PACIFIC WHALE FOUNDATION**
612 Front Street © (808) 667 7447
www.pacificwhale.org
C'est la boutique de la Pacific Whale Foundation, une association qui œuvre activement pour la protection des baleines sur l'archipel et à travers le monde.
T-shirts, casquettes, jeux éducatifs, sacs à dos sont tous estampillés du logo de la Fondation, une jolie petite baleine ! Et même si c'est un peu cher, on ferme les yeux parce que c'est pour la bonne cause. Tous les bénéfices servent en effet à protéger le mammifère menacé de Moby Dick ! On peut aussi réserver un de leurs circuits marins sur place : whale-watching, plongée avec masque et tuba... Ou comment être éco-responsable...

■ **TAKE HOME MAUI INC**
121 Dickenson Street © (808) 661 8067
www.takehomemaui.com
Cadeaux surprenants ! On peut décorer une noix de coco sur place et la faire envoyer à l'adresse de son choix pour moins de 25 $. Et si on n'aime pas les travaux pratiques, la maison expédie des fruits locaux pour le même tarif : ananas, papaye ou encore noix de macadamia.

## Librairie

■ **OLD LAHAINA BOOK EMPORIUM**
834 Front Street © (808) 661 1399
www.oldlahainabookemporium.com
Un peu fouillis, cette librairie où s'entassent livres neufs et d'occasion ravira les curieux de culture hawaiienne. Lieu parfait pour flâner ou dénicher son « livre de plage ».

## Galerie

■ **PETER LIK GALLERY**
712 Front Street
© (808) 661 6623 – www.peterlik.com
Peter Lik est un photographe globe-trotter qui expose presque partout aux États-Unis, y compris à Hawaii.

## Sports et loisirs

Lahaina est le centre des loisirs de cette partie de l'île. Les nombreux kiosques, le long de Front Street, proposent un très grand choix d'activités, sans compter les vendeurs, ultra motivés et collants ! Attention aux prix affichés ; les plus bas ne s'adressent souvent qu'aux clients qui ont un appartement en copropriété à Maui. Sauf en ce qui concerne les sorties bien spécifiques, comme les croisières ou le whale-watching, il vaut mieux bien réfléchir avant de réserver une activité chez les tours opérateurs de ces stands. On peut en effet en pratiquer beaucoup sans eux et gratuitement ! Plongée avec masque et tuba, promenade, boogie-board, surf ne coûtent pas un sou, si ce n'est une modique location de matériel.

### Plongée masque tuba (snorkeling)

La côte ouest a de nombreux et très bons spots de snorkeling. Les plus impressionnants sont ceux du cratère de Molokini ou de Lanai, qu'on peut rejoindre en bateau du port de Lahaina.

▶ **Un petit conseil :** il vaut mieux plonger tôt le matin car le vent se lève à 12h et gâche la visibilité. Pour louer son équipement à Lahaina, compter 10 $ maximum la journée.

■ **MAUI DIVE SHOP**
Lahaina Cannery Mall © (808) 661 6166
www.mauidiveshop.com

■ **SNORKEL BOB'S**
180 Dickenson Street
© (808) 662 0104 – www.snorkelbob.com

### Plongée sous-marine

Les spots les plus intéressants sont les mêmes qu'en plongée masque et tuba. Mention spéciale pour le cratère immergé de Molokini qui regorge d'espèces en tous genres car ses eaux sont calmes et claires. On y voit même des raies mantas et des requins !

■ **LAHAINA DIVERS**
143 Dickenson Street © (808) 667 7496
www.lahainadivers.com
*À partir de 109 $ la plongée.* Pour débutants et confirmés. Bateaux confortables.

■ **PACIFIC DIVE**
150 Dickenson Street
© (808) 667 5331 – www.pacificdive.com
*De 129 à 159 $ la plongée à Molokini ou Lanai.* Pour ceux qui ont peur de plonger en pleine mer, possibilité de plonger sur différents sites de la côte ouest en partant du rivage.

### Parachute ascensionnel

Sensations fortes garanties ! Sujets au vertige s'abstenir. Attaché à un parachute et tracté par un bateau grâce à une corde solide, on admire le panorama pendant 7 à 10 minutes. Ça décoiffe ! Dommage que le porte-monnaie en sorte tout retourné car, pour le peu de temps passé dans les airs, les prix donnent, eux aussi, le vertige. De 65 à 75 $ l'envolée !

# Whale-watching

Le *whale-watching*, soit l'observation des baleines sur un bateau, est devenu La principale attraction touristique de Maui, en hiver et au printemps. De décembre à mai, des milliers de baleines à bosse envahissent les eaux d'Hawaii pour s'y reproduire. Mais c'est en fait essentiellement près de Maui qu'elles se rassemblent car les eaux y sont calmes et protégées, surtout à l'Ouest. C'est donc bel et bien là qu'il faut faire du whale-watching même si les tour operateurs maintiennent becs et ongles qu'on peut voir des baleines sur tout l'archipel. Oui mais, franchement, beaucoup moins qu'à Maui ! Ces baleines arrivent tout droit d'Alaska où elles passent l'été à se nourrir, constituant des réserves de graisse sur lesquelles elles vont vivre tout l'hiver, y puisant des forces pour se reproduire. Elles peuvent alors perdre jusqu'à un tiers de leurs poids ! Contrairement à une idée reçue, ces baleines n'ont pas de bosse ! Elles doivent leur nom au fait qu'elles font le dos rond en plongeant ce qui donne l'impression qu'elles ont une bosse. Ce sont surtout les mâles qui s'agitent car ils doivent séduire les femelles lors de parades sexuelles qui peuvent durer des heures voire la journée. Ils sautent très haut et se donnent régulièrement des coups de nageoire car la compétition est rude : plus de vingt mâles peuvent tourner autour de la même femelle ! Les mâles sont aussi les seuls à chanter et c'est un véritable mystère pour les scientifiques ! Comme ce n'est que pendant la période d'accouplement, certains spécialistes pensent que c'est un outil de séduction, d'autres que c'est un simple outil de communication car on a déjà observé des mâles chanter sans femelles aux alentours. Quant aux femelles, elles mettent souvent bas à cette période, leur progéniture ayant été conçue l'année précédente au même endroit et la gestation s'étalant sur 11 mois. On croise donc très souvent des mamans accompagnées de leur baleineau qu'on reconnait à leur petite nageoire. L'observation des baleines donne lieu à un spectacle unique d'acrobaties mais même si elles sont joueuses et qu'elles recherchent le contact de l'homme, il est interdit aux bateaux de s'en approcher à moins de 100 mètres car c'est une espèce protégée depuis les années 60. Impossible de les caresser donc mais comme elles sont gigantesques, on les aperçoit assez facilement. Pour ceux qui n'arriveraient pas à les localiser, il faut chercher le grand nuage d'eau en forme de chou fleur provoqué par l'air qu'elles expulsent de leurs poumons, quand elles remontent à la surface. Des jumelles sont les bienvenues. Quant à l'appareil photo, mieux vaut l'oublier un peu pour une fois.

En étant collé à son objectif, on a tendance à passer à côté du spectacle ! Et puis, à moins d'être un vrai pro de l'image, c'est quasi impossible d'avoir une photo réussie de nageoire ou de saut de baleine. Tout va beaucoup trop vite ! Les bateaux de whale-watching ne se comptent plus sur le port de Lahaina mais il faut porter son choix, sans hésiter, sur la « Pacific Whale Foundation ». Cet organisme à but non lucratif vise à protéger les baleines. Sur le bateau, de jeunes biologistes bénévoles racontent l'histoire passionnante de ces mammifères marins et toute une série d'anecdotes que les baleines en plein show illustrent magnifiquement bien. Le bateau est équipé d'un hydrophone ce qui permet d'écouter le chant étonnant des mâles. Un poster est offert à tous les participants au retour. Adultes : 30$ en moyenne. Enfants : 15$ à partir de 7 ans et gratuit en-dessous.

**PACIFIC WHALE FOUNDATION**
Kiosque sur le port ou Boutique
612 Front Street
✆ (808) 667-7447
www.pacificwhale.org

*Baleine à bosse.*

Seulement de la mi-mai à la mi-décembre, pour ne pas jouer aux auto-tamponneuses avec les baleines qui occupent les eaux le reste de l'année.

**WEST MAUI PARASAIL**
Port de Lahaina – Kiosque n° 15
✆ (808) 661 4060
www.westmauiparasail.com

### Surf

Les vagues des environs de Lahaina, notamment sur la plage de Baby Beach, sont douces et très abordables pour les débutants. D'où la concentration des écoles de surf autour du port.
C'est le moment où jamais de se jeter à l'eau pour ceux qui veulent apprendre à surfer !

**GOOFY FOOT SURF SCHOOL**
505 Front Street – Suite 123
✆ (808) 244 9283
www.goofyfootsurfschool.com
*Cours individuel de 2h : 150 $. En groupe : 100 $ le cours à 2, 175 $ le cours à 3 et pour la 4e personne, c'est gratuit !* Et, si au bout du 1er cours, on ne surfe pas au moins une fois, on est remboursé. Pour les plus aguerris, location de planches de surf à partir de 15 $ les 2h.

## LA CÔTE AU SUD DE LAHAINA

Sur la Highway 30, en direction de Maalaea, rien de folichon… L'attraction principale de la côte, c'est en fait ses plages. Lahaina ne possède pas de plage, à part la modeste Baby Beach au nord, donc cela vaut la peine de prendre la route vers le sud, après la visite du centre-ville, pour aller piquer une tête !

### Points d'intérêt

**LAUNIUPOKO WAYSIDE PARK**
*Entre la balise 18 et 19 miles, au sud de Lahaina, sur la route 30.* Spot de surf pour débutants. Aire de pique-nique, douches et toilettes.

**UKUMEHAME BEACH PARK**
*Entre la balise 13 et 14 miles vers le sud et après Launiupoko Beach Park.* Plage familiale et peu fréquentée par les touristes. Bon spot de surf pour les initiations aussi. Tables de pique-nique et grils de barbecue à disposition. Douches.

**PUAMANA BEACH PARK**
Quand on quitte Lahaina en direction de Maalaea, c'est la première plage qu'on aperçoit sur l'autoroute, à droite. Idéale pour la baignade et la plongée avec tuba. Débutants en surf bienvenus.Très joli point de vue sur l'île de Lanai. Aire de pique-nique.

## KAANAPALI

En partant de Lahaina, compter 15 minutes en voiture vers le nord, sur la route 30.
Bordée d'une longue plage de sable blanc sur plusieurs kilomètres, Kaanapali est la zone touristique par excellence où s'alignent les plus grands hôtels de luxe, hélas hors de prix. Malgré son manque de caractère, c'est l'endroit idéal pour la baignade et les sports nautiques.
La promenade « Ka'anapali Beach Walk », qui longe tous les complexes hôteliers, est particulièrement agréable au coucher de soleil.

### Transports

Les magnifiques plages de Kaanapali étant avant tout destinées aux clients des hôtels qui y vont à pied, on n'y accède pas facilement en voiture et le problème majeur est le stationnement.
La solution la plus pratique, c'est de se garer au centre commercial Whalers Village, mais attention, comme l'indique le panneau « No beach parking », ils ne doivent pas comprendre que vous vous garez juste pour aller à la plage. Donc prenez vraiment peu d'indices avec vous et laissez le parasol à l'hôtel. Ils doivent vous prendre pour un client. Au pire, achetez une glace dans le centre et filez à l'anglaise !
Autre solution plus « licite » : se garer dans l'un des parkings des hôtels de luxe en tant que visiteur, mais c'est payant, 10 $ en moyenne. Le seul parking gratuit, c'est celui du Sheraton (suivre le panneau « Beach access parking »), mais il est tout petit et souvent plein à craquer. Il ouvre à 7h, alors arrivez tôt pour espérer y trouver une place.

### Hébergement – Restaurants

Complexes hôteliers de luxe obligent, les restaurants sont souvent chers. Mieux vaut aller s'attabler à Lahaina où le choix est plus large et les prix moins élevés.
Toutefois, quelques établissements présentent un bon rapport qualité-prix.

■ **KAANAPALI BEACH HOTEL**
2525 Ka'anapali Parkway
✆ (808) 661-0011 – www.khbmaui.org
*Chambres doubles avec petit déjeuner de 225 à 485 $ selon la vue.* Certainement l'hôtel le moins cher du coin. Mais ce n'est pas donné pour autant !

■ **HULA GRILL**
Whalers Village
2435 Ka'anapali Parkway
✆ (808) 667 6636 – www.hulagrill.com
*Déjeuner autour de 15 $ et dîner à partir de 25 $.* Toutes les tables ont une vue imprenable sur la mer et les îles de Lanai et Molokai. Spécialités : grillades et fruits de mer. Mention spéciale pour leur délicieux homard.

■ **JONNY'S BURGER JOINT**
2395 Honoapi'ilani Highway
✆ (808) 661 4500
*Ouvert tous les jours jusqu'à 2h du matin. Service jusqu'à minuit. Entre 7 et 14 $.* Des burgers variés, excellents et roboratifs.

## Points d'intérêt

■ **WHALERS VILLAGE MUSEUM**
2435 Ka'anapali Parkway
Suite H16 – ✆ (808) 661 5992
www.whalersvillage.com
*Entrée libre. Ouvert de 9h30 à 22h.* Petit musée qui retrace l'histoire baleinière de Lahaina au XIXe siècle.

■ **BLACK ROCK BEACH**
Juste en face du Sheraton. Un des meilleurs spots à Maui pour pratiquer la plongée avec tuba. Les eaux de cette plage, protégée du vent par le volcan endormi Black Rock, sont limpides, les surfeurs la fréquentent peu et les poissons tropicaux sont partout. Y aller plutôt le matin car la mer est plus claire.

■ **CANOE BEACH**
Comme l'indique son nom, cette plage est le point de départ des courses de canoës. Mais c'est aussi le bon endroit pour faire du jet-ski ou de la plongée avec tuba. Toilettes et douches sur place. Baignade surveillée tous les jours.

■ **DIG ME BEACH**
On y vient surtout pour admirer le magnifique coucher de soleil. Plage idéale pour la baignade, les surfeurs débutants et les apprentis boogie-boarders.
Attention cependant aux forts courants en hiver.

■ **KAHEKILI BEACH PARK**
À l'extrémité nord de Kaanapali. Cette plage porte le nom de Kahekili, le dernier roi de Maui qui était réputé pour son physique imposant et terrifiant ; la moitié de son corps était couverte de tatouages obscurs. Plage familiale, jolie, calme et peu fréquentée en comparaison des autres. Tables de pique-nique, toilettes et douches à proximité. Parfait pour une initiation à la plongée avec bouteilles.

## Shopping

■ **WHALERS VILLAGE**
2435 Ka'anapali Parkway
✆ (808) 661 4567
www.whalersvillage.com
Centre commercial chic avec boutiques de haute couture et bijouteries de renom. Rien de très original, mais les multiples activités entièrement gratuites méritent qu'on aille y faire un tour.
Le programme mensuel complet est régulièrement mis à jour sur le site du Whalers Village. Entre autres réjouissances : cours de hula, shows de danse tahitienne, ateliers de fabrication de lei (les fameux colliers de fleurs)...

## Sports et loisirs

### Plongée

■ **MAUI DIVE SHOP**
Whalers Village
2435 Ka'anapali Parkway – Suite N
✆ (808) 661 5117
www.mauidiveshop.com
*10 $ la location de l'équipement.*

### Golf

■ **KAANAPALI GOLF RESORT**
Whalers Village
2290 Ka'anapali Parkway
✆ (808) 661 3691
*Très beau terrain de golf, mais tarifs élevés. De 140 à 185 $ la partie.*

# HONOKOWAI, KAHANA ET NAPILI

Difficile de savoir où commencent et où finissent ces trois zones résidentielles, au nord de Kaanapali, appelées Honokowai, Kahana et Napili !
C'est une concentration successive d'appartements construits pour les touristes.

Il peut être intéressant d'y loger dans la mesure où la location d'appartements est meilleur marché que les hôtels de Kaanapali et que tous sont en bord de mer.
Quitte à choisir, il faut préférer Napili en raison de sa magnifique plage, une des plus belles de Hawaii.

## Hébergement

### ■ ACCOMMODATIONS MAUI

252 Lahainaluna Road
✆ (808) 661 6655
www.accommodationsmaui.com
*De 125 à 285 $ par jour avec 4 à 6 couchages.* Bien que basée à Lahaina, cette compagnie propose des locations d'appartements, pour la nuit, la semaine ou le mois, aussi bien à Honokowai qu'à Napili ou Kahana.

### ■ HALE NAPILI

65 Hui Drive – Napily Bay
✆ (808) 669 6184
www.halenapili.com
*Studios pour deux à partir de 160 $. 15 $ par personne supplémentaire. Réservations à l'avance.* Appartements confortables et pas chers, à Napili exclusivement. Vue imprenable sur la mer !

### ■ KULEANA MAUI

3959 Lower Honoapi'ilani Road
Lahaina
✆ (808) 669 8080
www.kuleanaresorts.com
*Entre 135 et 160 $ le studio et à partir de 225 $ pour 4 personnes.* Appartements parfaitement équipés, situés à Napili.

## Restaurants

### ■ GAZEBO

Napili Shores Resort
5315 Lower Honoapi'ilani Highway
Napili ✆ (808) 669 5621
*Ouvert de 7h30 à 14h. Petit déjeuner ou déjeuner uniquement. Compter 10 $ maximum.* Restaurant très prisé pour sa superbe vue sur la baie de Napili et sa carte à prix très raisonnables en dépit d'un emplacement de rêve. Conséquence logique : environ 45 minutes d'attente avant d'avoir une table. Spécialités : omelettes portugaises, salades géantes et burgers en tout genre. Un régal !

### ■ SOUP NUTZ & JAVA JAZZ

3350 Lower Honoapiilani Road
Honokowai ✆ (808) 667 0787
*Ouvert de 6h à 21h. Fermeture à 17h le dimanche. Repas à 12 $ en moyenne.* Une sorte de « restaurant-galerie d'art », tellement les œuvres du patron ont envahi l'espace ! Le tout donne une atmosphère chaleureuse et décalée. Bon rapport qualité-prix.

### ■ SEA HOUSE

5900 Lower Honoapiilani Road
Honokowai ✆ (808) 669 1500
*15 $ le déjeuner et environ 45 $ le dîner.* Délicieuses spécialités locales de fruits de mer. Goûter au crabe sur pain sucré hawaiien et aux crevettes à la noix de macadamia. Penser à réserver une table près de la fenêtre pour profiter de l'incroyable vue sur Napili Bay.

## Points d'intérêt

### ■ HONOKOWAI BEACH PARK

L'endroit parfait pour pique-niquer car on y trouve tables, barbecue, toilettes et terrain de jeux. Mais pour la baignade ou la bronzette, mieux vaut changer de plage car la vue n'est pas top et la mer est rocailleuse... Parking sur Honoapiilani Road.

### ■ KAHANA BEACH

Pas facile d'accès, en raison des appartements juste en face qui ont tendance à accaparer la plage. Du coup, l'accès grand public débouche sur une crique pleine de cailloux et il faut la longer pour accéder à la plage de sable fin. Le parking le plus proche est celui de Pohaku Park.

### ■ NAPILI BAY

Incontestablement, la plus belle plage des trois ! L'inconvénient, c'est que tout le monde y va... Donc, si c'est pour la sieste, fuyez ! Les cris des enfants risquent de vous mettre de mauvaise humeur. Mais pour faire du snorkeling ou nager, c'est « the place to be ». Même chose pour les boogie-boarders ou les surfeurs en herbe.
Pour se garer, pas facile, Il faut tourner un bon moment pour trouver une place, vu que la plupart des parkings sont réservés aux résidences touristiques.

## Shopping

Plusieurs épiceries ou marchés valent le coup d'œil et peuvent être utiles pour les achats de première nécessité si on ne veut pas se rendre dans les centres commerciaux de Lahaina. Quelques boutiques d'accessoires de sport également.

■ **BOSS FROG'S DIVE AND SURF**
4310 Lower Honoapiilani Road
Honokowai © (808) 669 6700
Une bonne adresse pour louer un boogie-board ou du matériel de plongée à moins de 10 $ par jour.

■ **HONOKOWAI MARKETPLACE**
Lower Honoapiilani Road – Honokowai
Plusieurs restaurants et snacks dans ce petit centre commercial. À noter : une épicerie y est ouverte jusqu'à 2h du matin.

■ **FARMERS' MARKET OF MAUI**
3636 Lower Honoapiilani Road
Honokowai © (808) 669 7004
*Ouvert tous les jours de 7h à 19h.* Produits frais et locaux. Bar à soupes et salades à emporter.

# KAPALUA

Avec ses plages sublimes et ses restaurants gastronomiques, Kapalua est la station balnéaire la plus chic et la plus glamour de la côté ouest de Maui. Il n'est pas rare d'y croiser des milliardaires ou des stars américaines qui viennent s'y faire dorer la pilule ou jouer au golf. Kapalua est en effet très fréquentée par les passionnés de golf du monde entier à condition qu'ils soient très riches bien sûr...

## Hébergement

Pour ceux qui veulent jouer les jet setters, il suffit d'aller au Ritz-Carlton pour la modique somme de... 400 $ la nuit. Pour les autres, mieux vaut axer leurs recherches sur Honokowai, Kahana ou Napili, où la location est à prix abordable (voir plus haut). Quant à ceux qui veulent rêver sans payer, ils peuvent faire des photos dans l'hôtel. Et de là à faire croire qu'ils y étaient...

■ **RITZ-CARLTON KAPALUA**
1 Ritz-Carlton Drive
© (808) 669 6200 – www.ritzcarlton.com

## Restaurants

Les restaurants hors de prix mis à part, on peut trouver à Kapalua quelques tables de qualité à prix accessibles.

■ **PINEAPPLE GRILL**
200 Kapalua Drive © (808) 669 9600
www.pineapplekapalua.com
*Compter 20 $ pour déjeuner et 3 fois plus pour dîner.* Plats sophistiqués et originaux où l'ananas à la part belle. Également un grand choix de fruits de mer et de grillades.

■ **SANSEI SEAFOOD**
600 Office Road © (808) 669 6286
*Sushis de 3 à 24 $. Autres plats jusqu'à 43 $. Réservation recommandée.* Pour les fans de sushis et pour les amateurs de cuisine aux accents multiculturels. Mais la cerise sur le sushi, c'est le karaoké, tous les jeudis et vendredis soir, de 22h à 1h du matin, et à la japonaise s'il vous plaît !

## Points d'intérêt

■ **MAUI PINEAPPLE COMPANY**
© (808) 665 5491
www.mauipneapple.com
*Tous les jours à 9h ou 11h45 en fonction de la formule choisie. 45 $ la visite de 2h30 et 65 $ si on inclut le déjeuner.* Rendez-vous au Kapalua Adventure Center, dans le Kapalua Resort, pour un circuit organisé dans les champs d'ananas. Au programme : retour sur l'histoire de cette plantation centenaire, cueillette à la main et dégustation. Chaussures solides recommandées ainsi que des manches longues pour ne pas se blesser dans les champs car les feuilles d'ananas sont coupantes. En cadeau : l'ananas qu'on a cueilli. Vu le prix du circuit, on comprend que l'ananas soit offert !

■ **D.T. FLEMING BEACH PARK**
Classée « plus belle plage » des États-Unis en 2006, D.T. Fleming Beach Park tient son nom de l'Écossais D.T. Fleming, un des directeurs historiques de la Maui Pineapple Company. Boogie-boarders et surfers y sont les grands habitués. Mais, l'hiver, les vagues violentes peuvent être dangereuses pour les plus téméraires. Grand parking pour une fois, mais il se remplit à la vitesse de la lumière.

■ **KAPALUA BEACH**
Une très jolie plage de sable blanc aux eaux cristallines comme on en rêve !
Plongée, baignade ou bronzette sont des activités qu'on peut y pratiquer sans problème. Même les phoques moines hawaiiens, dont l'espèce est menacée, aiment s'y promener ! Un hic cependant : le parking encore et toujours. Le succès de ce spot fait que les places de stationnement, en petit nombre, ont tôt fait de disparaître. En y allant vers 9h, on a plus de chances de pouvoir se garer.

■ **ONELOA BEACH**
Spot de boogie-board. Se baigner avec

précaution en raison des courants parfois forts. Parking sur Ironwood Lane et accès à la plage juste en face.

### MOKULEIA BAY ET HONOLUA BAY

*Sur la route, les plages s'étendent entre les balises 32 et 33 miles.* Les baies de Mokuleia (aussi appelée Slaughterhouse Beach) et de Honolua sont des spots de snorkeling incontournables quand l'eau est calme, en été. En hiver, quand les vagues se déchaînent, ce sont les surfeurs qui prennent le relais. D'ailleurs, le mondial féminin de surf, la Billabong Pro Maui, s'y tient tous les ans en décembre. Les deux plages sont séparées par le Kalaepiha Point, le tout constituant une réserve marine protégée où il est interdit de pêcher. Sous l'eau, on aperçoit des poissons exotiques rares et même des dauphins à long bec. Pour l'occasion, l'achat d'un appareil photo jetable étanche n'est pas superflu.

## Sports et loisirs

Deux sortes de loisirs dans cette région : les sports nautiques (voir les plages dans « Points d'intérêt ») et le golf. On y trouve des terrains de golf magnifiques et les prix qui vont avec ! Entre 215 et 300 $ la partie.

### KAPALUA GOLF ACADEMY

1000 Office Road © (808) 669 6500
www.kapaluamaui.com

### KAPALUA BAY COURSE

300 Kapalua Drive © (808) 669 8820
www.kapaluamaui.com

# DE KAPALUA À WAILUKU

Le long de la Kahekili highway (route 340), de Kapalua à Wailuku, les paysages et les sites sont aussi magnifiques qu'intéressants. Compter 1h30 de route pour cette trentaine de km car la vitesse est réduite à 15 mph (25 km/h) et la route étroite.

## Points d'intérêt

En suivant la route vers le sud, plusieurs haltes s'imposent.

### PUNALAU BEACH

*Environ 5 minutes après la balise 34 miles. Un panneau indiquant « Punalau Beach » signale un chemin qui débouche sur la plage du même nom. Sentier accessible à pied exclusivement.* Des rochers de lave et les nombreux cailloux en font une plage sauvage et insolite. Pour éviter les blessures, la baignade est à proscrire. En revanche, marche et pique-nique y sont très agréables.

### NAKALELE BLOWHOLE

*Entre la balise 38 et 39 miles, on arrive au Nakalele Point. Du parking, on aperçoit assez facilement l'impressionnant « blowhole », littéralement « le trou souffleur ».* En empruntant le petit chemin à proximité, on peut le voir de plus près après 30 minutes de marche.

### POHAKU KANI

*Un peu avant le mile 16, on aperçoit, sur le bord de la route, une roche appelée « Pohaku kani » avec des points d'impact.*

MAUI

*Kapalua Beach aussi appelée Fleming beach.*

C'est une « bellstone », une pierre à réso-nance métallique qui servait à envoyer des messages chez les Hawaiiens. En la frappant avec une pierre, on arrive à obtenir un bruit sourd, mais il faut s'y reprendre à plusieurs fois !

**OLIVINE POOLS**

*Juste après la balise 16 miles.* Une piscine d'eau turquoise naturelle, entourée de rochers ! Une halte rafraîchissante et reposante.

**KAHAKULOA**

Charmant petit village d'à peine 100 habitants. Au creux d'une vallée et bordé de plages de galets, il est dominé par l'imposant rocher Kahakuloa Head. Balade sympa dans les ruelles mais guère de visites possibles, si ce n'est celles des deux églises. Plusieurs échoppes vendent pain à la banane et shave ice (sorbets), des remontants délicieux pour les conducteurs gourmands.

**WAIHEE VALLEY**

En poursuivant la route en direction de Wailuku, on traverse la très luxuriante Waihee Valley.

**WAIHEE RIDGE TRAIL**

Le Waihee Ridge Trail est un sentier de randonnée assez facile mais, en cas de mauvais temps, mieux vaut laisser tomber car tous les points de vue panoramiques sur la côte seront cachés par les nuages. Pour y accéder, il faut prendre la Maluhia Road sur une distance de 1 mile environ, un panneau indique ensuite l'entrée du chemin. Au cours de la promenade, on arrive à des escaliers qui mènent à un temple restauré, le Kukuipuka Heiau, d'où la vue est superbe.

# LA PLAINE CENTRALE

Entre les montagnes de West Maui et le volcan Haleakala, s'étend une vaste plaine au centre de Maui. Les vents forts et les pluies fréquentes y rendent les températures plus fraîches que sur la côte ouest. Essentiellement composée de champs de canne à sucre, cette région compte tout de même deux villes importantes sur sa côte nord, Kahului et Wailuku. Pas vraiment pittoresques, elles méritent cependant qu'on s'y arrête.

## KAHULUI

C'est ici que se trouvent le plus important port industriel de l'île et l'aéroport.

C'est ici également que se concentrent les zones commerciales et les grandes surfaces pour shopping en tout genre. Très urbanisée, avec des routes souvent congestionnées aux heures de pointe, Kahului réserve pourtant quelques bonnes surprises à ceux qui ne la fuiront pas dès le premier abord.

### Transports

Si on n'a pas trouvé de voiture de location à l'aéroport, ce qui arrive souvent en haute saison, le moyen de transport le plus pratique reste le bus. Quant aux deux-roues, ils sont à éviter en raison de la circulation dense de Kahului.

#### Bus

**MAUI BUS**

www.mauicounty.gov/bus

A partir du terminal de bus situé au Kaahumanu Center, on peut aller à Lahaina, Kihei, Wailea ou Maalaea. 1 $ le trajet. Deux bus sont gratuits : le « Kahului Loop », qui fait le tour de Kahului, et le « Wailuku Loop », qui relie les deux villes.

### Pratique

#### Banques

**BANK OF HAWAII**

27 S. Puunene Avenue

✆ (808) 871 8250

Emplacement pratique, avec un distributeur 24h/24. Par ailleurs, tous les centres commerciaux sont équipés de distributeurs de billets.

#### Poste et télécommunications

**KAHULUI POST OFFICE**

138 S. Puunene Avenue

✆ (808) 871 2487

*Ouverte de 8h à 16h30 du lundi au vendredi. De 9h à midi le samedi.*

**KINKO'S**

Dairy Center – 395 Dairy Road

✆ (808) 244 9056

*Ouvert de 7h à 22h du lundi au vendredi, de 9h à 21h le samedi et de 9h à 18h le dimanche.* Internet haut débit à 20 cents la minute. Imprimante, scanner et fax. Vente de timbres et boîte aux lettres sur place.

## Pharmacie

■ **LONG DRUGS**
Maui Mall – 70 E. Kaahumanu Avenue
✆ (808) 877 0041
*Ouverte du lundi au samedi de 8h à 21h et le dimanche de 8h à 17h.*

## Orientation

Situé à l'est de Kahului, l'aéroport est relié au centre par la Haleakala Highway et la Hana Highway. La route principale, la Kaahumanu Avenue, conduit à Wailuku tandis que la Dairy Road mène à Lahaina et Kihei, au sud.

## Hébergement

Les hôtels manquent de charme à Kahului et sont plus chers qu'à Wailuku.
À ne réserver que si on est vraiment coincé…

■ **MAUI BEACH HOTEL**
170 Kaahumanu Avenue
✆ (808) 871 0051 – www.elleairmaui.com
*De 117 à 285 $ la chambre double, selon qu'on a vue sur l'océan ou pas. Shuttle gratuit pour l'aéroport de 6h à 21h.* À deux pas de l'aéroport, donc pratique si on prend l'avion tôt le matin. Mais c'est un établissement au confort fonctionnel et conventionnel. Belle piscine tout de même.

## Restaurants

On peut manger partout à Kahului et pour une somme modique. L'ennui, c'est que la plupart des restaurants sont des antennes locales des chaînes américaines de fast-food. Si on recherche une cuisine typique ou gastronomique, il faut passer son chemin. Pour les plus affamés, quelques bons plans cependant…

■ **DA KITCHEN**
425 Koloa Street
✆ (808) 871 7782
*Plats à moins de 10 $.* Spécialités hawaiiennes à prix fast-food. Formules à emporter.

■ **PIZZA IN PARADISE**
60 E. Wakea Avenue
✆ (808) 871 8188
*Ouvert jusqu'à 21h du lundi au jeudi. Jusqu'à 22h les vendredi et samedi. Fermé le dimanche. Pizza entière environ 20 $, part de pizza 7 $.* Pour les inconditionnels de la pizza ! Pizza entière ou part de pizza, au choix. Mention spéciale pour la recette locale de la « Paniolo meat lovers ». Livraison possible de Kahului à Wailuku.

## Sortir

### Spectacles

■ **MAUI ARTS & CULTURAL CENTER**
1 Cameron Way
✆ (808) 242 2787 – www.mauiarts.org
Spectacles d'artistes locaux ou de stars internationales. Programme en ligne sur leur site. Également des projections dans le cadre du Maui Film Festival (plus d'infos : www.mauifilmfestival.com)

*Vue de la baie et du port de Kahului.*

## Le kitesurf

Le kitesurf est un sport nautique de traction, on l'appelle aussi flysurf ou kite. Accroché à une barre, on se fait tracter par un cerf-volant (kite) ou une aile distants d'une vingtaine à une trentaine de mètres, tout en glissant sur une planche de surf de taille plus réduite. Cette activité extrême, qui a souffert d'une mauvaise réputation par le passé (plusieurs accidents mortels), est aujourd'hui beaucoup plus accessible. Lancé par Manu Bertin, un champion de planche à voile français résidant à Hawaii dans les années 1990 et par les frères Legaignoux, le kitesurf connaît actuellement un fort succès touristique en raison des sensations fortes qu'il procure et de son esprit de liberté. Le spectacle est formidable, le kitesurfeur pouvant effectuer des sauts de 20 m de haut ! Pour toute information, consulter le site de la Fédération française de kitesurf : www.kitesurf.fr

## Points d'intérêt

**KANAHA BEACH PARK**

Entre le port et l'aéroport, Kanaha Beach est le terrain de jeux des windsurfeurs et des kiteboarders en raison de sa bonne exposition aux vents. L'eau trouble et agitée n'en fait pas un lieu de baignade agréable, mais l'aire de pique-nique aménagée à proximité attire les familles le week-end. Grand parking.

**KANAHA POND BIRD SANCTUARY**

*Remonter la Hana Highway en direction du port. Un panneau indique l'entrée sur la droite. Ouvert du lever au coucher du soleil. Entrée libre. Parking.* Nichée dans la baie de Kahului, cette réserve naturelle est le refuge d'oiseaux rares hawaiiens. On y rencontre notamment la foulque de Hawaii, une espèce endémique en voie de disparition. Jumelles conseillées.

## Shopping

Tous les supermarchés sont regroupés sur la Dairy Road et la Kaahumanu Avenue. Ce sont Wal-Mart, Kmart, etc. Impossible de les louper ! Rayons souvenirs bien fournis et moins chers que dans les petites boutiques de l'île.

## Sports et loisirs

### Kitesurf

Pour une initiation au kitesurf, Kanaha Beach est l'endroit rêvé. Plusieurs écoles de kite à proximité.

**ACTION SPORTS MAUI**

Kite Board School – 96 Amala Place
✆ (808) 871 5857
www.actionsportsmaui.com
*240 $ pour 3h30 de cours pour débutants.*

### Windsurf ou planche à voile

Pour louer sa planche à voile quand on est déjà un windsurfeur pro ou prendre un cours quand on n'y connaît rien, les bonnes adresses ne manquent pas à Kahului !

**MAUI WINDSURF COMPANY**

22 Hana Highway ✆ (808) 877 4816
www.mauiwindsurfcompany.com
*Cours individuel : 60 $ de l'heure. Cours en groupe : 89 $ les 2h30. Location de planches à voile : de 49 $ la journée à 319 $ la semaine.*

**SECOND WIND**

111 Hana Highway ✆ (808) 877 4816
www.secondwindmaui.com
*Location de planches à voile de 49 $ la journée à 290 $ la semaine.*

# WAILUKU

Capitale administrative du comté de Maui, Wailuku n'est pas vraiment une ville touristique, mais ses différents sites historiques et les devantures anciennes de ses boutiques lui donnent un cachet particulier, entre archaïsme et modernité.

## Transports

Comme pour Kahului, mieux vaut avoir une voiture… Reste le bus, si on n'a pas le choix.

### Bus

**MAUI BUS**

www.mauicounty.gov/bus
Bus gratuit entre Kahului et Wailuku. Le « Kahului Loop » s'arrête notamment au Maui Medical Center et au bureau de poste.

## Pratique

### Office du tourisme

**MAUI VISITOR'S BUREAU**

1727 Wili Pa Loop
✆ (808) 244 3530 – www.visitmaui.com

Cartes et brochures gratuites sur toute l'île. Les bureaux de l'office du tourisme de l'aéroport sont cependant plus riches en documentation.

## Banques

### AMERICAN SAVINGS BANK

790 Eha Street ✆ (808) 244 8162

### FIRST HAWAIIAN BANK

27 Market Street ✆ (808) 877 2377

## Poste

### POST OFFICE

250 Imi Kala Street ✆ (808) 2441653
*Ouverte de 8h à 16h30 du lundi au vendredi et de 9h à 12h le samedi.*

## Santé

### MAUI MEMORIAL MEDICAL CENTER

221 Mahalani Street ✆ (808) 877 7467
24h/24 avec un service d'urgences.

## Hébergement

### BANANA BUNGALOW

310 North Market Street
✆ (808) 244 5090 – www.mauihostel.com
*26 $ par personne en dortoir, 55 $ la chambre double avec salle de bains à partager. Réservation à l'avance.* Sans aucun doute, la meilleure auberge de jeunesse de Maui pour faire la fête et se faire des amis des quatre coins de la planète. Les célibataires ne le restent pas longtemps… Le patron, grand fêtard devant l'Éternel, organise régulièrement des soirées à thème avec bières et barbecue offerts all night long !
Mais le top, c'est les circuits à travers Maui, quotidiens et gratuits, en minibus. Le programme change chaque jour et il suffit de s'inscrire la veille. Une occasion économique de découvrir l'île, tout en faisant connaissance avec ses voisins de bus, surtout quand on n'a pas de budget voiture ! À la fin de la journée, un pourboire au chauffeur et au guide sont tout de même les bienvenus… Bien sûr, il y a un hic : les chambres et les douches ne sont pas toujours très propres car ce sont des jeunes qui s'occupent du nettoyage en échange de leur hébergement, et comme ils font aussi beaucoup la fête, la propreté s'en ressent ! Joli petit jardin tropical où l'on peut flâner et papoter, mais attention aux moustiques car ils sont féroces. Un Jacuzzi s'y trouve également. Accès Internet, télé, baby-foot et parking gratuits. Cuisine entièrement équipée avec café offert.

### NORTHSHORE HOSTEL

2080 West Vineyard Street
✆ (808) 986 8095
www.accommodations-maui.com
*25 $ la nuit en dortoir, 65 $ en chambre double.* Rien à voir avec l'ambiance de son concurrent direct le Banana, mais cette auberge est confortable et bien aménagée. Dortoirs spacieux et propres. Appels locaux et internationaux gratuits. Accès Internet offert. Cuisine parfaitement équipée. Le staff de l'établissement peut venir vous chercher à l'aéroport ou vous y déposer.

### OLD WAILUKU INN

2199 Kahookele Street
✆ (808) 244 5897 – www.mauiinn.com
*De 165 à 195 $ la chambre double. Réservation un mois à l'avance pour 2 nuits minimum. Check-in à partir de 14h.* Une Bed and Breakfast où on se sent immédiatement bien. Les 10 chambres de l'hôtel portent toutes un nom de fleur hawaiienne qui fait rêver. La déco fleurie, le mobilier cosy des années 1920 et les couvre-lits faits main participent au sentiment de bien-être. Et pour que le corps soit en harmonie avec l'esprit, le petit déjeuner est un pur régal !

## Restaurants

On mange pour pas cher à Wailuku et c'est tellement « ono » (« délicieux » en hawaiien).

### A.K'S CAFE

1237 Lower Main Street
✆ (808) 244 8774 – www.akscafe.com
*Ouvert du mardi au samedi de 11h à 14h et de 17h à 21h. Déjeuner 10 $ maximum, dîner 18 $.* « Mangez mieux », telle est la devise de ce restaurant bio dont la chef, Elaine Rothermel, est une ancienne nutritionniste. Rien à dire ; non seulement c'est bon pour la ligne mais c'est bon tout court ! Spécialités hawaiiennes à l'honneur pour des prix très raisonnables.

### CAFÉ MARC AUREL

28 North Market Street ✆ (808) 244 0852
www.cafemarcaurel.com
*Ouvert du lundi au vendredi de 7h à 18h et jusqu'à 1h du matin le samedi. Fermé le dimanche. Sandwiches, pizzas, salades à moins de 10 $. Véritable café expresso pour 2,25 $.* Comme l'indique son nom, ce bistrot est très branché nourriture et culture européennes. La Méditerranée est déclinée sur tous les tons, des murs peints en rouge au sandwich pita au hoummous ou au tzatziki.

L'Italie n'est pas oubliée, comme en témoignent les appétissantes pizzas épinards-mozza. Petit clin d'œil à la France au passage avec « The Monsieur » : un croque-monsieur avec de la vraie moutarde de Dijon… Mais ce n'est pas tout ! Le café fait office de galerie d'art, de salle de concerts tous les soirs à partir de 19h30 et, surtout, d'atelier de dégustation de vin ! Le tout est bio et bon marché, ce qui fait de ce Marc Aurel un lieu vraiment parfait !

**MAUI BAKE SHOP**
2092 Vineyard Street ✆ (808) 242 0064
*Ouvert du mardi au vendredi de 6h30 à 14h30. Le samedi de 7h à 13h. Fermé le dimanche. Pâtisseries, soupes, salades, sandwiches à moins de 7 $.* Au régime ? Oups… Mieux vaut ne pas lire la suite ! Du bon pain et des croissants faits comme au bon vieux temps dans un four traditionnel en brique (1935). L'odeur chatouille délicieusement les narines dès l'entrée. Normal, José Krall, le boulanger, a appris son métier dans le sud de la France.

## Point d'intérêt

**BAILEY HOUSE MUSEUM**
2375 A Main Street ✆ (808) 244 3326
www.mauimuseum.com
*Ouvert du lundi au samedi de 10h à 16h. Fermé le dimanche. Entrée : 5 $.* Ce musée présente l'une des plus belles collections d'objets artisanaux anciens de Maui. Construit en 1833, le bâtiment appartenait au couple de missionnaires Edward et Caroline Bailey et c'est ici que le couple inaugura le premier séminaire de Wailuku. À côté du mobilier d'époque, les nombreux paysages peints par M. Bailey sont autant de précieux témoignages sur Maui au XIXe siècle.

## Shopping

Pour faire ses emplettes à Wailuku, il suffit de flâner sur North Main Street ou Market Street, où se succèdent antiquaires, librairies et galeries d'art. Derrière leurs devantures en bois identiques, chaque boutique est unique et mérite qu'on en franchisse le seuil.

**MAUI BOOK SELLERS**
105 Market Street ✆ (808) 244 9091
www.mauibooksellers.com
Petite librairie iconoclaste de livres neufs et d'occasion, où café et thé sont offerts à tous les visiteurs. Tous les mois, concours de slam par des artistes de Maui et du reste de l'archipel !

**REQUESTS MUSIC**
10 North Market Street ✆ (808) 244 9315
Une sélection étonnante et éclectique de disques neufs et d'occasion. Impossible d'en sortir les mains vides, vu le choix et les prix (*de 5 à 10 $*).

**SIG ZANE**
53 Market Street
✆ (808) 249 8997 – www.sigzane.com
C'est un des magasins du créateur hawaiien Sig Zane, originaire de Big Island. Tous ses vêtements s'inspirent des fleurs et plantes locales. Style distingué et le prix qui va avec : à partir de 80 $ la chemise et 135 $ la robe.

# PUUNENE

Ce petit village d'à peine 50 habitants, entouré de champs de canne, s'est vidé au moment du déclin de l'industrie sucrière, au XXe siècle.

**ALEXANDER & BALDWIN SUGAR MUSEUM**
3957 Hansen Road
✆ (808) 871 8058
www.sugarmuseum.com
*Ouvert du lundi au samedi de 9h30 à 16h30. Entrée : 5 $.* Si, aujourd'hui, l'industrie sucrière a quasiment disparu à Hawaii, elle a été pendant longtemps le principal moteur de son économie. Alexander & Baldwin était l'une des « Big Five », à savoir une des cinq compagnies qui avaient le monopole de l'exploitation du sucre. À côté de la raffinerie de sucre encore en activité, une ancienne maison de directeur de plantation a été restaurée puis aménagée en musée. Photos et archives racontent le développement de l'industrie sucrière à Hawaii et l'arrivée massive de main-d'œuvre étrangère qu'elle a suscitée. Les ouvriers venaient de toute l'Asie et du Portugal. Cette immigration est directement à l'origine de l'important métissage de l'archipel.

# IAO VALLEY ROAD

Plusieurs jolies choses à voir le long de cette route.

**KEPANIWAI PARK & HAWAII NATURE CENTER**
Iao Valley Road
*Parc ouvert jusqu'à 19h ; entrée libre. Musée ouvert de 10h à 16h ; entrée : 5 $ adultes et 3 $ enfants de moins de 12 ans.* À travers sculptures et pavillons, le Kepaniwai Park rend hommage à tous les groupes de migrants

venus s'installer à Maui et, plus généralement, à Hawaii. Ici un sablier anglais, plus loin une petite villa de style portugais, sans oublier les objets d'art chinois ou japonais. Un peu plus loin sur la route, le Hawaii Nature Center permet aux visiteurs de se familiariser avec la faune et la flore de l'archipel grâce à une muséographie interactive et ludique. Les enfants ne s'y ennuient pas une seconde ! Quant à la visite guidée de la Iao Valley organisée par le musée, c'est un attrape-touriste à éviter !

**TROPICAL GARDENS OF MAUI**
200 Iao Valley Road © (808) 244 3085
www.tropicalgardensofmaui.com
*Ouvert du lundi au samedi de 9h à 17h. Entrée : 3 $.* Magnifique jardin de plantes tropicales du monde entier et de fleurs endémiques de Hawaii. La promenade, au milieu de parfums enivrants, dure 30 minutes. On peut aussi pique-niquer sur place.

**IAO VALLEY STATE PARK**
*À partir du centre de Wailuku, prendre la route 32 vers l'ouest. Le parc national se trouve à la fin de la route. Ouvert de 7h à 19h. Entrée libre.* Une jolie vallée verdoyante surplombée par l'étonnant pic, le « Iao Needle », résultat de l'érosion volcanique pendant plusieurs milliers d'années. Les locaux l'appellent « Kukaemoku » car ce serait le phallus du dieu des océans ! 762 m tout de même... De nombreux alii (membres de la famille royale) ont été enterrés dans cette vallée. Mais elle a surtout été le théâtre de combats historiques. Le roi Kamehameha I^er^, artisan de l'unification des îles de Hawaii, y a mené une violente bataille pour conquérir Maui, en 1790. Grâce à sa victoire, il prit possession de l'île et devint le premier roi de Hawaii, en 1792.
Le sentier balisé et bien entretenu de la vallée rend la randonnée agréable et facile. Le long du chemin, de nombreux points de vue et plantes locales. Compter 40 minutes environ.



# LE SUD DE L'ÎLE

De Maalaea à Makena, en passant par les villes de Kihei et Wailea, le sud de Maui est aussi vaste que diversifié. Son essor touristique remonte aux années 1970 et n'a jamais cessé depuis. Cette région concentre restaurants, boutiques et résidences hôtelières. Si les prix restent abordables à Kihei, il faut compter le double à Wailea qui est beaucoup plus chic. Plus au sud, on trouve les magnifiques plages dorées de Makena, avec leur vue imprenable sur Molokini Island.

## MAALAEA

Peu de choses à faire à Maalaea qui est avant tout une zone résidentielle.

### Transports

#### Bus

Prendre le bus n° 10 à Kahului ou le n° 15 à Kihei et descendre à la station « Maalaea Harbor Village ». 1 $ le trajet.

### Orientation

À l'extrême sud de la côte Ouest de Maui. Maalaea s'organise autour du village de son port, le Maalaea Harbor Village, et son aquarium, le Maui Ocean Center. On peut rejoindre la ville par la Highway 30 en partant de Wailuku ou Lahaina.

### Restaurants

Snacks et restaurants se trouvent au Maui Ocean Center ou dans le Maalaea Harbor Village.

**MAALAEA GRILL**
300 Maalaea Road © (808) 243 2206
*Ouvert de 10h30 à 21h du mardi au dimanche. Fermeture à 15h le lundi. Plats autour de 20 $.* Spécialités de fruits de mer, dans un cadre boisé très relaxant. Superbe vue sur l'océan. Meilleur rapport qualité-prix pour les sandwiches à midi (*10 $ en moyenne*).

### Point d'intérêt

**MAUI OCEAN CENTER**
192 Maalaea Road © (808) 270 7000
www.mauioceancenter.com
*Ouvert de 9h à 17h, jusqu'à 18h en juillet-août. Entrée : 25 $ adultes et 18 $ enfants de 3 à 12 ans.* Bel aquarium moderne et interactif où l'on découvre tous les poissons tropicaux des eaux hawaiiennes, mais aussi des tortues marines et des raies mantas. Pour les plus aventureux, une expérience unique est proposée : plonger dans le bassin des requins ! L'immersion dure 40 minutes et elle est précédée d'une présentation des espèces. Sensations fortes garanties pour 199 $. Ce n'est pas donné mais, à ce prix-là, on est sûr de ne pas se faire croquer ! (À condition de ne payer qu'à la sortie.)

## Sports et loisirs

Rendez-vous à Maalaea Harbor pour des excursions de snorkeling à Molokini, de la pêche sportive, une croisière au crépuscule ou encore du whale-watching. Pour s'y retrouver, quelques compagnies et leurs tarifs :

### Croisières avec dîner

**PRIDE OF MAUI**
✆ (808) 242 0955
www.prideofmaui.com
*70 $ les 2h de croisière, avec dîner et open bar.*

### Pêche sportive

**MAKOA KAI**
✆ (808) 573 0383 – www.makoakai.com
*800 $ les 4h de pêche sur bateau privatisé.*

### Plongée avec tuba (snorkeling)

**FRIENDLY CHARTERS**
✆ (808) 244 1979
A bord du catamaran Lani Kai, direction Molokini pour 98 $. Avantage majeur : ce catamaran a une partie ombragée, bien agréable en plein cagnard !

**MAHANA NAIA**
✆ (808) 871 8636
*90 $ l'expédition en catamaran vers Molokini.*

# KIHEI

Il y a encore 30 ans, Kihei était une petite ville que personne ne visitait. Aujourd'hui, un tiers de la population de Maui y vit et elle figure dans le hit-parade des villes américaines au développement le plus rapide. Malgré le bruit et la circulation incessante, Kihei attire de nombreux touristes, séduits par ses appartements bon marché, ses jolies plages, ses bars animés et ses excellents restaurants.

## Transports

### Bus

Prendre le bus n° 15 à Maalaea Harbor ou le bus n° 10 à Kahului, au Kaahumanu Center. Tous deux desservent différents arrêts sur South Kihei Road.

### Vélo

Des pistes cyclables sont aménagées le long des deux autoroutes, mais attention, les accidents sont fréquents aux intersections.

**SOUTH MAUI BICYCLES**
1993 S. Kihei Road
✆ (808) 573 0383 – www.stirflux.com
*À partir de 22 $ la location à la journée et 99 $ à la semaine.*

## Pratique

### Banques

La plupart des banques se trouvent sur South Kihei Road et Piilani Highway. Toutes ont des distributeurs.

**AMERICAN SAVINGS BANK**
1215 S. Kihei Road ✆ (808) 879 1977

**HAWAII NATIONAL BANK**
1325 S. Kihei Road ✆ (808) 879 8877

### Poste et télécommunications

**POST OFFICE**
1254 S. Kihei Road ✆ (808) 879 1987
*Poste ouverte de 8h30 à 16h30 en semaine et de 9h à 13h le samedi.*

**COFFEE STORE**
1279 S. Kihei Road ✆ (808) 875 4244
*Ouvert de 6h30 à 20h. Fermeture à 17h le dimanche.* Cybercafé dans le centre commercial Azeka Mauka. 20 cents la minute.

### Santé

**URGENT CARE MAUI PHYSICIANS**
1325 S. Kihei Road ✆ (808) 879 7781
*Ouvert de 7h à 22h. Sans rendez-vous.*

**LONG DRUGS**
1215 S. Kihei Road ✆ (808) 879 2259
*Pharmacie ouverte de 8h à minuit. Fermeture à 21h les lundi et samedi, 19h le dimanche.*

## Orientation

Pas de vrai centre-ville à Kihei. Centres commerciaux, résidences hôtelières et restaurants s'alignent sur South Kihei Road, qui est donc très souvent bondée. On peut rejoindre assez facilement la Piilani Highway qui lui est parallèle et moins encombrée ; une route alternative pratique pour se rendre à Makena.

## Hébergement

Ni camping, ni auberges de jeunesse à Kihei mais des Bed and Breakfast et des appartements à louer pour des prix abordables, que ce soit pour une nuit ou un mois.

## Bien et pas cher

**■ DREAMS COME TRUE ON MAUI**
3259 Akala Drive © (808) 879 7099
www.dreamscometruonmaui.com
*De 89 à 169 $ la chambre de 2 à 4 personnes avec un minimum de 4 à 6 nuits. À la semaine : de 575 à 1 095 $. Petit déjeuner inclus.* Même si le nom de ce B&B fait très Disneyland, c'est une bonne affaire. Kitchenette et wi-fi dans chaque chambre.

**■ KAI'S BED & BREAKFAST**
80 E. Welakahao Road
© (808) 874 6407 – www.mauibb.com
*De 85 à 105 $ la chambre double avec un minimum de 4 à 5 nuits. À la semaine : de 595 à 710 $. Réservations au moins un mois à l'avance.* 3 chambres confortables avec coin cuisine parfaitement équipé, TV et wi-fi. Un charmant petit cottage dans le jardin pour 4 personnes à 125 $ la nuit pour un séjour d'une semaine minimum. Prêt gratuit de masques et tubas, vélos et boogie-boards. Lave-linge et sèche-linge à disposition. Un B&B très demandé !

## Confort ou charme

**■ KOA RESORT**
811 S. Kihei Road © (808) 879 3328
www.mauikoaresort3f.com
*De 100 à 115 $ la location pour 2, de 100 à 140 $ pour 4 et de 160 à 240 $ pour 6.* Des appartements au confort simple, adaptés aux familles et petits budgets. Plage juste en face. Cuisine entièrement équipée avec micro-ondes et lave-linge. Jacuzzi, piscine et terrain de golf. Pour plus de calme, éviter les chambres qui donnent sur la très fréquentée South Kihei Road.

**■ LUANA KAI**
8940 S. Kihei Road
© (808) 879 1268 – www.luanakai.com
*De 109 à 179 $ la nuit en appartement pour 2 personnes, de 129 à 299 $ pour 4 à 6 personnes.* Les bâtiments et le mobilier datent un peu mais le tout est cosy et on se sent vite chez soi. Les appartements à louer ont toutes les commodités : lave-linge, TV, cuisine avec micro-ondes, wi-fi... En libre accès : Jacuzzi, sauna, piscine et courts de tennis. Attention, certaines chambres ne sont pas climatisées ; vérifier au moment de la réservation.

**■ KAMAOLE SANDS**
2695 S. Kihei Road © (808) 879 3273
www.kamaole-sands.com
*De 210 à 240 $ la nuit en appartement de 4 à 6 personnes pour 4 à 6 nuits minimum. De 185 à 210 $ la nuit pour un séjour d'une semaine à un mois.* Une grande propriété au gazon verdoyant qui regroupe de petits immeubles aux appartements ravissants et modernes. Rien ne manque à l'intérieur : TV écran plat, cuisine entièrement équipée, lave-linge et sèche-linge, douche, baignoire, clic-clac pour les invités, matériel de plongée... Terrasse avec tables et chaises : parfait pour un petit déjeuner en douceur. Jacuzzi, piscine, courts de tennis et terrains de volley accessibles à tous. Pour gagner la plage Kamaole III, il suffit de traverser la rue. Réception ouverte 24h/24, avec accès Internet et impression offerts aux clients du complexe.

## Restaurants

Les bonnes adresses ne manquent pas pour déjeuner et dîner à Kihei ! Deux établissements incontournables :

**■ WOK STAR**
1913 S. Kihei Road © (808) 495 0066
http://wokstarcafe.com
*Bol de nouilles 9 $.* Délicieuses nouilles selon des recettes chinoise, japonaise, thaïe ou indonésienne. Un bol, et on n'a plus faim jusqu'au lendemain !

**■ ROY'S KIHEI**
Piilani Shopping Center
303 Piikea Avenue
© (808) 891 1120
www.roysrestaurant.com
*Pizzas entre 10 et 16 $. Plats de 18 à 35 $. Réservation recommandée.* Restaurant du célèbre chef Roy Yamaguchi, grand maître de la cuisine hawaiienne s'il vous plaît ! Le menu gargantuesque « dim sum » ou les « imu baked » pizzas devraient en faire fondre de plaisir plus d'un.

## Sortir

Kihei est bien animée en soirée. Les bars sont concentrés à Kihei Kalama Village.
Il faut aller faire un tour dans au moins deux d'entre eux.

**■ LIFE'S A BEACH**
Kihei Kalama Village
1913 S. Kihei Road © (808) 891 8010
*Ouvert de 11h à 2h du matin.* Somptueuse vue sur la plage. Clientèle de surfeurs et de jeunes fêtards tous azimuts. Soirées DJ ou Karaoké. Happy-hour de 16h à 19h.

### LULU'S

Kihei Kalama Village – 1945 S. Kihei Road
✆ (808) 879 994 – www.lulusmaui.com
*Ouvert de 11h à 2h du matin. Compter 10 $ environ.* Très bonne ambiance. Grand choix de pupus (apéritifs hawaiiens) et de burgers. Live music. Happy-hour de 14h à 18h en semaine et de 16h à 18h le week-end : bières et cocktails à 3 $.

## Points d'intérêt

### HAWAIIAN ISLANDS HUMPBACK WHALE NATIONAL MARINE SANCTUARY

726 S. Kihei Road ✆ (808) 879 2818
http://hawaiianhumbackwhale.noaa.gov
*Ouvert de 10h à 15h du lundi au vendredi. Entrée libre.* Bienvenue aux amoureux des baleines à bosse et aux fans de whale-watching ! Expositions scientifiques et brochures historiques sur ce mammifère marin qui vient chaque année se reproduire dans les douces eaux de Hawaii. Le Sanctuaire propose un point de vue idéal sur la baie pour observer les baleines. Si vraiment vous n'y voyez rien, un télescope est à votre disposition.

### CHARLEY YOUNG BEACH

Jolie plage de sable fin. Parfaite pour la baignade et la bronzette. Maîtres nageurs sur place. Bon spot de plongée avec tuba au niveau du rocher volcanique

### KALAMA BEACH PARK

Plage avec aire de pique-nique, toilettes et douches. Terrain de jeux des skateurs et volleyeurs. Baignade agréable.

### KALEPOLEPO BEACH PARK

Petite plage ombragée, calme et peu profonde. Exactement ce qu'il faut pour les enfants. Aire de pique-nique avec tables et gril. Toilettes.

### KAMAOLE BEACH PARK I, II ET III

La plus belle plage ! Elle est divisée en trois sections. Douches et maîtres nageurs. Parfait pour nager ou faire une initiation à la plongée avec tuba. Les débutants en surf y trouveront leur compte car les vagues sont à leur portée.

### KEAWAKAPU BEACH

Belle plage. Moins fréquentée que les autres. Idéale pour s'initier au surf sans se prendre la honte…

### MA POINA OEIAU BEACH PARK

Plage agréable avec douches et toilettes. Surf et planche à voile l'après-midi, quand le vent se lève. Pratique du kayak.

## Shopping

### Centres commerciaux

### KIHEI KALAMA VILAGE MARKETPLACE

1941 S. Kihei Road ✆ (808) 879 6610
Boutiques de vêtements et d'artisanat local.

### Supermarchés

### FOODLAND

1881 S. Kihei Road
✆ (808) 879 9350

### SAFEWAY

277 Piikea Avenue ✆ (808) 891 9120
*Ouvert 24h/24.*

### Vêtements

### HONOLUA SURF COMPANY

2411 S. Kihei Road ✆ (808) 874 0999
Tenues tendance aux couleurs de Hawaii.

## Sports et loisirs

Les magnifiques plages de Kihei permettent de pratiquer de multiples sports, même si le moins fatiguant et le plus populaire reste la bronzette !

### BOSS FROG'S

2395 S. Kihei Road
✆ (808) 875 4477 – www.bossfrog.com
*Location de matériel pour 1,50 $ par jour et 9 $ la semaine.*

### BIG KAHUNA ADVENTURES

1913-C S. Kihei Road ✆ (808) 875 6395
www.bigkahunaadventures.com
*Cours de surf de 2h pour 60 $. Location de kayak pour 40 $ la journée.*

# WAILEA

Avec ses hôtels de luxe et ses superbes terrains de golf, Wailea est beaucoup plus chère que sa voisine Kihei. Heureusement que ses plages de rêve sont gratuites ! Sinon, il n'y aurait vraiment rien à faire dans le coin.

## Transports

### Bus – Shuttle

### www.mauicounty.gov/bus

Prendre le bus n° 10 à Kahului, au Kaahumanu Center, ou au Piilani Shopping Center, à Kihei. Descendre à Wailea Ike Drive.

Un shuttle gratuit relie les hôtels de luxe et les terrains de golf de Wailea. On peut le prendre et faire un ou deux arrêts pour visiter des hôtels à la classe tout simplement divine.

## Hébergement

Les hôtels de Wailea sont hors de prix. Il faut les voir comme des musées. On peut les visiter et les admirer mais pas y séjourner. Pour rêver à quand vous serez riche, il suffit de visiter le plus beau de tous…

### ■ GRAND WAILEA RESORT HOTEL & SPA

3850 Wailea Alanui Drive
✆ (808) 875 1234
www.grandwailea.com
*De 725 à 1 450 $ la chambre double, de 1 900 à 16 450 $ la suite.* Avec ses 9 piscines, son jardin tropical, ses cocotiers, ses cavernes artificielles, ses chutes d'eau, ses hectares de gazon verdoyant, ses escaliers de marbre immaculés, le Grand Wailea est une sorte de paradis – un brin aseptisé – où absolument rien n'a été laissé au hasard. Lors de la visite de l'hôtel, glissez-vous discrètement dans l'une des piscines et allongez-vous sur un transat. Quelle sensation d'opulence ! Si une remarque vous fait descendre de votre petit nuage – eh oui, vous n'êtes pas client – un accès à la magnifique plage de Wailua vous permettra de prolonger le rêve autrement…

## Restaurants

On s'en doute, les restaurants ne sont pas donnés à Wailea, mais en ce qui concerne la qualité, rien à redire.

### ■ JOE'S BAR & GRILL

Wailea Tennis Center
131 Wailea Ike Place ✆ (808) 875 7767
www.bevgannonsrestaurants.com
*Compter de 30 à 45 $ le repas.* Avec ses chaises rustiques, ses poutres apparentes et son plancher, la grande salle du Joe's Bar fait très western, comme un clin d'œil aux paniolos locaux, ces cow-boys de Hawaii. Et pas mal ovni tout de même, le resto étant situé dans un centre d'entraînement de… tennis, ce qui permet aux fans, près des baies vitrées, de suivre les matchs comme à Roland-Garros. L'étonnement se poursuit devant l'assiette où les recettes américaines bien continentales et les influences culinaires îliennes fusionnent avec brio. La palme revient à la délicieuse citrouille au four accompagnée de sa purée et ses piments au miel.

### ■ TOMMY BAHAMA'S TROPICAL CAFÉ

Shops at Wailea
3750 Wailea Alanui Drive
✆ (808) 875 9983
www.tommybahama.com
*Autour de 20 $ le déjeuner et 40 $ le dîner.* Proche de la boutique Tommy Bahama, le restaurant du même nom est une bonne surprise. Ventilos au plafond et bar en bambou plantent un décor postcolonial entre exotisme et modernité. Malgré son emplacement au Shops at Wailea – boutiques de luxe – les prix restent raisonnables. Spécialités de sandwiches et salades sur des thèmes caribéens, cubains ou polynésiens. La « Tahitian Tuna Salad » au poisson cru est un incontournable.

## Points d'intérêt

### ■ MOKAPU & ULUA BEACH

Pour accéder à ces deux plages, il faut d'abord se garer dans le parking près de l'hôtel Wailea Marriott. Un petit chemin à proximité mène directement sur la plage. À droite, Mokapu Beach, et à gauche, Ulua Beach. Le récif de corail protège les eaux des courants et sécurise la baignade malgré l'absence de maîtres nageurs. Ulua Beach est idéale pour le snorkeling et pour les débutants en plongée sous-marine. Le revers de la médaille, c'est que ses eaux claires attirent beaucoup de monde. Mokapu Beach est bien plus tranquille puisque l'hôtel qui la bordait vient d'être démoli et que sa clientèle s'est envolée. Douches et toilettes.

### ■ POLO BEACH

On arrive à la plage de Polo Beach en prenant le sentier qui la relie à Wailea Beach. Quand on voit le Fairmont Kea Lani Resort, on y est. Baignade, snorkeling et bronzette sont à l'honneur. Sable doré et eaux translucides obligent !

Les transats de l'hôtel peuvent gêner, mais il reste encore beaucoup d'espace pour se prélasser. Aire de pique-nique, toilettes et douches.

### ■ WAILEA BEACH

Malgré l'omniprésence des clients du Four Seasons et du Grand Wailea, la Wailea Beach est une plage agréable où on peut encore étaler sa serviette. Les activités de prédilection sont les mêmes que pour ses voisines : snorkeling, baignade et bronzage ! Douches et toilettes.

## Shopping

### ■ THE SHOPS AT WAILEA

3750 Wailea Alanui Drive
✆ (808) 891 6770
www.shopsatwailea.com
Gucci, Fendi, Louis Vuitton... toutes les marques sont dans ce centre commercial en plein air, lumineux, et où les gens ont l'air content de se promener. Mais c'est presque tout. Les prix exorbitants calmeront les ardeurs des plus grands accros au shopping. Quelques restaurants, comme le Tommy Bahama's (voir plus haut) valent le détour. Un point positif : le parking n'est pas payant et on peut y laisser sa voiture pour aller visiter les hôtels de luxe à proximité, comme le Grand Wailea qui est à 5 minutes de marche.

## Sports et loisirs

Outre les innombrables sports nautiques possibles sur les plages, on peut pratiquer le golf.

### ■ WAILEA GOLF CLUB

100 Golf Club Drive
✆ (808) 875 7450
www.waileagolf.com
*200 $ la partie en moyenne.*

# MAKENA

En conduisant vers le sud après Wailea, on arrive à Makena en à peine 10 minutes.

> ## L'île de Kahoolawe
>
> C'est une île inhabitée de 116 km², à 10 km au sud-ouest de Maui et qu'on peut apercevoir des plages de Makena. Son climat aride n'a jamais permis aux Hawaiiens d'y vivre durablement.
>
> Avec l'entrée des États-Unis dans la seconde guerre mondiale, en 1941, la population en a été définitivement évacuée et l'île est devenue une cible de bombardement dans le cadre d'entraînements de l'armée américaine, ce qu'elle est restée jusqu'au début des années 1990.
>
> Cette activité militaire créant une mini catastrophe écologique, en 1993, sous la pression des Hawaiiens, Kahoolawe a finalement été déclarée réserve naturelle. Aujourd'hui il est interdit aux touristes de visiter cette île ultra protégée.

Quasi inhabitée et avec un seul hôtel – trop cher pour ce que c'est – Makena voit pourtant déferler des millions de touristes chaque année ! Pourquoi ? Réponse : pour les plages sublimes de sa baie.

## Transports

Pas de bus jusqu'à Makena ! Voiture impérative. Pas de véhicule ? Faire du stop ; cela marche plutôt bien en général !

## Points d'intérêt

### ■ ONEULI BEACH, OU BLACK SAND BEACH

Rouler comme si on allait à Big Beach ; un peu avant d'arriver, on aperçoit une route de traverse accidentée et sinueuse, sur la droite. En la prenant, on arrive à Oneuli Beach. Cette petite plage sauvage doit son surnom de « Black Sand Beach » à son sable sombre hérité de l'activité volcanique. Baignade déconseillée à cause du corail coupant dès le rivage. En faisant attention, on peut faire du kayak et plonger avec tuba pour observer poissons et tortues marines, nombreux dans cette mer abritée.

### ■ LITTLE BEACH

Pour accéder à Little Beach, il faut garer sa voiture dans le parking de Big Beach et marcher sur la plage en direction du Puu Olai, un cône volcanique en forme de colline qu'on ne peut pas manquer. Un sentier un peu raide mène en haut de la colline d'où la vue sur la mer est imprenable. En descendant, on arrive à Little Beach, une petite plage où la plupart des gens sont... nus ! Le naturisme est illégal à Hawaii, mais bon, c'est comme ça depuis les années 1960 quand les hippies, venus à Maui pour communier avec la nature, en ont fait leur plage fétiche. Nage, snorkeling et boogie-boarding s'y pratiquent assez facilement.

### ■ MAKENA LANDING

*Environ 2 miles après le centre commercial « The Shops at Wailea ».* Eaux calmes et transparentes, propices à la plongée avec tuba ou à une virée en kayak.

### ■ ONELOA BEACH, OU BIG BEACH

Plage ultra préservée sans une maison ni un hôtel aux alentours. « Oneloa » signifie « longue étendue de sable » en hawaiien et on comprend pourquoi ! Sable moelleux et doré à perte de vue, une « big beach » dans le sens premier du terme, comme l'indique

son surnom. C'est le lieu rêvé pour se faire dorer la pilule, mais attention aux vagues et aux courants, souvent violents. Même le surf y est déconseillé !
En cas de coup de chaleur, faire trempette juste au bord et renouveler la manœuvre jusqu'à obtention du hâle souhaité ! Le coucher de soleil est sublime, mais il vaut mieux filer tout de suite après car la plage est vite déserte et des actes de malveillance ont été constatés à ces heures.

### Dans les environs

**■ AHIHI-KINAU – LA PEROUSE BAY**
En poursuivant sa route au-delà de Makena et, une fois Big Beach dépassé, on arrive sur une baie de rochers de lave qui datent de la dernière éruption du volcan Haleakala, en 1790. C'est là que se trouve la réserve naturelle d'Ahihi-Kinau où il est interdit de pêcher et donc très agréable de faire du snorkeling, la faune marine étant préservée et particulièrement bien abritée.
Un sentier de randonnée d'environ 9 km, le Hoapili Trail, part de la Pérouse Bay et s'achève à Kanaio Beach. De niveau facile, ce parcours au terrain accidenté nécessite de bonnes chaussures.
Prévoir chapeau et écran total car le soleil tape fort. On y voit des paysages lunaires surprenants formés par la lave durcie.

### Le comte de La Pérouse

Jean-François de Galaup, comte de La Pérouse, né en 1741 à Albi, est un navigateur et explorateur français des Lumières. En 1785, mandaté par Louis XVI, il partit pour une énième expédition à travers le monde, à bord des frégates *L'Astrolabe* et *La Boussole*. Bien que le capitaine anglais James Cook ait découvert les îles de Hawaii en 1778, il n'était jamais allé à Maui. Or, c'est lors de cette même expédition, en 1786, que le comte de la Pérouse accosta à Keoneoio, sur la pointe sud-ouest de Maui. Il fut chaleureusement accueilli par les Hawaiiens qui, sur 150 canoës, lui apportèrent fruits et cochons. Ils les troquèrent contre du métal, très prisé par les natifs, qui ne savaient pas en produire mais qui connaissaient le matériau introduit auparavant par le capitaine Cook sur les îles voisines. Une fois à terre, La Pérouse visita quatre villages de la baie, qui portent aujourd'hui son nom. Le comte de la Pérouse disparut en mer en 1788. On a officiellement identifié les épaves de ses frégates en 2005, au large des îles Salomon, dans le Pacifique Sud.



# LA CÔTE NORD

C'est la côte la plus exposée aux vents en hiver, ce qui attire les fans de voile et de surf du monde entier.
C'est aussi un havre de paix luxuriant où l'on prend le temps de vivre. Pas étonnant que nombre de hippies y aient élu domicile dans les années 1960 et n'en soient jamais repartis.

## PAIA

« Un esprit sain dans un corps sain » pourrait être la devise du village de Paia. Supermarchés bios, stages de yoga, galeries new-age, temples bouddhistes, tous ne jurent que par la santé et la zen attitude…
Dans les années 1980, Paia est devenue la capitale mondiale de la planche à voile grâce à la découverte du spot de Hookipa Beach.

### Transports

#### Bus

Prendre le bus n° 35 à Kahului, au Kaahumanu Center, et descendre à « Paia Community Center ».

### Pratique

#### Banque

**■ BANK OF HAWAII**
35 Baldwin Avenue ✆ (808) 579 9511
Distributeur 24h/24.

#### Poste et télécommunications

**■ POST OFFICE**
120 Baldwin Avenue ✆ (808) 579 8866
*Ouvert de 8h30 à 16h30 du lundi au vendredi. De 10h30 à 12h30 le samedi.*

■ **HAZ BEANZ COFFEE HOUSE**
105 Baldwin Avenue © (808) 268 0149
*Cybercafé. Ouvert de 6h à 15h du lundi au vendredi. De 6h à 14h le samedi et de 6h à 13h le dimanche. 2 $ les 15 minutes de connexion.* Café cosy et coloré, à l'ambiance hippie. Les meilleurs expresso de la ville, et bios qui plus est ! Sandwiches entre 3 et 4 $.

## Orientation

Paia est au croisement de la Hana Highway (n° 36) et de la Baldwin Avenue, qui va jusqu'à Makawao, dans l'arrière-pays. Le centre-ville, de taille modeste, s'étend le long de la Hana Highway.

## Hébergement

Pas d'hôtels à Paia mais une auberge de jeunesse et des B&B.

■ **RAINBOW'S END SURF HOSTEL**
221 Baldwin Avenue © (808) 579 9057
www.mauigateway.com/~riki/
*25 $ la nuit en dortoir, 60 $ en chambre double avec salle de bains et cuisine partagées.* Charmante auberge de jeunesse à l'atmosphère familiale et chaleureuse. Propreté impeccable et pour cause : on laisse ses chaussures à l'entrée, comme les Japonais ! Dortoirs spacieux et bien tenus, avec de vrais rangements. Les chambres individuelles ont une déco psychédélique inoubliable – œuvre de hippies sous substance ? – avec une literie au choix : matelas ou futon. À partir de 22h, silence obligatoire car le quartier résidentiel l'impose. Les insomniaques se retrouvent dans la salle télé pour lier connaissance et refaire le monde. Quant aux fêtards, ils partent à la découverte des bars du centre-ville, à 10 minutes de marche.

■ **MAUI BY THE SEA**
523 Hana Highway © (808) 579 9865
www.mauibythesea.com
*199 $ la nuit pour 1 à 2 personnes, 25 $ le couchage supplémentaire.* Appartement lumineux et clair avec une chambre à coucher. Belle terrasse à l'étage avec vue sur l'océan. Cuisine équipée, accès Internet et machine à laver. Appels gratuits vers les fixes de Hawaii et du Canada.

## Restaurants

On peut se régaler à Paia et pour une somme modique.

■ **CAFÉ DES AMIS**
42 Baldwin Avenue © (808) 579 6323
*Ouvert de 8h30 à 20h30. Crêpes de 3 à 9 $.* Des crêpes à Hawaii… Au gruyère, au Nutella et au sucre de canne, comme à la maison ! Et si on n'aime pas les crêpes, les onctueux wraps et leur sauce chutney devraient faire l'affaire pour les mêmes prix.

■ **CAFÉ MAMBO**
30 Baldwin Avenue © (808) 579 8021
*Ouvert de 8h30 à 21h. Autour de 10 $.* Un parfum d'Andalousie se dégage de ce petit restaurant méditerranéen. Tapas, omelettes et fajitas à la carte.

■ **PAIA FISHMARKET**
2A Baldwin Avenue © (808) 579 8030
www.paiafishmarket.com

*Véliplanchistes à Hookipa beach.*

*Ouvert de 11h à 21h30. Compter 15 $ maximum avec les boissons.* Du poisson pour tous les goûts : en sandwiches, en sashimis ou en salade. Sans oublier les fish and chips et les pâtes au poisson ! Très bon rapport qualité-prix. Le must : le mahi burger, qu'on surnomme aussi « ono » burger (« délicieux » en hawaiien).

#### ■ MAMA'S FISH HOUSE

799 Poho Pl. ✆ (808) 579 8488
www.mamasfishhouse.com
*Ouvert de 11h à 14h30 et de 17h à 21h30. Plats entre 45 et 65 $ ! Réservation impérative.* Décor de rêve pour ce restaurant d'inspiration polynésienne installé sur une plage abritée par des cocotiers. Un succès incontestable depuis 36 ans ! Son secret ? Des recettes de poisson et fruits de mer, originales et inventives. On se damnerait pour le dessert « Polynesian Pearl », une mousse de chocolat et sa crème aux fruits de la passion. Mais la qualité se paie. On regrette pourtant qu'à ce prix-là le service soit si aléatoire : les serveurs sont souvent désagréables car débordés et il arrive que, malgré votre réservation, l'attente soit très longue, jusqu'à 1 heure parfois !

## Sortir

#### ■ CHARLEY'S

142 Hana Highway ✆ (808) 579 8085
Concerts live et soirées DJ plusieurs soirs par semaine dans ce pub où la musique country est à l'honneur.

#### ■ JACQUES BISTROT

120 Hana Highway ✆ (808) 579 8844
*Prix corrects.* Ce restaurant tenu par Jacques, un Français, se transforme tous les vendredis soir en mini-club. Programmation éclectique, du latino au jazz et l'électro. Surfeurs et beautiful people de la région aiment bien s'y retrouver.

## Points d'intérêt

#### ■ BALDWIN BEACH

*Prendre la Hana Highway vers l'ouest. Le panneau indiquant la plage apparaît au bout de 5 minutes.* Belle plage de sable blanc où on peut aussi bien se prélasser au soleil que nager. Vagues parfois violentes cependant. Aire de pique-nique, toilettes et douches.

#### ■ HOOKIPA BEACH

*À 2 miles à l'est de Paia, sur la Hana Highway.* Pas top si on veut s'initier au surf ou à la planche à voile car les vagues peuvent y atteindre 10 m de haut. Mais pour admirer les surfeurs ou les véliplanchistes de haut niveau et faire de superbes photos, c'est parfait. Maîtres nageurs, aire de pique-nique, toilettes, douches.

#### ■ SPRECKLESVILLE TOWN BEACH, OU BABY BEACH

En continuant sa route vers l'ouest après Baldwin Beach, on arrive à Sprecklesville Beach, appelée aussi « Baby Beach » car ses eaux calmes et abritées sont fréquentées par de nombreux enfants. Baignade surveillée, aire de pique-nique, douches et toilettes.

## Shopping

### Supermarchés

#### ■ MANA FOODS

49 Baldwin Avenue ✆ (808) 579 8078
www.manafoodsmaui.com
*Ouvert de 8h30 à 20h30.* Supermarché de produits locaux bios. Bon rapport qualité-prix et c'est bon pour le « mana » (le pouvoir spirituel, en hawaiien) !

### Boutiques

#### ■ BIASA ROSE

104 Hana Highway ✆ (808) 579 8602
Magasin de souvenirs pas ringards du tout et aux prix honnêtes.

#### ■ MAUI GIRL

29 Baldwin Avenue
✆ (808) 579 9266 – http ://maui-girl.com
Bikinis ultra tendance made in Hawaii et adaptés aux surfeuses. 50 $ en moyenne.

# HAIKU

Petit village paisible, comme le poème japonais du même nom.
Né de la culture de la canne à sucre, au XIXe siècle, il est aujourd'hui bien loin de l'agitation et du travail intensif des plantations de la compagnie Alexander & Baldwin. Avec son minuscule centre-ville, sa végétation luxuriante, ses habitants accueillants, on s'y sent immédiatement bien.

## Transports

Prendre le bus n° 35 au Kaahumanu Center, à Kahului ou à Paia. 1 $ le trajet.

## Pratique

Banques, centre médical, pharmacies, cybercafé se trouvent tous dans le seul centre commercial de Haiku :

■ **HAIKU MARKETPLACE**
810 Haiku Road

■ **POST OFFICE**
770 Haiku Road ✆ (808) 575 2614
*Ouvert de 8h30 à 16h30 du lundi au vendredi et de 9h30 à 15h30 le samedi.*

### Orientation

Après avoir quitté Hookipa Beach, rouler vers l'ouest et prendre la Haiku Road. La ville est au croisement de la Haiku Road et de la Kokomo Road, qui mène à Makawao, dans l'arrière-pays.

### Hébergement

Pour se sentir coupé du monde, dormir à Haiku est un bon choix. Hormis les moustiques, personne ne vous réveillera. Fêtards s'abstenir.

■ **HAIKU PLANTATION INN**
555 Haiku Road ✆ (808) 575 7500
www.haikuplantationinn.com
*À partir de 130 $ la chambre double, petit déjeuner inclus. Parking.* Ce Bed & Breakfast était à l'origine une maison de la plantation. Construite en 1870, elle appartenait au médecin chargé de soigner les ouvriers. Mobilier d'époque, wi-fi et Jacuzzi. Atmosphère romantique.

### Restaurants

■ **COLLEEN'S**
Haiku Cannery Marketplace
810 Kokomo Road ✆ (808) 575 9211
www.collensinhaiku.com
*Ouvert de 6h à 21h. 10 $ le repas tout au plus.* Sandwiches et salades bios. Le steak des burgers vient des bœufs élevés à Maui et le poisson des pêcheurs de l'île.

■ **PAUWELA CAFE**
375 West Kuiaha Road ✆ (808) 575 9242
www.pauwelacafehaiku.com
*Ouvert de 6h à 12h du lundi au vendredi et de 6h à 11h le samedi. Déjeuner pour 8 $ en moyenne.* Très bien pour le petit déjeuner car les expressos sont excellents et les omelettes consistantes (*7 $ environ*). Sandwiches et salades au déjeuner.

# L'EST DE L'ÎLE

La nature dans toute sa splendeur voilà comment on pourrait définir l'est de Maui. Très préservée, cette région trouve son expression ultime à travers la spectaculaire route de Hana qui est un immanquable de l'île. Il faut prévoir une journée au minimum pour découvrir cette partie de Maui.

## LA ROUTE DE HANA

On appelle « route de Hana », une longue route sinueuse ponctuée de spectacles naturels grandioses, chutes d'eaux majestueuses, plages secrètes, forêts exotiques odorantes et panoramas superbes. Cette route part de Paia pour se terminer à Hana. Il faut environ 3h pour la parcourir, avec les différents arrêts. Il faut compter la journée pour l'aller-retour Paia/Hana car, même si on ne s'arrête pas au retour, le trafic est lent et encombré (300 voitures par jour en moyenne). Cette route est en effet l'attraction à succès de l'île et tous les touristes s'y bousculent !

### Hébergement – Restaurant

■ **CAMPING**
✆ (808) 984 8109
*Cabanes à partir de 45 $ la nuit.* Mais attention, il faut réserver tôt ! Certains s'y prennent un an à l'avance !

■ **NAHIKU AND TI GALLERY AND COFFEE SHOP**
Entre les balises 27 et 28 miles
✆ (808) 248 8800
Café, pain à la banane et fruits secs pour recharger les batteries !

### Points d'intérêt

La route de Hana compte de nombreux arrêts incontournables :

■ **TWIN FALLS**
*S'arrêter au niveau du stand de fruits, vers la balise 2 miles.* Un sentier à proximité conduit aux sublimes chutes Twin Falls dont les eaux couleur émeraude invitent à la baignade. L'eau est fraîche et vivifiante. Si avec ça on n'est pas réveillé... Courants dangereux en cas d'averses.

■ **HUELO ET KAILUA**
Les deux pittoresques villages de Huelo et Kailua se trouvent entre les miles 5 et 6. Une atmosphère rurale comme on n'en voit plus à Maui.

**WAIKAMOI NATURE TRAIL**

*Entre les balises 9 et 10 miles.* Sentier de 30 minutes en pleine forêt parfumée par les eucalyptus. Détente et plaisir des yeux.

**PUHOKAMOA FALLS**

*S'arrêter près de la balise 11 miles.* Un pont permet de s'approcher des chutes Puhokamoa, mais on ne peut pas y accéder. Tables de pique-nique à proximité.

**KAUMAHINA STATE WAYSIDE PARK**

*À la balise 12 miles.* Très joli parc (entrée libre) et belle vue sur la péninsule de Keanae. *Ouvert de 8h à 16h.*

**KEANAE ARBORETUM**

*Un peu avant la balise 17 miles, on arrive au parc botanique Keanae Arboretum.* Un parcours de 30 minutes permet d'y parfaire son éducation en matière d'arbres et de plantes. Entrée libre.

**KEANAE OVERLOOK**

*Entre les balises 17 et 18 miles.* Point de vue sur le village de Keanae et ses champs de taro en forme de patchwork.

**WAIKANI FALLS**

*Entre les balises 21 et 22 miles.* Les plus belles chutes de la route de Hana.

**KAELEKU CAVERNS**

www.mauicave.com

*Juste après la balise 31 miles, prendre Ulaino Road et suivre le panneau qui indique les cavernes. Visite des cavernes de Kaeleku du lundi au samedi de 10h30 à 15h30. Entrée : adultes 11,95 $, gratuit pour les moins de 5 ans.*

**PIILANI HEIAU**

*Continuer sur Ulaino Road.* Au bout de quelques minutes, on arrive aux vestiges du Piilani Heiau. Ce temple, construit au XVI<sup>e</sup> siècle pour Piilani, roi de Maui, reste un lieu sacré pour les Hawaiiens qui n'ont jamais cessé de l'entretenir. 5 $ la brochure avec circuit de visite.

**WAIANAPANAPA STATE PARK**

*Un peu après la balise 32 miles.* Parc agréable pour pique-niquer. La « Black Sand Beach », dont la couleur cendre du sable est due à l'ancienne activité volcanique, est parfaite pour la baignade.

# HANA

La route de Hana arrive à son terme… Hana est une petite ville tranquille bordée d'une jolie baie. Rien d'exceptionnel, et on est presque déçu après avoir vu tant de merveilles !

## Pratique

**HANA RANCH CENTER**

Mill Road ✆ (808) 248 8015

*Centre commercial. Ouvert de 7h à 19h30.* À l'intérieur : un bureau de poste, un supermarché et un distributeur.

**CHEVRON**

5200 Hana Highway ✆ (808) 248 7256

*La seule station-service de la ville. Ouvert de 7h à 19h30.*

**HASEGAWA GENERAL STORE**

5165 Hana Highway ✆ (808) 248 8231

*Supermarché. Ouvert de 7h à 19h du lundi au samedi. De 8h à 18h le dimanche.*

## Hébergement

Pour dormir sur place si on est trop fatigué pour faire la route de Hana dans l'autre sens le même jour.

**JOE'S RENTALS**

4870 Ua Kea Road

✆ (808) 248 7033 – www.joesrentals.com

*50 $ la chambre double, avec salle de bains partagée. 60 $ avec salle de bains privée.* Une dizaine de chambres au confort simple. Cuisine partagée, salle commune avec TV câblée, barbecue.

**HANA HALE INN**

4815 Ua Kea Road ✆ (808) 248 7641

www.hanahaleinn.com

*L'appartement pour 2 de 160 à 200 $ la nuit. Pour 4, compter 260 $.* Très beaux appartements dans des maisonnettes en bois exotique. Cuisine équipée, wi-fi, TV et Jacuzzi.

### Quelques conseils avant de prendre la route…

Avant toute chose, la veille de votre départ, informez-vous du temps qu'il va faire. La route de Hana est souvent pluvieuse et il faut éviter d'y aller si des averses y sont prévues ; le spectacle serait gâché et certains chemins dangereux. Pensez à faire le plein à Paia car, après il n'y a plus une seule station d'essence ! Préparez des sandwiches la veille ou achetez-les dans une supérette de Paia car il n'y aura plus de supermarché avant Hana. En cas de mal des transports, prenez vos médicaments dès le début du trajet ; la route tourne beaucoup et ce serait dommage de salir les sièges de la jolie voiture de location !

■ **HOTEL HANA MAUI**
5031 Hana Highway © (808) 248 8211
www.hotelhanamaui.com
*Chambre doubles de 500 à 875 $. Suites de 1 125 à 1 675 $.* Magnifique hôtel dans un écrin de verdure. Chambres spacieuses avec vue sur l'océan, 2 piscines, 1 spa, 2 courts de tennis, 1 terrain de golf... Café offert, wi-fi inclus et prêt gratuit de vélo 2h par jour. Que demander de plus ?

## Restaurants

Quasiment pas de restaurants à Hana, mis à part le restaurant (hors de prix) de l'hôtel Hana Maui. Mieux vaut faire la cuisine soi-même ! Dans ce cas, acheter des provisions avant d'arriver à Hana. Les rayons des deux seuls supermarchés de la ville ont tôt fait d'être vidés et le choix vite réduit...

■ **TUTU'S**
Hana Beach Park © (808) 248 8224
*Autour de 6 $.* Burgers, salades, shave-ice (glace pilée au sirop).

## Points d'intérêt

■ **HANA CULTURAL CENTER MUSEUM**
4954 Uakea Road – www.hookele.com
*Ouvert de 10h à 16h. Entrée : 2 $.* Petit musée avec exposition d'objets artisanaux et quilts (dessus-de-lit hawaiiens faits main).

### Charles Lindbergh

Fils d'immigrants suédois, Charles Lindbergh naît en 1902 à Détroit, dans le Minnesota. Passionné d'aviation, il abandonne ses études de mécanique en 1922 et passe son brevet de pilote. Les 20 et 21 mai 1927, il devient le premier pilote de l'histoire à traverser l'Atlantique de Paris à New-York. À bord d'un avion spécialement conçu pour l'occasion, le « *Spirit of Saint Louis* », il relie les deux villes en 33h30. Contrairement à une idée reçue, il n'est pas le premier à avoir fait un vol transatlantique ; un vol entre Terre-Neuve et l'Irlande avait eu lieu en 1919, mais la couverture médiatique fut moindre car ce n'était ni Paris ni New-York... Après une vie d'aventurier sous les feux des projecteurs, Charles Lindbergh, grand amoureux de Hawaii, choisit de finir ses jours à Maui. Il meurt d'un lymphome, quasiment dans l'anonymat, le 26 août 1974.

À voir : la réplique d'une chaumière traditionnelle hawaiienne appelée « kauhale ».

■ **HANA BEACH PARK**
Le long de la baie de Hana. Plage de sable sombre bien protégée du vent et idéale pour la baignade, surtout des tout-petits. Maîtres nageurs en été, aire de pique-nique, toilettes, douches.

■ **RED SAND BEACH**
Ici, les couleurs sont incroyables. Le rouge du sable, dû à l'émiettement du cône volcanique surplombant la plage, côtoie le bleu intense d'une piscine de mer créée par un mur de lave sous-marin... Photo obligatoire.
Veillez cependant à ne pas photographier les quelques nudistes qui aiment venir flâner sur cette plage isolée ! Ces eaux turquoise abritées sont enfin l'endroit rêvé pour faire du snorkeling. Pour accéder à la plage, en partant du centre de Hana, aller jusqu'au bout d'Ua Kea Road et se garer sur le parking situé avant l'hôtel Hana-Maui.

# AU-DELÀ DE HANA

C'est la partie orientale de l'île la moins intéressante. Hormis un camping et quelques plages, on peut faire l'impasse sur ce coin si on a un timing serré. Et puis une fois, qu'on a assisté au prodigieux spectacle de la Route de Hana, il faut bien avouer que tout le reste semble encore plus fade !

## Hébergement

■ **KIPAHULU CAMPGROUND**
*À 5 minutes à pied d'Oheo Gulch (voir dans « Points d'intérêt »). En partant de Hana, rouler 40 minutes sur la Hana Highway vers le sud. Camping gratuit Permis de camper pas nécessaire.* Tables, grils et toilettes sur place. Pas d'eau potable ! Temps humide et chaud avec beaucoup de moustiques. Même si le Kipahlu Campground se trouve dans le Haleakala National Park, on ne peut pas accéder au reste du parc à partir de là, pour visiter le cratère par exemple. Il faut aller à l'entrée principale du Haleakala National Park (voir plus loin).

## Points d'intérêt

■ **OHEO GULCH**
*À la balise 42 miles.* Après avoir laissé sa voiture au parking payant (*10 $*), emprunter le sentier qui mène tout droit aux piscines de mer, aussi appelées « Seven Sacred Pools »,

bien qu'on en compte plus de sept. Il fait bon s'y baigner ! Dommage que tant de monde ait la même idée !

■ **GRAVE OF CHARLES LINDBERGH**
*Rouler un mile environ depuis Oheo Gulch.* Sur la droite, une ancienne sucrerie à l'abandon et, sur votre gauche, une route un peu cabossée qu'il faut prendre pour aller à Palapla Hoomau Congretional Church. À côté de cette église sans prétention qui domine la mer, se trouve la tombe du célèbre aviateur Charles Lindbergh.

■ **HAMOA BEACH**
*Sur la Hana Highway en direction du sud, prendre la Haneoo Loop.* Charmante plage entourée de cocotiers et de végétation luxuriante. Les vagues font le bonheur des surfeurs et des boogie-boarders. On peut y nager mais en prenant garde aux courants.

■ **KOKI BEACH**
*À côté de Hamoa Beach.* Un des meilleurs spots de surf de Maui. Baignade possible mais avec prudence à cause des fortes vagues.

# L'ARRIÈRE-PAYS

L'arrière pays de Maui est une terre de contrastes. Entre le majestueux volcan Haleakala et ses paysages lunaires, et les contrées verdoyantes de la route de Kula, les paysages n'ont rien à voir. Sans compter la ville de Makawao où la tradition des « paniolos » (cow-boys hawaiiens) et des rodéos qui vont avec est encore très implantée... En somme, cette région est riche en visites intéressantes et il faut y consacrer de 2 à 4 jours minimum.

## HALEAKALA NATIONAL PARK

Le Haleakala, « maison du soleil » en hawaiien, est un volcan endormi qui occupe les deux tiers de Maui. De sa base à son sommet de 3 055 m, le climat est très changeant : d'une chaleur tropicale, on passe à un froid polaire ! En partant de Kahului, il faut 2h pour parcourir les 38 miles (environ 61 km) qui mènent au cratère. Nulle part au monde, on ne peut passer du niveau de la mer à 3 000 m d'altitude en seulement 61 km... Pourtant, la montée en voiture, raide et sinueuse, peut paraître longue car on n'aperçoit le cratère que sur la fin du trajet et que les étapes sont nombreuses. Le Haelakala est aussi le lieu rêvé pour la randonnée ou le camping.

### Transports

Une fois passée l'entrée du parc, la route devient une succession de virages qui montent de façon très raide. Il faut respecter les limitations de vitesse et ne dépasser sous aucun prétexte. Attention aussi aux cyclistes et aux vaches sur la route. Prendre le temps de s'arrêter à toutes les étapes, pour se reposer et s'habituer à l'altitude. Au retour, utiliser le frein moteur pour éviter une panne ou une surchauffe du véhicule.

### Pratique

#### Tourisme

■ **HALEAKALA NATIONAL PARK**
✆ (808) 572 4400 – www.nps.gov/hale
*Ouvert 24h/24. Entrée : 10 $ par voiture, 5 $ pour les piétons, cyclistes et motocyclistes ; valable 3 jours.*

#### Conseils importants

▶ **Les visiteurs en petite forme,** ayant des problèmes respiratoires ou cardiaques ou qui auraient fait de la plongée sous-marine dans les dernières 24h, ne doivent pas se lancer dans l'ascension du Haleakala. Plus on monte et plus l'oxygène se raréfie, et cela peut être fatal si on est dans l'un de ces cas. En bonne santé ? Prudence tout de même ! Ne pas courir lors des différentes haltes, car on s'essouffle très vite. Marcher à allure modérée et, au moindre malaise ou vertige, s'asseoir, se reposer et boire beaucoup d'eau.

▶ **Vérifier les conditions météo** avant de prendre la route en appelant le ✆ (808) 877 5111 (Park Weather Conditions). Vents forts, averses violentes et neige sont fréquents dans le parc, et parfois mieux vaut différer son départ de quelques jours. De toute façon, emporter une vraie polaire, gants et bonnets. Sinon, c'est la pneumonie assurée à cause des 30 degrés en moins au sommet !

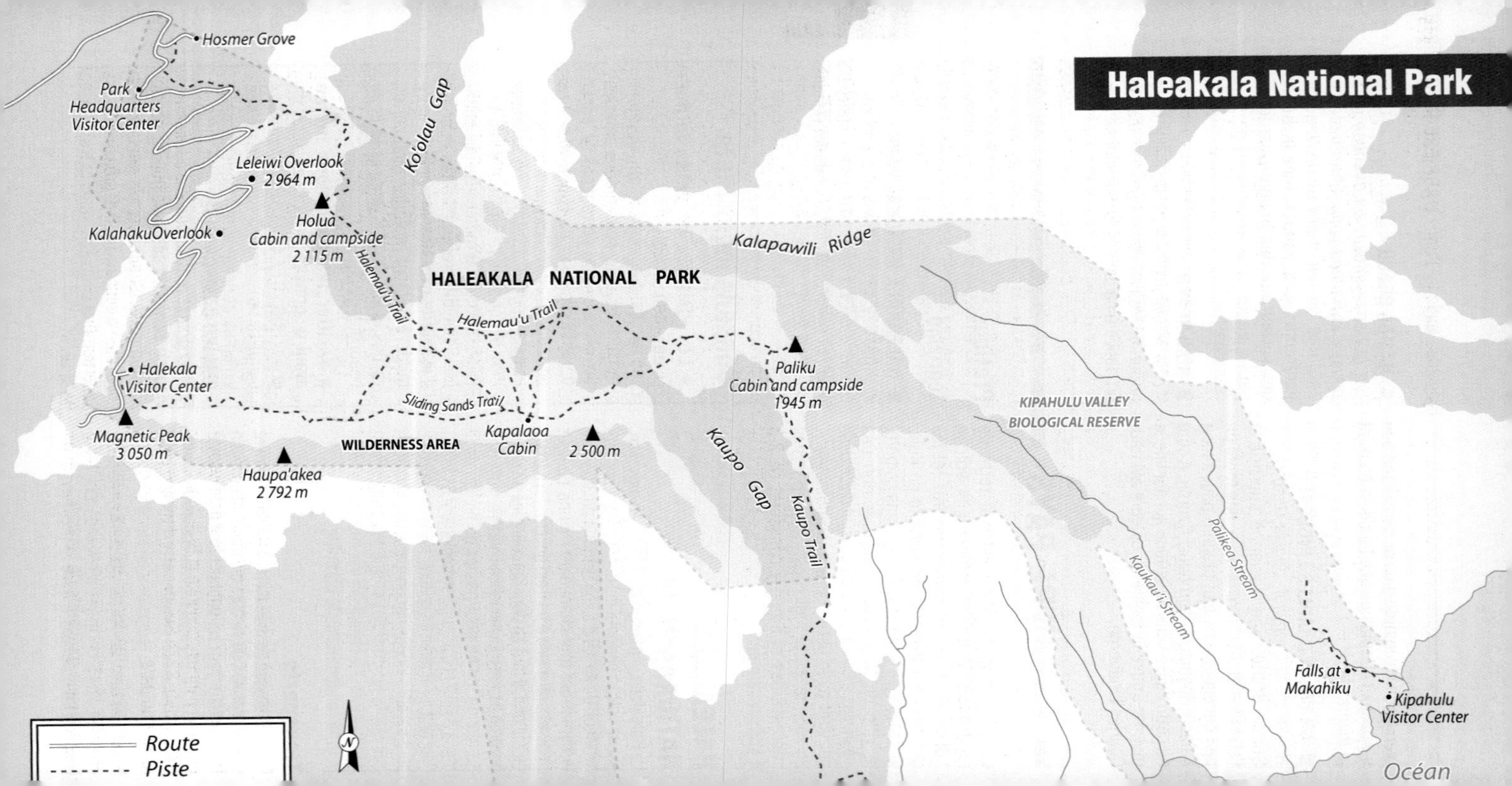
Haleakala National Park
Hosmer Grove
Park Headquarters Visitor Center
Ko'olau Gap
Leleiwi Overlook
2 964 m
Holua
Cabin and campside
2 115 m
KalahakuOverlook
Kalapawili Ridge
HALEAKALA NATIONAL PARK
Halemau'u Trail
Halemau'u Trail
Paliku
Cabin and campside
1945 m
Halekala Visitor Center
Sliding Sands Trail
Magnetic Peak
3 050 m
WILDERNESS AREA
Kapalaoa
Cabin
2 500 m
Haupa'akea
2 792 m
Kaupo Gap
Kaupo Trail
KIPAHULU VALLEY
BIOLOGICAL RESERVE
Kaukau'i Stream
Palikea Stream
Falls at Makahiku
Kipahulu Visitor Center
Route
Piste
Océan

## Le Haleakala en chiffres

- **Naissance :** il y a plus de 900 000 ans.
- **Point culminant :** 3 055 m.
- **Circonférence du cratère :** 34 km.
- **Profondeur du cratère :** 900 m.
- **Dernière éruption :** 1790.
- **Superficie du parc :** 11 600 ha de La Pérouse Bay à Kipahulu Valley, cratère inclus.
- **Classement par l'UNESCO :** Réserve mondiale de la biosphère, en 1980.

**PARK HEADQUARTERS VISITOR'S CENTER**

À 7 000 feet/ 2 133 m d'altitude.

*Ouvert de 8h à 16h.* Centre de documentation sur le volcan et son histoire. Brochures et cartes de randonnée. Une petite boutique de souvenirs.

Le camping est gratuit dans le parc. Les campings et les chalets en pleine nature auxquels on accède via des randonnées nécessitent cependant un permis obligatoire. Ils sont délivrés le jour même, sur simple présentation entre 8h et 15h. Premiers arrivés, premiers servis !

Des rangers du parc organisent régulièrement des randonnées guidées ; il faut les réserver à l'avance en appelant le standard du parc.

### Urgences

Les visiteurs sont responsables de leur propre sécurité. Ne comptez pas sur votre téléphone portable en cas de pépin car la réception est très mauvaise. Une cabine téléphonique se trouve à côté du Park Headquarters (voir ci-dessus).

L'hôpital le plus proche est à 2h de route et, en cas de mauvais temps, les hélicos peuvent refuser de venir vous chercher !

### Orientation

- **En partant de Kahului,** prendre la Hana Highway (route 36) vers l'est puis la Haleakala Highway (route 37). Continuer tout droit jusqu'à ce qu'un panneau annonce la Haleakala Crater Road (route 377). Suivre cette direction pour arriver au parc.
- **En partant de Kihei ou de Kaanapali,** compter 2h45 de trajet au lieu de 2h. Dans tous les cas, penser à faire le plein avant de prendre la route 377 sur laquelle il n'y a pas une seule station d'essence, et c'est le même problème dans tout le parc !

### Hébergement

Camper dans le Haleakala Park est une expérience unique et inoubliable ! Mais il faut bien s'assurer au préalable d'être en possession des permis nécessaires, histoire de ne pas se retrouver coincé au milieu de nulle part à la nuit tombée... Sauf si vous voulez vous entraîner pour la prochaine saison de Koh Lanta ! Les feux de camp sont interdits dans tous les campings pour des raisons évidentes de sécurité (matériau volcanique inflammable et manque d'oxygène).

Des cabanes pour 1 à 12 personnes reviennent à 75 $ la nuit par personne. Les cabanes se trouvent sur différents sites : aux campings de Holua et de Paliku, et dans le désert du Cinder Cone (à la fin du Sliding Sands Trail, continuer 6 miles plus bas, soit environ 9,5 km).

Mais pour obtenir un cabane, c'est un véritable parcours du combattant : il faut envoyer une demande écrite au Haleakala Park 3 mois à l'avance et gagner au tirage au sort qui n'a lieu qu'une fois par mois ! Ensuite, le paiement doit être fait trois semaines à l'avance, sous peine d'annulation de la réservation.

Écrire à : Haleakala National Park P.O. Box 369 Makawao 96768.

Pour les heureux élus, cabanes tout confort : chauffage, gazinière, vaisselle, toilettes, eau (non potable) et jusqu'à 12 couchages avec des vrais matelas ! Mais sans électricité.

**HOSMORE GROVE CAMPGROUND**

*Permis inutile.* Près du Visitor's Center, à 2 072 m d'altitude. Accessible aux voitures. Eau potable, gril et tables. Toilettes.

**HOLUA CAMPGROUND**

*Permis gratuit et obligatoire à demander au Visitor's Center.* Camping accessible uniquement à pied. À 4 miles (6,5 km) du sentier de randonnée, Halemauu Trail. Toilettes. Eau sur place, mais la traiter avant de la boire.

**PALIKU CAMPGROUND**

*Permis gratuit et obligatoire à demander au Visitor's Center.* Accès au camping possible au bout de deux sentiers de randonnée au choix : le Halemauu Trail et le Sliding Sands. Toilettes. Eau sur place, mais la traiter avant de la boire.

## Points d'intérêt

Au fur et à mesure qu'on roule vers le sommet, on passe près de quelques sites intéressants :

**À 6 800 feet (2 072 m) : Hosmer Grove.** Juste à l'entrée du parc. On y trouve le camping Hosmer Grove et des cartes de randonnée illustrées. Les rangers du parc y proposent régulièrement une présentation générale du Haleakala. C'est également ici qu'ils donnent rendez-vous pour le départ des randonnées qu'ils guident. Pour réserver ou pour plus d'infos, appeler le standard du parc.

**À 8 800 feet (2 682 m) : Leleiwi Overlook.** Au bout du parking, très beau et premier point de vue sur le cratère.

Les visiteurs arrivés là en fin d'après-midi pourront vivre une expérience à la « X-Files ». Le « Brocken Specter » se trouvant au niveau des nuages à cette altitude, on voit son propre reflet dans les nuages, au milieu d'un arc-en-ciel ! Et ce n'est pas un effet de l'ivresse de l'altitude, c'est un vrai phénomène scientifique !

**À 9 000 feet (2 743 m) : Kalahaku Overlook.** Un deuxième point de vue sur le cratère, plus détaillé cette fois.

À ce niveau, on peut observer les très rares plantes endémiques, « ahinahina » qui poussent uniquement sur les cônes volcaniques (dits « cinder cone ») et qu'on trouve aussi sur le Mauna Kea et le Kilauea, à Big Island. Facilement reconnaissable à ses aiguilles argentées (d'où son nom anglais « silversword », ou sabre d'argent), cette plante vit environ vingt ans. Arrivée à maturité, elle produit de jolies fleurs violettes pour la première et dernière fois car elle meurt peu de temps après... Attention, la cueillette est tentante mais formellement interdite.

### Lever de soleil au sommet

Assister au lever de soleil sur le cratère du Haleakala est devenu un must, à faire tout particulièrement le Jour de l'an ! Pour ne pas le louper, il faut bien calculer son temps de trajet (voir à la rubrique « Orientation ») et régler son réveil en fonction. Le soleil se lève entre 5h45 et 7h. Pour avoir l'horaire précis, acheter le Maui News, qui le publie chaque jour.

**À 9 740 feet (2 969 m) : Haleakala Visitor's Center.** *Ouvert du lever du soleil à 15h30.* Expositions et brochures à l'intérieur. Point de départ d'un court sentier balisé qui mène à un joli point de vue.

**À 10 023 feet (3 055 m) : Puu Ulaula Overlook.** Le Puu Ulaula est le plus haut sommet de Maui (3 055 m). Une salle circulaire fermée et vitrée permet d'avoir un point de vue de 360 degrés. Accessible 24h/24 et à l'abri du vent glacial, cette pièce est l'endroit idéal pour assister au lever ou au coucher de soleil.

## Sports et loisirs

Pour parcourir le Haleakala, les moyens ne manquent pas !

### Équitation

**PONY EXPRESS TOURS**
✆ (808) 667 2200
www.ponyexpresstours.com
*Différentes balades à cheval avec un guide expérimenté. De 110 $ les 2h à 182 $ la journée.*

### Hélicoptère

**BLUE HAWAIIAN HELICOPTERS**
4870 Ua Kea Road ✆ (808) 871 8844
www.bluehawaiian.com
La compagnie d'hélicoptères de loin la plus sûre de Hawaii. Vols de 50 à 90 minutes de 238 à 413 $. Réserver le vol qui combine la route de Hana et le Haleakala, c'est le plus spectaculaire. Départs de l'héliport de Kahului.

### Vélo

**MAUI DOWNHILL**
4870 Ua Kea Road ✆ (808) 871 2155
www.mauidownhill.com
Plusieurs formules de visites du volcan à VTT avec un guide professionnel. De 125 à 195 $ par personne.

### Randonnée

En dehors de la randonnée de « Hosmore Grove Nature Trail », facile (1h30) et bien balisée, il est fortement recommandé de privilégier les randonnées guidées. Celles des rangers du parc sont bien et gratuites ; il suffit de les réserver (voir à la rubrique « Pratique »). Les conditions climatiques sont en effet difficiles et le terrain immense, et les risques de se perdre ou de mettre sa santé en danger sont bien réels. Pour les intrépides et les professionnels, des randonnées autonomes de 4 ou 8h, avec ou sans nuit sur place (voir à la rubrique « Hébergement »), sont possibles. Tous les détails sur le site www.haleakala.national-park.com

# PUKALANI

Ville résidentielle où les touristes ne s'arrêtent guère que pour retirer de l'argent et faire quelques emplettes.

## Transports

En venant de Kahului, prendre la Haleakala Highway (route 37).

### Bus

Prendre le bus n° 40, ou le « Upcountry Islander », au Kaahumanu Center, à Kahului. Descendre à « Pukalani Terrace ».

## Pratique

Banques, pharmacie et bureau de poste se trouvent tous dans le centre commercial.

■ **PUKALANI TERRACE SHOPPING CENTER**
81 Makawao Avenue

## Shopping

### Supermarché

■ **FOODLAND PUKALANI SHOPPING CENTER**
✆ (808) 572 0674

## Sports et loisirs

### Golf

■ **PUKALANI COUNTRY CLUB**
360 Pukalani Street ✆ (808) 572 1314
www.pukalanigolf.com
*18-trous. Partie de 60 à 79 $.*

# MAKAWAO

La seule ville qui bouge un peu dans l'arrière-pays ! Un vrai centre-ville, des boutiques, des restaurants, des galeries d'art et même un bar où on peut danser !
Makawao mérite qu'on s'y arrête, ne serait-ce que pour découvrir les cow-boys de Maui, les paniolos, et s'imprégner de son atmosphère très western. Si vous passez par là en été, ne manquez pas le légendaire rodéo qui s'y tient début juillet.

## Transports

### Bus

Prendre le bus n° 40, ou le « Upcountry Islander », au Kaahumanu Center, à Kahului. Descendre à « Makawao Library ».

## Pratique

■ **POST OFFICE**
1075 Makawao Avenue
✆ (808) 573 8785
*Ouvert du lundi au vendredi de 8h30 à 16h30, le samedi de 8h30 à 11h.*

■ **MINIT STOP**
1100 Makawao Avenue
✆ (808) 573 9295
*Station-service. Ouvert de 5h à 23h.* Un distributeur de billets sur place.

■ **MAKAWAO PUBLIC LIBRARY**
1159 Makawao Avenue ✆ (808) 573 8785
*Bibliothèque. Ouvert de 12h à 20h les lundi et mercredi et de 9h30 à 17h les mardi, jeudi et samedi.* Fonds historique assez riche sur les paniolos de Makawao.

## Orientation

En partant de Paia, prendre la Baldwin Avenue qui mène tout droit à Makawao.
De Kahului, il faut suivre la Haleakala Highway et bifurquer sur la Makawao Avenue au niveau de Pukalani. Le centre-ville de Makawao se trouve à l'intersection de la Baldwin Avenue et de la Makawao Avenue.

## Hébergement

■ **PEACE OF MAUI**
1075 Makawao Avenue ✆ (808) 572 5045
www.peaceofmaui.com
*55 $ la chambre double, 50 $ la single avec salle de bains et cuisine partagées. 120 $ le cottage pour 2 à 4 personnes, séjour une semaine minimum. Réservations à l'avance.* Très bon rapport qualité-prix pour cet établissement au milieu des champs d'ananas où l'on est sûr d'avoir l'âme en paix, comme semble l'indiquer son nom. Accès Internet offert.

## Restaurants

■ **POLLI'S**
1202 Makawao Avenue ✆ (808) 572 7808
*Plats autour de 10 $.* Restaurant qui mêle cuisines mexicaine, américaine et hawaiienne.

Il ne faut pas louper la happy-hour, du lundi au vendredi de 16h à 17h30, quand les habitués font régner une ambiance bon enfant autour du bar et discutent facilement avec les touristes. Le barman Ray ne manquera pas de vous faire une petite blague ou de parler des derniers films qu'il a vus, car c'est un sacré cinéphile ! Mention spéciale pour la délicieuse et généreuse assiette de pupus mexicains à 5 $, servie avec une bière ou une Margarita (*3 $*).

## Sortir

■ **CASANOVA'S**
1188 Makawao Avenue © (808) 572 0220
www.casanovamaui.com
*Club après 22h. Entrée : 10 $. Pizzas à 15 $ environ.* Enfin un endroit pour faire la fête ! Ce restaurant italien se transforme en discothèque après 22h, trois soirs par semaine : mercredi, vendredi et samedi. Et on peut y manger des bonnes pizzas à l'italienne jusqu'à 23h30 ! Soirées à thème et concerts live. Programmation à consulter sur leur site Internet.

## Point d'intérêt

■ **HUI NOEAU VISUAL ART CENTER**
2841 Baldwin Avenue
© (808) 572 6560 – www.huinoeau.com
*Ouvert de 10h à 16h. Entrée libre.* Un peu à l'écart du centre-ville et des autres galeries, le Visual Art Center propose, tout au long de l'année, des expositions d'artistes locaux. Le Centre organise aussi des stages de peinture, photographie, sculpture sur bois, poterie, pour tous les âges et niveaux : 280 $ les 6 cours ; inscriptions sur leur site Internet. Également, boutique de souvenirs artisanaux à prix raisonnables.

# LA ROUTE DE KULA

La Kula Highway traverse tout le centre de l'île de Pukalani, longe le Haleakala sur son flanc ouest et termine sa course dans les plaines d'Ulupakua.
Cette route ne vaut pas celle de Hana, bien sûr, mais elle permet d'apprécier l'aspect rural de Maui, avec ses champs de lavande, ses vignes, ses troupeaux de vaches et ses sublimes jardins botaniques.

## Orientation

À partir de Kahului, suivre la Haleakala Highway (route 37). Passé Pukalani, elle devient la Kula Highway.

## Hébergement – Restaurant

■ **KULA LODGE**
15200 Haleakala Highway
© (808) 878 1535 – www.kulalodge.com
*La nuit en chalet de 2 à 4 personnes, de 180 à 220 $. Chalet pour 2 à 150 $.* Perchés sur une colline, 5 chalets rustiques et intimes, malgré la décoration un peu kitsch. Très belle vue sur les îles de Lanai et Molokai voisines. Sur la Kula Highway, prendre la bifurcation vers la Haleakala Highway (route 37) au niveau de Makawao Avenue. Le Kula Lodge est à proximité.

■ **GRANDMA'S COFFEE HOUSE**
9232 Kula Highway © (808) 878 2140
www.grandmascoffee.com
*Compter moins de 10 $.* LE petit restaurant à côté duquel il serait vraiment dommage de passer… Excellent café maison, omelettes variées et appétissantes, le tout dans une ambiance locale à souhait avec des cow-boys locaux hauts en couleur.

## Points d'intérêt

■ **ALII KULA LAVENDER**
1100 Waipoli Road © (808) 878 3004
www.mauikulalavender.com
*Ouvert de 10h à 16h. Entrée libre. Visites guidées, à 12h et 14h30, 10 $.* Un parfum de Provence à Hawaii ! Des hectares de lavande à perte de vue et une boutique où on découvre toutes les vertus de cette plante à la fois antiseptique, relaxante et repousse moustiques. Parmi les cadeaux insolites : un lei de lavande séchée ! Salon de thé agréable où on déguste des infusions, à la lavande évidemment.

■ **KULA BOTANICAL GARDENS**
638 Kekaulike Highway © (808) 878 1715
www.kulabotanicalgarden.com
*Ouvert de 9h à 16h. Entrée : adultes 10 $, enfants de 6 à 12 ans 3 $.* Toutes les plantes de Hawaii sont dans ce beau jardin tropical de presque 3 ha. Un petit paradis qui n'a pas échappé aux oies nene et autres grues africaines qui y ont trouvé refuge.

■ **ULUPAKUA RANCH & TEDESCHI VINEYARDS**
Kula Highway © (808) 878 6058
www.mauiwine.com
*À 5 minutes de route du Grandma's Coffee, sur la Kula Highway vers le sud. Ouvert de 9h à 17h. Entrée libre. Visite guidée à 10h30 et 13h30.* L'Ulupakua Ranch, d'une étendue

de 10 000 ha, est installé sur une ancienne plantation sucrière. Dans un joli cottage, une exposition retrace l'histoire des cow-boys de Maui, les fameux paniolos. Juste en face, un snack vend des hamburgers succulents (*8 $*).
Sur le même site, on aperçoit les vignes Tedeschi où sont produits les seuls vins de Maui. La dégustation est gratuite ! On est cependant loin de la qualité des vins californiens ou européens, la production étant surtout locale et anecdotique. Certains assemblages improbables valent le détour ! Le plus étonnant et le plus vendu est le « Pineapple Wine », du vin à l'ananas !

## Sports et loisirs

■ **THOMSON RANCH AND RIDING STABLES**
Polipoli Road – Keokea
✆ (808) 878 1910
www.thompsonranchmaui.com
*Sur la Kula Highway, sortir à Polipoli Road.* Comment découvrir les contrées de Kula à cheval comme un vrai cow-boy ! 80 $ la balade de 1h45. Groupe de 8 personnes maximum.

# POLIPOLI SPRING STATE RECREATION AREA

Magnifique parc naturel à 2 000 m d'altitude sur le flanc ouest du Haleakala. Sa forêt verdoyante de séquoias et d'eucalyptus est le poumon vert de la région. Parfois fermé en cas de sécheresse pour prévenir les incendies, il peut aussi être glissant et boueux en cas de fortes pluies. C'est un des meilleurs spots de l'île pour camper et faire de superbes randonnées, à pied ou à vélo.

## Transports

Il est recommandé de circuler en 4X4 dans le parc car les routes sont cabossées et boueuses. En descendant la Kula Highway, bifurquer sur la Waipoli Road. C'est une route pleine de virages qui permet d'accéder à l'entrée du Polipoli State Park en 40 minutes environ.

## Hébergement

■ **CAMPING**
*Gratuit pour les tentes. Cabanes de 45 à 55 $. Permis obligatoire.* Une fois qu'on a passé le kiosque de l'entrée du parc, la route devient mauvaise et il est recommandé d'avoir un 4X4. Ceux qui n'en ont pas, gareront leur voiture et termineront la route à pied via le sentier de randonnée. Attention, camping spartiate ! Des toilettes et une aire de pique-nique ont été aménagées, mais il n'y a ni eau potable ni douche ! Les températures sont souvent glaciales et le temps très humide. Et, côté campeurs, c'est assez insolite…
La plupart sont des locaux venus chasser le cochon dans la forêt. Alors, à moins d'adorer la chasse ou le cochon grillé, difficile de se faire des amis sur place !
Pour les tentes ou les cabanes, demander, au préalable, un permis au :

■ **DEPARTMENT OF LAND AND NATURAL RESSOURCES**
Division of State Parks, P.O. Box 621
Honolulu 96809
✆ (808) 587 0300
www.hawaii.gov/dlnr/dsp

## Sports et loisirs

Plusieurs randonnées très agréables à faire dans le parc. Mais des précautions s'imposent car on est en pleine réserve de chasse ! Porter des vêtements clairs et rester sur les chemins balisés. Des cartes de randonnées sont disponibles au kiosque, à l'entrée du parc, mais vous pouvez aussi vous procurer toutes les infos sur le très bon site www.hawaiitrails.org

■ **WAIAKOA LOOP TRAIL**
*Longueur : 3 miles (5 km). Durée : 2h. Niveau de difficulté : modéré. Vélos autorisés. L'entrée du sentier se trouve près du kiosque d'accueil.* La balade, souvent en montée, se fait au milieu d'une forêt de pins et de plantes endémiques.

■ **BOUNDARY-WAIOHULI LOOP**
*Longueur : 4,4 miles (7 km). Durée : 4h. Niveau de difficulté : modéré. Vélos autorisés.* Pour trouver le Boundary-Waiohuli Loop, il faut remonter Waipoli Road. Quand la route devient boueuse, on aperçoit le portail d'un ranch et, à droite, l'entrée du sentier. Même paysage que celui du Waiakoa Loop Trail, avec des ruisseaux en plus et de jolis points de vue sur la forêt de Kula et le centre de Maui.

# LANAI

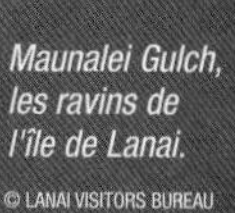

*Maunalei Gulch, les ravins de l'île de Lanai.*

© LANAI VISITORS BUREAU

# Lanai

## Les immanquables de Lanai

- **Faire** la randonnée du « Munro trail ».
- **Découvrir** les terres rougoyeantes de « Garden of the Gods ».
- **Se baigner** à Hulopoe Beach.
- **Se promener** dans les rues paisibles de Lanai City.

*Lanai est une petite île tranquille, loin de l'agitation d'Oahu ou de Maui, où il fait bon vivre et discuter avec les locaux, chaleureux et disponibles.*
*Pas de feux de signalisation, seulement 3 200 habitants, des paysages naturels à perte de vue où les éléments urbains sont pratiquement absents, à l'exception de Lanai City, l'unique ville de Lanai !*
*C'est aussi une porte ouverte sur l'aventure grâce à ses nombreuses routes sinueuses et sauvages qui mènent toutes à des sites d'exception, tels que la réserve naturelle de Kanepuu ou le mystérieux Garden of the Gods. Sans oublier les superbes plages de Shipwreck Beach et de Hulopoe Bay.*
*Bien que la plupart des touristes partent de Maui en ferry pour une excursion d'une journée à Lanai, nous pensons que c'est un peu court pour explorer toute l'île. Pour vraiment visiter Lanai, il faut prévoir un minimum de deux à trois nuits sur place.*

## Géographie

Née de l'activité volcanique, comme les autres îles de Hawaii, il y a 1,4 million d'années, Lanai n'a cependant pas un relief très marqué. Son sommet le plus élevé culmine à 1 026 m au-dessus de la plaine du Palawai Basin, le cratère de son volcan éteint.
D'une superficie de seulement 364 km², c'est aussi la plus petite des îles de l'archipel qui soit habitée et accessible aux touristes.

## Flore et faune

La végétation de Lanai est bien moins tropicale que celle des îles voisines. Les cocotiers n'y ont guère de place et ont été supplantés depuis longtemps par des centaines de pins colonnaires. Autre originalité : les champs d'ananas abandonnés et desséchés depuis la fin de l'épopée de la plantation Dole.
Côté faune, daims et dindes sauvages se promènent un peu partout dans l'île. Sans oublier, bien sûr, les baleines à bosse qu'on peut observer au large pendant leur saison de reproduction, de décembre à avril, ou encore les dauphins à long bec qui fréquentent les eaux de Hulopoe Bay.

## Économie et histoire

Du XIXe siècle jusqu'au début du XXe, l'activité économique principale de Lanai était l'élevage ; l'un des plus importants ranchs de Hawaii était installé au centre de l'île. En 1922, James Dole, le magnat de l'ananas, a racheté les terres et fondé la plus grande plantation d'ananas du monde dont les champs occupaient toute la plaine du Palawai Basin.
Jusqu'au début des années 1990, l'ananas Dole resta roi et fit la renommée de Lanai, surnommée à l'époque la « Pineapple Isle » (l'île des ananas). Un surnom qu'elle a gardé, mais pas les ananas, l'exploitation ayant fait faillite !

## Population

Pour travailler dans les champs d'ananas, les dirigeants de la plantation Dole ont fait appel à des migrants du monde entier : Chinois, Portugais, Philippins, Coréens, Portoricains, etc., d'où le métissage très varié des 3 200 habitants de Lanai, presque tous issus d'au moins quatre mélanges !

## Tourisme

En 1993, la fermeture de la compagnie Dole, victime de l'importation de l'ananas philippin moins cher, a entraîné la reconversion de tous ses employés dans l'industrie touristique.
Construits récemment, les deux luxueux établissements de la chaîne Four Seasons ont été une aubaine pour de nombreux habitants reclassés dans les professions classiques de l'hôtellerie.
Une manne financière pour cette petite île qui accueille aujourd'hui 100 000 visiteurs par an !

# L'arrivée à Lanai

## Avion

■ **LANAI AIRPORT**
✆ (808) 565 6757
*À seulement 10 minutes de voiture de Lanai City.* A moins d'être un ami de Bill Gates, qui s'est marié à Lanai, et de lui emprunter son jet privé, le choix est mince en matière de compagnies aériennes desservant l'aéroport de Lanai. Tous les vols partent d'Oahu. Aussi, pour ceux qui viennent d'une autre île hawaiienne, la correspondance à Honolulu est un passage obligé. L'aller-retour Honolulu/Lanai City revient à 100 $ en moyenne.

## Compagnies aériennes

■ **HAWAIIAN AIRLINES**
✆ (800) 367 5320 – www.hawaiianair.com

■ **ISLAND AIR**
✆ (808) 484 222 – www.islandair.com

■ **MOKULELE AIRLINES**
✆ (808) 426 7070
www.mokuleleairlines.com

# De l'aéroport à Lanai City

## Shuttle

Un shuttle effectue des rotations régulières pour aller chercher les clients des principaux hôtels de Lanai. Tarif unique de 36 $; c'est un peu cher, mais le ticket permet de prendre à volonté et durant tout son séjour le shuttle qui dessert les principaux sites de Lanai City. Les touristes qui ne souhaitent pas visiter le reste de l'île, se limitent à ce seul moyen de transport qui devient, dès lors, très pratique.

## Location de voitures

Une navette achemine régulièrement les voyageurs qui ont réservé un véhicule auprès du principal loueur, « Dollar », basé à Lanai City. 5 $ l'aller-retour en navette, mais gratuit pour la personne qui vous accompagne.

■ **RABACA'S LIMOUSINE**
✆ (808) 565 6670
*Service 24h/24. De 10 à 15 $ la course pour aller en ville ou à Manele Harbor.* Il y a aussi des Jeeps pour rouler sur les routes non pavées.

## Ferry

■ **EXPEDITIONS FERRY**
✆ (808) 661 3756 – www.go-lanai.com
Le moyen le moins coûteux et le plus rapide pour se rendre à Lanai en partant de Maui.



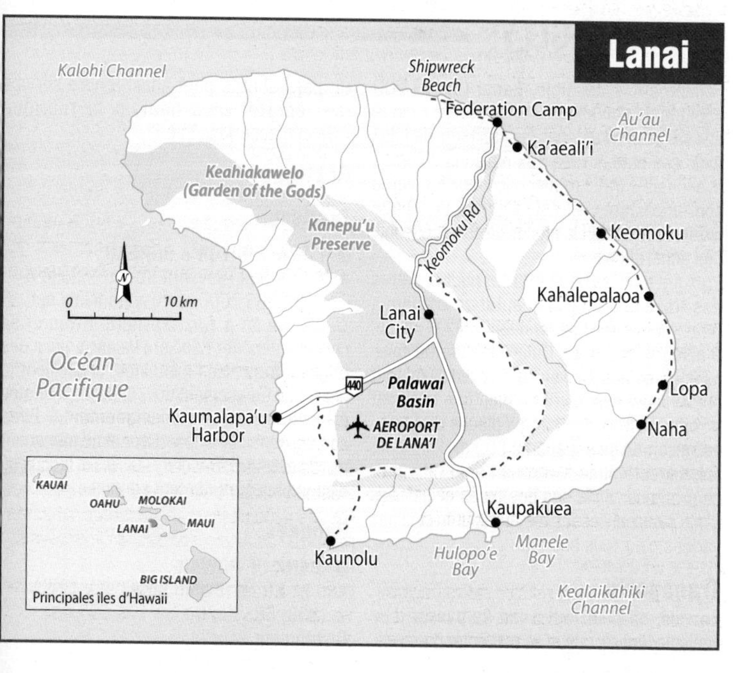

5 A/R par jour entre Lahaina et le port de Manele, à Lanai, et 2 en partant de Maalaea. La traversée dure 45 minutes. De décembre à avril, on peut facilement observer du bateau les baleines à bosse en pleine reproduction. 30 $ l'aller simple pour les adultes, 20 $ pour les enfants. Se présenter 30 minutes avant l'embarquement.

### Du port à Lanai City

Le shuttle (voir à la rubrique « Avion ») va aussi chercher les voyageurs au port de Manele pour les déposer à leur hôtel ou dans le centre-ville. 10 $ l'aller-retour.

## Se déplacer dans l'île

### Voiture et véhicule tout-terrain

Le réseau routier de Lanai compte environ 50 km de routes goudronnées :
la Keomuku Road, de Lanai City à Shipwreck Beach, au nord-est ; la Manele Road (Highway 440), qui part du centre de l'île pour rejoindre Manele Bay au sud-est ; et la Kaumalapau Highway, qui relie le centre de Lanai à Kaumalapau Harbor, à l'ouest.
Toutes les autres routes sont cabossées et boueuses. On ne saurait donc trop conseiller à qui veut visiter toute l'île de louer un 4X4. Penser à s'équiper d'une bonne carte routière car on se perd facilement sur ces routes secondaires qui se ressemblent toutes !

■ **LANAI CITY SERVICE**
Dollar Rent-a-Car – 1036 Lanai Avenue
✆ (808) 565 7227 – www.dollar.com
Réservations à l'avance en raison du parc automobile réduit. Location à partir de 139 $ par jour pour une Jeep et 129 $ pour un minivan. On peut louer des voitures entre 60 et 129 $ par jour, mais un accord conclu avec le loueur interdit de s'aventurer sur les routes non goudronnées.
Pour les conducteurs de moins de 25 ans, ajouter une surtaxe de 15 $ par jour.

■ **ADVENTURE LANAI ECOCENTER**
338 8th Street ✆ (808) 565 7373
www.adventurelanai.com
Masque de plongée et tuba, boogie-board, planche de surf et glacière sont fournis avec la Jeep de location pour seulement 110 $. Si on préfère le VTT, on peut en louer un sur place, avec ou sans la Jeep. Réserver tôt dans tous les cas. Une navette gratuite vient chercher les clients (qui ont réservé) à leur descente du ferry.

# LANAI CITY

Facilement accessible, Lanai City (3 200 habitants) est l'unique ville de Lanai ; c'est là que se concentrent tous les habitants de l'île ! Avec ses petites rues aux maisons colorées et son faible trafic routier – les feux tricolores sont inexistants – Lanai City est un village pittoresque où tout le monde se connaît depuis des générations.
Presque tous les habitants ont pour ancêtres des travailleurs de la plantation d'ananas Dole, établie sur l'île au début du XXe siècle. D'ailleurs, si James Dole a décidé de faire construire Lanai City en 1922, c'est avant tout pour y loger ses ouvriers. Bien que le climat y soit plus frais que sur les plages de Lanai, en raison de sa situation à 500 m d'altitude, les visiteurs aiment venir à Lanai City pour se promener dans ses boutiques et galeries d'art, sans oublier ses restaurants de cuisines variées pour tous budgets.

### Transports

En ville, on peut tout à fait se passer d'un véhicule tout-terrain et se contenter d'un vélo. Un pass shuttle peut aussi rendre service (se reporter plus haut, à la rubrique « Se déplacer dans l'île »).

## Pratique

### Tourisme

■ **LANAI VISITOR'S BUREAU**
431 7th Street (Seventh Street) – Suite A
✆ (808) 565 7600 – www.visitlanai.net
*Ouvert de 8h à 16h.* Waynette Kwon et sa collègue Jennifer Robillard Velasco, qui a des origines françaises lointaines, accueillent le plus chaleureusement du monde les touristes à la recherche de renseignements. Elles connaissent leur île par cœur et ne manquent pas d'anecdotes à raconter ! Cartes et brochures disponibles gratuitement sur place.

### Banques

■ **BANK OF HAWAII**
480 8th Street (Eighth Street)
✆ (808) 565 6426
Distributeur 24h/24.

### FIRST HAWAIIAN BANK

644 Lanai Avenue ✆ (808) 565 6929
Distributeur 24h/24.

## Poste et télécommunications

### LANAI CITY POST OFFICE

620 Jacaranda Street ✆ (808) 565 6517
*Poste. Ouverte de 9h à 16h du lundi au vendredi et de 11h30 à 16h30 le samedi.*

### LANAI PUBLIC LIBRARY

555 Fraser Avenue ✆ (808) 565 7920
*Ouverte de 9h à 16h30 du lundi au mercredi et le vendredi. De 14h à 20h le jeudi.* Internet disponible.

## Police

### LANAI POLICE DEPARTMENT

855 Fraser Street ✆ (808) 565 6428
*Ouvert de 7h45 à 16h30.* Urgences assurées 24h/24 par le service de garde.

## Santé

### STRAUB CLINIC AND HOSPITAL

628 7th Street ✆ (808) 565 6423/6411
*Ouvert de 8h à 17h, fermé le week-end.* Service d'urgences 24h/24.

## Orientation

Lanai City est un enchevêtrement de rues à angle droit. Au centre, le Dole Park bordé par les 7th Street et 8th Street où se concentrent magasins et restaurants. Une série de rues parallèles au parc ont la particularité d'être toutes numérotées, de la 3rd Street au nord à la 13th Street au sud. La Fraser Avenue à l'ouest et la Lanai Avenue à l'est marquent, quant à elles, les limites ultimes de la ville.

## Hébergement

Même si Lanai est plutôt réputée pour ses hôtels 5-étoiles, il existe des hébergements à prix accessibles à Lanai City. Une seule condition : réserver à l'avance.

### DREAMS COME TRUE

1168 Lanai Avenue ✆ (808) 565 6961
www.dreamscometruelanai.com
*129 $ la chambre double, 516 $ toute la villa avec les 4 chambres doubles. Petit déjeuner inclus.* Très bon rapport qualité-prix pour ce B&B tenu, depuis une vingtaine d'années, par Michael Hunter et sa femme Susan. Ce sont deux globe-trotters qui ont choisi de s'installer à Lanai et qui adorent parler voyage avec leurs hôtes. TV et baignoire dans toutes les chambres. Cuisine commune parfaitement équipée.



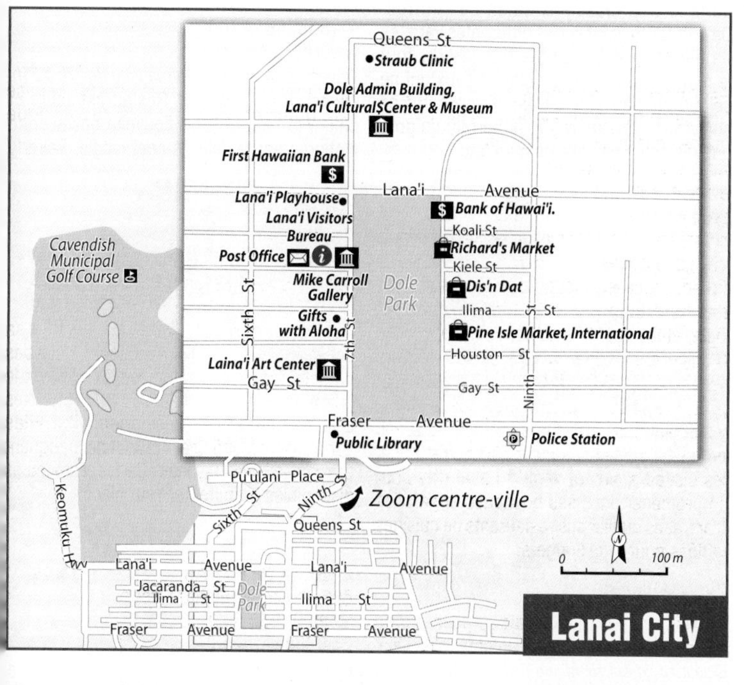

**HOTEL LANAI**
828 Lanai Avenue
✆ (808) 565 7211 – www.hotellanai.com
*De 159 à 179 $ la chambre double. 229 $ la nuit dans le cottage. Petit déjeuner inclus.* Un hôtel confortable au cœur de la ville. 11 chambres à la décoration originale sur le thème des ananas d'antan. Ce n'est pas innocent, car c'est le fondateur de la plantation lui-même, James Dole, qui a fait construire l'hôtel en 1923 pour y loger les managers de sa Compagnie. Et c'est resté l'unique hôtel de l'île jusqu'aux années 1990. Demander une chambre avec lanai (terrasse), c'est le top pour prendre son petit déjeuner ou l'apéro !

**FOUR SEASONS RESORT LODGE AT KOELE**
1 Keomuku Road ✆ (808) 565 4000
www.fourseasons.com/koele
*À partir de 395 $ la chambre double.* Sur les hauteurs de Lanai City et entouré de pins immenses, le Four Seasons Resort Koele est idéalement situé. Baptisé Koele en référence aux nuages qui descendent des montagnes vers Lanai City, c'est un des hôtels les plus luxueux de Hawaii. Avec son grand salon, ses deux immenses cheminées, ses jardins très british, il est d'une élégance rare. Chaque après-midi, une cérémonie du thé se tient dans le très classieux salon de l'entrée. De 15h à 17h, sont servis différentes variétés de thé et de délicieux biscuits (*29 $*). Tout le monde est convié, y compris ceux qui ne séjournent pas à l'hôtel. Nombreux services sur place : 4 restaurants, un terrain de golf, une piscine, une salle de gym, etc.

## Restaurants

**CANOES**
419 7th Street ✆ (808) 565 6537
*Petit déjeuner et déjeuner uniquement. Compter moins de 10 $.* Très apprécié des locaux, ce restaurant de quartier sert des burgers, des omelettes consistantes ainsi que des plats philippins.

**BLUE GINGER CAFE**
409 7th Street ✆ (808) 565 6363
*Compter 10 $ pour le déjeuner et 15 $ pour le dîner.* Cuisine locale et familiale. De l'omelette portugaise au délicieux mahi-mahi (spécialité hawaiienne de poisson cru assaisonné), le choix est large pour une somme modique.

**PELE'S OTHER GARDEN**
811 Houston Street ✆ (808) 565 9628
www.pelesothergarden.com
*Compter de 8 à environ 20 $.* Restaurant de style new-yorkais, tenu par Mark et Barbara, qui ont fui la folie urbaine de Big Apple pour vivre en toute tranquillité à Lanai. Sandwiches et salades bios à l'heure du déjeuner. Le soir, le Pele's devient un bistrot italien romantique, avec pâtes et pizzas.

**LANAI CITY GRILLE**
Hôtel Lanai – 828 Lanai Avenue
✆ (808) 565 4700
www.hotellanai.com
*Ouvert du mercredi au dimanche de 17h à 21h. Dîner entre 30 et 40 $.* Restaurant sobre et chic à la fois. Cuisine nouvelle hawaiienne élaborée par la célèbre chef locale, Beverly

*Expédition en 4x4 sur Munro Trail - Environs de Lanai City.*

Gannon, également propriétaire du restaurant Joe's, à Wailea, sur Maui (se reporter à la rubrique « Restaurants » de Wailea). Les plats mêlent influences hawaiienne, asiatique et américaine de manière créative. Légumes bios et poissons pêchés le jour même. Goûter le tartare de thon accompagné de ses avocats fraîchement cueillis : un délice !

## Sortir

Tout comme le reste de l'île, Lanai City n'est pas le temple de la fête où l'on fait la tournée des bars jusqu'au bout de la nuit. La raison est simple : la ville ne compte que deux bars et ils ferment tôt.

### Bars

■ **LANAI CITY GRILLE**
Hôtel Lanai – 828 Lanai Avenue
✆ (808) 565 7211
www.hotellanai.com
*Compter de 6 à 10 $.* Un large choix de vins et de cocktails au bar du restaurant de l'hôtel Lanai. Des concerts le week-end.

■ **FOUR SEASONS RESORT LODGE AT KOELE**
1 Keomuku Road
✆ (808) 565 4000
www.fourseasons.com/koele
Le bar lounge de l'hôtel est très agréable pour l'apéro et reste ouvert en continu de 19h à 23h. Parallèlement, des spectacles, de hula notamment, ont lieu dans le grand hall. L'occasion de faire d'une pierre deux coups et d'amortir le prix des boissons relativement élevé !

### Cinéma

■ **LANAI THEATER AND PLAYHOUSE**
465 7th Street ✆ (808) 565 7500
Le seul cinéma de toute l'île. Programme affiché à l'entrée.

## Points d'intérêt

■ **LANAI CULTURE AND HERITAGE CENTER**
730 Lanai Avenue
✆ (808) 565 7177
www.LanaiCHC.org
*Ouvert de 8h30 à 15h30 du lundi au vendredi. De 9h à 13h le samedi. Fermé le dimanche. Entrée libre mais dons bienvenus.* De taille modeste, ce musée est entièrement géré par une association à but non lucratif créée par des résidents soucieux de préserver la culture de leur île. Il s'emploie à faire connaître le passé de Lanai, dont il retrace près de mille ans d'histoire, de ses premiers habitants jusqu'à la plantation Dole (1922-1993). Tenues de travail, outils et photos d'archives en vitrine nous plongent dans le quotidien difficile de ces ouvriers des champs d'ananas venus du Portugal, de Chine, du Japon, des Philippines, de Corée ou bien de Porto Rico. Tous se sont installés durablement à Lanai, ce qui a eu pour résultat l'exceptionnel métissage de ses habitants.

### George Munro

Le Munro Trail tient son nom de George Munro, le directeur du ranch de Lanai, qui, au début du XXe siècle, avait fait planter des centaines de pins colonnaires sur l'île pour améliorer l'irrigation des terres. C'est en entendant constamment tomber des gouttes d'eau sur son toit qu'il a réalisé qu'elles venaient du grand pin qui surplombait sa maison.
Il se rendit compte que l'eau provenait des nuages et du brouillard (celui du Lanaihale) qui masquaient le sommet de l'arbre. Plus l'arbre était haut et plus l'eau s'écoulait. Il décida donc de faire planter presque partout à Lanai des pins colonnaires, qui sont des arbres parmi les plus hauts.
L'œuvre de reforestation initiée par George Munro continue depuis plus d'un siècle puisque les autorités locales plantent encore et toujours ces immenses pins, ayant bien compris et constaté leur utilité. C'est pourquoi on les voit partout !

## Shopping

### Artisanat

■ **DIS'N DAT**
418 8th Street
✆ (808) 565 9170
www.disndatshop.com
Cette maison verte est une véritable caverne d'Ali-Baba qui regorge de bijoux d'artistes locaux. La médaille revient aux sublimes et discrets pendentifs ananas de SuzieO's. Parfait pour un souvenir ou un cadeau de qualité à prix accessible.

■ **GIFTS WITH ALOHA**
363 7th Street ✆ (808) 565 6589
www.giftswithaloha.com
De beaux objets façonnés dans toutes sortes de matériaux par des artistes de Lanai. Articles en céramique et verre soufflé arrivent joliment en tête. Coup de cœur pour les vases sculptés dans du bois de koa et les bracelets en fleurs séchées façon lei (collier de fleurs traditionnel). Egalement en rayon, des livres sur l'histoire de Lanai et un choix varié de CD où on retrouve tous les styles musicaux de l'archipel. Le tout à la portée de toutes les bourses.

### Galeries

■ **LANAI ART CENTER**
339 7th Street
✆ (808) 565 7503
www.lanaiart.org
Expositions d'artistes de toute l'île. Également des stages de peinture, sculpture ou photo, ouverts à tous. Ensuite, on peut vendre ou emporter son œuvre, si on veut. Les touristes peuvent s'inscrire avec leurs enfants. Tarifs très raisonnables.

■ **MIKE CARROLL GALLERY**
443 7th Street
✆ (808) 565 6433
www.mikecarrollgallery.com
Le peintre Mike Carroll a quitté Chicago pour vivre au plus près des paysages de Lanai, sa principale source d'inspiration. Le résultat : des peintures à l'huile aux couleurs éblouissantes qui invitent irrésistiblement à l'exploration de l'île.

### Supermarchés

■ **INTERNATIONAL FOOD AND CLOTHING CENTER**
833 Ilima Avenue ✆ (808) 565 6433
*Fermé le samedi.*

■ **PINE ISLE MARKET**
356 8th Street ✆ (808) 565 6488
*Fermé le dimanche.*

■ **RICHARD'S SHOPPING CENTER**
434 8th Street ✆ (808) 565 3780
À côté des rayons alimentation, des T-shirts originaux sur le thème de Lanai.

### Boutiques

■ **PLANTATION STORE**
Lanai City Service
1036 Lanai Avenue ✆ (808) 565 7227
*A proximité de la station-service et de l'agence de location de voitures.* Souvenirs divers et T-shirts. Un rayon frais avec de la nourriture et des boissons à emporter.

## Sports et loisirs

### Équitation

■ **STABLES AT KOELE**
Four Seasons Lodge at Koele
1 Keomuku Road ✆ (808) 565 4424
www.fourseasons.com/koele
*À partir de 85 $ la balade à cheval guidée de 2h.*

### Golf

■ **CAVENDISH GOLF COURSE**
Four Seasons Lodge at Koele
1 Keomuku Road ✆ (808) 565 4000
www.fourseasons.com/koele
Terrain de 9-trous appartenant au Four Seasons Lodge at Koele. Inutile de réserver ou de payer sa partie. Au bout du premier parcours, présentez-vous à la réception de l'hôtel et faites un don symbolique (*à partir de 5 $*).

■ **THE EXPERIENCE AT KOELE**
Four Seasons Lodge at Koele
1 Keomuku Road ✆ (808) 565 4000
www.fourseasons.com/koele
Beau terrain de golf boisé, à 600 m au-dessus de la mer. 18-trous. 190 $ la partie pour les clients de l'hôtel et 225 $ pour les autres.

### Surf

■ **LANAI SURF SCHOOL**
✆ (808) 306 9837
http://lanaisurfsafari.com
Nick et sa femme Alex sont les seuls à dispenser des cours de surf sur l'île.
Ils ont mis en place le très original « 4X4 Safari », un circuit de 4h en 4X4 à travers Lanai, dont 2h d'initiation au surf sur des spots secrets. Tarif dégressif en fonction du nombre de participants : 185 $ par personne à partir de deux et 155 $ au-delà.
Les surfeurs aguerris peuvent louer leur planche de surf pour 58 $ la journée contre une caution de 125 $.

## Dans les environs

Autour de Lanai City, ce sont surtout les loisirs en pleine nature qui sont à l'honneur, notamment la randonnée incontournable du Munro Trail.

## Randonnée

### MUNRO TRAIL

*Prendre la Keomuku Highway en direction du nord sur 1,6 km. Peu de temps après, on aperçoit un sentier sur la droite ; il mène à l'entrée du Munro Trail.* Ce sentier de 9 miles (presque 15 km) débute à Koele, derrière le Four Seasons Resort Lodge, et se poursuit avec une montée ardue dans une superbe forêt de pins.

La randonnée se termine à l'arrivée au plus haut point de l'île, à 3 370 feet (1 026 m), aussi appelé le Lanaihale (maison de Lanai). Le panorama y est imprenable par temps clair puisqu'on peut apercevoir la plupart des îles hawaiiennes. D'où l'utilité de bien se renseigner sur la météo la veille car, à cette altitude, si le temps est mauvais, le spectacle est gâché. Prévoir un bon K-way et un pull en raison de la chute des températures au sommet et des vents violents qui l'accompagnent.

Les moins sportifs pourront parcourir le sentier en Jeep. Mais il faut rouler avec prudence : nombreux randonneurs sur la route ! Pour couper la poire en deux, on peut faire la randonnée à pied et se faire prendre en Jeep à la fin du sentier, histoire de ne pas refaire le même chemin en sens inverse.

# LE NORD DE L'ÎLE

C'est la partie de l'île la plus sauvage et la plus insolite.

## Points d'intérêt

### GARDEN OF THE GODS (KEAHIKAWELO)

*4X4 indispensable. À 30 minutes de Lanai City. Prendre la Keomuku Highway puis la Polihua Road. Passer la Kanepuu Reserve et rouler encore 10 minutes.* Un immense plateau désert de couleur ocre rouge parsemé de rochers semblables à des petites tours, voilà le « Garden of the Gods » (jardin des dieux). Ce paysage lunaire déconcertant, que l'érosion a modelé pendant un million d'années, est aux antipodes d'un luxuriant jardin d'Eden. C'est pourtant le jardin des dieux dans la mythologie hawaiienne, pour la bonne et simple raison que, selon la tradition, ce seraient les dieux eux-mêmes qui auraient façonné ces rochers.

Même si les touristes et les locaux sont passés par là depuis, apportant leur touche personnelle au tableau divin, arrangeant, de-ci, de-là, quelques pierres à leur goût, certains rochers à la forme étrange semblent être là depuis toujours… et laissent songeur. Il faut visiter le site en fin d'après-midi pour pouvoir admirer des teintes rougeoyantes et dégradées que revêtent les pierres au moment du coucher de soleil.

*Keahikawelo (Garden of the Gods) - Nord de Lanai.*

### KANEPUU PRESERVE

*De Lanai City, prendre la Keomuku Highway puis la Polihua Road. 4X4 obligatoire.* Une forêt de 200 ha classée réserve naturelle parce qu'elle abrite une quarantaine de plantes rares et endémiques de Hawaii. Une promenade de 15 minutes sur un sentier balisé et illustré de panneaux explicatifs permet de se familiariser avec ces différentes plantes.

### POLIHUA BEACH

*Au bout de la Polihua Road. Après avoir passé The Garden of the Gods, continuer tout droit. Accessible en 4X4 exclusivement.* Une magnifique plage sauvage au sable doré avec, en prime, une très belle vue sur Molokai. « Poli-hua » signifie littéralement « la baie des œufs », car les tortues marines aiment venir y pondre. Des phoques moines hawaiiens y viennent aussi lézarder au soleil. La baignade ou le surf sont cependant à proscrire à cause de courants particulièrement forts et dangereux. Seule alternative : imiter les phoques qui font bronzette dans ce havre de paix.

### SHIPWRECK BEACH

*Au bout de la Keomuku Road, suivre la route vers le nord. Accessible en 4X4 exclusivement.* La plage de rêve par définition : eaux turquoise, sable blanc et rochers de lave durcie, une épave de navire à l'horizon…

Tout y est ! À une différence près : on ne peut pas se baigner ! Les courants du Kalohi Channel qui relie Molokai à Lanai sont en effet très dangereux. Et c'est pourquoi la plage porte le nom prometteur de « Shipwreck Beach » (plage du naufrage) ! Depuis le XIX^e siècle, on ne compte plus les navires qui ont coulé dans ces eaux. Ironie du sort, le bateau rouillé de la Marine américaine, qu'on aperçoit du rivage, s'est échoué là pendant la deuxième guerre mondiale à la suite d'une banale erreur de navigation…

Cette plage est donc surtout un lieu de bronzette ou de balade.

À partir du parking de la plage, un petit chemin conduit à un énorme rocher orné de pétroglyphes représentant des silhouettes d'hommes, des guerriers probablement.

# L'EST DE L'ÎLE

C'est la côte de l'île sous le vent, plus propice au surf que les plages du nord. Les vagues de Lopa Beach valent le détour !

## Points d'intérêt

### KEOMUKU

*Prendre la Keomuku Road vers le nord puis la route non pavée à droite. Rouler 25 minutes. 4X4 nécessaire.* À la fin du XIX^e siècle, le village de Keomuku était peuplé de 2 000 habitants qui travaillaient tous pour l'industrie sucrière, la Maunalei Sugar Company. La société a fait faillite en peu de temps et, au cours de la première moitié du XX^e siècle, la région s'est progressivement vidée de ses habitants. Du village, il ne reste plus que son église en bois, la « Ka Lanakila O Ka Malamalama », qui a été retapée par des bénévoles et qu'on peut visiter.

### NAHA

*À l'extrémité sud de la route non pavée qui part de Keomuku Road. 4X4 obligatoire.* Ancien vivier de pêche dont on aperçoit les vestiges à marée basse. C'était un étang aménagé de façon à piéger les poissons. Attirés à marée haute, ils se retrouvaient coincés dans le bassin au moment de la marée basse. C'est resté depuis un très bon spot de pêche !

### LOPA BEACH

*Prendre la Keomuku Highway vers le nord puis la route cabossée à droite. Une fois passé Halepalaoa, c'est à environ 15 minutes. 4X4 indispensable.* Jolie plage de sable fin à l'eau transparente. Très bon spot pour s'initier au surf !

Attention toutefois aux courants parfois imprévisibles et forts.

# LE SUD DE L'ÎLE

e deuxième pôle touristique de l'île après Lanai ity. On y trouvera un hôtel de luxe, l'unique amping de Lanai, plusieurs restaurants et uelques sites à visiter. Le must : Hulopoe each, une des plus belles plages de Hawaii.

## lébergement

■ **CASTLE & COOK RESORTS CAMPGROUND**
ntre la 7th et la 8th Avenue ✆ (808) 565 3979
*Sur Manele Bay, à côté de Hulopoe Beach. ccessible à pied de Manele Harbor. 20 $ le ermis. 5 $ par nuit et par personne. Séjour mité à 3 nuits. Réservations longtemps à 'avance.* Camping agréable et ombragé, avec ouches, toilettes et barbecue.

■ **FOUR SEASONS RESORT ANAI AT MANELE BAY**
Manele Bay Road ✆ (808) 565 2000
www.fourseasons.com/manelebay
*À partir de 495 $ la chambre double.* Comme on jumeau le Four Seasons Lodge at Koele, et établissement est d'un raffinement are. Une décoration à la fois asiatique et néditerranéenne, une situation exceptionnelle u-dessus de la superbe plage de Hulopoe ay, une sublime piscine, un bar en plein air our siroter des cocktails, 4 restaurants, un ourt de tennis, un spa, un terrain de golf… ans oublier des chambres au confort de rêve. C'est vrai que la nuit est chère, mais le jeu en aut la chandelle !

*Hulopoe Beach.*

### Sweetheart Rock, ou Puupehe

L'îlot isolé qu'on aperçoit au large de la plage de Hulopoe a été baptisé « Sweatheart Rock » (le rocher de ma chérie) en référence à une triste légende de Lanai. Un mari jaloux aurait caché sa femme, Pehe, dans une grotte de cette île pour la mettre à l'abri du regard des autres hommes. Un jour de tempête, une vague déferla sur le rocher et noya la belle. Son époux, ravagé par le chagrin, l'enterra au sommet du rocher avant de se jeter dans le vide…

## Restaurants

■ **THE CHALLENGE AT MANELE CLUBHOUSE**
Four Seasons Resort Lanai at Manele Bay
1 Manele Bay Road
✆ (808) 565 2230
www.fourseasons.com/manelebay
*Ouvert de 11h à 15h30, pour le déjeuner uniquement. 25 $ le repas en moyenne.* Restaurant en face du terrain de golf, parfait pour casser la croûte après une partie tout en profitant de la magnifique vue sur Manele Bay. Bon rapport qualité-prix.

■ **IHILANI**
Four Seasons Resort Lanai at Manele Bay
1 Manele Bay Road
✆ (808) 565 2296
www.fourseasons.com/manelebay
*Ouvert de 18h à 21h30. À partir de 35 $ le plat.* Cuisine italienne raffinée aux accents hawaiiens. Un régal ! Les chandeliers au plafond créent une atmosphère romantique.

## Points d'intérêt

■ **KAUMALAPAU HARBOR**
*De Lanai City, directement par la Kamalapau Highway.* C'est le port de commerce de Lanai. Il a été construit en 1926 par la compagnie Dole qui souhaitait exporter sa production d'ananas.
Les touristes n'ont pas grand-chose à y faire, si ce n'est d'admirer le coucher de soleil. De quais, la vue est en effet dégagée et imprenable. Attention, l'accès au port est limité le jeudi en raison de l'importance du fret.

■ **KAUNOLU**

*Suivre la Kaumalapau Road à partir de Lanai City et passer l'aéroport. Tourner à gauche dans le sentier de Kaupili. Continuer jusqu'à une intersection en hauteur où il faut prendre la route de droite vers l'océan. 4X4 indispensable.* Site archéologique intéressant sur les ruines de l'ancien village de pêcheurs, Kaunolu, où aimait venir se reposer le roi Kamehameha Ier. À ne pas manquer : les vestiges bien conservés d'un important heiau (temple) consacré au dieu de la pêche, Kuula.

■ **LUAHIWA PETROGLYPHS**

*De Lanai City, prendre la Manele Road vers le sud. Vers le mile 7, prendre le sentier à gauche. Continuer tout droit. 4X4 nécessaire.* La plus importante collection de pétroglyphes de Lanai. Sur une trentaine de roches disséminées sur 2 ha, on distingue des dessins naïfs d'animaux et d'hommes qui dateraient des XVIIIe et XIXe siècles. Il est, bien sûr, formellement interdit d'ajouter sa petite gravure sur ces pierres !

■ **MANELE BAY**

*De Lanai City, prendre la Manele Road vers le sud.* Bordée par de hautes falaises, résultat de l'ancienne activité volcanique, la jolie baie de Manele fait partie d'une réserve marine où il est interdit de pêcher. Elle abrite aussi le très fréquenté port de plaisance de Lanai, le Manele Harbor. C'est là qu'accostent les navettes et les bateaux touristiques en provenance de Maui, le retour se faisant à partir du même port. En dépit de ses eaux cristallines, le fort trafic maritime y exclut toute baignade. Depuis la construction du port de Kaumalapau (1926) qui accueille les bateaux de commerce, Manele Harbor s'est cependant désengorgé. Côté pratique, l'aire de pique-nique et les toilettes sur place permettent de faire une petite halte, à l'arrivée sur l'île ou avant de prendre le bateau du retour.

■ **HULOPOE BEACH**

*À côté de l'hôtel Four Seasons de Manele Ba Au sud de Manele Road.* Certainement un des plus belles plages de Hawaii. Elle a mêm été classée parmi les plus belles plages de États-Unis ! Située dans la baie de Manel qui la protège des vents, Hulopoe Beach fa aussi partie de la réserve marine. Ses eau transparentes et calmes en font un fantastiqu spot de snorkeling ; les récifs attirent en effe de nombreux poissons multicolores. La plag est aussi le terrain de jeux des dauphin à long bec qui adorent y faire des petit plongeons. Sauf dans les rares cas où la me est agitée, la baignade est agréable et san risques. Surfeurs débutants et body-boarder bienvenus. Aire de pique-nique avec barbecue toilettes et douches sur place.

## Sports et loisirs

### Plongée sous-marine

■ **TRILOGY OCEANSPORTS LANAI**

✆ (808) 874 5649 – www.sailtrilogy.com

*A Hulopoe Beach. Baptêmes à partir de 95 (30 minutes) et cours de perfectionnemen au même tarif (40 minutes).*

### Snorkeling

La plage de Hulopoe est un très bon spo de snorkeling car ses eaux font partie d'un réserve marine ; les poissons multicolore y sont légion !

### Golf

■ **THE CHALLENGE AT MANELE**

Four Seasons Resort Lanai at Manele Bay
1 Manele Bay Road ✆ (808) 565 2000
www.fourseasons.com/manelebay

Superbe terrain de golf qui épouse la côt au-dessus de la plage de Hulopoe. 18-trous 190 $ la partie pour les clients de l'hôtel e 225 $ pour les autres.

*Puupehe (Sweetheart Rock).*

# MOLOKAI

*Kapuaiwa Coconut Grove.*

# Molokai

*Trop souvent délaissée par les touristes, Molokai est pourtant une île qu'il faut prendre le temps de découvrir, quelle que soit la durée de votre séjour dans l'archipel. Ne serait-ce que pour ses paysages préservés ou l'histoire bouleversante des habitants de sa péninsule. Deux à quatre jours suffisent pour visiter les principaux sites.*
*Les voyageurs pour qui la fête est une priorité absolue peuvent cependant passer leur tour. Bars de nuit et discothèques sont inexistants à Molokai ! C'est l'anti-Waikiki...*

## Géographie

D'une superficie de 673 km², Molokai est la cinquième île de l'archipel par la taille.
Née de l'activité volcanique il y a environ 1,5 million d'années, elle compte deux anciens volcans : le Maunaloa, sec et érodé, à l'ouest, et le Kamakou, humide et très élevé (1 515 m), à l'est. Les plus hautes falaises du monde se trouvent à l'extrémité nord de Kamakou ; leur point culminant est l'Umilehi Point (1 005 m).

## Art de vivre et population

« L'île la plus hawaiienne », tel est le surnom de Molokai.
Elle l'est au sens propre du terme puisque 40 % de ses 8 000 habitants descendent directement des Polynésiens, les premiers à avoir peuplé Hawaii.
Mais sa réputation d'authenticité, Molokai la doit surtout au sens de l'« aloha » de ses habitants, à la fois amicaux et chaleureux. Tout touriste que vous êtes, tout le monde vous salue dans la rue ou en voiture. Cela surprend au début mais on s'habitue très vite à la gentillesse ! Enfin, quel calme... Ni feu de signalisation ni embouteillages ou boîte de nuit. Comme le dit le panneau à l'aéroport « Slow down, you're in Molokai » (ralentissez vous êtes à Molokai).

## Les immanquables de Molokai

- **Profiter** de la douceur de vivre de Kaunakakai et prendre le temps de discuter avec les locaux.
- **Descendre** à dos de mule jusqu'au village de Kalaupapa.
- **Contempler** un coucher de soleil à travers la cocoteraie de Kapuaiwa.
- **Piquer** une tête à Papohaku Beach.

## Histoire

Molokai a cependant un passé plutôt sombre.. De 1866 à 1969, des milliers de lépreux on été exilés sur la péninsule de Kalaupapa En quarantaine, coupés du monde, ce malades venaient de toutes les îles de Hawai Arrachés à leur famille sans explications, ils s sont retrouvés ici livrés à eux-mêmes et san encadrement. Ils vivaient dans des condition sanitaires terribles, jusqu'à l'arrivée du pèr Damien, en 1873. Ce prêtre belge décid de leur porter secours durablement et le aida à construire un village digne de ce nom Depuis les années 1940, la lèpre n'est plu contagieuse et se soigne. La quarantain a donc été levée sur la péninsule en 1969 mais certains patients ont choisi de ne pa quitter Kalaupapa. À ce jour, on dénombr 27 survivants dans l'ancienne colonie d lépreux. C'est avec le plus grand respect pou ces anciens patients que « Damien Tours organise une visite guidée quotidienne de leu village. On est loin du voyeurisme ; il s'agi de préserver la mémoire et l'histoire de ce hommes et femmes.

## Tourisme et activisme

Molokai accueille 30 fois moins de touriste que Maui, et c'est l'île la moins visitée d Hawaii. Malgré une nature sauvage et pré servée, de magnifiques plages et un art d vivre paisible, Molokai n'est en effet guèr adaptée au tourisme. Elle n'a qu'un seul hôte aucune station balnéaire et les voyageurs s' sentent bien souvent désorientés. Pourquoi Alors qu'ils n'ont rien contre les touristes eux mêmes, près de la moitié des habitants d Molokai sont contre le développement touristi que de leur île. Ils ne veulent tout simplemen pas la voir défigurée par des construction en béton, comme ont pu l'être certaine régions d'Oahu ou de Maui. Pour caricature on pourrait dire que Molokai est en quelqu sorte la Corse de Hawaii ! Des activistes von jusqu'à menacer clairement les promoteur immobiliers qui n'auraient pas compris Bien qu'ils soient rares à l'avouer (la questio

# Molokai

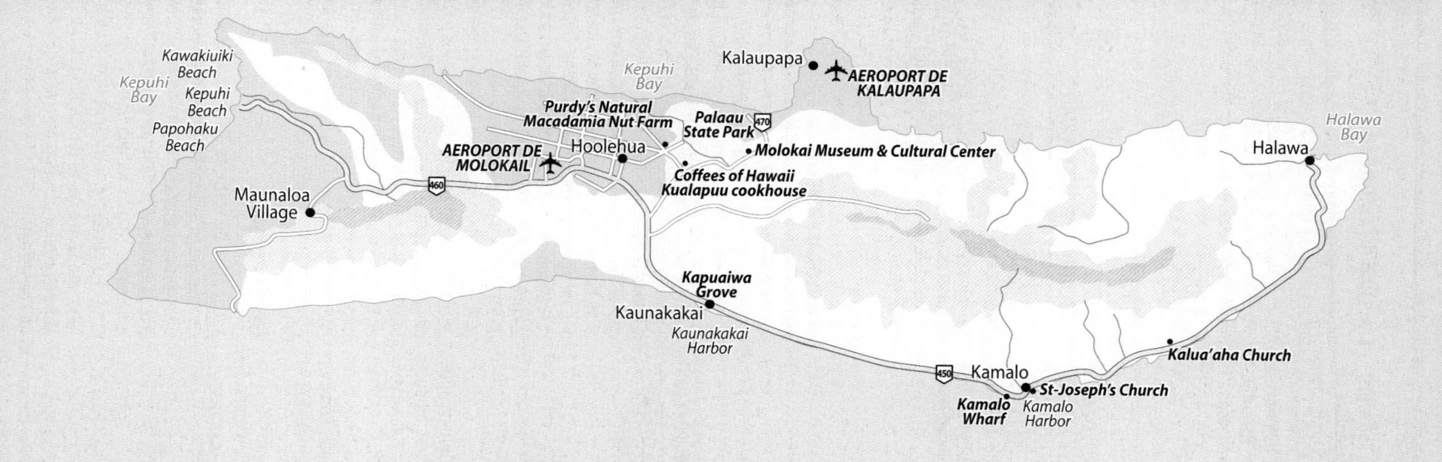

Kawakiuiki Beach
Kepuhi Bay
Kepuhi Beach
Papohaku Beach
Maunaloa Village
Kepuhi Bay
Purdy's Natural Macadamia Nut Farm
AEROPORT DE MOLOKAIL
Hoolehua
460
Kalaupapa
AEROPORT DE KALAUPAPA
Palaau State Park
470
Molokai Museum & Cultural Center
Coffees of Hawaii Kualapuu cookhouse
Kapuaiwa Grove
Kaunakakai
Kaunakakai Harbor
450
Kamalo
Kamalo Wharf
St-Joseph's Church
Kamalo Harbor
Kalua'aha Church
Halawa
Halawa Bay
Océan Pacifique


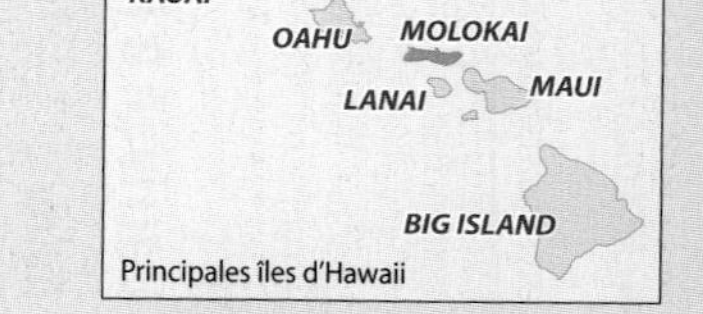

KAUAI
OAHU
MOLOKAI
LANAI
MAUI
BIG ISLAND
Principales îles d'Hawaii


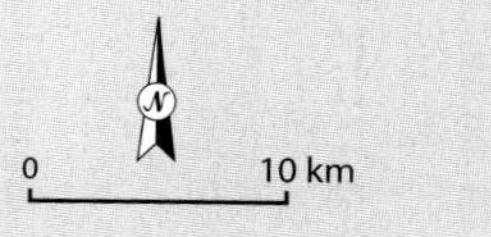

N
0
10 km


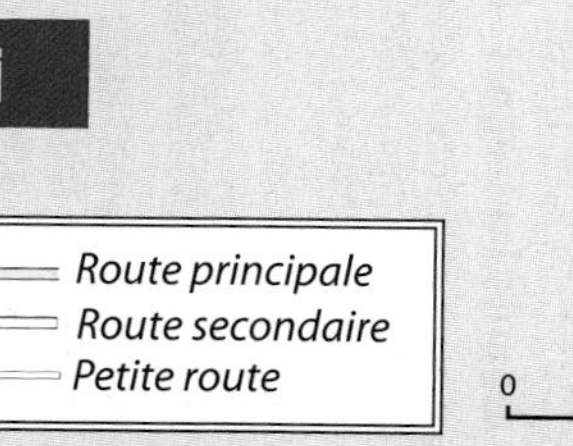

Route principale
Route secondaire
Petite route

est assez tabou, sans aller jusqu'à l'omerta !), c'est la principale raison de la fermeture du Molokai Ranch, le deuxième plus grand ranch de Hawaii, au printemps 2008. Conséquence directe : hôtels, restaurants et cinémas à proximité ont fermé définitivement. Et les touristes ont continué à déserter. Dommage.

# L'arrivée à Molokai

## Avion

Molokai est plutôt mieux desservie par avion que par ferry. L'aéroport principal est celui de Hoolehua ; il se trouve à une dizaine de kilomètres à l'ouest de Kaunaukakai. Vols directs en provenance de Maui ou d'Oahu. Quant au petit aéroport de Kalaupapa, il permet surtout d'accéder facilement au village isolé du même nom.

**HOOLEHUA AIRPORT**
© (808) 567 6140

**KALAUPAPA AIRFIELD**
© (808) 567 6331

### Compagnies aériennes

**HAWAIIAN AIRLINES**
© (800) 367 5320 – www.hawaiianair.com

**GO ! AIRLINES**
© (888) 435 9462 www.iflygo.com

**ISLAND AIR**
© (808) 484 6541 www.islandair.com

**PACIFIC WINGS**
© (808) 873 0877
www.pacificwings.com
En plus des vols vers l'aéroport principal de Molokai, la compagnie assure les liaisons Honolulu/Kalaupapa et Hoolehua/Kalaupapa.

## Depuis l'aéroport

À partir de l'aéroport de Hoolehua, compter 10 minutes pour arriver à Kaunakakai et 25 pour atteindre la côte ouest.

### Shuttle

20 $ la course jusqu'à Kaunakakai.

**MOLOKAI OFF-ROAD TOURS AND TAXI**
© (808) 553 3369

**MOLOKAI OUTDOORS**
© (808) 553 4227
www.molokai-outdoors.com

### Location de voitures

Penser à la réserver à l'avance car le parc automobile de Molokai est réduit. Tous les loueurs, à l'exception d'Island Kine, sont à l'aéroport. De 40 à 60 $ la journée de location en basse saison. Jusqu'à 90 $ en haute saison.

**BUDGET**
© (808) 451 3600 – www.budget.com

**DOLLAR**
© (800) 367 7006 – www.budget.com

**ISLAND KINE RENT-A-CAR**
© (808) 553 5242
www.molokai-car-rental.com
Les bureaux du loueur sont à l'accueil de l'hôtel Molokai (voir à la rubrique « Hébergement » de Kaunakakai). Service de navette entre l'aéroport, le port et la centrale de réservation, sur demande.

## Ferry

**MOLOKAI PRINCESS**
© (808) 667 2585
www.molokaiferry.com
En moyenne, 2 A/R par jour entre Lahaina (Maui) et le port de Kaunakakai, à Molokai. Durée du trajet : 90 minutes. Traversée souvent mouvementée en raison du fort courant dans le canal. Crainte du mal de mer ? Prendre un cachet avant, ou s'abstenir ! L'équipage, qui a l'habitude de ce genre d'incidents, fournit des sacs en papier aux plus nauséeux. Départ de Lahaina pour Kaunakakai tous les jours à 7h15 (sauf le dimanche) et à 18h. Départ de Kaunakakai pour Lahaina tous les jours à 5h15 (sauf le dimanche) et à 16h. Se présenter 30 minutes avant pour le check-in, sous peine de perdre sa place. Bien prévoir son temps de trajet, surtout pour les départs au petit matin de Kaunakakai, qui impliquent un réveil à 4h du matin au moins. 40 $ l'aller simple adulte ; 20 $ pour les enfants à partir de 3 ans ; en dessous, c'est gratuit. Pas de transport de voitures.

## Depuis le port

**Location de voitures.** Faire sa réservation de véhicule à l'avance (voir la liste de loueurs cités précédemment) et demander l'envoi d'une navette au port afin de se faire conduire à l'agence. Toutes les agences de location sont à l'aéroport, à l'exception d'Island Kine, qui se trouve à la réception de l'hôtel Molokai (voir à la rubrique « Hébergement » de Kaunakakai).

## Se déplacer dans l'île

### Voiture

Pour visiter Molokai, il est nécessaire de louer une voiture car l'île n'a pas de transports en commun. Le réseau routier est simple, avec une seule autoroute qui parcourt l'île d'ouest (Highway 460) en est (Highway 450). Rouler de jour est un jeu d'enfant. Mais à la nuit tombée, attention ! Hors de Kaunakakai, l'éclairage public est absent. Une fois qu'on quitte l'autoroute, toutes les routes secondaires se ressemblent et on a tôt fait de se perdre ! Si c'est le cas, demandez votre chemin à un automobiliste ou retournez vers Kaunakakai (avant 21h, car après tout le monde dort) si la route où vous vous êtes arrêté est décidément déserte (ça arrive souvent !). Seulement deux stations d'essence sur l'île : à Kaunakakai et à Maunaloa.

## Hébergement

Pas facile, en général, de se loger à petit prix sur l'île. Il n'existe pas d'auberges de jeunesse et les appartements en location ne sont pas donnés. Cependant, l'office du tourisme de la ville met à la disposition des visiteurs une liste de Bed & Breakfast à prix corrects.

Les deux agences aux tarifs les plus intéressants en matière de location saisonnière sont :

■ **FRIENDLY ISLAND REALTY**
✆ (808) 553 3666
www.molokairesorts.com

■ **MOLOKAI VACATION RENTALS**
✆ (808) 553 8334
www.molokai-vacation-rental.com

# LE CENTRE DE L'ÎLE

## KAUNAKAKAI

Avec ses 1 200 habitants, Kaunakakai est la plus importante ville de Molokai. C'est le seul endroit véritablement animé de l'île. On y trouve restaurants, supermarchés, banques et agences touristiques. Le centre-ville s'organise autour d'Ala Malama Street, où s'alignent boutiques et restaurants ; leurs devantures en bois font très western. Le temps, ici, semble s'être arrêté. Pas de feux rouges, pas d'embouteillages, une ville qui n'en est pas une… Ce sont ses habitants qui font son âme ; il faut flâner et prendre le temps de discuter. Les plus âgés peuvent passer des heures à vous raconter l'histoire passionnante de leur île à la terrasse d'un café ! Le champion du bavardage est James Keliipio Kahea, un musicien septuagénaire, baptisé par tous les habitants « Mayor Molokai » (le maire de Molokai) car c'est vraiment un personnage-clé de l'île ! Si vous ne le trouvez pas dans Ala Malama Street, interrogez les passants, ils vous conduiront vers lui. Il attend les lecteurs du Petit Futé avec impatience !

### Pratique

#### Tourisme

■ **MOLOKAI VISITOR'S BUREAU**
2 Kamoi Street – Suite 200
✆ (808) 553 3876
www.molokai-hawaii.com
*Ouvert du lundi au vendredi de 8h à 16h30.* Brochures et cartes gratuites. Une liste assez complète d'hébergements sur l'île.

#### Banques

Les deux banques de la ville ont un distributeur 24h/24.

■ **AMERICAN SAVINGS BANK**
40 Ala Malama Avenue
✆ (808) 553 8391

■ **BANK OF HAWAII**
20 Ala Malama Avenue
✆ (808) 553 3273

#### Poste et télécommunications

■ **POST OFFICE**
120 Ala Malama Avenue
✆ (808) 553 5845

■ **MOLOKAI PUBLIC LIBRARY**
15 Ala Malama Avenue
✆ (808) 553 3273
*Ouvert lundi et mercredi de 12h à 20h.* Accès Internet avec une « Visitor's Card », à 10 $ pour 3 mois (pas d'abonnement possible pour une durée d'utilisation inférieure).

■ **MOLOKAI MINI MART**
35 Mohala Street ✆ (808) 553 4447
*Ouvert jusqu'à 23h tous les jours.* Deux postes avec accès Internet dans ce petit supermarché. 10 cents la minute.

## Santé

■ **MOLOKAI GENERAL HOSPITAL**
280 Puali Street
✆ (808) 553 5331

■ **MOLOKAI DRUGS**
Molokai Professional Center
28 Kamoi Street ✆ (808) 553 5790
*Pharmacie. Ouvert du lundi au vendredi de 8h45 à 17h45, et le samedi de 8h45 à 14h.* À côté des produits pharmaceutiques, des CD de musique locale et des livres sur Molokai.

## Police

■ **POLICE STATION**
110 Ainoa Street
✆ (808) 553 5355

## Bibliothèque

■ **MOLOKAI PUBLIC LIBRARY**
15 Ala Malama Avenue ✆ (808) 553 3273
*Ouvert lundi et mercredi de 12h à 20h.* Nombreux livres sur l'histoire de Molokai et sur les exilés de Kalaupapa.

# Orientation

Kaunakakai est au croisement des autoroutes 460 à l'ouest, et 450 à l'est. C'est en fait la même autoroute qui se prolonge jusqu'à la pointe nord-est de l'île ; elle change juste de nom. Le centre-ville correspond à l'Ala Malama Avenue, qui va de la station-service Chevron à Kamoi Street.

# Hébergement

## Bien et pas cher

Il y a 2 campings gratuits, mais le permis de camper est obligatoire. Il faut le demander à l'avance à l'adresse suivante :

■ **DEPARTMENT OF PARKS LAND AND NATURAL RESOURCES**
Box 1055 – 90 Ainoa Street
Kaunakakai 96748 ✆ (808) 553 3204
www.hawaiistateparks.org

■ **ONE ALII BEACH PARK I**
*Sur la Highway 450 à l'est, au niveau de la balise 4 miles. Permis de camper obligatoire à demander à l'avance.* Sympathique camping en bord de mer, avec électricité, barbecue, eau potable, douches et toilettes. Des fêtes sont régulièrement organisées par des locaux le week-end sur l'aire de pique-nique. Ambiance garantie !

La plage porte le nom d'« alii » (nobles hawaiiens) car elle était autrefois très prisée par les membres de la royauté. Aujourd'hui, hélas, elle n'a plus d'intérêt pour la baignade ni le surf en raison de ses forts courants et de ses eaux troubles. Séjour limité à 3 nuits.

■ **KIOWEA PARK KAPUAIWA COCONUT GROVE**
*Sur la Highway 460 à l'ouest, au niveau de la balise 1 mile. Permis de camper obligatoire à demander à l'avance. Réservations des mois à l'avance.* Décor de camping idyllique, au milieu de la magnifique cocoteraie de Kapuaiwa plantée par le roi Kamehameha V. À proximité, une jolie plage abritée, aux eaux calmes, parfaite pour la baignade. Éviter de planter sa tente sous un cocotier : une noix de coco sur la tête, ça peut faire très mal ! Mais les couchers de soleil à travers la cocoteraie valent le coup d'œil. Belles photos garanties.
Eau potable, électricité, barbecue, douches et toilettes sur place. Attention : il faut réserver le plus tôt possible. Au moment de la rédaction de ce guide, le camping était déjà complet pour les sept mois suivants !
Suite à ce succès, en plus du numéro général de réservation ci-dessus, l'office du tourisme a mis deux autres lignes téléphoniques à la disposition des clients potentiels :
✆ (808) 658 0444
(contact : Kammy Purdy)
✆ (808) 560 3673
(contact : Louise Bush)

## Confort ou charme

■ **HOTEL MOLOKAI**
Kamehameha V Highway
✆ (808) 553 5047
www.hotelmolokai.com
*Juste avant la balise 2 miles sur la Kamehameha Highway. De 159 à 249 $ la chambre double. Réserver bien à l'avance.* Construit sur le modèle d'un ancien village hawaiien, près de l'agréable plage de Kamiloloa, ce charmant complexe hôtelier est constitué de maisonnettes en bois de 2 étages au milieu d'un superbe jardin tropical. On ne se croirait vraiment pas dans un hôtel ! Confort simple et rustique des chambres mais... avec télé et wi-fi ! Jolie piscine à proximité du bar-restaurant en plein air. Concerts live en soirée. C'est le seul hôtel de l'île, et il se défend bien face à la concurrence des B&B pourtant moins coûteux.

■ **KA HALE MALA BED & BREAKFAST**
7 Kamakana Place
✆ (808) 553 9009
www.molokai-bnb.com
*Juste avant la balise 5 miles, tourner à gauche pour aller à Kamakana Place. 90 $ la chambre double avec petit déjeuner, 80 $ sans. Personne en extra : 20 $ la nuit avec petit déjeuner et 15 $ sans. Pas de CB ; payement en espèces.* Très bon rapport qualité-prix pour ce B&B chaleureux et bien tenu. Jack et Cheryl, les propriétaires, sont des fins connaisseurs de Molokai et donnent plein de bons conseils à leurs invités, qu'ils vont même chercher à l'aéroport sur simple demande. 4 chambres doubles qui peuvent accueillir jusqu'à 2 personnes en extra. Cuisine équipée, terrasse, coin salon, TV et wi-fi dans chaque chambre. Prendre la formule petit déjeuner pour déguster le délicieux buffet de fruits frais du jardin.

## Restaurants

### Sur le pouce

■ **KAMOI SNACK-N-GO**
28 Kamoi Street
✆ (808) 553 3742
*Ouvert de 9h à 21h du lundi au samedi. De 12h à 21h le dimanche. De 3 à 7 $.* Snack avec un large choix de sandwiches, pizzas et glaces.

■ **KANEMITSU'S BAKERY**
79 Ala Malama Avenue
✆ (808) 553 5855
*Ouvert de 5h30 à 6h30 du mercredi au lundi. De 2 à 8 $.* Le pain aromatisé de Kanemitsu est à goûter impérativement ! Grande variété de parfums : coco, ananas, banane, fromage… Également croissants, beignets, omelettes et hamburgers, à emporter ou à manger sur place.

### Bien et pas cher

■ **MOLOKAI DRIVE INN**
15 Kamoi Street
✆ (808) 553 5655
*Ouvert de 6h à 22h du lundi au jeudi et le dimanche. De 6h30 à 22h30 les vendredi et samedi. Environ 4 $.* Fast-food avec des spécialités US et locales, telles que le saimin (recette hawaiienne de nouilles), à prix défiant toute concurrence. On se régale facilement pour pas cher et on n'a vraiment plus faim après.

■ **MOLOKAI PIZZA CAFE**
15 Kaunakakai Place
✆ (808) 553 3288
*Ouvert de 10h à 22h du lundi au jeudi, de 6h30 à 22h30 les vendredi et samedi et de 6h à 22h le dimanche. Burgers de 7 à 10 $, pâtes de 7 à 11 $, salades de 3 à 8 $.* Restaurant populaire et familial très fréquenté par les locaux. L'ambiance à elle seule vaut le détour. Côté plats, c'est bon et rassasiant pour une somme vraiment modique. Mention spéciale pour les pizzas, qui sont exquises ! 6 portent le nom des principales îles hawaiiennes et certaines en sont emblématiques ; ainsi, la pizza Lanai, par exemple, est tout naturellement à l'ananas.

■ **OVIEDO'S**
15 Puali Place ✆ (808) 553 5014
*Ouvert du lundi au vendredi de 10h à 17h30, les samedi et dimanche de 10h à 16h. Uniquement pour déjeuner. Compter moins de 10 $. Pas de CB.* Spécialités philippines, à manger sur place ou à emporter.

### Bonne table

■ **PADDLERS' INN**
10 Mohala Street ✆ (808) 553 5256
www.paddlersinnhawaii.com
*Ouvert à partir de 7h pour le petit déjeuner. Compter 20 $ le repas.* Un des rares restaurants-bars de l'île avec celui de l'hôtel Molokai. Mieux vaut donc y aller pour l'apéro et rester dîner car la happy-hour du bar (de 15h à 18h), très fréquenté par les locaux, et la musique live tous les soirs valent le coup. Décoration boisée et cosy sur le thème des canoës. Ambiance romantique à la nuit tombée, quand les tiki (torches hawaiiennes) s'allument.

## Sortir

À l'image de tout le reste de l'île, Kaunakakai n'est pas une ville festive. On s'y couche tôt et on s'y lève tôt ! Deux bars en ville seulement, et ils ferment à 22h.

■ **HULA SHORES**
Kamehameha V Highway
✆ (808) 553 5047
www.hotelmolokai.com
*Bar de l'hôtel Molokai (voir rubrique « Hébergement »).*

■ **PADDLERS' INN**
10 Mohala Street ✆ (808) 553 5256
www.paddlersinnhawaii.com
*Bar du restaurant du même nom (voir rubrique « Restaurants »).*

## Points d'intérêt

### KAPUAIWA COCONUT GROVE

*Sur la Highway 460, après la balise 1 mile.* Magnifique cocoteraie de près de 5 ha. Elle a été baptisée « Kapuaiwa » en hommage au roi Kamehameha V, dont c'était le surnom. Dans les années 1860, il avait fait planter sur cette plage 1 000 cocotiers, chacun de ces arbres représentant un soldat de sa puissante armée. Au-delà du symbole, cette mini forêt était surtout destinée à procurer de l'ombre à la famille royale, à laquelle cette plage était réservée.

Il ne reste guère plus qu'une centaine de cocotiers aujourd'hui, mais les autorités s'efforcent d'en réimplanter progressivement grâce à un programme de volontaires.

Attention : la balade dans la cocoteraie est interdite – et fortement déconseillée en raison des chutes de noix de coco qui peuvent causer de graves traumatismes crâniens. Très belles photos à prendre, principalement au moment du lever ou du coucher de soleil.

### KAUNAKAKAI WHARF

Ce quai de près de 400 m est le plus long quai de toutes les îles de Hawaii. Il permet d'avoir une jolie vue sur les montagnes de Molokai. C'est là qu'accostent le ferry et les bateaux de commerce qui ravitaillent l'île.

À l'est du quai, tôt le matin, des pêcheurs vendent régulièrement leur prise à des prix défiant toute concurrence.

Le samedi matin, on peut assister aux entraînements de canoë des minimes de Molokai.

## Shopping

### Supermarchés

#### FRIENDLY MARKET

90 Ala Malama Avenue ✆ (808) 553 5595

*Ouvert du lundi au vendredi de 8h30 à 20h30. Le samedi fermeture à 18h30.* Bien que de taille modeste, c'est le plus important supermarché de Molokai.

#### MOLOKAI MINI MART

35 Mohala Street ✆ (808) 553 4447

*Ouvert jusqu'à 23h tous les jours.* Petit supermarché où on trouve l'essentiel. Le premier de l'histoire de Kaunakakai à rester ouvert jusqu'à 23h !

#### OUTPOST NATURAL FOODS

70 Makaena Place ✆ (808) 553 3377

Nourriture et produits bios.

### Galerie

#### MOLOKAI ARTISTS & CRAFTERS GUILD GALLERY

Molokai Center

110 Ala Malama Avenue, à l'étage

✆ (808) 553 8018

*Ouvert de 9h30 à 17h du lundi au vendredi. De 8h30 à 14h30 le samedi.* Plus de 90 artistes de Molokai exposent leurs œuvres dans cette galerie qui fait aussi office de boutique de souvenirs. Pour tous budgets.

### Vêtements

#### MOLOKAI ISLAND CREATIONS

61 Ala Malama Street

✆ (808) 553 5926

Maillots, T-shirts, chapeaux, rien ne manque dans ce magasin fourre-tout à la portée de toutes les bourses.

## Sports et loisirs

Les activités de loisirs en tant que telles sont assez limitées à Kaunakakai, mais c'est le centre névralgique du tourisme à Molokai. C'est seulement là qu'on peut louer du matériel de sport et réserver la plupart des circuits à thème organisés sur l'île.

### Circuits à thème

#### MOLOKAI FISH & DIVE

61 Ala Malama Avenue

✆ (808) 553 5926

www.molokaifishanddive.com

Tour-opérateur proposant de nombreuses excursions en milieu aquatique. Plongée sous-marine pour débutants (*195 $ le baptême*) et confirmés, kayak (*89 $ les 6h*), pêche sportive (*400 $ la demi-journée et 500 $ la journée*), snorkeling (*69 $ les 3h*).

Pour les plus indépendants et les petits budgets, location de matériel et d'équipements sportifs dans la boutique attenante.

#### MOLOKAI OUTDOORS

Hôtel Molokai

Kamehameha V Highway

✆ (808) 553 4477

www.molokai-outdoors.com

Organise des excursions en milieu aquatique comme son concurrent, mais ses prestations en plein air sont d'un meilleur rapport qualité-prix. Le circuit le plus intéressant est le « Alii Tour » ; moyennant 96 $, il permet de visiter en une journée les principaux sites de Molokai, y compris la péninsule de Kalaupapa.

© HAWAII TOURISM JAPAN (HTJ)

*Ala Malama Avenue à Kaunakakai, qui ne manque pas de rappeler l'Ouest américain.*

## Kayak

Les eaux calmes de Kaunakakai sont idéales pour la pratique du kayak. Le seul loueur de l'île est « Molokai Fish and Dive » (voir « Circuits à thème »).

## Surf

Les plages ne sont pas très belles à Kaunakakai et l'eau n'y est pas vraiment transparente. Peu de surfeurs, donc. Un conseil : louer le matériel à Kaunakakai et aller surfer sur les belles plages de l'Ouest (attention cependant aux courants, parfois forts sur ces spots).

■ **MOLOKAI SURF**
130 Kamehameha V Highway
Suite 103 ✆ (808) 553 5093
*Location de planches et cours de surf à 75 $/h.*

## Tennis

■ **KAUNAKAKAI GYM**
Mitchell Pauole Center
180 Ala Malama Street ✆ (808) 553 5141
*Ouvert de 11h à 15h du lundi au vendredi. À partir de 10h le samedi.* 2 courts de tennis gratuits et accessibles à tous. En prime : une piscine intérieure pour se rafraîchir après l'entraînement.

## Vélo

■ **MOLOKAI BICYCLE**
90 Mohala Street ✆ (808) 553 3931
www.bikehawaii.com
*Location de VTT de 15 à 24 $ la journée, de 70 à 100 $ la semaine.* Vendeurs expérimentés et de bon conseil pour les circuits à vélo praticables sur l'île.

## Whale-watching

Molokai, ou comment faire du whale-watching en toute sérénité. S'il est vrai que Maui est l'île de prédilection des adeptes du whale-watching, le pratiquer à Molokai est particulièrement judicieux car, ici, les embouteillages de bateaux qui se bousculent pour approcher la même baleine, ça n'existe pas !

■ **ALYCE C.**
Kaunakakai Wharf
✆ (808) 558 8377
www.alycecsportfishing.com
*À partir de 75 $ par personne pour une excursion de 3h.* Même si cela peut paraître un peu paradoxal, cette compagnie propose aussi bien de la pêche sportive que du whale-watching. Et elle fait bien les deux !

■ **AMA LUA**
Molokai Fish and Dive
61 Ala Malama Street
✆ (808) 553 5926
www.molokaifishanddive.com
*70 $ par personne pour 2h30 en mer.*

## Dans les environs

La région au nord de Kaunakakai est relativement sauvage et déserte. Pourtant plusieurs sites touristiques méritent le détour. Ils se répartissent dans une zone qui va de Kalae à la petite bourgade de Kualapuu, un village qui s'est progressivement vidé de sa population après la fermeture de son industrie d'ananas, en 1982, et qui reste très ancré dans les traditions rurales.

## Hébergement

### PALAAU STATE PARK

Highway 470 (à la fin de la route)
*Toilettes, aire de pique-nique, mais ni eau potable ni douches.* Le camping est d'accès libre, mais à condition de s'être procuré au préalable un permis (gratuit également) en écrivant à l'adresse suivante : Department of Lands & Natural Resources – Division of Forestry & Wildlife Office, 50 South High Street, Wailuku, Maui © (808) 984 8109.

## Restaurant

### KAMUELA'S COOKHOUSE

102 Farrington Avenue
© (808) 567 9655
*Entre 5 et 10 $.* Le seul restaurant de Kualapuu ! Une ambiance chaleureuse, campagnarde et locale. Sandwiches, salades et plats dans la pure tradition hawaiienne. Idéal pour un déjeuner original et pas cher.

## Points d'intérêt

### COFFEES OF HAWAII

1630 Farrington Avenue Kualapuu
© (808) 567 9490
www.coffeesofhawaii.com
*À 20 minutes de Kaunakakai, sur la Highway 470. Ouvert du lundi au vendredi de 7h à 17h. Le samedi de 8h à 16h et le dimanche de 8h à 14h. Visite avec dégustation 2 fois par jour, du lundi au vendredi, à 9h et 13h. 35 $ par adulte et 10 $ par enfant (gratuit pour les moins de 5 ans). Réservations à l'avance.* Cette plantation de café, qui s'étend sur 2 ha, est la seule de Molokai. La visite guidée permet de comprendre tout le processus de production du café, des champs de culture aux machines de torréfaction. Il existe plusieurs formules de visites, mais celle qui propose une dégustation de café est vraiment la plus ludique. On le goûte « à l'aveugle », dans la « tasting room », et on repart avec un échantillon gratuit de son café préféré !
Dans le bar expresso, à côté de la boutique de souvenirs à l'entrée, on peut déguster d'autres cafés pour une somme modique (*entre 2 et 4 $*).

> **Les vertus de la noix de macadamia**
>
> La noix de macadamia est reconnue pour ses propriétés énergétiques et anti-oxydantes. Elle contient 78 % de graisses mono insaturées qui aident à abaisser le taux de cholestérol et les risques cardiaques. Des études cliniques ont démontré que si on consomme de 5 à 20 noix par jour, le taux de cholestérol peut diminuer jusqu'à 7 % en quatre semaines !

### PURDY'S MACADAMIA NUT FARM

Lihipali Avenue – Hoolehua
© (808) 567 6601
www.molokai-aloha.com/macnuts
*Ouvert de 9h30 à 15h30 en semaine et de 10h à 14h le samedi. Prendre rendez-vous pour une visite le dimanche ou pendant les vacances scolaires. Entrée libre.* Une cinquantaine d'arbres, dont certains presque centenaires, se dressent sur le terrain de la seule et unique ferme de Molokai produisant des noix de macadamia. Sans pesticides ! Des noix parfaitement bios, donc.
Une visite guidée très pédagogique nous apprend tout sur le cycle de l'arbre de macadamia et comment la fleur se transforme en noix. Au programme : une dégustation gratuite de miel de macadamia, et de noix, bien sûr. Les plus gourmands repartent en général avec plusieurs produits à base de macadamia achetés dans la boutique de la ferme.

### R.W. MEYER SUGAR MILL AND MOLOKAI MUSEUM

Highway 470 – Kualapuu
© (808) 567 6436
*Dans la montée de la Highway 470, tourner à gauche après le terrain de golf et avant la balise 4 miles. Ouvert du lundi au samedi de 10h à 14h. Entrée : 2,50 $.* Une ancienne sucrerie construite par un ingénieur allemand du nom de Rudolph Wilhelm Meyer, venu s'installer à Hawaii en 1850. Grâce aux panneaux explicatifs, on peut aisément visiter par soi-même les installations restaurées de cette industrie. Mais c'est surtout le musée, le seul de Molokai, qui mérite la visite. Il retrace de façon intéressante l'histoire de l'île depuis les origines.

### PALAAU STATE PARK

Highway 470 (à la fin de la route)
Un parc agréable de 100 ha avec des sentiers balisés et toutes les commodités (aire de pique-nique, toilettes). Le parc étant à 310 m d'altitude, les températures y sont plus fraîches qu'à Kaunakakai. Prévoir une laine.

Les principaux points d'intérêt du parc sont :

- **Le Kalaupapa Lookout :** un superbe point de vue sur le village de Kalaupapa, avec des panneaux explicatifs qui retracent l'histoire des malades et du père Damien.
- **Le Kauleonanahoa, ou phallus de Nanahoa :** selon la légende, une femme du nom de Nanahoa aurait retrouvé la fertilité en faisant des offrandes à cette énorme pierre de forme phallique. C'est resté un lieu sacré pour les Hawaiiens ; des femmes stériles continuent à s'y recueillir en espérant tomber enceintes à leur retour à la maison.

## Sports et loisirs

### IRONWOODS HILLS GOLF COURSE

Highway 470 – Kualapuu
✆ (808) 567 6000
*Sur la Highway 470, juste avant le Molokai Museum. À partir de 20 $ la partie.* Petit terrain de golf de 9-trous entouré d'eucalyptus et de séquoias. Jolies vues sur la mer.

# KALAUPAPA

Les paysages sauvages et préservés de la péninsule de Kalaupapa sont d'une grande beauté. La descente à pied ou à dos de mule jusqu'au village de Kalaupapa est l'attraction majeure de l'île. Pourtant, pendant près d'un siècle, Kalaupapa est restée coupée du monde car elle abritait une communauté de lépreux qui y vivaient reclus, rejetés de tous. Quelques malades et leurs descendants y résident encore aujourd'hui. La visite de Kalaupapa et de son village reste gravée dans la mémoire, tellement l'histoire de ses habitants est bouleversante.

## Transports

Quel que soit le moyen de transport choisi pour se rendre à Kalaupapa, il faut réserver à l'avance par le biais d'une agence. Il est en effet interdit de prendre le chemin de Kalaupapa par soi-même et sans autorisation ; c'est aussi considéré comme un manque de respect pour les habitants de la péninsule. Enfin, en raison d'une loi ancienne, les moins de 16 ans n'y sont pas admis.

## À pied

En partant de Kaunakakai, prendre la Highway 460 puis la Highway 470. Une fois qu'on a dépassé les « mules stables » (écuries des mules), l'entrée du sentier de randonnée Pali Trail est à environ 10 minutes.

*Péninsule de Kalaupapa.*

C'est la façon la moins coûteuse de gagner le village de Kalaupapa et le seul moyen de prendre de superbes photos en toute tranquillité.

Même si on entreprend la randonnée de façon autonome, il faut impérativement faire une réservation auprès de Damien Tours au préalable. Dans le cas contraire, au bout du sentier, après la difficile randonnée, vous vous ferez refouler de la péninsule par le gardien du parc ! C'est cruel mais c'est ainsi. Et n'espérez pas pouvoir négocier, les gardiens sont intraitables.

La descente vers le village de Kalaupapa prend 1h30, en incluant les arrêts aux points de vue. Le sentier commence à plus de 500 m au-dessus du niveau de la mer et descend de façon abrupte jusqu'au village en seulement 5 km. Le chemin en lacet, qui compte 26 virages, n'est pas conseillé à ceux qui ont peur du vide. Il faut marcher prudemment en raison du terrain accidenté et des passages étroits qui favorisent les chutes.

Enfin, il est recommandé de faire cette randonnée tôt le matin, avant 8h et les randonnées à dos de mule. Surtout si l'on est allergique aux crottes de ces aimables animaux, nombreuses, après cette heure, à être fraîchement déposées tout au long du sentier. Au bout du sentier, un panneau indique le village vers la droite. On passe devant une plage de sable noir, mais n'allez surtout pas vous y rafraîchir : ses courants sont très dangereux. Juste après, on parviendra aux bancs où l'on attendra le bus de la visite guidée de « Damien Tours ».

# L'histoire de Kalaupapa

La péninsule de Kalaupapa a été formée par un ancien volcan qui s'est agrégé à l'île, plus ancienne, de Molokai. Avant d'accueillir les lépreux, au XIXe siècle, la péninsule était habitée depuis déjà neuf siècles par les Hawaiiens, qui vivaient surtout de la pêche et de la culture de la patate douce.
Le site, en proie aux pires intempéries et difficilement accessible en raison de son relief très accidenté, a été tout naturellement choisi comme lieu d'exil des lépreux par le roi Kamehameha V. C'est en 1835 que surviennent les premiers cas de lèpre à Hawaii. La maladie est surnommée *mai pake*, ou « maladie chinoise » car ce sont des immigrants chinois qui l'auraient introduite dans l'archipel. En 1860, une importante épidémie frappe Hawaii, décimant une partie de la population. Pour protéger son royaume de la contagion, Kamehameha V décide, à partir de 1866, d'exiler tous les lépreux à Kalawao, au sud-est de la péninsule de Kalaupapa, les habitants de la péninsule étant alors chassés par le roi pour laisser place aux malheureux indésirables. Considérés comme très contagieux et incurables, les malades sont traités sans ménagement. Ils sont séparés de leur famille sans explication et, lors de leur acheminement en bateau, on les jette à l'eau près des côtes. La plupart se noient, trop faibles pour gagner le rivage ou, tout simplement, parce qu'ils ne savent pas nager. Une fois arrivés à Kalawao, où il n'y a rien, les survivants se construisent des habitations de fortune. Ils se nourrissent de pêche et de cultures qu'ils développent peu à peu. Mais les conditions de vie et d'hygiène déplorables augmentent considérablement le taux de mortalité de la communauté, qui devient un cimetière à ciel ouvert. À partir de 1870, des missionnaires chrétiens viennent aider les malades de Kalawao, mais ils n'y restent que quelques mois tout au plus. Mais, en 1873, Joseph de Veuster, un prêtre catholique belge, plus connu sous le nom de père Damien, bouleversé par la souffrance et le dénuement de cette communauté, décide de ne pas repartir et de lui venir en aide durablement. Avec le concours des patients les plus valides, il entreprend la construction de 300 maisonnettes, d'une église, d'un dispensaire et d'un cimetière. Après onze ans de travail acharné, il est malheureusement atteint de la lèpre à son tour et meurt en 1889. Il reste à tout jamais le saint de Kalaupapa, et l'Église catholique le béatifie en 1995. Tout récemment, Benoît XVI a décidé de le canoniser (donc de l'élever au rang de « saint »). L'événement doit avoir lieu le 11 octobre 2009. Au moment de la rédaction de ce guide, et malgré la crise, des centaines de Hawaiiens avaient déjà réservé leurs billets d'avion pour Rome afin d'assister à la cérémonie.
Au début des années 1890, la communauté de malades quitte Kalawao pour aller vivre à Kalaupapa, où la terre est plus hospitalière et le climat plus clément.
Les premiers antibiotiques contre la lèpre, découverts en 1941, sont administrés cinq ans plus tard à Kalaupapa. (À partir des années 1960, la maladie, devenue curable, n'est plus considérée comme dangereuse.)
C'est en 1959 que Hawaii devient le 50e État des États-Unis ; mais les années passent et la démocratie américaine semble oublier les lépreux de Molokai. La mise en quarantaine demeure prescrite encore 10 ans sur la péninsule ! Une de ses lois sanitaires les plus cruelles était d'enlever les nouveau-nés à leur mère juste après l'accouchement ; ces derniers étaient alors adoptés à l'extérieur. Il faut attendre 1969 pour que la quarantaine soit levée et que les 1 800 habitants de Kalaupapa soient libres de quitter leur village.
Cependant, leur réintégration au monde extérieur est difficile et peu encadrée. La plupart des malades ont finalement quitté Kalaupapa pour s'installer sur différentes îles hawaiiennes ; ils y rejoignent souvent une famille dont ils ont été séparés pendant des décennies. Il ne reste aujourd'hui que 27 anciens patients qui ont choisi de rester vivre à Kalaupapa. Ils meurent peu à peu de vieillesse. Le dernier en date est Richard Marks, en décembre 2008. C'était une figure active de la communauté. Il dirigeait le « Damien Tours », la seule agence de visite guidée de Kalaupapa. Un important hommage lui a été rendu à Honolulu, le jour de ses funérailles à Kalaupapa.

**Retrouvez l'index général en fin de guide**

■ **DAMIEN TOURS**
✆ (808) 567 6171
L'agence délivre des permis pour effectuer la randonnée pédestre et organise les visites guidées du village de Kalaupapa : une visite par jour, du lundi au samedi ; 50 $ par personne.

## Avion

Avant d'acheter son billet d'avion pour Kalaupapa, il faut réserver une visite guidée du village auprès de « Damien Tours ». Une solution à la fois économique et agréable : ne prendre que l'aller en avion et faire la randonnée pédestre au retour. Ou vice versa.
Enfin, si vous voulez éviter de jongler avec toutes ces réservations, Damien Tours peut vous organiser le circuit de A à Z.

■ **PACIFIC WINGS**
✆ (808) 873 0877
www.pacificwings.com
Liaisons régulières Honolulu/Kalaupapa et Hoolehua/Kalaupapa

## À dos de mule

Le moyen le plus folklorique de descendre à Kalaupapa et de loin l'attraction la plus célèbre de Molokai.
Le hic, c'est qu'il faut être patient : l'excursion dure 7h ! Sans compter un certain mal aux fesses, dû à la position assise prolongée, et quelques bonnes frayeurs dans les virages. Mais le guide est là pour vous rassurer et aucune mule n'a encore fait le saut de l'ange…
Une chose est sûre : à la fin de la balade, vous pourrez, après beaucoup d'autres, reprendre à votre compte la formule « *J'ai survécu au sentier de Kalaupapa* ». Molokai Mule Ride est la seule agence à organiser ce type de circuit.
Ceux qui pensent venir en avion à Kalaupapa, achèteront leur place pour la « mule ride » avant de réserver leur vol. Dans tous les cas, il faut réserver la randonnée avec au moins deux semaines d'avance.

■ **MOLOKAI MULE RIDE**
✆ (808) 567 6088
www.muleride.com
*Les Molokai Mule Stables se trouvent sur la Highway 470, avant le Pali Trail.* Une formule unique à 175 $, qui inclut la randonnée à dos de mule, le permis d'entrée dans le parc, la visite guidée du village de Kalaupapa par Damien Tours et, en prime, un diplôme souvenir de l'expédition !

## Pratique

La péninsule de Kalaupapa et le sentier qui y conduit font intégralement partie du parc national du même nom.

■ **KALAUPAPA NATIONAL HISTORIC PARK**
✆ (808) 567 6802
*Ouvert tous les jours, sauf le dimanche.* Avant de se rendre dans le parc, où il n'existe pas d'autres commodités que les toilettes, faire un stop à Kaunaukakai pour y acheter de l'eau minérale, de la crème solaire et une bonne bombe antimoustiques !

## Vous avez dit lèpre ?

### Définition

La lèpre est une maladie infectieuse chronique qui touche les nerfs périphériques, la peau et les muqueuses. Elle provoque des infirmités sévères, telles que la perte totale de sensibilité d'un membre ou son atrophie.

### Transmission

La maladie touche essentiellement les personnes sous-alimentées, surtout dans les couches pauvres de la population. La transmission de la maladie est favorisée par un contact physique étroit avec les lépreux.
D'autres facteurs liés à la pauvreté, comme la promiscuité et les mauvaises conditions d'hygiène, favorisent la propagation de la maladie. La lèpre n'est pas héréditaire.

### Appellation

Depuis 1949, les États-Unis ont banni les mots « lèpre » et « lépreux » des textes officiels car les autorités ont pris conscience de l'image dégradante et stigmatisante que ces termes renvoyaient aux personnes atteintes de cette maladie. On l'appelle désormais « maladie de Hansen », du nom du scientifique qui l'a diagnostiquée.
Désigner les habitants de Kalaupapa comme des « lépreux » serait donc pour eux particulièrement vexant. Pensez-y.

► **Plus d'informations sur le site de la Fondation Raoul Follereau,** qui lutte contre la lèpre : www.raoul-follereau.org

### La sagesse du père Damien

Beaucoup d'écrivains et d'intellectuels ont visité Kalaupapa. Parmi eux, Robert-Louis Stevenson ou encore Jack London. Tous, dans leurs ouvrages, ont rendu unanimement hommage au dévouement du père Damien. En 1969, l'État de Hawaii a installé une statue du prêtre à l'entrée du State Capitol de Honolulu. Mahatma Gandhi a déclaré à son sujet : « *Ni le monde politique ni le monde journalistique n'a produit ne serait-ce qu'un seul homme comparable au père Damien... Il est intéressant de comprendre les origines d'un tel héroïsme* » (tiré de *Gandhi looks at leprosy*, M.S.Mehendale).

## Points d'intérêt

### VILLAGE DE KALAUPAPA

*Le seul moyen de visiter le village est de réserver une visite guidée auprès de Damien Tours, qui en a le monopole. Tarif : 50 $.* Que vous veniez à dos de mule ou à pied, le rendez-vous est fixé au niveau des bancs, près de l'enclos des mules. La visite se fait à bord d'un grand bus bleu de Damien Tours ; le guide est en général un ancien patient ou un habitant de Kalaupapa. Pour préserver l'intimité des résidents, les bâtiments publics comme l'hôpital ne sont pas accessibles aux touristes. Il est par ailleurs formellement interdit de photographier un habitant, malade ou pas. Les bus sillonne d'abord Kalaupapa, puis Kalawao où s'était installée la première colonie. Nombreux arrêts. Ci-dessous, les sites-clés dans l'ordre de la visite.

### SAINT FRANCIS CHURCH

Une église peinte en blanc et à l'architecture sobre. Construite en 1899, elle a été en partie détruite par un incendie en 1906. Le prêtre André, qui la fit reconstruire en 1907, lui donna un style plus gothique. À l'intérieur, plusieurs portraits du père Damien.

### TOMBE DE MÈRE MARIANNE

À proximité de l'église, se trouve la tombe de mère Marianne Cope (1838-1918). Moins connue que le père Damien, mère Marianne a pourtant joué un rôle fondamental au sein de la communauté de Kalaupapa. Alors qu'elle travaillait dans un hôpital de la région new-yorkaise, dans les années 1880, elle entendit parler des missions à Kalaupapa et du travail du père Damien. Avec six sœurs franciscaines, elle décida d'aller s'y installer. Elles débarquèrent en 1888 et créèrent rapidement un pensionnat pour les femmes seules de la communauté. Mère Marianne a travaillé sans relâche jusqu'à la fin de sa vie. Elle a énormément aidé le père Damien. Quand elle s'est éteinte, en 1918, le chagrin a été immense à Kalaupapa. Elle est considérée comme une sainte par tous les habitants du village. L'Église catholique l'a béatifiée en 2005.

### MONUMENT DU PÈRE DAMIEN

Près de la tombe de mère Marianne, une grande croix celtique rend hommage au père Damien (voir encadré « L'histoire de Kalaupapa »).

### VISITOR'S CENTER

Un mini musée et une librairie. Exposition de photos d'archives et vente de livres sur Kalaupapa. Les deux livres les plus riches en témoignages de patients et en photos sont *The Separating Sickness* et *Kalaupapa, a portrait.* Également des objets de la vie quotidienne adaptés par les patients de façon à pouvoir être utilisés par leurs membres atrophiés, comme cette cuillère à laquelle est soudé un bracelet métallique et qui servait ainsi aux malades privés de l'usage de leur main.

### SAINT PHILOMENA CHURCH

*L'église Saint Philomena se trouve à Kalawao.* L'une des premières tâches du père Damien à Kalaupapa a été de réparer le toit de cette église qui, depuis, a subi de nombreuses transformations. Étrangeté du sort, l'histoire s'achève d'ailleurs où elle a commencé puisque la tombe du père Damien se trouve à proximité. Ce n'est cependant pas là que repose le prêtre, même s'il y a d'abord été enterré. Son corps, exhumé en 1936 et rapatrié en Belgique, son pays d'origine, a été inhumé dans la cathédrale de Louvain. L'expatriation de la dépouille du père Damien fut un véritable drame pour les patients de Kalaupapa. Après moult protestations de la communauté, la main droite du religieux a été retirée, en 1995, du cercueil belge et déposée symboliquement dans la tombe d'origine, près de cette église.

### FALAISES DE KALAUPAPA

Le dernier arrêt du circuit, pour pique-niquer, se fait à Judd Park, d'où l'on distingue parfaitement les fameuse falaises de la côte Nord de Molokai, les plus hautes du monde ! Un panorama à couper le souffle.

# L'OUEST DE L'ÎLE

C'est en quelque sorte, au niveau touristique, la partie sinistrée de Molokai. Depuis la fermeture, au printemps 2008, du Molokai Ranch qui était la principale attraction de la côte ouest, les hôtels et les restaurants ont cessé toute activité. Quand on se promène dans le coin, on a d'ailleurs l'impression étrange de rouler dans une ville fantôme... Heureusement, les magnifiques plages de l'ouest de l'île n'ont pas, elles, déserté la région!

## MAUNALOA

*Au bout de la Highway 460.* C'est dans cette petite ville endormie que se trouvait le siège du Molokai Ranch. Et ça se sent! Malgré les quelques habitants qui vivent encore dans les parages, on entendrait une mouche voler. Les seules attractions de la ville sont un étonnant magasin de cerfs-volants artisanaux et un supermarché...

### Hébergement

**■ KALUAKOI VILLAS**
1121 Kaluakoi Road © (808) 552 2721
www.castleresorts.com
*De 155 à 185 $ la nuit en appartement de 2 à 4 personnes. Tarifs préférentiels sur le site Internet.* De charmants appartements modernes avec terrasse, dans de jolies maisonnettes, sur un terrain vert et vallonné. Cuisinette équipée et wi-fi. La magnifique plage de Kepuhi Beach est facilement accessible à pied de n'importe lequel de ces logements. Une piscine est également mise à la disposition des résidents.

### Point d'intérêt

**■ BIG WIND KITE FACTORY AND PLANTATION GALLERY**
120 Maunaloa Highway
© (808) 567 6000
www.bigwindkites.com
Vente de cerfs-volants faits main, tous plus beaux les uns que les autres. L'atelier de fabrication est dans l'arrière-boutique; on peut y prendre un cours gratuit et apprendre à confectionner soi-même un cerf-volant! En vente également, de nombreux livres sur Molokai et des CD de musique hawaiienne.

### Shopping

**■ MAUNALOA GENERAL STORE**
200 Maunaloa Highway © (808) 552 2346
*Ouvert du lundi au samedi de 8h à 18h.* Petit supermarché aux rayons assez bien fournis. Commode pour se ravitailler quand on loge dans un appartement du Kaluakoi Resort, tout proche.



# LA CÔTE OUEST

C'est sur la côte ouest, ensoleillée et sauvage, que se trouvent les plus belles plages de l'île.

### Hébergement

**■ PAPOHAKU BEACH PARK CAMP**
Très agréable camping près d'une plage de rêve. Sur place, toutes les commodités : douches, toilettes, eau potable. Permis de camper obligatoire, à demander à l'avance au Department of Parks Land and Natural Resources, Box 1055, 90 Ainoa Street, Kaunakakai 96748 © (808) 553 3204 – www.hawaiistateparks.org.

### Points d'intérêt

**■ KAWAKIU BEACH**
*Accessible uniquement en 4X4. Au moment où la Kaluakoi Road tourne à gauche, prendre le sentier à droite.* Un petit banc de sable fin et une eau transparente... l'endroit est idéal si l'on veut se sentir coupé du monde. Mais pour la trempette uniquement! Mieux vaut éviter d'y nager en raison des forts courants.

**■ KEPUHI BEACH**
*Accessible en passant dans les jardins des Kaluakoi Villas, sur Kaluakoi Road.* Un kilomètre de sable blanc qui contraste avec le noir des rochers de lave durcie et une mer bleu azur. Les eaux relativement paisibles sont propices à la baignade ou au snorkeling. Attention toutefois de ne pas nager trop près des rochers, histoire de ne pas s'y faire projeter par une vague capricieuse! En hiver, ces eaux peuvent même parfois être dangereuses! Toilettes et douches sur place.

**■ PAPOHAKU BEACH**
*Sur Kaluakoi Road, peu après avoir passé Kepuhi Beach.* La plage la plus célèbre de Molokai, ne serait-ce qu'en raison des spectacles de hula qui s'y déroulent chaque année dans le cadre du « Ka Hula Piko Festival » (voir à la rubrique « Évènements » dans la présentation de l'île).

Si elle a été choisie, c'est aussi parce que, avec ses 5 km de sable doré, c'est de loin la plus belle plage de Molokai. À condition de rester au bord, on peut s'y baigner sans risque (dès qu'on s'éloigne, les courants deviennent dangereux). C'est également un bon spot de plongée mais mieux vaut être encadré en raison des courants. Toilettes, douches et aire de pique-nique.

■ **KAPUKAHEHU BAY**

*Dans le prolongement de Kaluakoi Road, au sud de Papohaku Beach.* Petite plage tranquille et bon spot de surf quand le vent se lève. Les autres jours, elle est parfaite pour le snorkeling ou le body-boarding. Bronzette et baignade possibles toute l'année, et sans contre-indications !

# L'EST DE L'ÎLE

Entre la réserve naturelle de Kamakou, la vallée d'Hanalei et les plages désertes de son littoral, l'est de l'île est la région la plus préservée de Molokai mais aussi la moins visitée. La beauté de ses paysages mérite cependant qu'on y consacre au moins une journée, surtout si on est un amoureux de la nature.

## DE LA FORÊT DE KAMAKOU À LA POINTE EST

Pour être coupé du monde ou se ressourcer, c'est le coin rêvé ! Rien ne vaut une randonnée dans la forêt de Kamakou ou une baignade aux plages de Waialua ou d'Halawa...

### Hébergement

■ **PUU O HOKU RANCH**

Highway 450 ✆ (808) 558 8109

www.puuohokuranch.com

*À la fin de la Highway 450, près de la balise 25 miles. L'ensemble à 1 250 $ la nuit, soit 56 $ environ par personne.* Uniquement pour les groupes. C'est la loi du tout ou rien ; soit on loue le lodge en entier, soit on ne loue rien ! Pas de réservation pour 1 ou 2 personnes, donc. Le Ranch possède 11 chambres, 9 salles de bains et une très grande cuisine. Il est installé au milieu de près de 6 000 ha de forêts et de pâturages avec, en prime, de très belles vues sur la mer ! Sur place, on peut faire de l'équitation ou suivre des cours de yoga. Il faut dire que le lieu s'y prête vraiment !

### Points d'intérêt

■ **KAMAKOU PRESERVE**

*Accessible uniquement en 4X4. De Kaunakakai, prendre la Highway 460 à l'ouest. Tourner à droite avant la balise 4 miles, en direction du cimetière. Continuer tout droit.* La réserve naturelle de Kamakou s'étend sur 1 200 ha au pied de la plus haute montagne de Molokai, le Kamakou Peak, qui culmine à plus de 1 500 m. Plusieurs randonnées sont possibles (voir, ci-dessous, « Randonnées » dans « Sports et loisirs ») dans cette forêt tropicale qui abrite plus de 200 espèces de plantes qu'on ne trouve qu'à Hawaii. Il vaut mieux être accompagné d'un guide car on se perd très facilement dans la forêt, même avec un plan ! Prévoir des manches longues contre les insectes et un K-way pour se protéger des pluies fréquentes.

■ **HALAWA VALLEY**

*En partant de Kaunakakai, prendre la route 450 en direction de l'est. C'est tout au bout !* C'est dans cette vallée que s'était établie, au VII<sup>e</sup> siècle, la plus ancienne communauté de Molokai. Ces Hawaiiens, originaires des îles Marquises, ont vécu de la pêche et de la culture du taro (pomme de terre locale) jusque dans les années 1950. Mais, en 1946 et 1957, deux énormes tsunamis ont détruit leurs habitations et imprégné durablement leurs terres de sel, les rendant impropres à la culture. Depuis une vingtaine d'années, tout a été mis en œuvre pour rendre les sols de nouveau fertiles, notamment grâce à un système d'irrigation élaboré. Les plants de taro nécessitent en effet beaucoup d'eau pour arriver à maturité. Les Hawaiiens sont d'autant plus attachés au taro que c'est pour eux une plante sacrée dont seraient issus leurs ancêtres et dont certains dieux auraient pris la forme. Une randonnée guidée permet de bien explorer la vallée (voir ci-aorès).

■ **WAIALUA BEACH PARK**

*Sur la Highway 450, à la balise 20 miles.* Jolie plage de sable fin aux eaux transparentes et peu profondes. Excellent spot de snorkelling.

■ **HALAWA BEACH PARK**

Au bout de la Highway 450

Cette plage est en fait constituée de deux plages qui s'incurvent en formant comme le haut d'un cœur ! Kamalaaea Beach est à gauche, et Kawili {Beach} à droite. Pas de sable fin mais des cailloux sur cette très jolie baie de la vallée de Halawa. Ses eaux abritées sont propices à la baignade, à condition de rester au bord. L'hiver, les vagues se réveillent et la plage devient un très bon spot de surf. Enfin, une aire de pique-nique en fait un agréable lieu pour se prélasser après une randonnée dans la vallée du même nom. Toilettes sur place.

## Sports et loisirs

### Randonnée

#### ■ HALAWA VALLEY COOPERATIVE

P.O. Box 140 – Kaunakakai
✆ (808) 553 9803
La Halawa Valley Cooperative, à la tête du projet de réhabilitation de la vallée, organise une randonnée guidée pour présenter ses travaux mais aussi les autres sites intéressants de la vallée, comme ses multiples heiau (temple traditionnel hawaiien) et ses superbes chutes d'eaux, les Moa'ula Falls.
La randonnée complète revient à 75 $ pour un adulte et 45 $ pour un enfant (gratuit en dessous de 7 ans). Durée : une demi-journée, avec un départ à 9h30 ou 14h. Appeler à l'avance pour réserver.

#### ■ NATURE CONSERVANCY'S MOLOKAI OFFICE

23 Pueo Place – Kaunakakai
✆ (808) 553 5236 – www.nature.org
*Fournit tous les plans de randonnées de la Kamakou Preserve.* Une randonnée guidée, le premier samedi de chaque mois en général. Appeler pour la réserver. Rien à payer mais dons bienvenus !

# LA CÔTE SUD-EST

Autrefois centre névralgique de l'industrie de l'ananas, cette région a été progressivement vidée de ses habitants partis chercher du travail ailleurs, à la fin du XX^e siècle. Cependant, quelques sites méritent qu'on s'attarde sur cette partie de l'île. 2-3h suffisent amplement.

## Points d'intérêt

#### ■ KALOKOELI FISHPOND

*Sur la Highway 450, vers la balise 6 miles.* Les « fishponds » ou « étangs à poissons » sont des systèmes de pêche ingénieux élaborés par les premiers Hawaiiens. On en trouve beaucoup sur la côte sud de Molokai ; ils auraient été construits au XIII^e siècle et le Kalokoeli Fishpond est un des plus importants. Ce sont des piscines artificielles dont les parois étaient trouées de manière à laisser entrer les petits poissons et les empêcher d'en sortir. Ou comment pêcher intelligemment !

#### ■ KAMALO

*Sur la Highway 450, juste après la balise 10 miles.* Ce petit village était autrefois le centre commercial de l'île, du temps où l'industrie de l'ananas fleurissait à Molokai. De son port de marchandise, il ne reste que le « Kamalo Wharf », un quai abandonné qui permet toutefois d'avoir un point de vue imprenable sur le mont Kamakou. C'est aussi un bon spot de pêche. Mais évitez les très tentants plongeons, vous pourriez bien finir en pâtée pour… requins. Ils adorent le coin !

#### ■ CHURCH OF SAINT JOSEPH

*Sur la Highway 450, à la balise 11 miles.* Une église toute simple construite en 1876 par le père Damien, le bon prêtre de Kalaupapa (voir l'encadré « Kalaupapa »). Juste en face, sa statue ornée de lei (collier de fleurs) et une plaque commémorative qui retrace son parcours.

#### ■ SMITH BRONTE LANDING

*Sur la Highway 450, à la balise 12 miles.* Un panneau en bois indique le lieu d'un atterrissage catastrophe historique, en 1927. Ernie Smith et Emory B. Bronte décollent d'Oakland le 14 juillet et sont bien décidés à être les premiers aviateurs à relier le continent US à Honolulu. Malheureusement, ils tombent en panne d'essence et sont contraints d'atterrir de toute urgence à Molokai. Finalement sains et saufs, ils ont tout de même effectué le premier vol de l'histoire entre les États-Unis et Hawaii. Le vol aura duré 25 heures et 2 minutes !

#### ■ KALUAAHA CHURCH

Une église à la décoration sobre, construite en 1835 par les premiers missionnaires arrivés sur l'île.

#### ■ LADY OF SORROWS CHURCH

L'église a été construite par le père Damien, en 1874. Elle a été restaurée à l'identique en 1966. Une grande croix en bois marque son entrée.

# KAUAI

*Waimea Canyon (surnommé le Grand Canyon du pacifique).*

# Kauai

*Avec ses paysages magnifiques et préservés, dont la Na Pali Coast et le Waimea Canyon sont des exemples particulièrement emblématiques, Kauai est vraiment l'île des amoureux de la nature. Les sports de plein air y sont à l'honneur, notamment les activités nautiques, grâce aux multiples spots de surf ou de boogie-board des côtes nord et sud. C'est aussi un lieu parfait de détente et de repos, que ce soit sur une plage isolée ou lors d'une balade en forêt. Si vous venez de visiter Oahu et que vous avez trop festoyé à Waikiki, voici l'endroit rêvé pour récupérer et vous ressourcer.*
*Avec ses 1 435 km², Kauai est la quatrième plus grande île de l'archipel. C'est aussi la plus ancienne géologiquement puisqu'elle serait née il y a 5 millions d'années. Le volcan à l'origine de sa formation est éteint depuis bien longtemps et son point culminant, le mont Waialeale (1 569 m), est tout ce qu'il en reste. Tout comme le reste de l'île, il a été progressivement érodé par les pluies diluviennes qui s'abattent sur ses sommets chaque année. Ce sont ces mêmes précipitations qui ont peu à peu sculpté l'île et, notamment, ses plus beaux sites, comme le prodigieux Waimea Canyon ou la sublime Na Pali Coast. Mais rassurez-vous, il ne pleut pas tout le temps à Kauai ! Ce sont souvent des pluies localisées dans les reliefs, violentes certes, mais courtes. En tout cas, c'est à elles que Kauai doit l'étonnante luxuriance de sa végétation, qui lui a valu son surnom de « Garden Isle » (île jardin).*
*Très rurale, Kauai ne compte pas de villes importantes. Les plus grandes ont tout au plus une dizaine de milliers d'habitants. Tous sont d'ailleurs très attachés à leur rythme de vie paisible et ne veulent surtout pas d'un Waikiki chez eux ! Ils ont même voté une loi interdisant que la hauteur des constructions dépasse celle des cocotiers. Même si les trois côtes touristiques de l'île (la côte des Cocotiers, la côte nord et la côte sud) se sont pas mal urbanisées, les complexes hôteliers n'y défigurent pas le paysage. Ces dernières années, ce sont d'ailleurs plutôt les fermes bios et les activités liées à l'écotourisme qui tendent à se développer.*

### Les immanquables de Kauai

- **Voir** le Waimea Canyon.
- **Faire** une randonnée dans la Na Pali Coast ou la survoler en hélicoptère.
- **Découvrir** la forêt de Kokee.
- **Faire** du kayak sur la rivière Wailua.
- **Lézarder** sur les plages de Poipu.

## L'arrivée à Kauai

### Avion

**LIHUE AIRPORT**
✆ (808) 246 1448
www.hawaii.gov/dot/airports/kauai/lih
*Situé à 5 km à l'est de Lihue, le Lihue Airport est le principal aéroport de Kauai.* Il est tout petit, en plein air et on s'y repère assez facilement. Peu de vols directs du continent américain vers Lihue. La plupart du temps, il faut se rendre à Honolulu et prendre un vol inter-îles.

#### Compagnies aériennes internationales

Ces compagnies assurent des vols directs du continent US vers Lihue.

**ALASKA AIRLINES**
✆ (800) 426 0333 – www.alaskaair.com

**AMERICAN AIRLINES**
✆ (800) 223 536 – www.aa.com

**UNITED AIRLINES**
✆ (800) 241 6522 – www.ual.com

**US AIRWAYS**
✆ (800) 428 4322
www.usairways.com

#### Compagnies aériennes inter-îles

**HAWAIIAN AIRLINES**
✆ (800) 367 5320
www.hawaiianair.com

**ISLAND AIR**
✆ (808) 484 6541
www.islandair.com

**GO ! AIRLINES**
✆ (888) 435 9462
www.iflygo.com

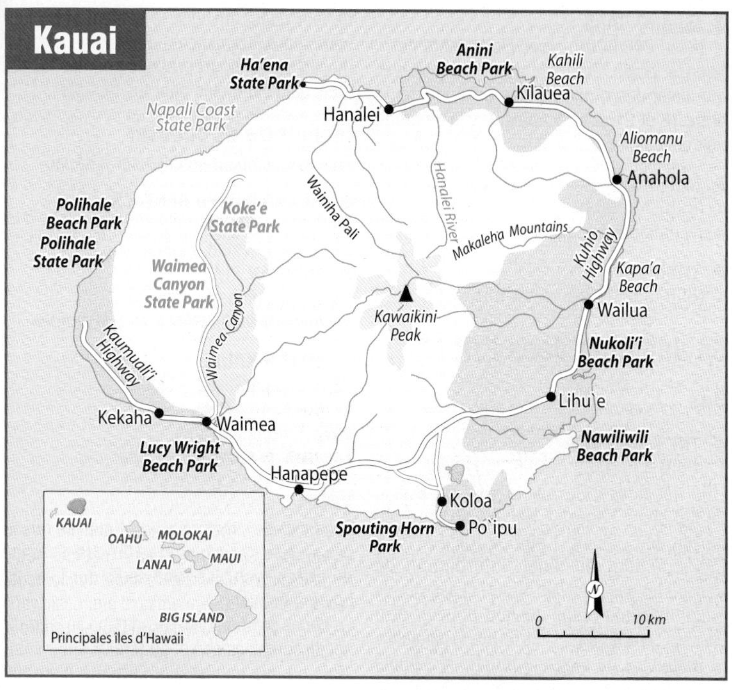


## Depuis l'aéroport

■ **THE KAUAI BUS**
© (888) 435 9462 – www.kauai.gov
Le réseau de bus de l'île, le « Kauai Bus », effectue une rotation par heure entre l'aéroport et Lihue, de 6h à 18h, du lundi au vendredi. Le samedi et pendant les vacances scolaires, rotations assurées de 8h à 16h seulement avec une fréquence réduite l'après-midi (toutes les 2h). 1,50 $ le trajet. Interdiction de transporter des planches de surf et des valises encombrantes (elles doivent pouvoir être glissées sous le siège).

## Taxi

Compter 50 $ pour aller à Poipu, 25 $ pour la côte est et 90 $ pour la côte nord.

■ **AKIKO'S TAXI**
© (888) 822 7588

■ **CITY CAB**
© (808) 639 7932

■ **KAUAI TAXI COMPANY**
© (808) 246 9554
www.kauaitaxico.com
Réservation de taxi possible en ligne.

■ **NORTH SHORE CAB**
© (808) 826 4118

## Location de voitures

Les bureaux des grandes sociétés de location sont à la sortie de l'aéroport, mais il faut prendre une navette pour aller chercher son véhicule. Réserver sa voiture à l'avance, surtout pendant les périodes de haute saison touristique.

■ **ALAMO**
© (808) 246 0646
www.goalamo.com
*Un supplément de 25 $ par jour pour les conducteurs de 21 à 25 ans.*

■ **AVIS**
© (808) 245 3512 – www.avis.com

■ **BUDGET**
© (808) 245 1901 – www.budget.com

■ **DOLLAR**
© (800) 800 4000 – www.dollar.com
*Un supplément de 25 $ par jour pour les conducteurs de 21 à 25 ans.*

■ **HERTZ**
© (808) 245 3356 – www.hertz.com

■ **ISLAND CARS**
✆ (808) 246 6000 – www.islandcars.net
Agence locale. Tarifs souvent moins élevés que ceux des grands loueurs. Conducteurs entre 18 et 21 ans acceptés. Carte de crédit non obligatoire.

■ **NATIONAL**
✆ (808) 245 5636
www.nationalcar.com

■ **THRIFTY**
✆ (808) 952 4238 – www.trifty.com

# Se déplacer dans l'île

## Bus

■ **THE KAUAI BUS**
✆ (888) 435 9462 – www.kauai.gov
L'île est desservie par le « Kauai Bus », de Kekaha à l'ouest à Hanalei au nord, au moyen de 6 lignes. 1,50 $ le trajet et 15 $ l'abonnement mensuel. Interdiction de transporter des planches de surf et des valises encombrantes (elles doivent pouvoir être glissées sous le siège). Pas de bus le dimanche et fréquence de passage réduite le samedi et pendant les vacances scolaires. Vélos acceptés et accrochés au porte-vélos. Lignes et horaires à consulter sur le site Internet ; cliquer sur la rubrique « transportation » puis « Bus schedules ».
Même si les bus peuvent dépanner, mieux vaut ne pas compter sur ce seul moyen de transport si on veut visiter toute l'île, en raison de leur faible fréquence de passage (sans parler de leur quasi-absence le samedi et de leur inexistence le dimanche). En résumé, c'est un moyen de transport pratique pour les locaux mais qui l'est moins pour les touristes.

## Mobylette et scooter

Très sympas pour se déplacer à Kauai.

■ **ISLAND MOPED RENTALS**
Aloha Center Marketplace
3771 Wilcox Road – Lihue
✆ (808) 245 7177
www.kauaimopedrentals.com
*Location de mobylettes à 75 $ la journée.*

■ **KRUZIN KAUAI**
3366 Waapa Street – Lihue
✆ (808) 246 4734
www.kruzinkauai.com
*Location de scooters. 75 $ par jour.*

## Vélo

Pas facile de circuler à vélo à Kauai en raison des averses fréquentes et de la quasi-absence de pistes cyclables (une seule sur l'île, de Lihue à Anahola).
La bonne solution pour ne pas trop se fatiguer est de combiner vélo et bus (vélos autorisés). Mais ne pas oublier que l'attente d'un bus peut s'avérer longue.

■ **COCONUT COASTERS**
4-1586 Kuhio Highway – Kapaa
✆ (808) 822 7368
www.coconutcoasters.com
Loueur sur la côte est, aussi appelée « Coconut Coast », d'où le nom de la boutique. Location de vélos à partir de 32 $ par jour.

**DISTANCES ET TEMPS DE TRAJET**

| De l'aéroport à | Durée | Distance |
|---|---|---|
| Haena | 1 heure 30 | 40 miles/64 km |
| Hanalei | 1 heure 15 | 35 miles/56 km |
| Kalalau Lookout | 2 heures 10 | 50 miles/80 km |
| Kekaha | 1 heure 05 | 29 miles/46 km |
| Poipu | 50 min | 19 miles/30 km |
| Wailua River | 15 min | 8 miles/13 km |
| Waimea | 1 heure | 25 miles/40 km |
| Waimea Canyon | 2 heures | 40 miles/64 km |

*Hanalei Valley.*

■ **KAUAI CYCLE**
934 Kuhio Highway – Kapaa
✆ (808) 821 2115 – www.kauaicycle.com
*De 20 à 45 $ la location de VTT pour 24h.*

### Voiture

Le meilleur moyen pour visiter l'île. Deux axes autoroutiers majeurs partent de Lihue. La Kuhio Highway (Highway 56) parcourt les côtes est et nord de l'île. La Kaumualii Highway (Highway 50) dessert les côtes sud et ouest. Les deux routes s'achèvent à la Na Pali Coast, qui est inaccessible en voiture. Il faut 3h pour les parcourir de bout en bout. En raison du relief très montagneux du centre, pas de routes qui « coupent l'île » et qui pourraient servir de raccourcis. Ne pas se fier aux distances pour évaluer la durée des trajets et se rappeler que la vitesse est limitée à 50 mph (80 km/h) sur toute l'île.



# LA CÔTE EST

L'essentiel de la population de l'île se concentre sur la côte est. Celle-ci s'étend de Lihue, la capitale du comté, à la « Coconut Coast » (côte des cocotiers), une des trois zones balnéaires de Kauai avec les côtes sud et nord.

## LIHUE

La plus grande ville de Kauai, son centre commercial et politique. Nombreux restaurants et supermarchés. Un passage obligé pour le shopping et les sorties festives ou culturelles.

### Pratique

#### Tourisme

■ **KAUAI VISITORS BUREAU**
4334 Rice Street – Suite 101
✆ (808) 245 3971
www.kauaivisitorsbureau.com
*Ouvert de 8h à 16h30 du lundi au vendredi.*
Brochures et cartes gratuites de l'île.

#### Banque

■ **BANK OF HAWAII**
4455 Rice Street
✆ (808) 245 6761
Distributeur 24h/24.

#### Poste et télécommunications

■ **LIHUE POST OFFICE**
4441 Rice Street
*Ouvert de 8h à 16h du lundi au vendredi et de 9h à 13h le samedi.*

■ **CYBER CONNECTIONS**
3366 Wapaa Road – Suite 508
✆ (808) 246 3831
*Ouvert de 9h à 17h du lundi au samedi. Fermeture à minuit le mercredi. Face au parking du centre commercial Anchor Cove. 5 ordinateurs : 3 $ les 15 minutes. Wi-fi : 4 $ les 30 minutes et 10 $ les 24h.* Imprimante et fax à disposition.

■ **LIHUE PUBLIC LIBRARY**
4344 Hardy Street © (808) 241 3222
*Ouverte de 11h à 19h les lundi et mercredi. De 9h à 16h30 les mardi, jeudi et vendredi.* Accès Internet avec une « Visitor's Card » à 10 $ pour 3 mois (pas d'abonnement possible pour une durée d'utilisation inférieure). 6 postes.

## Santé

■ **WILCOX MEMORIAL HOSPITAL**
3420 Kuhio Highway
© (808) 245 1100 – www.wilcoxhealth.org
Urgences assurées 24h/24.

■ **LONG DRUGS**
Kukui Grove Shopping Center
3-2600 Kaumualii Highway
© (808) 245 7771
*Pharmacie. Ouverte de 7h à 22h du lundi au samedi. De 8h à 20h le dimanche.*

## Orientation

Rice Street et Nawiliwili Street sont les deux rues principales de Lihue.
Rice Street est l'axe majeur du centre-ville. Parallèlement, Nawiliwili Street part de Nawiliwili Harbor pour remonter jusqu'au Kukui Grove, le plus grand centre commercial de Kauai. À partir de là, on peut prendre la Highway 50 qui mène aux côtes sud et ouest ou la Highway 56 qui longe la côte est puis la côte nord jusqu'à la Na Pali Coast.

## Hébergement

Lihue compte de nombreux hôtels à prix accessibles, beaucoup moins chers que ceux des stations balnéaires de l'île.

### Bien et pas cher

■ **THE KAUAI INN**
2430 Hulemalu Road
© (808) 245 9000 – www.kauaiinn.com
*De 99 à 109 $ la chambre double. À partir de 129 $ la chambre pour 4.* Établissement familial au milieu d'un superbe jardin tropical. Wi-fi, micro-ondes, frigo et terrasse dans chaque chambre. Petite piscine. Très bon rapport qualité-prix.

■ **GARDEN ISLAND INN**
3445 Wilcox Road © (808) 245 7227
www.gardenislandinn.com
*De 99 à 150 $ la chambre double. Suites pour 2 à 6 personnes de 145 à 180 $ la nuit. 4 nuits*

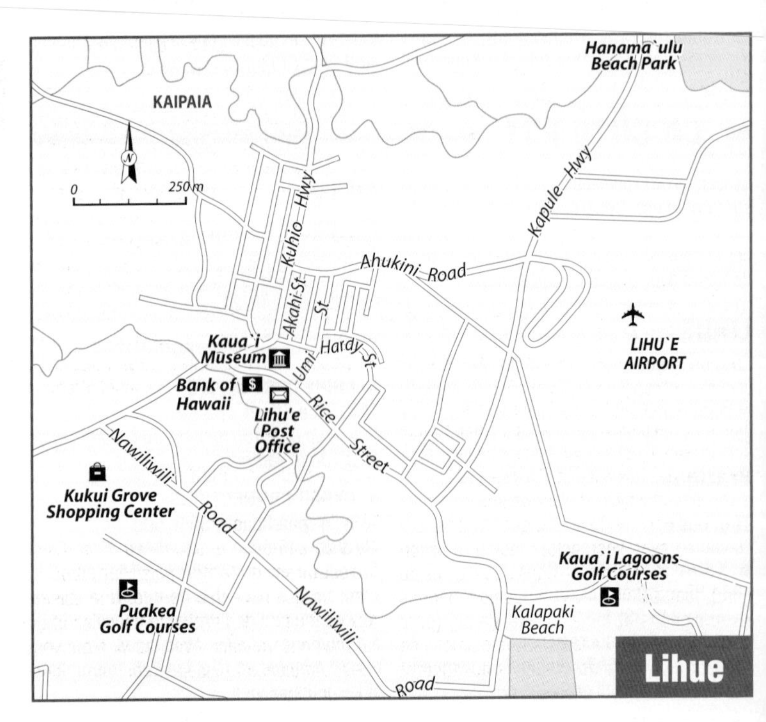

*minimum.* À deux pas du Nawiliwili Harbor et de toutes ses animations, un confortable hôtel de 21 chambres. TV, micro-ondes, kitchenette, café Kona (café de Hawaii) et wi-fi gratuits dans toutes les chambres. Personnel chaleureux.

■ **MOTEL LANI**
4240 Rice Street
✆ (808) 245 2965
*55 $ la chambre double et 45 $ à partir de 2 nuits. Pas de CB.* Un hôtel en plein centre de Lihue, idéal pour les petits budgets. Chambres au confort simple, avec frigo mais sans télé. Certaines ont une kitchenette.

### Luxe

■ **KAUAI MARRIOTT RESORT & BEACH CLUB**
3610 Rice Street
✆ (808) 245 5050
www.marriott.com/lihhi
*De 359 à 555 $ la chambre double en fonction de la vue. 40 $ par couchage supplémentaire. Suites de 694 à 2 600 $.* Un superbe établissement situé sur la belle plage de Kalapaki Beach. L'immense piscine de l'hôtel, la plus grande de Kauai, présente une architecture originale et contient 5 jacuzzis. 7 restaurants sur place, dont le très animé Duke's et l'excellent Café Portofino (voir plus loin). Des chambres très confortables, avec terrasse, wi-fi, TV et café offert. Rien à redire.

## Restaurants

■ **DANI'S RESTAURANT**
4201 Rice Street
✆ (808) 245 4991
*Ouvert de 5h à 13h du lundi au vendredi. Jusqu'à 11h le samedi. Plats de 4 à 9 $.* Une adresse qui ravira les adeptes de bons petits déjeuners. Comment résister en effet aux pancakes fondants de la maison ? À la banane, à la papaye, à l'ananas... impossible de s'arrêter. C'est aussi le restaurant idéal pour déjeuner à la hawaiienne. On y sert toutes les spécialités locales et c'est beaucoup moins cher que dans un luau (banquet traditionnel hawaiien avec spectacle) : laulau (poisson ou porc cuit à l'étouffée dans des feuilles de taro), lomi salmon (dés de saumon marinés avec oignons et tomates), kailua pig (porc cuit à l'étouffée). Le tout dans une ambiance chaleureuse, avec des habitués qui adorent parler de leur île... adorée.

■ **HAMURA'S SAIMIN STAND**
2956 Kress Street
✆ (808) 245 3271
*Ouvert du lundi au jeudi de 10h à 22h. Les vendredi et samedi jusqu'à minuit. Le dimanche de 10h à 21h. Moins de 7 $ le bol de nouilles.* Petit restaurant familial qui, depuis son ouverture en 1951, ne désemplit pas. Son secret : ses délicieuses recettes de « saimin » (soupe de nouilles hawaiienne). Consistants et à petits prix, les bols de nouilles se distribuent comme des petits pains, et il y en a pour tous les goûts !

■ **CAFÉ PORTOFINO**
Kauai Marriott Resort & Beach Club
3481 Hoolaulea Street – Nawiliwili
✆ (808) 245 2121
www.cafeportofino.com
*Ouvert de 17h à 21h. Uniquement pour dîner. 25 $ le repas complet en moyenne. Réservation recommandée.* Un restaurant gastronomique et romantique créé par un vrai italien de Portofino. Musique live tous les soirs et une très jolie vue sur l'océan, tous les soirs également.

■ **DUKE'S CANOE CLUB & BAREFOOT BAR**
Kauai Marriott Resort & Beach Club
3610 Rice Street – Nawiliwili
✆ (808) 246 9599
*Restaurant ouvert de 11h à 22h. Bar jusqu'à 23h. Compter 15 $ pour déjeuner et 25 $ pour dîner.* Bar-restaurant identique à celui de Waikiki sur Oahu, sauf qu'il est sur la Kalapaki Beach, à Kauai ! Très belle vue sur la mer et soirées animées avec de nombreux concerts live. Déco très hawaiienne, agrémentée de photos du champion de surf Duke Kahanamoku. Cuisine américaine aux fortes influences locales. Au menu : sandwiches, salades, grillades et pupus (en-cas salés pour l'apéritif). Happy-hour sur les cocktails, le vendredi de 16h à 18h.

■ **GAYLORD'S**
3-2987 Kaumualii Highway
✆ (808) 245 9593
www.gaylorskauai.com
*25 $ au déjeuner, le double au dîner.* C'est le restaurant de la Kilohana Plantation et c'est un des plus chic de l'île. Une cuisine aux confluents de l'exotisme hawaiien et du raffinement français. Avec les vins qui vont avec ! Ambiance tamisée le soir venu. Idéal pour un dîner en tête à tête.

## Sortir

### Bars

**DUKE'S CANOE CLUB & BAREFOOT BAR**
Kauai Marriott Resort & Beach Club
3610 Rice Street – Nawiliwili
✆ (808) 246 9599
*Ouvert jusqu'à 23h. Pupus entre 5 et 10 $. Bières et cocktails entre 3 et 9 $.* L'atmosphère, festive et tropicale, vaut à elle seule le détour. Très agréable au moment de l'apéritif, histoire d'assister au coucher de soleil sur la jolie plage de Kalapaki Beach tout en dégustant les consistants pupus (en-cas salés hawaiiens) de la maison. Musique live tous les soirs, de 16h à 18h. Restaurant à l'étage (voir plus haut).

**NAWILIWILI TAVERN**
3488 Paena Loop – Nawiliwili
✆ (808) 245 1781
www.nawiliwilitavern.com
*Sur le port de Nawiliwili. Ouvert jusqu'à 2h du matin. Bières et vins entre 4 et 5 $.* Un pub irlandais où la fête est une vraie religion, en totale harmonie avec l'« Aloha Spirit » hawaiien. Des promotions sur les cocktails tout au long de la semaine. Soirées karaoké tous les mardis et samedis.

### Comédie musicale

**SOUTH PACIFIC**
Hilton Kauai Beach Resort
4331 Kauai Beach
✆ (808) 245 5055
www.southpacifickauai.com
*Tous les mercredis à 17h30. 80 $ par adulte, 30 $ par enfant.* Une comédie musicale de Broadway créée dans les années 1950. L'histoire se passe à Kauai, bien sûr. 3h de spectacle avec cocktail et dîner.

### Hula

**HARBOR MALL**
3501 Rice Street
✆ (808) 245 5255 – www.harbormall.net
*Sur le port de Nawiliwili.* Spectacle et cours de hula gratuits tous les mercredis à 12h15.

## Points d'intérêt

**ALEKOKO (MENEHUNE) FISHPOND**
*En arrivant du centre-ville de Lihue ou du port de Nawiliwili, prendre la Nawiliwili Road puis la Niumalu Road et, enfin, la Hulemalu Road.* Ce « fishpond », ou « étang à poissons », aurait été créé, il y a mille ans, par les menehune, des elfes ingénieux qui peuplaient les forêts et avaient un don pour la pêche. Ils auraient construit la paroi rocheuse de cet étang, longue de 279 m et haute de 1,55 m, en une nuit. Le but : piéger un maximum de poissons pour la famille royale hawaiienne, qui en mangeait beaucoup. Au-delà de cette légende, le point de vue sur l'étang mérite qu'on s'y arrête.

**GROVE FARM HOMESTEAD MUSEUM**
4050 Nawiliwili Road
✆ (808) 245 3202
*De Lihue, prendre la Nawiliwili Road (Highway 58) vers le nord. Ouvert du lundi au vendredi de 9h à 16h. Entrée : adultes 10 $, enfants 5 $. Visite guidée gratuite mais sur réservation, les lundi, mercredi et jeudi à 10h et 13h.* En 1864, George N. Wilcox, fils d'un missionnaire, fondait une des premières plantations de canne à sucre de Hawaii. Cette exploitation, où il avait également sa demeure, est devenue un musée à sa mort, en 1933. Photos, mobilier d'époque et archives retracent le travail des ouvriers et permettent de mieux comprendre cette époque de la manne sucrière qui, certes, a enrichi les investisseurs, mais aussi la population hawaiienne grâce au métissage qu'allait entraîner l'arrivée de la main-d'œuvre étrangère.

**KAUAI MUSEUM**
4428 Rice Street ✆ (808) 245 6931
www.kauaimuseum.org
*Ouvert de 9h à 16h du lundi au vendredi. De 10h à 16h le samedi. Entrée : adultes 5 $, retraités 4 $, étudiants 3 $, enfants 1 $. 1er samedi du mois : entrée libre pour tous.* Petit musée qui nous dit tout ce qu'il faut savoir de l'histoire de Kauai, de la découverte de l'île par le capitaine Cook (1778) à l'ère sucrière en passant par la monarchie hawaiienne. Ne manquez pas la salle qui expose de très beaux dessus-de-lit hawaiiens.

**KAUAI PLANTATION RAILWAY**
3-2087 Kaumualii Highway
✆ (808) 245 7245
www.kauaiplantationrailway.com
*Du lundi au samedi de 10h à 14h. Entrée : adultes 18 $, enfants 14 $.* Balade de 40 minutes à travers la plantation Kilohana (voir ci-après), dans un petit train qui est une réplique des locomotives de l'époque du roi Kalakaua (1836-1891). Une visite commentée et instructive, consacrée à l'agriculture, la botanique et l'histoire de l'exploitation.

*Alekoko (Menehune) Fishpond.*

### KILOHANA

3-2087 Kaumualii Highway
✆ (808) 245 5608
www.kilohanakauai.com
*Ouvert du lundi au samedi de 9h30 à 21h30. Le dimanche de 9h30 à 16h. Entrée libre.* Gaylord Parke Wilcox était le neveu de G. N. Wilcox. Tout aussi richissime que son oncle, en tant que propriétaire de plantation sucrière, mais beaucoup plus m'as-tu-vu, il décida de faire construire une maison qui porterait le nom de « Kilohana » (inégalable) car il la voulait la plus belle de toutes à Kauai. La construction de cette demeure aux allures de manoir (1935) coûta tout de même 200 000 $ de l'époque, l'équivalent de 5 millions de dollars aujourd'hui. Mais, ouf ! La visite ne coûte pas un centime et on peut même s'asseoir dans les fauteuils. Meubles et œuvres d'art n'ont pas bougé du living-room. Un restaurant, le « Gaylord's » (voir plus haut), s'est installé dans l'ancienne salle à manger tandis que galeries et boutiques ont fleuri un peu partout à l'intérieur de ce palace. Garder du temps pour visiter les magnifiques jardins de la propriété, qui s'étendent sur 14 ha.

### WAILUA FALLS

*De Lihue, prendre la Highway 50 vers le nord puis la Maalo Road à gauche. Les chutes sont au bout de la route. À 5 minutes de voiture de Lihue.* Hautes de 25 m, ces impressionnantes chutes d'eau se jettent dans un lac. Les alii (membres de la famille royale) avaient pour habitude, afin de prouver leur courage, de plonger dans ce lac en se jetant du sommet des Wailua Falls.
Il est impossible d'accéder directement aux chutes, pour des raisons de sécurité, mais il est très facile de les admirer depuis un point de vue qui a été aménagé juste en face. Il suffit de garer sa voiture sur le parking installé à proximité. Venir tôt le matin pour profiter sereinement du spectacle : les visiteurs sont nombreux l'après-midi.

### KALAPAKI BEACH

*Du centre-ville, prendre la Nawiliwili Road ou Rice Street vers le sud.* Bien qu'elle soit dans un environnement très urbain et à deux pas du port, Kalapaki Beach est une plage de sable blanc très préservée. Ses eaux calmes en font un excellent lieu de baignade et un très bon spot d'initiation au surf ou au boogie-board. Douches, toilettes et aire de pique-nique au « Nawiliwili Park », à l'ouest de la plage.

### HANAMAULU BEACH PARK

*De Lihue, prendre la Highway 51 vers l'est.* Dans la baie de Hanamaulu, une jolie plage abritée, parfaite pour les enfants, les débutants en surf et boogie-board, et les nageurs. Douches et aire de pique-nique dans le parc à proximité.

## Niihau, l'île interdite

Niihau est une île privée de 180 km², située à une trentaine de kilomètres au sud-ouest de Kauai. Elle appartient à la famille Robinson depuis 1864, date à laquelle ils l'ont achetée au roi Kamehameha IV pour 10 000 $.
Les 200 habitants de Nihau résident à Puuwai, l'unique localité de l'île. Ils y vivent essentiellement d'élevage et de pêche. Et, aussi incroyable que cela puisse paraître, pour préserver un mode de vie traditionnel, ils n'ont toujours pas l'électricité ni l'eau courante...
Cette population parle encore couramment le hawaiien, une langue qui avait pourtant quasiment disparu sur le reste de l'archipel, jusqu'à une volonté récente de la réintroduire dans certaines écoles.
Niihau est interdite aux visiteurs. Seule la compagnie d'hélicoptères « Niihau Helicopter » (✆ (808) 335 3500 – www.niihau.us) a le droit de survoler l'île et de déposer ses passagers pour quelques heures sur Niihau Beach (mais avec l'interdiction d'en bouger). Compter tout de même 365 $ l'excursion d'une demi-journée !
Les minuscules coquillages assemblés en lei (colliers) par les femmes de Niihau sont très prisés et très chers. On les trouve en général dans les bijouteries de l'archipel.

# WAILUA STATE PARK

Les premiers Tahitiens arrivés à Hawaii se seraient installés à Wailua, qui est resté pendant longtemps le cœur de la communauté tahitienne de Hawaii.
Au XXe siècle, les activités touristiques se sont développées sur la Wailua River et des complexes hôteliers sont apparus en bord de mer. La rivière de Wailua, d'une longueur de 34 km, s'écoule du mont Waialeale (1 596 m) au Lydgate Park, où elle se jette dans l'océan. C'est la seule rivière navigable de Hawaii.
C'était « le terrain de jeux » favori des membres des familles royales hawaiiennes, les alii. Ils adoraient y faire du canoë et s'y baigner. Tout au long de la rivière, a donc été construite une série de heiau (temple) en leur honneur. Seulement sept sont visibles, les autres étant sur le haut mont Waialeale.
Pour faire la traversée de la rivière, plutôt que de prendre un billet d'excursion sur un des gros bateaux touristiques, il vaut mieux opter pour le kayak. Certes, c'est plus fatigant mais c'est le moyen idéal pour profiter des paysages en toute tranquillité. Il est accessible à tous les âges et même aux non sportifs, car la rivière est très calme. Avec un bon plan, il est en outre impossible de se perdre (tous les contacts à la rubrique « Sports et loisirs »).

## Hébergement – Restaurant

### ■ KAUAI BEACH VILLAS

4330 Kauai Beach Drive ✆ (808) 245 8841
www.kauaivacationrentals.com
*De 120 à 250 $ l'appartement pour 4 personnes, de 160 à 390 $ pour 6. Réservation pour 3 à 7 nuits minimum.* Un très bon choix pour les familles. Des appartements spacieux et parfaitement équipés. Mobilier en bambou et décoration aux couleurs hawaiiennes. Piscine, courts de tennis, terrain de volley et barbecue.

### ■ CAFFE COCO

4-369 Kuhio Highway
✆ (808) 822 7990
www.restauranteur.com/caffecoco
*Ouvert jusqu'à 21h. Fermé le lundi. Plats entre 16 et 20 $.* Le restaurant idéal pour les végétariens, mais pas seulement. Soupes, salades, sandwiches à base de produits exclusivement bios. Cadre intime et romantique, éclairé par des tiki (torches hawaiiennes) allumées dès le crépuscule. Musique live du jeudi au samedi soir, dans le patio.

## Sortir

### ■ SMITH TROPICAL PARADISE

174 Wailua Road
✆ (808) 821 6895
www.smithskauai.com
*Luau. Début du spectacle à 17h. Seulement les lundi, mardi et vendredi. En été, également le jeudi. Adultes 78 $, enfants de 3 à 6 ans 19 $, de 7 à 13 ans 30 $.* C'est un des plus beaux luau (spectacle et dîner traditionnels hawaiiens) de Kauai. Le cadre y est pour beaucoup puisque le banquet se tient dans les sublimes jardins du Smith Tropical Paradise (voir « Points d'intérêt »). On y mange de délicieuses spécialités hawaiiennes et le spectacle n'est pas kitsch du tout.

## Points d'intérêt

### FERN GROTTO

*Accessible par la rivière uniquement, en kayak ou en bateau de croisière.* « Fern grotto », ou « la grotte aux fougères », était autrefois un sanctuaire dédié au dieu Lono, le dieu des moissons et de la fertilité. À l'arrivée au site, les bateaux s'arriment au ponton tandis que les kayaks peuvent être attachés à côté sur un petit banc de sable. Un sentier ombragé, boisé et balisé mène ensuite jusqu'à la fameuse grotte.

### SMITH TROPICAL PARADISE

174 Wailua Road ✆ (808) 821 6895
www.smithskauai.com
*Sur la Wailua Marina. Ouvert de 8h30 à 16h. Entrée : adultes 6 $, enfants 3 $.* Superbe jardin tropical de 12 ha. Une vingtaine d'arbres fruitiers, une forêt de bambous et un ravissant jardin japonais sur une petite île. Un merveilleux endroit pour une petite promenade ou pour pique-niquer.

### LYDGATE STATE PARK

*De Lihue, prendre la Kuhio Highway (n° 56) vers le nord et tourner à droite sur Leho Drive.* Un charmant parc verdoyant avec aire de repos, que longe l'agréable Lydgate Beach, une petite plage avec deux piscines naturelles d'eau de mer. L'une, peu profonde, est parfaite pour les enfants et l'autre, plus grande, est idéale pour le snorkeling. Toilettes et douches dans le parc à proximité.

## Pourquoi les temples hawaiiens sont-ils toujours en ruines ?

Quand on va voir un heiau pour la première fois, on est souvent déçu de ne trouver que des ruines ; au mieux quelques murs encore debout. Pourquoi ? C'est tout simplement qu'au moment de l'évangélisation officielle de Hawaii, en 1819, le roi Kamehameha II a fait détruire tous les heiau et les idoles de l'archipel afin de rendre pérenne la disparition d'une religion ancestrale. Ce n'est qu'à partir du XXe siècle que les sites des heiau seront progressivement réhabilités et protégés.

### HIKINA A KA LA HEIAU

C'est un des sept heiau visibles le long de la Wailua River et c'est sans aucun doute le plus facile d'accès. Malheureusement, il n'en reste qu'un entassement de pierres, par-ci, par-là. Les archéologues ont daté la construction de ce temple des environs de 1300. « Hikina A Ka La Heiau » signifie « lever du soleil » car les prêtres y célébraient l'aube.

### POLIAHU HEIAU

*Sur la Kuamoo Road, un peu avant d'arriver aux Opaekaa Falls.* Des cérémonies religieuses étaient célébrées dans ce heiau jusqu'à la christianisation officielle de Hawaii, en 1819.

KAUAI

*Wailua State Park.*

*Wailua River est la route favorite des passionnés de canoë à Kauai.*

À proximité, un joli point de vue sur la Wailua River et un panneau explicatif qui évoque l'importance de cet heiau pour la royauté.

### OPAEKAA FALLS

*Juste après le Poliahu Heiau.* Deux chutes d'eau impressionnantes avec point de vue aménagé qui permet de faire de belles photos !

### KAMOKILA HAWAIIAN VILLAGE

Highway 580 (Kuamoo Road)
✆ (808) 823 0559
http://kamokilavillage.com
*Un panneau indique la direction du village hawaiien en face des Opaekaa Falls, sur la gauche. Prendre la route un peu cabossée qui descend. C'est à 5 minutes. Ouvert de 9h à 17h. Entrée : adultes 5 $, enfants 3 $.* Un village hawaiien traditionnel parfaitement reconstitué. Des panneaux explicatifs reviennent sur tous les rites et coutumes des premiers habitants de Hawaii. C'est une bonne façon de parfaire ses connaissances en la matière. Une brochure et un plan illustré sont fournis à l'entrée.

## Sports et loisirs

### Kayak

### WAILUA KAYAK ADVENTURES

6575 Kuamoo Road – Kapaa
✆ (808) 822 5795
http://kauaiwailuakayak.com
*À la journée : 25 $ la location du kayak monoplace et 50 $ pour le biplace.* Il existe aussi des visites guidées de la Wailua River à la demi-journée : de 50 à 85 $, location de kayak incluse.

### CANOE ADVENTURES AND CULTURAL TOURS

Kamokila Hawaiian Village
Highway 580 (Kuamoo Road)
✆ (808) 823 0559
http://kamokilavillage.com
*Un panneau indique la direction du village hawaiien en face des Opaekaa Falls, sur la gauche. Prendre la route un peu cabossée qui descend. C'est à 5 minutes.* Le staff du Kamokila Hawaiian Village, un village hawaiien primitif reconstitué (voir ci-dessus), organise une visite guidée en canoë des principaux sites de la Wailua River, pour 30 $ les 3h (un départ toutes les heures). Mais on peut aussi louer son propre kayak et partir seul pour 20 $ de l'heure ou 35 $ la journée ; un plan détaillé de la rivière est fourni avant le départ.

### Bateau

### SMITH TROPICAL PARADISE

174 Wailua Road ✆ (808) 821 6895
www.smithskauai.com
*20 $ par adulte et 10 $ par enfant. Départs de la Wailua Marina de 9h30 à 15h30.* Balade en bateau, de 1h20, sur la Wailua River, dont un arrêt de 30 minutes à la Fern Grotto. Présentation de l'histoire de la grotte et de la végétation environnante par un guide.
À bord, sur le chemin du retour, petit spectacle de hula avec un groupe live.

# KAPAA

Située au milieu de la touristique côte est, Kapaa, presque 10 000 habitants, n'est pourtant pas très touristique. C'est avant tout une ville résidentielle.
De ce fait, les restaurants y sont moins chers qu'ailleurs et le logement aussi ; la preuve en est qu'on y trouve les deux seules auberges de jeunesse de Kauai !
Les jolies plages, plutôt familiales, qui longent son littoral, méritent qu'on aille s'y baigner. Mais les surfeurs seront déçus par le calme de leurs eaux.

## Pratique

### Banques

Deux banques avec un distributeur 24h/24.

■ **BANK OF HAWAII**
1407 Kuhio Highway ✆ (808) 822 3471

■ **FIRST HAWAIIAN BANK**
1366 Kuhio Highway ✆ (808) 822 4966

### Internet

■ **KAPAA PUBLIC LIBRARY**
1464 Kuhio Highway ✆ (808) 822 4422
*Ouvert de 9h à 17h les lundi, mercredi et vendredi. De 12h à 20h le mardi.* Accès Internet avec une « Visitor's Card » à 10 $ pour 3 mois (pas d'abonnement possible pour une durée d'utilisation inférieure).

## Hébergement

### Bien et pas cher

■ **KAUAI BEACH HOUSE**
4-1552 Kuhio Highway
✆ (808) 822 3424
www.kauai-blue-lagoon.com
*30 $ la nuit en dortoir, 45 $ la chambre double, 70 $ la single. Réservations recommandées. Pas de CB.* Une auberge de jeunesse au personnel chaleureux. Des dortoirs spacieux et une salle commune agréable dans un patio qui donne sur l'océan.

■ **KAUAI INTERNATIONAL HOSTEL**
4532 Lehua Street
✆ (808) 823 6142 – www.vrbo.com/861
*25 $ la nuit en dortoir. 60 $ en chambre double, 70 $ avec salle de bains privative et frigo.* Une auberge de jeunesse dont la clientèle, comme son nom l'indique, est très internationale. L'idéal pour les voyageurs en solo qui veulent nouer de nouvelles amitiés ou découvrir l'île à plusieurs. Machine à laver, cuisine commune et salle TV. Le tout à deux pas du centre-ville de Kapaa et des principaux commerces.

■ **KAKALINA'S BED AND BREAKFAST**
6781 Kawaihau Road
✆ (808) 822 2328 – www.kakalina.com
*Studio 90 $. Suites de 2 à 4 personnes entre 155 et 175 $.* Charmant Bed and Breakfast en pleine nature, au pied du mont Waialeale et face à un lac. La propriétaire, Kathy Offley, est aux petits soins pour ses hôtes et leur donne plein de conseils pour visiter l'île où elle vit depuis 40 ans. Chambres équipées de micro-ondes, machine à café et frigo. Lave-linge à disposition.

### Confort ou charme

■ **KAUAI COUNTRY INN**
6440 Olohena Road ✆ (808) 821 0207
www.kauaicountryinn.com
*De 129 à 169 $ l'appartement pour 2, 179 $ pour 3 et 249 $ pour 6.* Mike et Martina Hough ont quitté leur vie stressante de Los Angeles pour celle, autrement plus paisible, qu'ils mènent à Kauai. Ils y tiennent une charmante maison d'hôtes, composée de plusieurs appartements intimes et confortables, tous parfaitement équipés. On n'y manque de rien : wi-fi gratuit, TV, lecteur DVD, cuisinettes spacieuses, salles de bains modernes, dont une avec jacuzzi… Un petit havre de paix où il fait bon passer quelques jours.

## Restaurants

Kapaa compte beaucoup de restaurants de qualité et à petits prix.

■ **BUBBA BURGERS**
4-1421 Kuhio Highway
✆ (808) 823 0069
www.bubbaburger.com
*Ouvert de 10h30 à 20h. Sandwiches à moins de 8 $.* Une très bonne adresse pour les amateurs de hamburgers. Juteux, dorés et croquants, ils comptent de nombreux fans parmi les locaux. Le « burger fish », uniquement à base de poisson frais, est une des spécialités à succès du Bubba.

■ **NORBERTO'S EL CAFE**
4-1373 Kuhio Highway
✆ (808) 822 3362
www.bubbaburger.com
*Ouvert du lundi au samedi pour dîner uniquement. Repas complet pour 15 $ en moyenne.* Des plats mexicains pas si classiques que ça.

Aux ingrédients traditionnels se mêlent légumes et poissons de Kauai, ce qui donne un résultat original et convaincant. Les enchiladas fourrées aux épinards et entourées de feuilles de taro sont une de ces curiosités réussies.

**OLYMPIC CAFE**
1354 Kuhio Highway ✆ (808) 822 5825
*Ouvert de 6h à 21h en semaine et jusqu'à 22h le week-end. Petit déjeuner 12 $. Salades, sandwiches, soupes et steaks-frites 10 $ maximum.* Quand on s'attable au l'Olympic Café, on est sûrs de ne plus avoir faim en sortant ! La maison semble mettre son point d'honneur à servir des portions gargantuesques tout en gardant ses petits prix. Une cuisine familiale, comme à la maison. Il faut s'installer à l'étage car la vue sur la mer, de la baie vitrée, est vraiment exceptionnelle. Le petit déjeuner est délicieux : pancakes, omelettes, café expresso.

**ONO FAMILY RESTAURANT**
1292 Kuhio Highway ✆ (808) 822 1710
*Ouvert de 6h à 14h.* Restaurant familial où le petit déjeuner est à prendre au moins une fois ! Recettes d'omelettes variées et pancakes à la noix de macadamia ou à l'ananas garantissent aux gourmands un réveil en grande forme.

## Points d'intérêt

C'est au nord de Kapaa que se trouvent les plus belles plages de la côte est, le long de la Kuhio Highway, en direction de Kilauea. On peut s'arrêter sur chacune d'elles en y consacrant au moins une demi-journée. Le centre culturel mérite également une visite.

### À Kapaa

**KAUAI HERITAGE CENTER OF HAWAIIAN CULTURE & THE ARTS**
4-1543 Kuhio Highway
✆ (808) 821 2070 – http://www.kaieie.org
Ce centre culturel propose de nombreux ateliers artistiques ouverts aux touristes : fabrication de lei, initiation au hula et aux chants traditionnels, récits de légendes hawaiiennes... Tous les détails du programme sur le site Internet. Sur place également, un magasin d'objets artisanaux tous fabriqués à Kauai.

**WAIPOULI BEACH PARK (BABY BEACH)**
Certainement une des plus belles plages du coin. À marée haute, grâce à une barrière rocheuse, s'y forme une piscine naturelle peu profonde. Sympa pour y faire trempette entre deux séances de bronzage sur le sable doré.

**KAPAA BEACH PARK**
Moins exceptionnelle que Waipouli Beach, elle présente l'avantage d'avoir des toilettes et une aire de pique-nique dans son parc. Plutôt fréquentée par les kitesurfers et les pêcheurs, peu par les touristes.

### De Kapaa et jusqu'à Kilauea

**KEALIA BEACH**
*Juste après la balise 10 miles.* Une très belle plage de sable fin mais où l'on peut seulement faire trempette, en raison des fortes vagues. C'est, par opposition, le paradis absolu des surfeurs et des boogie-boarders.

**DONKEY BEACH**
*Un peu après la balise 11 miles.* Une fois garé sur le petit parking qui dessert la plage, il faut prendre un sentier balisé qui descend doucement jusqu'à Donkey Beach. Isolée et tranquille, c'est une oasis de paix pour qui veut bronzer en solo, mais les nageurs doivent s'abstenir à cause des forts courants. Nombre de surfeurs viennent en revanche y défier des vagues indomptables ; seuls les confirmés, bien sûr, car ce serait téméraire, voire périlleux, pour un débutant. La « Donkey Beach » (la plage de l'âne) doit son nom aux ânes qui travaillaient dans les plantations de sucre voisines et à qui il arrivait de se promener sur la plage.

**ANAHOLA BEACH**
*Entre les balises 13 et 14 miles, prendre Anahola Road.* Jolie plage surtout fréquentée par les locaux, qui apprécient ses eaux relativement calmes et aiment venir y pique-niquer le week-end.

## Shopping

Kapaa n'est pas vraiment une ville où faire du shopping. Elle compte peu de magasins, à l'exception des boutiques de sports nautiques. C'est là qu'on pourra aller acheter ou louer des planches pour partir surfer sur les plages au nord de Kapaa, beaucoup plus propices à ce sport que celles de Kapaa même. Même chose pour le boogie-boarding.

**TAMBA SURF COMPANY**
4-1543 Kuhio Highway
✆ (808) 823 6942
*Ouvert de 9h à 17h.* Une boutique aux prix vraiment compétitifs. 10 à 20 $ la location d'une planche de surf à la journée. Tarifs à la semaine : de 50 à 80 $.

# LA CÔTE NORD

Malgré la station balnéaire de Princeville et ses nombreux complexes hôteliers, la côte nord de Kauai reste relativement sauvage et préservée. Grâce à de nombreuses précipitations, principalement en hiver, c'est une des parties les plus verdoyantes de l'île.

## KILAUEA

Jusqu'au début du XXe siècle, la bourgade de Kilauea, d'un peu plus de 2 000 habitants, était une région de plantation sucrière. La fin de cette époque prospère ne l'a cependant pas précipitée dans le business touristique. Kilauea est restée très rurale et ce sont surtout les fermes bios qui s'y sont développées ces dernières années. Surfeurs, hippies et oiseaux rares y ont aussi trouvé refuge.

### Hébergement

#### ANINI BEACH COUNTY PARK

*Camping. Prendre la Highway 56 en direction de Kilauea puis la Kalihiwai Road. Anini Beach Road, sur la gauche, mène tout droit à la plage. Permis de camper obligatoire : 3 $ par nuit, 4 nuits maximum sur place.* Un camping très populaire car il est près de la très belle plage d'Anini Beach.

Demander le permis de camper à l'avance, à l'adresse suivante : Permits Division of Kauai County Parks and Recreation, 4193 Hardy Street, Lihue HI 96766 (✆ (808) 241 6660).

#### ALOHA PLANTATION

4481 Malulani Street ✆ (808) 828 1693
www.garden-isle.com/aloha

*50 $ la chambre double. 60 $ la chambre pour 4 personnes.* Charmant Bed & Breakfast installé dans une ancienne maison de plantation des années 1920. Peu de chambres, alors pensez à réserver à l'avance !

#### NORTH COUNTRY FARMS

Kahlili Makai Street ✆ (808) 828 1513
www.northcountryfarms.com

*A partir de 150 $ la chambre double.* L'écotourisme comme on en rêve ! La famille Roversi tient cette ferme bio qui fait office de Bed and Breakfast grâce au charmant petit cottage au fond du jardin. On peut facilement dormir à 4 dans la maisonnette moyennant un supplément de 10 $ par personne. Tous les matins, au petit déjeuner, on se régale avec les fruits et légumes de la maison ! Pour les accros au monde moderne, ça compensera peut-être l'absence de télé dans la chambre !

Phare de Kilauea, Kauai.

### Restaurants

#### KILAUEA & PAU HANA PIZZA

Kong Lung Center – Kilauea Road
✆ (808) 828 2020

*Ouvert de 6h30 à 21h. Compter 8 $ au petit déjeuner et 20 $ pour les autres repas.* Grande variété de thés, café, cookies et autres gourmandises pour le petit déjeuner. Au déjeuner et au dîner, c'est un vrai festival de pizzas à l'italienne. Salades et soupes pour ceux qui sont au régime. Produits frais et bios uniquement.

#### KILAUEA FISH MARKET

4270 Kilauea Road
✆ (808) 828 6244

*Ouvert du lundi au samedi de 11h à 20h. 15 $ maximum le repas.* Bienvenue aux amateurs de poisson frais ! Corienna Rogers en prépare à toutes les sauces, mais ceux qui préfèrent le cuisiner eux-mêmes peuvent aussi lui en acheter. Formules spéciales pour les végétariens. Vente à emporter.

## Points d'intérêt

Les meilleures plages se trouvent autour de la petite ville de Kalihiwai, sur Kalihiwai Road.

■ **SECRET BEACH**

*Sur Kalihiwai Road. Prendre la route à droite après le premier virage.* Du parking, un sentier mène au sable fin de Secret Beach, une des plus grandes plages de Kauai. Elle est plutôt fréquentée par les surfeurs, friands de ses vagues, la mer n'étant pas ici propice à la nage. Mais en allant à l'extrémité droite de la plage, on accède à une jolie crique, protégée par des rochers de lave durcie où on peut se baigner sans risques dans des eaux translucides.

■ **KAHILI QUARRY BEACH**

*Après la balise 11 miles sur la Highway 56, suivre la route cabossée qui descend.* Une plage isolée où nage, snorkeling et surf sont les activités reines.

■ **KALIHIWAI BEACH**

*Au bout de Kalihiwai Road.* Les surfeurs et boogie-boarders confirmés fréquentent régulièrement cette plage de la baie de Kalihiwai où les vagues se déchaînent.

■ **ANINI BEACH PARK**

*Sur la Kalihiwai Road, prendre à gauche l'Anini Beach Road, qui mène tout droit à la plage.* Un banc de sable de près de 3 km borde des eaux transparentes, protégées par l'Anini Reef, le plus important récif de l'archipel. C'est donc le paradis pour les nageurs et les fans de snorkeling. Mais surfeurs et véliplanchistes ne sont pas en reste, les vents favorables à leur sport balayant la partie ouest de la plage. Toilettes, douches et aire de pique-nique.

■ **KILAUEA NATIONAL WILDLIFE REFUGE**

Kilauea Road ✆ (808) 828 0168
www.kilaueapoint.org

*Au bout de Kilauea Road. Ouvert de 10h à 16h. Entrée : adultes 3 $, gratuit pour les enfants.* La réserve naturelle de Kilauea, qui existe depuis 1985, héberge de nombreuses espèces d'oiseaux rares et endémiques de Hawaii. On y observe, tout au long de l'année, fous à pied rouge et oies nene qui sont en voie de disparition.

La visite consiste en une promenade sur un sentier balisé qui mène au phare Kilauea – le point le plus au nord des îles habitées d'Hawaii. On peut y grimper et avoir de là une vue imprenable sur l'océan.

## Shopping

■ **KONG LUNG CENTER**

Kilauea Road ✆ (808) 828 1822

*Sur la Highway 56, prendre la sortie Kilauea Road.* Un ancien village hippie qui a été réaménagé en centre commercial en plein air. T-shirts, bijoux, robes hawaiiennes et autres souvenirs, on y trouve de tout, mais un peu cher.

# PRINCEVILLE

À 45 km au nord de Lihue par la Highway 56, une station balnéaire de luxe où se concentrent hôtels haut de gamme et terrains de golf.

## Pratique

### Banques

Avec distributeur 24h/24.

■ **BANK OF HAWAII**

4280 Kuhio Highway ✆ (808) 826 6551

■ **FIRST HAWAIIAN BANK**

4280 Kuhio Highway ✆ (808) 826 1560

### Poste et télécommunications

■ **PRINCEVILLE POST OFFICE**

4280 Kuhio Highway ✆ (808) 828 0217

*Ouvert de 10h30 à 15h30 du lundi au vendredi. De 10h30 à 12h30 le samedi.*

■ **PRINCEVILLE PUBLIC LIBRARY**

4343 Emmalani Drive ✆ (808) 826 4310

*Ouvert de 10h à 17h le mardi et du jeudi au samedi. Le mercredi de 13h à 20h.* Accès Internet avec une « Visitor's Card » à 10 $ pour 3 mois (pas d'abonnement possible pour une durée d'utilisation inférieure). 3 ordinateurs.

## Hébergement – Restaurants

On trouve surtout des hôtels haut de gamme à Princeville. Quitte à s'offrir une folie, autant prendre une chambre dans le plus luxueux hôtel de Princeville. Le Princeville Hotel est une valeur sûre. Quant aux restaurants, la plupart se trouvent dans les hôtels de luxe et sont vraiment trop chers. À éviter. Mieux vaut aller dîner à Kilauea ou à Hanalei, où le rapport qualité-prix est bien plus intéressant.

■ **PRINCEVILLE HOTEL**

5520 Ka Haku Road
✆ (808) 826 9644 – www.princeville.com

*De 565 à 975 $ la chambre double. Suites entre 2 200 et 5 500 $.* Là tout n'est qu'ordre et beauté, et ce dès l'arrivée dans le lobby.

*Balade à cheval sur la côte de Princeville.*

Tout, absolument tout, est beau, tout est parfait. Rien n'a été oublié ni laissé au hasard. 6 courts de tennis, 3 restaurants, un terrain de golf, 3 spas, des chambres spacieuses avec vue, etc. Et un petit tour dans le très chic lobby ne coûte rien…

## Points d'intérêt

### ■ QUEEN'S BATH

*Sur la Highway 56, prendre la Ka Haku Road et continuer sur Punahele Road. Au virage final, une petite aire de stationnement et un sentier qui mène à la plage. Une fois en bas, dirigez-vous vers la gauche.* Une piscine d'eau de mer naturelle entourée de rochers issus de l'activité volcanique. Le contraste entre les eaux bleu turquoise et le noir des pierres est saisissant et appelle la photo. C'est le coin de rêve pour faire du snorkeling ou piquer une tête. On peut trouver d'autres « piscines » du même genre le long du rivage, mais beaucoup plus petites. Avec un peu de chance, vous croiserez des phoques moines ; ils adorent lézarder sur les rochers. Mais c'est une espèce protégée et il est formellement interdit de les approcher. Attention : ne pas aller nager au-delà des rochers, le courant est très dangereux.

### ■ HIDEAWAYS BEACH (PALI KE KUA BEACH)

Cette plage au sable doré et à l'eau transparente s'étend au pied du Princeville Hotel (voir « Hébergement »). Un sentier partant à proximité d'un des courts de tennis mène directement à la plage. Prudence sur le chemin car la descente est rude et on y glisse facilement. Le snorkeling est le sport idéal à Hideaways Beach, mais attention aux forts courants en hiver.

### ■ PUU POA BEACH

Située au niveau du Princeville Hotel, cette plage est cependant beaucoup plus grande que la Hideaways Beach. Eaux peu profondes et protégées par une barrière rocheuse. Un bon endroit où nager, même pour les tout-petits. Le snorkeling s'y pratique aisément pour les mêmes raisons.

# HANALEI

Le village de Hanalei, sur la baie du même nom, est bien plus animé que Princeville, grâce à une population de surfeurs attirés par les spots de la région et les prix moins chers qu'à Princeville. Ses deux centres commerciaux drainent également pas mal de monde.

## Pratique

### Poste

#### ■ HANALEI POST OFFICE

5226 Kuhio Highway ✆ (808) 826 1290
*Ouvert du lundi au vendredi de 9h à16h. De 10h à midi le samedi.*

### Internet

#### ■ JAVA KAI

Hanalei Center ✆ (808) 826 6717
*Accès Internet : 3 $ les 15 minutes.*

## Hébergement

■ **HANALEI INN**
55468 Kuhio Highway
© (808) 826 9333 – www.hanaleiinn.com
*149 $ le studio avec cuisine. 139 $ la chambre double avec salle de bains mais sans cuisine.* Des chambres au confort simple, avec toutes les commodités sauf le téléphone. Barbecue, hamacs, lave-linge à disposition. À 5 minutes de Hanalei Beach en voiture.

■ **HANALEI SURF BOARD HOUSE**
5459 Weke Road © (808) 826 9825
www.hanaleisurfboardhouse.com
*195 $ la chambre double. Réservation pour 3 nuits minimum et bien à l'avance.* Cette résidence est facilement reconnaissable aux planches de surf accrochées tout autour de sa clôture ! Elle ne propose que 2 studios, superbement décorés par leur propriétaire Simon Potts. Ce grand amoureux de Hawaii a choisi de quitter son Angleterre natale pour venir vivre sa retraite à Kauai. C'est vraiment un personnage extraordinaire, avec qui on pourrait discuter pendant des heures… surtout d'Elvis Presley, dont il est un grand fan. Chambres avec wi-fi, télé câblée, kitchenette, frigo et machine à café.

■ **JUNGLE CABANA**
David and Nancy Reed – P.O. Box 521
Hanalei 96714 © (808) 826 5141
www.junglecabana.com
*135 $ la nuit pour 2 personnes.* Une charmante maisonnette en bois dans un luxuriant jardin tropical. Kitchenette et living-room parfaitement équipés. La baignoire est en plein air. Dépaysement et romantisme garantis.

## Restaurants

■ **SUSHI AND BLUES CAFE**
Ching Young Village
5-8420 Kuhio Highway
www.sushiandbluescafe.com
*Plat de sushis 15 $ en moyenne.* Pour manger des sushis en écoutant un concert de blues… ! Concerts certains soirs de la semaine à partir de 20h30. Consulter le site Internet pour plus d'infos ou téléphoner.

■ **POLYNESIA CAFÉ**
Ching Young Village
5-8420 Kuhio Highway © (808) 826 1999
www.polynesiacafe.com
*Ouvert pour le déjeuner et le dîner. Compter 20 $ le repas.* Cuisine traditionnelle hawaiienne dans une ambiance exotique et en plein air. Le chef a eu la bonne idée de marier cuisines mexicaine et locale, ce qui donne des plats inédits comme le « Ahi Taco Salad ».

## Points d'intérêt

Les plages du nord sont très agréables pour la baignade en été, mais, en hiver, toute activité y est exclue en raison d'une mer très agitée. Seuls les surfeurs vraiment expérimentés s'y aventurent alors.

■ **HANALEI BEACH PARK**
*Prendre Aku Road puis tourner à droite sur Weke Road. Surveillée de 9h à 17h.* Cette plage ombragée est propice à la baignade et au boogie-boarding. Une aire de pique-nique a été aménagée à proximité. Douches et toilettes.

■ **WAIOLI BEACH PARK**
*À partir d'Aku Road, aller sur Weke Road puis sur Hee Road.* Une jolie et grande anse de sable fin où les surfeurs et kitesurfeurs sont rois. L'été, s'y déroulent de nombreux cours d'initiation ; l'hiver, seuls les champions peuvent en défier la vague sans risques.

■ **WAIKOKO BEACH**
*À la balise 4 miles, sur la Highway 56.* Une toute petite plage aux eaux peu profondes, parfaites pour la pêche ou le snorkeling.

■ **HANALEI VALLEY LOOKOUT**
*Environ 5 miles (8 km) après Kilauea, sur la Kuhio Highway.* Un parking au bord de la route permet de se garer. Le point de vue offre un panorama exceptionnel, avec, au premier plan, un champ de taros qui se présente comme un patchwork vert, gris et marron (la couleur variant en fonction de l'irrigation des plants). Au loin, on distingue le point culminant de Kauai, le mont Waialeale.
La vallée de Hanalei est aussi une réserve naturelle pour nombre d'oiseaux en voie de disparition. On ne peut malheureusement pas la visiter.

■ **WAIOLI MISSION HOUSE MUSEUM**
5-5363 Kuhio Highway © (808) 245 3202
www.hawaiimuseums.org
*Juste derrière l'église du même nom. Entrée libre. Visite guidée sur réservation à 9h et à 15h (les mardi, jeudi et samedi).* Construite en 1837, cette ancienne maison de missionnaires a été transformée en musée. Le mobilier et la décoration sont d'époque. Le musée raconte l'histoire de ces missionnaires venus

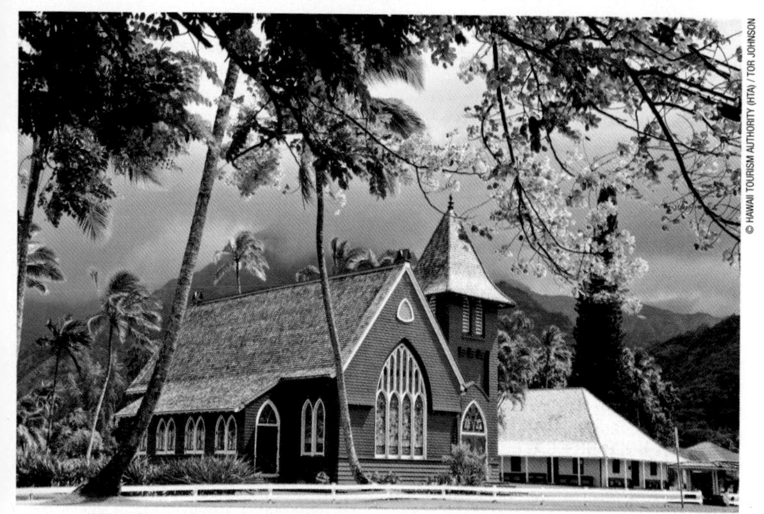


*Waioli Mission Church, la plus vieille église de l'île de Kauai, avec la Waioli Mission House au fond.*

de Nouvelle-Angleterre et la façon dont ils s'y sont pris pour évangéliser les Hawaiiens. Une fort bonne initiation à l'histoire de la christianisation de l'archipel en général.

## Sports et loisirs

### Surf et planche à voile

Quelques adresses pour s'initier au surf ou à la planche à voile sur un des célèbres spots de la côte, ou pour louer du matériel.

■ **HANALEI SURF COMPANY**
Ching Young Village
5-8420 Kuhio Highway
✆ (808) 826 9000 – www.hanaleisurf.com
Cours et location de matériel.

■ **WINDSURF KAUAI**
Hanalei Bay ✆ (808) 828 6838
75 $ les 90 minutes de cours de planche à voile, et on peut garder celle-ci tout le reste de la journée pour le même prix !

### Kayak et snorkeling

■ **PEDAL'N PADDLE**
Ching Young Village
5-8420 Kuhio Highway ✆ (808) 826 9069
www.pedalnpaddle.com
*Ouvert de 9h à 18h. Location d'un kayak monoplace : 20 $ la journée et 40 $ la semaine. Le biplace : 40 $ la journée et 160 $ la semaine. Équipement complet de snorkeling : 5 $ la journée et 20 $ la semaine.*

### Équitation

■ **PRINCEVILLE RANCH STABLES**
Highway 56 ✆ (808) 826 6777
www.princevilleranch.com
*Organisation de sorties d'équitation d'une demi-journée. De 65 à 120 $.*

# HAENA

À 10 km de distance, soit 20 minutes de Hanalei par la Kuhio Highway, une toute petite ville rurale, peu animée. Mais toutes les plages ainsi que la nature environnante sont magnifiques et propices à de nombreuses activités.

## Hébergement

■ **YMCA OF KAUAI-CAMP NAUE**
P.O. Box 1786 – Lihue HI 96766
✆ (808) 246 9090
www.ymcaofkauai.org
*Sur la Kuhio Highway, 2 miles avant la fin de la route. 15 $ par tente et 15 $ la nuit en dortoir non mixte (50 places). Réserver plusieurs mois à l'avance ; le plus simple est de téléphoner. Attention : en été, le camping est réservé aux scolaires. Il accueille le grand public de la mi-septembre à la mi-avril uniquement.* Un confort très spartiate, mais qu'il vaut la peine d'affronter si l'on veut dormir près de la sublime plage de Haena Beach, ou récupérer après la longue randonnée de Na Pali (voir plus loin).

## Points d'intérêt

**■ LIMAHULI GARDEN**

Kuhio Highway
✆ (808) 826 1053 – www.ntbg.org
*Sur la Kuhio Highway, après la balise 9 miles. Ouvert du mardi au samedi de 9h30 à 16h. Entrée : adultes 15 $, gratuit pour les enfants. Visite guidée sur réservation : 25 $.* Un jardin tropical qui se donne comme objectif de sensibiliser le public à la protection des plantes natives de Hawaii. La plupart d'entre elles sont en effet menacées de disparition par des espèces importées qui sont devenues invasives. Des panneaux explicatifs présentent aussi les aspects médicinaux et décoratifs de ces végétaux dans la tradition hawaiienne.

**■ MANINIHOLO DRY CAVE**

*Sur la Kuhio Highway, juste avant la balise 9 miles.* Une grotte d'environ 30 m de profondeur s'est formée dans la roche. Selon la légende, c'est un pêcheur du nom de Maniniholo qui l'aurait creusée pour retrouver un esprit malin qui lui volait son poisson !

**■ WET CAVES**

*Sur la Kuhio Highway, avant Kee Beach.* Deux grottes, avec de l'eau cette fois-ci, qui se seraient formées il y a 4 000 ans. Ne pas s'y baigner en raison des pierres qui pourraient vous tomber sur la tête et du fort risque de leptospirose.

**■ LUMAHAI BEACH**

*Sur la Kuhio Highway, après la balise 5 miles.* L'une des plus belles plages de l'île. Elle apparaît sur de nombreuses cartes postales de Kauai ! Cependant, les courants y sont forts et la baignade y est déconseillée. L'été, on peut aller nager à l'est dans la petite anse baptisée « Kahalahala Beach », qui est protégée par les rochers. Le snorkeling y est aussi très agréable, à condition qu'il n'y ait pas trop de monde ce jour-là !

**■ TUNNELS BEACH**

*Sur la Kuhio Highway, après la balise 8 miles.* Ce sont les surfeurs qui ont donné son nom à cette plage, en raison de ses rouleaux hivernaux que seuls les plus expérimentés d'entre eux peuvent défier. Grâce à ses récifs, c'est aussi un excellent spot de snorkeling ou de plongée sous-marine. Attention toutefois à ne pas se blesser sur les rochers, même si les maîtres nageurs qui surveillent la plage peuvent accourir à votre secours à tout moment.

**■ HAENA BEACH PARK**

*Sur la Kuhio Highway, avant la balise 9 miles.* Une jolie plage. Malheureusement, là encore, il est exclu d'y nager à cause des courants marins violents. Grâce à son aire de pique-nique aménagée, ses douches et ses toilettes, c'est cependant un bon endroit où bronzer et se détendre, quitte à faire simplement trempette sur le rivage !

**■ KEE BEACH**

*Au bout de la Kuhio Highway.* Une plage de sable fin aux eaux cristallines et que surplombent les magnifiques montagnes de la Na Pali Coast. La baignade y est assez sûre. On y croise souvent des randonneurs qui viennent se détendre après le rude Kalalau Trail (voir ci-après).

# NA PALI COAST

Des montagnes verdoyantes et acérées se succèdent sur une trentaine de kilomètres au-dessus de l'océan, de Kee Beach au Polihale State Park, formant la Na Pali Coast (« Na Pali » signifie « falaises »).

Ce paysage époustouflant a été sculpté pendant plusieurs millions d'années par des vents puissants et de fortes pluies qui venaient grossir les eaux des rivières issues du mont Waialeale. Des centaines de cascades se sont créées avec le temps et elles continuent de creuser un relief toujours plus aiguisé, au point qu'il en semble irréel.

Jusqu'au début du XXe siècle, des Hawaiiens vivaient pourtant dans les vallées de la Na Pali Coast, où ils se sentaient protégés. Le climat humide leur permettait de vivre de leurs cultures, notamment de celle du taro. Des maisons et une école y ont été construites, mais tout a aujourd'hui disparu, comme annihilé par les forces d'une nature surpuissante.

Cette prodigieuse côte est inaccessible par la route. On ne peut y accéder que de trois façons : à pied, par la mer ou par les airs.

## Sports et loisirs

### Randonnée

**■ KALALAU TRAIL**

Ce sentier de 18 km a été conçu, à l'origine, pour la circulation des hommes et de leurs marchandises, du temps où les vallées étaient habitées.

Il traverse les cinq principales vallées de la Na Pali : Hanakapiai, Hoolulu, Waiahuakua, Hanakoa et Kalalau (d'où le nom du sentier). Trois chemins de randonnée secondaires se présentent le long de la voie. Ils sont plutôt courts et aussi bien balisés que le sentier principal : le Hanakapiai Falls Trail (3 km), le Hanakoa Falls Trail (400 m) et le Kalalau Valley Trail (3 km).
Le Kalalau Trail est cependant une randonnée difficile et longue (8h l'aller). Il faut donc être dans une parfaite condition physique pour l'effectuer. Des toilettes et une aire de pique-nique permettent heureusement de faire des pauses.
Et les efforts payent. Les panoramas merveilleux se suivent et ne se ressemblent pas. On en prend vraiment plein la vue, et on oublie vite sa fatigue. C'est beau à en pleurer.
Un permis de randonnée est obligatoire pour tous ceux qui souhaitent aller au-delà de la vallée Hanakapiai (la première). Il est aussi possible de planter sa tente à Hanakapiai et de continuer la randonnée le lendemain matin ; dans ce cas également, un permis est nécessaire.
Ce système de permis a été établi dans le but de limiter la trop forte affluence dans ces montagnes dont l'écosystème est fragile. C'est, à titre d'exemple, l'habitat de plus d'une centaine d'espèces de plantes hawaiiennes menacées de disparition.
Pour obtenir le fameux sésame, il faut écrire ou se rendre en personne à l'adresse suivante :

■ **KAUAI STATE PARKS OFFICE**
3060 Eiwa Street – Room 306
Lihue HI 96766 ✆ (808) 274 3444
10 $ par nuit et par personne. Attention, en été, les deux tiers des permis sont refusés en raison de la trop forte demande. Le seul moyen d'en obtenir un pour cette période, c'est de s'y prendre avec un mois d'avance.

## Bateau

■ **CAPTAIN ANDY'S SAILING ADVENTURES**
Kukuilula Harbor – Poipu
✆ (808) 335 6833 – www.capt-andys.com
*Compter en moyenne 100 $ par adulte et 70 $ par enfant.* Plusieurs formules pour se rendre à Na Pali en catamaran et y faire du snorkeling. Au programme : 5h d'excursion, avec pique-nique, cocktail ou dîner inclus en fonction de la traversée choisie.

■ **LIKO KAUAI CRUISES**
Kekaha Boat Harbor – Waimea
✆ (808) 338 0333 – www.liko-kauai.com
*Adultes 110 $, enfants 75 $.* Excursion à la journée à Na Pali. Snorkeling et whale-watching (en hiver) au fur et à mesure de la traversée.

## Kayak

Se rendre à la Na Pali Coast en kayak est un vrai challenge sportif, mais le spectacle vous en récompense au-delà de toute espérance.

■ **OUTFITTERS KAUAI**
2827 A Poipu Road
Poipu ✆ (808) 742 9667
www.outfitterskauai.com
Cette agence, spécialisée en sorties sportives à travers Kauai, organise des excursions en kayak à la journée vers la Na Pali Coast. Elles n'ont lieu que de la mi-mai à la mi-septembre car la mer est beaucoup trop agitée le reste de l'année. Tarif : 225 $ (déjeuner, guide et location du kayak inclus).

## Hélicoptère

Admirer la Na Pali Coast en hélicoptère est certes cher mais, si vous devez vous permettre une folie pendant votre séjour, optez pour celle-là. Le spectacle de la nature vu du ciel est d'une splendeur telle qu'il restera gravé à jamais dans votre mémoire. Ne vous attendez pas à atterrir pour une petite promenade ; c'est formellement interdit aux hélicoptères. En même temps, une fois là-haut, on ne voit pas vraiment comment un hélicoptère pourrait se poser sans se crasher, tant le relief est aiguisé !
Un conseil : ne mangez pas avant de vous envoler, sinon c'est la nausée garantie et... tout ce qui s'ensuit.

■ **JACK HARTER**
4231 Ahukini Road – Lihue
✆ (808) 245 3774
www.helicopters-kauai.com
*259 $ les 60 minutes de vol.* Jack Harter, le fondateur de cette compagnie d'hélicoptères, est l'initiateur des survols de Kauai. En particulier de la Na Pali Coast. Pendant le vol, le pilote fait une présentation détaillée des falaises de la Na Pali. Le tout sur fond musical ! Il s'agit des bandes originales de tous les films tournés sur ou près de ce site. Vous reconnaîtrez sûrement Jurassic Park !
Si on réserve sur le site Internet, on peut bénéficier de petites réductions.

# LA CÔTE SUD

Tout comme la côte est, dite des « cocotiers », et la côte nord, la côte sud est très touristique. Elle l'est d'autant plus que c'est la partie la plus ensoleillée de Kauai et que c'est un des rares endroits où on peut se baigner tout au long de l'année, y compris en hiver (les courants ne sont pas dangereux comme au nord).

Si la région manque d'authenticité du fait d'un grand nombre de complexes hôteliers assez luxueux, ce n'est pas aussi flagrant qu'à Princeville, au nord. Et puis, la petite ville de Koloa n'a rien perdu de son cachet et garde un charme historique certain.

## POIPU

Une station balnéaire où se regroupent les hôtels haut de gamme des grandes chaînes américaines, tous très beaux évidemment.

Le centre-ville est quasi inexistant dans cette agglomération d'environ 1 000 habitants, et l'animation y est plus que réduite. Les sorties se limitent souvent aux bars et restaurants des hôtels.

Si Poipu est très fréquentée par les touristes, c'est principalement pour ses divines plages de sable fin.

De Lihue, il faut 30 minutes pour arriver jusqu'à Poipu par la Highway 50.

### Pratique

**■ BANK OF HAWAII**
Poipu Shopping Village
2360 Kiahuna Plantation Drive
✆ (808) 742 6800
Distributeur 24h/24.

### Hébergement

À côté des hôtels de luxe, il existe quand même des hébergements d'un très bon rapport qualité-prix.

#### Bien et pas cher

**■ SURF SONG**
5135 Hoona Road – Poipu Beach
✆ (808) 742 2331 – www.surfsong.com
*De 85 $ le studio à 170 $ l'appartement pour 3 personnes. Réservation pour 3 nuits minimum et bien à l'avance.* À 5 minutes de la plage, 3 studios et un appartement parfaitement agencés qui donnent sur un joli jardin. Vraiment une très bonne affaire. Chaque logement est équipé d'une kitchenette, d'un micro-ondes, d'un frigo, d'un lave-linge et d'une machine à café. C'est la détente assurée, comme le laisse entendre le doux nom de l'établissement.

#### Confort ou charme

**■ KAUAI COVE**
2672 Puuholo Road
✆ (808) 742 2562 – www.kauaicove.com
*De 99 à 175 $ la nuit pour 2 personnes.* Des studios tout confort dans des cottages charmants. À deux pas des plages et des commerces.

**■ KOLOA LANDING COTTAGES**
2074 Hoonani Road ✆ (808) 742 1470
www.koloa-landing.com
*De 100 à 125 $ la maisonnette pour 2 personnes. De 160 à 200 $, celles pour 4 personnes.* 5 petites maisons douillettes, bien aménagées et avec toutes les commodités. La Bamboo et la Plumeria sont prévues pour 2 personnes. Les 3 autres unités peuvent accueillir jusqu'à 4 personnes. Wi-fi gratuit. Plage accessible à pied.

**■ SUGAR MILL COTTAGES**
**2391 HOOHU ROAD**
✆ (877) 430 7543
www.kauai-rent.com/sugar-mill-poipu/sugar-mill-poipu.htm
*185 $ la chambre double. Tarifs dégressifs à partir de 2 nuits (130 $).* 12 studios totalement équipés, avec, en prime, une piscine, un jacuzzi et 8 courts de tennis.

#### Luxe

**■ GRAND HYATT KAUAI RESORT & SPA**
1571 Poipu Road
✆ (808) 742 1234 – www.kauai-hyatt.com
*De 480 à 755 $ la chambre double. Suites à partir de 1 200 $.* Le plus bel hôtel de Kauai ! Incontestablement. Tout y a été étudié dans les moindres détails. Tout y est si parfait qu'on pourrait y passer des mois sans même éprouver le besoin d'en sortir. Le paradis reconstitué, en somme. 4 courts de tennis, 1 terrain de golf, 5 restaurants, 2 bars à cocktail, 8 magasins, 1 spa d'un luxe rare, un centre de remise en forme, une énorme piscine dont une partie à remous, le tout au sein d'un jardin tropical luxuriant, face à la très jolie Shipwreck Beach. Que demander de plus ?

## Restaurants

### Bien et pas cher

**■ JOE'S ON THE GREEN**
Kiahuna Golf Club
2545 Kiahuna Plantation Drive
✆ (808) 742 9696
*Ouvert à partir de 7h, pour le petit déjeuner et le déjeuner. Petit déjeuner complet à 6 $ si servi avant 8h30. Repas environ 10 $.* Un petit restaurant en face du terrain de golf. Clientèle de golfeurs et de locaux.
Au déjeuner, grand choix de sandwiches et de salades.

**■ KEOKI'S PARADISE**
Poipu Shopping Village
2360 Kiahuna Plantation Drive
✆ (808) 742 7534
www.keokisparadise.com
*Ouvert de 11h à 23h. Compter 12 $ pour déjeuner et 25 $ pour dîner.* Poissons et fruits de mer déclinés en salades, plats hawaiiens ou sandwiches. Mention spéciale pour le « Macadamia pesto shrimps », des crevettes à la noix de macadamia accompagnées de toasts aillés. Un régal. Les carnivores ne sont pas oubliés ; les grillades de bœuf sont à la fois croustillantes et onctueuses. Au dessert, le « hula pie » made in Lahaina (ville de Maui) est un péché de gourmandise irrésistible.

### Bonnes tables

**■ DONDERO'S**
Grand Hyatt Kauai Resort & Spa
1571 Poipu Road
✆ (808) 742 1234 – www.kauai-hyatt.com
*Ouvert pour le dîner. Plats de 22 à 40 $.* Chic et romantique à la fois, ce restaurant italien, parfait pour un dîner en tête à tête, propose une cuisine authentique et traditionnelle parmi les meilleures de l'île. Son osso bucco et ses lasagnes aux fruits de mer sont de vrais chefs-d'œuvre gastronomiques.

**■ PLANTATION GARDENS**
Kiahuna Plantation Resort
2253 Poipu Road ✆ (808) 742 2121
www.pgrestaurant.com
*Ouvert pour le dîner. Plats entre 20 et 30 $.* Situé dans une ancienne maison de plantation, au milieu d'un superbe jardin tropical, ce restaurant marie avec brio recettes hawaiiennes et méditerranéennes. De plus, tous les ingrédients proviennent de Kauai et sont bios !

## Sortir

### Bar

**■ STEVENSON'S LIBRARY**
Grand Hyatt Kauai Resort & Spa
1571 Poipu Road
✆ (808) 742 1234 – www.kauai-hyatt.com
*10 $ environ le cocktail.* Bar raffiné aux lumières tamisées. Live jazzy de 20h à 23h tous les soirs. Cocktails variés. Billards et jeux d'échecs à disposition.

### Spectacle de danse

**■ POIPU SHOPPING VILLAGE**
2360 Kiahuna Plantation Drive
✆ (808) 742 2831
Tous les mardis et jeudis, à 17h30, un spectacle gratuit de danse tahitienne.

### Luau

**■ LUAU « HAVAIKI NUI »**
Grand Hyatt Kauai Resort & Spa
1571 Poipu Road ✆ (808) 742 1234
www.grandhyattkauailuau.com
*Spectacle le dimanche, mardi et jeudi à 17h45. Entrée : adultes 75 $, adolescents 65 $, enfants 40 $.* Un luau (dîner-spectacle hawaiien), avec buffet délicieux et spectacle bluffant.

## Points d'intérêt

**■ SPOUTING HORN**
Sur Kukuiula Bay,
près du Prince Kuhio Park
Une curiosité géologique et sonore. À travers un trou creusé dans la roche, la mer se propulse en un geyser qui peut atteindre jusqu'à 3 m de haut et le phénomène s'accompagne d'une sorte de gémissement. Selon la légende, ce seraient les cris plaintifs d'un lézard femelle géant (Mo'o) resté coincé dans le trou.

**■ MC BRYDE AND ALLERTON GARDENS**
4425 Lawai Road
✆ (808) 742 2623 – www.ntbg.org
*Aller au Visitor's Center, en face du Spouting Horn. Ouvert de 9h à 16h. Visite libre : adultes 20 $, enfants 10 $. Visite guidée : adultes 35 $, enfants 20 $.* Le Lawai Garden et l'Allerton Gardens sont deux magnifiques jardins qui abritent de nombreux arbres et plantes endémiques de Hawaii. L'Allerton Gardens fut habité par la reine Emma, dans les années 1860.

### LAWAI BEACH (BEACH HOUSE)

Sur Lawai Road

Petite plage où l'on pratique surtout surf et boogie-board. Les courants sont trop forts pour la nage. À l'ouest de la plage, près du restaurant, les eaux peu profondes sont propices au snorkeling.

### BABY BEACH

Près de Hoone Road

Plage protégée des courants par un récif. Idéale pour les enfants. Attention toutefois aux quelques rochers.

### KIAHUNA BEACH

Parking public près du Sheraton

Le banc de sable fin de cette plage s'étend du Sheraton au Kiahuna Plantation Resort. Boogie-board, surf, snorkeling et nage peuvent s'y pratiquer sans danger. La mer est même trop calme pour les surfeurs, qui doivent aller chercher la vague au large.

### POIPU BEACH PARK

Près de Poipu Shopping Village

Une des plages les plus populaires de la côte, parfaite pour la baignade et la bronzette. C'est aussi un très bon spot pour s'initier au surf.

### BRENNECKE'S BEACH

À l'est de Poipu Beach

Excellent spot de boogie-board.

### SHIPWRECK BEACH

En face du Hyatt

Belle plage de sable fin, mais assez ventée. Pratique du boogie-board.

### MAHAULEPU BEACH

*À partir du Hyatt, prendre Poipu Road et suivre la direction de Kaiwaloa Bay.* Une plage relativement déserte en général. Aussi y jouit-on d'un calme qui encourage le farniente. Kitesurf et baignade au bord.

En 1795, en vue de conquérir Kauai, Kamehameha (le futur empereur qui sera à l'origine de l'unification des îles de Hawaii, en 1810) accoste sur cette plage à la tête de ses troupes. Mais celles-ci, en partie décimées par une précédente tempête, sont devenues trop faibles pour combattre celles du roi Kaumualii. Elles se font massacrer et perdent la bataille.

# KOLOA

La plus ancienne ville sucrière de Hawaii. C'est là qu'un jeune Américain du nom de William Hooper fonda, en 1835, la première plantation de l'archipel. Il est très agréable de se promener dans le centre-ville historique de Koloa et dans ses boutiques. Un charme d'antan qui contraste avec l'atmosphère souvent surfaite de Poipu.

À partir de la Highway 50, on accède à Koloa, en 10 minutes, par la Poipu Road ou la Maluhia Road.

## Pratique

### FIRST HAWAIIAN BANK

3506 Waikomo Road

Distributeur 24h/24.

### KOLOA POST OFFICE

5485 Koloa Road ✆ (800) 255 877

*Poste. Ouverte du lundi au vendredi de 9h à 16h. Le samedi de 9h à 11h.*

### SOUTH SHORE PHARMACY

5330 Koloa Road ✆ (808) 742 7511

*Pharmacie. Ouverte de 9h à 17h.*

## Points d'intérêt

### TREE TUNNELS

Si vous venez de l'ouest ou de l'est par la Highway 50, et que vous voulez aller à Koloa, prenez la magique Maluhia Road, qu'un long tunnel d'eucalyptus recouvre jusqu'à l'arrivée en ville. De jolies photos à prendre !

### KOLOA HISTORY CENTER

Koloa Road

www.oldkoloa.com

*Ouvert de 9h à 21h.* Diaporama de photos qui datent de l'ère sucrière. Les boutiques à proximité ont toutes une origine récente, mais une plaque apposée devant chaque bâtiment évoque l'histoire des hommes qui y travaillaient à l'époque de la plantation.

### KOLOA SUGAR MONUMENT

*En face du Koloa History Center.* Un monument en pierre, inspiré par la forme circulaire d'une meule, rend hommage à tous les ouvriers de la plantation de Koloa. Sept personnages de bronze y représentent les principaux groupes ethniques auxquels appartenaient ces ouvriers : hawaiien, chinois, japonais, portoricain, coréen, philippin et portugais. À Hawaii en général, l'industrie sucrière, en plein essor au XIXe siècle, avait fait appel à une importante main-d'œuvre étrangère. Les ouvriers qui venaient de ces différents pays d'émigration se sont installés durablement dans l'archipel, donnant naissance à la population métissée que l'on connaît aujourd'hui.

# LA CÔTE OUEST

Cette région est peu peuplée et ne compte que quelques villes. Elles ne servent guère que de points d'entrée aux différents parcs nationaux : Waimea Canyon State Park, Polihale State Park, Kokee Park. Les paysages de ces sites, beaux à couper le souffle, resteront gravés dans votre mémoire.

## DE KALAHEO À WAIMEA

Sur la Highway 50, qui parcourt la côte de Kalaheo à Waimea, la route est assez monotone et on s'y ennuierait presque si elle n'était ponctuée de nombreux sites intéressants.

### Points d'intérêt

#### KAUAI COFFEE MUSEUM

1 Numila Road – Eleele
✆ (808) 335 5497
www.kauaicoffeemuseum.com
*Ouvert de 9h à 17h. Entrée libre.* Installée, dans les années 1980, sur une ancienne plantation de canne à sucre, c'est la plus grande exploitation de café de Hawaii. Dès l'arrivée au parking, on aperçoit les champs de caféiers qui s'étendent sur plus de 1 000 ha. Et on peut aller regarder les plants de café de plus près, si on le souhaite.
À l'arrivée au musée, les visiteurs sont invités à déguster les différents cafés produits par la maison. Donc, autant y aller dès l'ouverture pour prendre son petit déjeuner sur place ! Pour compléter le café offert, la boutique du musée vend des petits gâteaux.
Libre à vous ensuite de visiter ce petit musée, qui présente toutes les étapes de production du café.

#### HANAPEPE ET LE SWINGING BRIDGE

*Sur la Highway 50, suivre la direction de Hanapepe.* Hanapepe, ancienne ville de plantation, a été entièrement construite par les immigrants chinois qui sont venus pour y travailler. Elle mérite qu'on s'y arrête pour faire une promenade dans son vieux centre. L'attraction locale, c'est le « swinging bridge », le « pont qui se balance ». Il relie les deux parties de la ville au-dessus de la Hanapepe River. Construit en 1911, il a été partiellement détruit par un ouragan en 1992 puis restauré. Il est amusant de le prendre : on se croirait dans Indiana Jones ! Mais on déchante vite si des gens arrivent dans l'autre sens car le pont bouge alors beaucoup et on se voit déjà patauger dans l'eau boueuse de la rivière. Cardiaques s'abstenir !

#### SALT POND BEACH PARK

*Sur la Highway 50, en direction de Hanapepe, à la balise 17 miles.* Jolie plage de sable fin incurvée. Baignade sans danger toute l'année. Très bon spot de body-board et de planche à voile. La plage doit son nom aux marais salants situés à son extrémité est, qui sont encore utilisés par les locaux pour s'approvisionner en sel.

#### GAY AND ROBINSON SUGAR PLANTATION

2 Kaumakani Avenue – Kaumakani
✆ (808) 335 2824
www.hawaiimuseums.org/mc/iskauai_gayandrobinson.htm
Sur la Highway 50, après la balise 22 miles. *Ouvert du lundi au vendredi de 8h à 16h. Visite guidée à 9h et 13h, du lundi au vendredi. Réservation impérative. Adultes 30 $, enfants 21 $.* La seule plantation sucrière encore en fonctionnement à Hawaii ! À travers une visite guidée très intéressante de 2h, on découvre les différents processus de production du sucre. Une exposition revient également sur les 165 années de l'ère sucrière hawaiienne.

#### PAKALA BEACH

*Sur la Highway 50, après la balise 21 miles.* Un des meilleurs spots de surf de la côte ouest. Pour les surfeurs expérimentés seulement.

#### RUSSIAN FORT ELIZABETH STATE HISTORICAL PARK

*Sur la Highway 50, après la balise 22 miles. Juste avant d'arriver à Waimea.* Les vestiges de ce fort nous apprennent que Hawaii a bien failli être russe ! Certes, l'aventure n'a duré que de 1815 à 1817, mais il s'en est fallu de peu pour que les danseuses de hula parlent une tout autre langue. C'est Kamehameha I^er^ qui a finalement chassé les Russes de l'archipel. Construit en forme d'étoile, avec des pierres volcaniques, ce fort avait été appelé Elizabeth en hommage à la femme du tsar Alexandre I^er^.
Des brochures racontent l'histoire étonnante de ce fort, dont on peut visiter les ruines librement.

# WAIMEA CANYON STATE PARK

La vue sur les montagnes rougeâtres de Waimea est l'une des plus sublimes de l'île. Quiconque voit ce relief étonnamment sculpté ne peut s'empêcher de penser au Grand Canyon. C'est cette similitude qui a d'ailleurs valu son nom au parc national. Sauf que celui de Kauai, avec ses 1 105 m de profondeur et ses 19 km de longueur, est beaucoup plus petit. C'est un important séisme qui aurait dessiné le canyon, en précipitant de nombreux cours d'eau dans la Waimea River, la seule rivière du site. Ces cours d'eau ont provoqué une érosion intense des sols pendant plusieurs millions d'années. La roche s'est alors en quelque sorte rouillée, ce qui a donné cette jolie couleur latérite au relief.

Plusieurs façons de découvrir le canyon : l'arrêt en voiture aux différents points de vue, les randonnées ou un survol en hélicoptère.

▸ **Voiture.** Le canyon est à une trentaine de kilomètres de Waimea. Une fois sur la Highway 50, on peut prendre la Waimea Canyon Drive (Highway 550), mais la route est étroite et accidentée. Mieux vaut choisir l'autre itinéraire : rester sur la Highway 50 jusqu'à Kekaha et prendre la Kokee Road (Highway 55).

Plusieurs points de vue sur le canyon se succèdent le long de la route ; ils se ressemblent tous plus ou moins. En fait, seuls deux sont vraiment exceptionnels (voir ci-après). Inutile de les faire tous : vous risquez de vous fatiguer pour rien. Il est plus judicieux de s'en tenir à ces deux-là et de vraiment prendre le temps d'apprécier le paysage. Ne tombez pas dans « le marathon des points de vue », comme la plupart des visiteurs !

### WAIMEA LOOKOUT

*Entre les balises 10 et 11 miles.* Vraiment le plus beau point de vue sur le canyon. À ne pas manquer !

### PUU HINA HINA LOOKOUT

*Entre les balises 13 et 14 miles.* Le plus haut des points de vue, à 1 034 m (3 336 feet) d'altitude. Cependant, il ne vaut pas le panorama du Waimea Lookout.

## Randonnée

On dénombre pas mal d'itinéraires de randonnées à faire dans le canyon. Les deux principaux et les plus beaux sont détaillés ci-dessous. Ceux qui en redemandent, se reporteront au site www.kokee.org (rubrique : « Trails-Waimea Canyon »).

### CANYON TRAIL

*Sur la Waimea Canyon Road, au niveau des balises 14 et 15 miles.* Un sentier de randonnée, de niveau facile et balisé. Il mène jusqu'aux Waipoo Falls (chutes d'eau hautes de 240 m), au bout de 1h30 de marche. Donc, compter un peu plus de 3h l'aller-retour. Pour se rafraîchir, on peut se baigner sans danger dans le lac au pied des chutes.

*Waimea Canyon State Park.*

■ **WAIPOO FALLS TRAIL**
*Au niveau du Puu Hina Hina Lookout, à deux pas de la station satellite de la NASA.* Sentier de 3h aller-retour qui mène directement aux Waipoo Falls. Ce chemin est beaucoup plus riche en végétation que celui du Canyon Trail.

### Hélicoptère

Le Waimea Canyon étant facilement accessible en voiture ou à pied, contrairement à la Na Pali Coast, le vol en hélicoptère est une option chère qui n'est pas forcément justifiée, même si les paysages vus d'en haut sont sublimes.

■ **JACK HARTER**
4231 Ahukini Road – Lihue
✆ (808) 245 3774
www.helicopters-kauai.com
*259 $ les 60 minutes de vol.* Jack Harter, le fondateur de cette compagnie d'hélicoptères, est celui qui a initié les survols de Kauai. Pendant le vol, le pilote fait une présentation détaillée du Waimea Canyon. Le tout sur fond musical. Si on réserve sur le site Internet, on peut bénéficier de petites réductions.

## KOKEE STATE PARK

Une forêt tropicale de 1 700 ha à seulement 25 km de la ville de Waimea, et au bout de la Highway 550. C'est l'endroit le plus pluvieux de Kauai ; il faut donc prévoir un K-way ou une polaire : il y fait beaucoup plus frais que sur les côtes. De nombreuses plantes et arbres natifs de Hawaii constituent la forêt de Kokee. Daims, sangliers et chèvres sont les principaux animaux qui y vivent.

### Hébergement

■ **YMCA CAMP SLOGGET**
✆ (808) 335 6060
www.campingkauai.com
*10 $ par personne en tente. 20 $ en dortoir.*

### Point d'intérêt

■ **KOKEE NATURAL HISTORY MUSEUM**
✆ (808) 335 9975 – www.kokee.org
*Ouvert de 10h à 16h. Entrée libre.* Un musée un peu vieillot qui nous parle de géologie, de la faune et de la flore de Kauai. On peut regretter la présence des animaux empaillés dans la salle du fond alors qu'on est en pleine réserve naturelle... L'intérêt principal du musée est sa boutique, où on peut acheter de très bonnes cartes de randonnée et des ouvrages intéressants sur Kauai.

*Vue de Kalalau Valley, Kokee State Park.*

### Sports et loisirs

#### Randonnée

Il existe une multitude de sentiers de randonnées à parcourir à Kokee, mais on ne saurait trop conseiller de ne pas s'y aventurer sans être guidé par un spécialiste. La forêt est touffue et on s'y perd très facilement, même avec une carte. Sans compter les conditions météo parfois effroyables (averses violentes, brouillard) qui brouillent d'autant plus les pistes. Aussi, sauf à vouloir figurer dans un nouveau « Blairwitch », ne partez pas sans un guide expérimenté. La solution la moins coûteuse consiste à faire une réservation pour les randonnées guidées gratuites du Kokee Museum (voir plus haut). 2 randonnées de 2h par semaine ; l'une le samedi et l'autre le dimanche. Les guides sont tous des passionnés qui travaillent bénévolement pour le musée ; ils connaissent la forêt et Hawaii sur le bout des doigts. Vous ne risquez pas de vous ennuyer ! Avec un peu de chance, vous tomberez sur Mark, qui est conteur pour enfants et qui connaît toutes les légendes hawaiiennes par cœur. Il vous racontera notamment les aventures des différents dieux hawaiiens liés à la forêt.

► **Pour ceux qui veulent vraiment tenter l'aventure en solo,** toutes les randonnées de la forêt de Kokee sont détaillées sur le site du musée : www.kokee.org (rubrique : « trails-Kokee State Park »). Avant de partir, pensez à acheter une carte à la boutique du musée et à leur demander le bulletin météo du jour.

# ORGANISER SON SÉJOUR

*Tandem de surf entre un père et son fils.*

# Pense futé

## ARGENT

### Monnaie et subdivisions

La monnaie est le dollar US (US $), dont le cours fluctue par rapport à l'euro. Pièce se dit coin et monnaie se dit change. Un dollar se divise par 100 cents. La pièce de 25 cents est appelée quarter (quart de dollar), celle de 10 cents, dime ( de très petite taille), celle de 5 cents, nickel( plus grande que le dime) et celle de 1 cent, penny ( toute petite). Les pièces servent à faire l'appoint, et pour le reste on utilise les billets de 1 $, 5 $, 10 $, 20 $. Il existe aussi des billets de 50 $, 100 $ et 500 $. Tous les billets ont la même taille.

### Change

Le cours actuel est d'environ 1,4 dollar pour 1 euro.

En dehors d'Honolulu – la capitale d'État – vous trouverez peu de banques pratiquant le change. Il vaut donc mieux partir avec vos dollars en poche ; vous pourrez ainsi régler les premières dépenses courantes à l'arrivée ( taxi, boissons, sandwiches...) Attention, les taux de change pratiqués dans les aéroports sont plus élevés qu'en ville. De même, les paiements par carte bancaire ne posent aucun problème mais attention aux commissions bancaires.

▶ **N'hésitez pas à contacter notre partenaire National Change** au 0 820 888 154 en mentionnant le code PF06, ou en consultant le site www.nationalchange.com. Vos devises et chèques de voyages vous sont envoyés à domicile.

### Coût de la vie – Budget

Le coût de la vie un peu plus élevé qu'aux États-Unis pour tous les produits fabriqués sur le continent en raison des coûts d'acheminement : vêtements et chaussures de marque, produits de beauté, maroquinerie... Au niveau de la nourriture, ce sont globalement les mêmes prix qu'aux États-Unis mais plus on mange local et moins c'est cher. Ce qui revient le plus cher finalement à Hawaii, c'est le logement mais en se débrouillant bien et en réservant à l'avance, on peut trouver des chambres à bas prix (entre 50 $ et 100 $ la chambre double).

### Quelques idées de prix

Un cocktail 8-10 $, une chemise hawaiienne 15-35 $, une robe hawaiienne 12-25 $, un sandwich 4-8 $, une salade 6 $-10 $, une crème solaire 6-12 $, une serviette de plage 7-15 $, un paréo 10-20 $, un ticket de bus 1-2,25 $, une location de voiture à la journée 30-40 $, une place pour un luau (dîner-spectacle hawaiien) 80-120 $

### Banque

Les deux principales banques hawaiiennes sont la First Hawaiian Bank et la Bank of Hawaii. Elles sont généralement ouvertes du lundi au vendredi, de 9h à 15h. Mais pour retirer de l'argent, inutile d'aller à l'intérieur d'une banque. On peut utiliser les distributeurs à l'extérieur des différents établissements ou un des nombreux distributeurs 24h/24 qu'on trouve en ville.

### Moyens de paiement

On trouve si facilement des distributeurs de billets 24h/24 à Hawaii que de moins en moins de commerçants acceptent les traveller's cheques qui sont en train de devenir obsolètes. Les touristes étant rarement victimes de vols à Hawaii, il vaut mieux utiliser du liquide ou sa CB internationale.

### Cash

▶ **Où trouver des distributeurs ?** Partout ou presque. Des centaines de distributeurs Mastercard ou Visa sont à votre disposition pour le retrait d'argent liquide en monnaie locale dans la seule ville d'Honolulu. Pas de problème de retrait dans toutes les autres villes des différentes îles. Si vraiment on n'en trouve pas, il suffit de s'arrêter dans le premier centre commercial sur la route, ils ont toujours un distributeur 24h/24(ATM) à l'intérieur ou à l'extérieur. Attention, à chaque retrait à l'étranger avec votre carte, une commission est retenue à la fois par la banque du distributeur et par votre banque. Les tarifs qui s'appliquent se composent d'une commission fixe et de frais proportionnels au montant retiré ou payé. Pour éviter donc de multiplier les frais, pensez à grouper vos retraits d'argent ou à prendre des Traveller's Cheques.

**Le transfert d'argent.** Avec ce système, on peut envoyer et recevoir de l'argent de n'importe où dans le monde en quelques minutes. Le principe est simple : un de vos proches se rend dans un point MoneyGram® ou Western Union® (poste, banque, station-service, épicerie... ), il donne votre nom et verse une somme à son interlocuteur. De votre côté de la planète, vous vous rendez dans un point de la même filiale. Sur simple présentation d'une pièce d'identité avec photo et de la référence du transfert, on vous remettra aussitôt l'argent.

### Carte de crédit

Avant votre départ, pensez à vérifier avec votre conseiller bancaire la limitation de votre plafond de paiement et de retrait. Demandez, si besoin est, une autorisation exceptionnelle pour la période de votre voyage. Les cartes Visa, American Express, EuroCard, Mastercard et Diner's Card sont acceptées partout. Il est nécessaire d'en posséder une pour effectuer une réservation par téléphone ou internet; pour une chambre d'hôtel ou une voiture c'est indispensable.

**En cas de perte ou de vol de votre carte de paiement,** appelez le serveur vocal du groupement des cartes bancaires Visa®, EuroCard® et MasterCard® au ✆ (00 33) 892 705 705 ou (00 33) 836 690 880. Il est accessible 7j/7 et 24h/24. Si vous connaissez le numéro de votre carte bancaire, l'opposition est immédiate et confirmée. Dans le cas contraire, l'opposition est enregistrée mais vous devez confirmer l'annulation à votre banque par fax ou lettre recommandée.

## Que ramener de son voyage ?

- **Une chemise** ou une robe hawaiienne ( avec des motifs fleuris).
- **Un collier de kukui** (noix d'un arbre local).
- **Un lei** (collier de fleurs ou de coquillages).
- **Un « quilt »** ou dessus-de-lit en patchwork fait main.
- **Une sculpture en bois de koa** (arbre endémique).
- **Une boîte de noix** de macadamia.
- **Un paquet de café Kona** (le café local le plus prestigieux).

**En cas de dysfonctionnement** de votre carte de paiement ou si vous avez atteint votre plafond de retrait, vous pouvez bénéficier d'un cash advance. Proposé dans la plupart des grandes banques, ce service permet de retirer du liquide sur simple présentation de votre carte au guichet d'un établissement bancaire, que ce soit le vôtre ou non. On vous demandera souvent une pièce d'identité. En général, le plafond du cash advance est identique à celui des retraits, et les deux se cumulent (si votre plafond est fixé à 500 €, vous pouvez retirer 1 000 € : 500 € au distributeur, 500 € en cash advance). Quant au coût de l'opération, c'est celui d'un retrait à l'étranger.

### Traveller's Cheques

Les Traveller's Cheques sont des chèques prépayés émis par une banque, valables partout, et qui permettent d'obtenir des espèces dans un établissement bancaire ou de payer directement ses achats auprès de très nombreux lieux affiliés (boutiques, hôtels, restaurants...). Ils sont valables à vie. Leur avantage principal est l'inviolabilité : un système de double signature (la deuxième étant faite par vous devant le commerçant) empêche toute utilisation frauduleuse. À la fin de votre séjour, s'il vous reste des Traveller's Cheques, vous pourrez les changer contre des euros ou les restituer à votre banque qui les imputera à votre compte courant. À noter que le paiement par chèque classique est rarement possible à l'étranger. Lorsque c'est le cas, l'utilisation est compliquée et très coûteuse.

## Pourboire, marchandage et taxes

### Pourboire

Le pourboire est obligatoire ! Comme dans tous les États américains, le service n'est pas inclus dans l'addition. Au restaurant, dans les bars ou les discothèques, il faut donc ajouter 15 % de l'addition hors taxes en guise de pourboire. Il est aussi bienvenu de donner 2 $ de pourboire minimum aux guides touristiques, chauffeurs de taxis, bagagistes et femmes de chambre.

### Marchandage

Pas de marchandage en général ! Sauf avec les commerçants d'origine asiatique, notamment à Chinatown dans Honolulu et à l'International Market Place à Waikiki.

### Taxes

La taxe à la vente de l'État de Hawaii est de 4,16%. Elle s'applique sur tous les achats, y compris de nourriture. La taxe d'une chambre d'hôtel s'élève quant à elle à 7,25 % et il faut y ajouter la taxe à la vente de 4,16 %, ce qui fait un total comme dans tous les états américains, le service n'est pas inclus dans l'addition. Au restaurant, dans les bars ou les discothèques, il faut donc ajouter 15 % de l'addition hors taxes en guise de pourboire. Tous les prix à Hawaii et dans ce guide sont donnés hors-taxes. Ne soyez donc pas surpris si le prix affiché diffère du prix à payer... Si pour les petits achats, la différence entre le prix hors taxes et toutes taxes incluses est négligeable, il est judicieux de la calculer à l'avance quand les frais engagés sont plus conséquents (ex : séjour à l'hôtel) afin de mieux définir son budget.

### Duty Free

Puisque votre destination finale est hors de l'Union européenne, vous pouvez bénéficier du Duty Free (achats exonérés de taxes). Attention, si vous faites escale au sein de l'Union européenne, vous en profiterez dans tous les aéroports à l'aller, mais pas au retour. Par exemple, pour un vol Paris-Londres-Honolulu, vous pourrez faire du shopping en Duty Free dans les trois aéroports à l'aller, mais seulement dans celui de Honolulu au retour.

## ASSURANCES

Simples touristes, étudiants, expatriés ou professionnels, il est possible de s'assurer selon ses besoins et pour une durée correspondant à son séjour. De la simple couverture temporaire s'adressant aux baroudeurs occasionnels à la garantie annuelle, très avantageuse pour les grands voyageurs, chacun pourra trouver le bon compromis. À condition toutefois de savoir lire entre les lignes.

### Choisir son assureur

Voyagistes, assureurs, secteur bancaire et même employeurs : les prestataires sont aujourd'hui très nombreux et la qualité des produits proposés varie considérablement d'une enseigne à une autre. Pour bénéficier de la meilleure protection au prix le plus attractif, demandez des devis et faites jouer la concurrence. Quelques sites Internet peuvent être utiles dans ces démarches comme celui de la Fédération française des sociétés d'assurances (www.ffsa.fr), qui saura vous aiguiller selon vos besoins, ou le portail de l'Administration française (www.service-public.fr) pour toute question relative aux démarches à entreprendre.

### Voyagistes

Ils ont développé leurs propres gammes d'assurances et ne manqueront pas de vous les proposer. Le premier avantage est celui de la simplicité. Pas besoin de courir après une police d'assurance. L'offre est faite pour s'adapter à la destination choisie et prend normalement en compte toutes les spécificités de celle-ci. Mais ces formules sont habituellement plus onéreuses que les prestations équivalentes proposées par des assureurs privés. C'est pourquoi il est plus judicieux de faire appel à son apériteur habituel si l'on dispose de temps et que l'on recherche le meilleur prix.

### Assureurs

Les contrats souscrits à l'année comme l'assurance responsabilité civile couvrent parfois les risques liés au voyage. Il est important de connaître la portée de cette protection qui vous évitera peut-être d'avoir à souscrire un nouvel engagement. Dans le cas contraire, des produits spécifiques pourront vous être proposés à un coût généralement moindre. Les mutuelles couvrent également quelques risques liés au voyage. Il en est ainsi de certaines couvertures maladie qui incluent une protection concernant par exemple tout ce qui touche à des prestations médicales.

### Employeurs

C'est une piste largement méconnue mais qui peut s'avérer payante. Les plus généreux accordent en effet à leurs employés quelques garanties applicables à l'étranger. Pensez à vérifier votre contrat de travail ou la convention collective en vigueur dans votre entreprise. Certains avantages non négligeables peuvent s'y cacher.

### Cartes bancaires

Moyen de paiement privilégié par les Français, la carte bancaire permet également à ses détenteurs de bénéficier d'une assurance plus ou moins étendue. Visa®, MasterCard®,

American Express®, toutes incluent une couverture spécifique qui varie selon le modèle de carte possédé. Responsabilité civile à l'étranger, aide juridique, avance des fonds, remboursement des frais médicaux : les prestations couvrent aussi bien les volets assurance (garanties contractuelles) qu'assistance (aide technique, juridique, etc.). Les cartes bancaires haut de gamme de type Gold® ou Visa Premier® permettent aisément de se passer d'assurance complémentaire. Ces services attachés à la carte peuvent donc se révéler d'un grand secours, l'étendue des prestations ne dépendant que de l'abonnement choisi. Il est néanmoins impératif de vérifier la liste des pays couverts, tous ne donnant pas droit aux mêmes prestations. De plus, certaines cartes bancaires assurent non seulement leurs titulaires mais aussi leurs proches parents lorsqu'ils voyagent ensemble, voire séparément. Pensez cependant à vérifier la date de validité de votre carte car l'expiration de celle-ci vous laisserait sans recours.

**Précision utile :** beaucoup pensent qu'il est nécessaire de régler son billet d'avion à l'aide de sa carte bancaire pour bénéficier de l'ensemble de ces avantages. Cette règle ne s'applique en fait qu'à la garantie annulation du billet de transport – si elle est prévue au contrat – et ne concerne que l'assurance, en aucun cas l'assistance. Les autres services, indépendants les uns des autres, ne nécessitent pas de répondre à cette condition afin de pouvoir être actionnés.

*Falaises de la Na Pali Coast.*

## Choisir ses prestations

### Garantie annulation

Elle reste l'une des prestations les plus utiles et offre la possibilité à un voyageur défaillant d'annuler tout ou partie de son voyage pour l'une des raisons mentionnées au contrat. Ce type de garantie peut couvrir toute sorte d'annulation : billet d'avion, séjour, location… Cela évite ainsi d'avoir à pâtir d'un événement imprévu en devant régler des pénalités bien souvent exorbitantes.

Le remboursement est la plupart du temps conditionné à la survenance d'une maladie ou d'un accident grave, au décès du voyageur ayant contracté l'assurance ou à celui d'un membre de sa famille. L'attestation d'un médecin assermenté doit alors être fournie. Elle s'étend aussi à d'autres cas comme un licenciement économique, des dommages graves à son habitation ou son véhicule, ou encore à un refus de visa des autorités locales. Moyennant une surtaxe, il est également possible d'élargir sa couverture à d'autres motifs comme la modification de ses congés ou des examens de rattrapage. Les prix pouvant atteindre 5 % du montant global du séjour, il est donc important de bien vérifier les conditions de mise en œuvre qui peuvent réserver quelques surprises. Dernier conseil : s'assurer que l'indemnité prévue en cas d'annulation couvre bien l'intégralité du coût du voyage.

### Assurance bagages

Voir la partie « Bagages ».

### Assurance maladie

Voir la partie « Santé ».

### Autres services

Les prestataires proposent la plupart du temps des formules dites « complètes » et y intègrent des services tels que des assurances contre le vol ou une assistance juridique et technique. Mais il est parfois recommandé de souscrire à des offres plus spécifiques afin d'être paré contre toute éventualité. L'assurance contre le vol en est un bon exemple. Les plafonds pour ce type d'incident se révèlent généralement trop faibles pour couvrir les biens perdus et les franchises peuvent finir par vous décourager. Pour tout ce qui est matériel photo ou vidéo, il peut donc être intéressant de choisir une couverture spécifique garantissant un remboursement à hauteur des frais engagés.

# BAGAGES

## Réglementation des bagages

### Bagages en soute

Généralement, 20 à 23 kg de bagages sont autorisés en soute pour la classe économique et 30 à 40 kg pour la première classe et la classe affaires. Si vous prenez une des compagnies low-cost, sachez qu'elles font souvent payer un supplément pour chaque bagage enregistré.

### Bagages à main

En classe éco, un bagage à main et un accessoire (sac à main, ordinateur portable) sont autorisés, le tout ne devant pas dépasser les 12 kg ni les 115 cm de dimension. En première et en classe affaires, deux bagages sont autorisés en cabine. Les liquides et gels sont désormais interdits : seuls les tubes et flacons de 100 ml maximum sont tolérés, et ce dans un sac en plastique transparent fermé (dimension 20 cm x 20 cm). Seules exceptions à la règle : les aliments pour bébé et médicaments accompagnés de leur ordonnance. Enfin, si vous souhaitez ramener des denrées typiquement françaises sur votre lieu de villégiature, sachez que les fromages à pâte molle et les bouteilles achetées hors du Duty Free ne sont pas acceptés en cabine.

**Pour un complément d'informations,** contactez directement la compagnie aérienne concernée.

### Excédent de bagages

Lorsqu'on en vient à parler d'excédent de bagages, les compagnies aériennes sont assez strictes. Elles vous laisseront souvent tranquille pour 1 ou 2 kg de trop, mais passé cette marge, le couperet tombe, et il tombe sévèrement : 30 € par kilo supplémentaire sur un vol long-courrier chez Air France, 120 € par bagage supplémentaire chez British Airways, 100 € chez American Airlines. A noter que les compagnies pratiquent parfois des remises de 20 à 30 % si vous réglez votre excédent de bagages sur leur site Web avant de vous rendre à l'aéroport. Si le coût demeure trop important, il vous reste la possibilité d'acheminer une partie de vos biens par voie postale.

### Perte/vol de bagages

En moyenne, 16 passagers sur 1 000 ne trouvent pas leurs bagages sur le tapis à l'arrivée. Si vous faites partie de ces malchanceux, rendez-vous au comptoir de votre compagnie pour déclarer l'absence de vos bagages. Pour que votre demande soit recevable, vous devez réagir dans les 21 jours suivant la perte. La compagnie vous remettra un formulaire qu'il faudra renvoyer en lettre recommandée avec accusé de réception à son service clientèle ou litiges bagages. Vous récupérerez le plus souvent vos valises au bout de quelques jours. Dans tous les cas, la compagnie est seule responsable et devra vous indemniser si vous ne revoyez pas la couleur de vos biens (ou si certains biens manquent à l'intérieur de votre bagage). Le plafond de remboursement est fixé à 20 € par kilo ou à une indemnisation forfaitaire de 1 200 €. Si vous considérez que la valeur de vos affaires dépasse ces plafonds, il est fortement conseillé de le préciser à votre compagnie au moment de l'enregistrement (le plafond sera augmenté moyennant finance) ou de souscrire à une assurance bagages. À noter que les bagages à main sont sous votre responsabilité et non sous celle de la compagnie.

## Matériel de voyage

### DELSEY

www.delsey.com

La deuxième marque mondiale dans le domaine du bagage, présente dans plus de 100 pays, avec 6 000 points de vente.

### INUKA

www.inuka.com

Ce site vous permet de commander en ligne tous les produits nécessaires à votre voyage, du matériel de survie à celui d'observation en passant par les gourdes ou la nourriture lyophilisée.

### SAMSONITE

www.samsonite.com

Leader mondial de l'univers des solutions de voyage. Les produits sont distribués sous les marques Samsonite, Samsonite Black Label, American Tourister, Lacoste et Timberland.

### TREKKING

www.trekking.fr

Trekking propose dans son catalogue tout ce dont le voyageur a besoin : trousses de voyage, ceintures multipoches, sacs à dos, sacoches, étuis... Une mine d'objets de qualité pour voyager futé et dans les meilleures conditions.

### AU VIEUX CAMPEUR

www.au-vieux-campeur.fr

Fondé en 1941, Au Vieux Campeur est la référence incontournable lorsqu'il s'agit d'articles de sport et loisirs.

# DÉCALAGE HORAIRE

12h en moins par rapport à l'heure française. Ex : quand il est minuit à Paris, il est 12h à Hawaii. En hiver, compter seulement 11h de décalage car Hawaii n'observe pas le passage de l'heure d'été à l'heure d'hiver, contrairement à la France. L'astuce pour ne pas souffrir de cet important décalage horaire c'est de régler sa montre à l'heure hawaiienne dans l'avion et, une fois sur l'archipel, de ne dormir qu'à la nuit tombée. Selon les médecins, la luminosité et le soleil aideraient à régler l'horloge biologique : une bonne raison de filer à la plage dès son arrivée !

# ÉLECTRICITÉ, POIDS ET MESURES

## Électricité

110/115 volts (60 cycles). Les fiches sont plates donc il vaut mieux partir avec un adaptateur (pas toujours évident à trouver sur place : en acheter à l'aéroport ou au rayon électricité des grandes surfaces). Séchoirs et fers à repasser sont fréquemment disponibles dans les hotels.

## Poids et mesures

### Capacités

- **1 gallon :** 3,785 litres – 1 quart : 0,946 litres 1 pint : 0,473 litres.

### Distances

- **1 mile :** 1,609 km, 1 foot : 30, 48 cm, 1 km : 0,62 mile, 1 m : 3,28 feet.

Pour convertir mentalement les distances et les vitesses (en miles per hours), ajouter au chiffre donné 50% puis 10%. Le bon vieux système métrique n'est quasiment jamais appliqué.

### Poids

- **1 pound (lb.) :** 0,4536 kg – 1 once (oz.) : 28,35 g

### Températures

La conversion entre les degrés Fahrenheit (°F) en vigueur aux États-Unis, et les degrés Celsius (°C) est plus difficile à faire de tête. Le calcul exact consiste à retirer 32 au chiffre indiqué, à multiplier le résultat par 5 puis diviser par 9. Plus facile mais un peu moins exact : soustraire 30 aux degrés Fahrenheit, diviser par deux et ajouter 10 %.

# FORMALITÉS, VISA ET DOUANE

Hawaii étant un État américain, les formalités sont les mêmes que pour se rendre aux États-Unis et elles peuvent s'assimiler à un parcours du combattant ! Mais en s'organisant bien, on y arrive !

## Passeport

Présenter un passeport biométrique, sauf si vous possédez un passeport lecture optique en cours de validité et émis au plus tard le 25 octobre 2005. À défaut, l'obtention d'un visa sera obligatoire.
Attention : les délais d'obtention du passeport biométrique peuvent être longs (jusqu'à 4 semaines) ! S'y prendre à l'avance donc. À noter qu'un extrait de naissance est obligatoire même si vous avez une carte d'identité ; le demander à l'avance en raison de la lenteur de certaines mairies pour le délivrer et l'envoyer.

## Obtention du passeport

Tous les passeports délivrés en France sont désormais biométriques. Ils comportent votre photo, vos empreintes digitales et une puce sécurisée. Pour l'obtenir, rendez-vous en mairie muni d'un timbre fiscal, d'un justificatif de domicile, d'une pièce d'identité, d'un extrait d'acte de naissance et de deux photos d'identité. Le passeport est délivré sous trois semaines environ. Il est valable dix ans. Attention, il n'est plus possible d'inscrire les enfants sur le passeport de leurs parents : ils doivent disposer d'un passeport personnel (valable cinq ans).

- **Conseil futé :** avant de partir, pensez à photocopier tous les documents que vous emportez avec vous. Vous emporterez un exemplaire de chaque document et laisserez l'autre à quelqu'un en France. En cas de perte ou de vol, les démarches de renouvellement seront ainsi plus simples auprès des autorités consulaires.

golf en Écosse ?
spa à Saint-Malo ?

petit futé.com

## Autorisation d'entrée aux États-Unis dite « ESTA »

Depuis le 12 janvier 2009, il faut impérativement faire une demande d'autorisation de voyage électronique.
Ce formulaire remplacera progresssivement la fiche de renseignements à remplir dans l'avion avant d'atterrir aux États-Unis.
Cette nouvelle disposition concerne les ressortissants des pays bénéficiaires du Programme d'Exemption de Visa (Visa Waiver Program, VWP) dont la France, la Belgique, la Suisse et le Canada font, entre autres, partie. L'autorisation est actuellement gratuite et s'obtient sur internet, grâce au système ESTA (Electronic System for Travel Authorization).

### À savoir

- **Il est recommandé** d'effectuer la demande au minimum 72h avant le départ de votre vol.
- **L'autorisation ESTA** est valable 2 ans, tant que votre passeport est valide durant cette période.
- **Il est préférable** de se munir d'une copie de cette autorisation afin de faciliter les formalités de contrôle.

### Autres conditions d'entrée sur le sol américain

- **Avoir** un billet d'avion aller-retour (qui prouve votre sortie du territoire US, qu'importe l'aéroport d'entrée et de sortie).
- **Projeter** un séjour de 90 jours maximum (le séjour ne peut être prolongé sur place, le visiteur ne peut pas changer de statut, accepter un emploi ou étudier). Présenter des preuves de solvabilité (carte de crédit, chèques de voyages). Compléter le formulaire de demande d'exemption de visa (formulaire I-94W) remis par la compagnie de transport pendant le vol.
- **Le visa** est toujours nécessaire pour certaines catégories de voyageurs (visa précédemment refusé ou séjour de plus de 3 mois).

### Pour tout séjour d'une durée supérieure à 90 jours

Le visiteur doit être en possession d'un visa. Plusieurs types de visa existent( étudiant, de travail etc) mais ils sont tous assez difficiles à obtenir. Pour tout savoir sur le type de visa à demander et les démarches à suivre, consultez le site du service d'information visa des États-Unis en France : www.usvisa-france.com
Attention aux conditions d'entrées pour vos animaux de compagnies. Renseignez-vous avant votre départ pour savoir comment ils pourront vous accompagner.
Pour en savoir plus, vous pouvez consulter les fiches pays de l'Ecole vétérinaire de Maison Alfort : www.vet-alfort.fr/ressources/anivoyage.

## Douane

### En entrant dans le pays

Le passage à la douane n'est qu'une simple formalité : aucune inquiétude à avoir si l'on est en règle. C'est en tout cas ce que vous diront les douaniers aux États-Unis, et leur job c'est de vérifier si vous êtes en règle : c'est là que ça coince car la douane américaine est extrêmement tatillonne. Les Américains ont toujours été très méfiants et le sont d'autant plus depuis le 11 septembre. À l'aéroport, au moment des contrôles de sécurité, on vous demandera de vous déchausser pour s'assurer que vous ne cachez rien de suspect dans vos chaussures, évènement passés obligent.
À la peur de l'attentat s'ajoute celle de l'immigration clandestine, mais peu de problèmes concernent les Français, du moment qu'ils sont touristes. Il vaut mieux éviter de porter sur soi son CV, les douaniers risquent de croire que vous cherchez du travail et ils pourraient bien vous renvoyer en France.
On vérifiera aussi que vous avez assez d'argent pour subvenir à vos besoins : présentez votre carte de crédit.
Les transports de liquides, gels, pâtes ou crèmes dans les bagages à main sont limités à 100 ml chacun. Les médicaments sont autorisés sur présentation d'ordonnance.

### À savoir

- **Comme partout :** pas de stupéfiants, pas d'absinthe, pas d'armes à feu non déclarés, pas de matière fissile ou corrosives.
- **Pour des raisons phytosanitaires :** pas de viande, de fruits et légumes, de plantes (graines ou bulbe), d'animaux, pas de fromage.

**Retrouvez l'index général en fin de guide**

*Shopping dans une boutique de surf.*

| | | |
|---|---|---|
| Tabac | Cigarettes (unités) | 200* |
| | Tabac à fumer (g) | 250 |
| | Cigares (unités) | 50 |
| Alcool (litres) | Vin | 4 |
| | Produits intermédiaires (- 22°) | 2 |
| | Boissons spiritueuses (+ 22°) | 1 |
| | Bières | 16 |

* *Certains pays peuvent abaisser ce chiffre à 40 selon leur politique de santé.*

**Réglementation phytosanitaire renforcée à Hawaii.** Les douaniers sont encore plus stricts à ce sujet à cause des nombreuses espèces invasives – végétales et animales – introduites par le passé qui menacent encore aujourd'hui les écosystèmes des différentes îles. On vous demandera donc de remplir un questionnaire dans l'avion continent US/ Hawaii à ce sujet, même si vous avez déjà été contrôlé à votre arrivée sur le continent US.

Juste avant d'enregistrer pour votre vol retour vers le continent US ou la France, les douaniers vérifient également que vous n'emmenez pas d'espèces protégées hawaiiennes dans vos bagages. Après contrôle, ils apposent une étiquette sur votre valise et ce n'est qu'après obtention de cette étiquette qu'on vous autorisera à enregistrer. Prévoir donc un peu plus de temps pour l'enregistrement de votre vol retour, en raison de ce contrôle supplémentaire où il faut souvent faire la queue !

**Pour des raisons écologiques :** pas d'ivoire, de peaux de reptiles, de fanons de baleine, d'objets provenant d'espèces protégées.

**Pour des raisons politiques :** pas d'articles en provenance de Cuba ( pas de cigares), d'Iran, d'Irak, de Soudan, de Lybie, du Cambodge ou du Vietnam (y compris des T-shirts).

## En rentrant dans l'Union européenne

Dans un souci de protection de l'économie européenne, vous ne pouvez ramener pour plus de 430 € de marchandise par personne si vous empruntez une voie aérienne ou maritime, 300 par voie terrestre ou navigable. Si vous voyagez avec 7 600 € de devises ou plus, vous devez impérativement les déclarer en douane et si vous transportez des objets d'origine étrangère, munissez-vous des factures ou des quittances de paiement des droits de douane : on peut vous les demander pour prouver que vous êtes en règle.

Enfin, certains produits sont libres de droits de douane jusqu'à une certaine quantité (voir tableau). Au-delà de celle-ci, ils doivent être déclarés. Vous acquitterez alors les taxes normalement exigibles.

Les franchises ne sont pas cumulatives. Cela signifie que si vous choisissez de ramener du tabac, vous pouvez acheter 200 cigarettes ou 50 cigares, mais pas les deux.

Contactez la douane pour en savoir plus.

# HORAIRES D'OUVERTURE ET JOURS FÉRIÉS

*Enseigne de la boulangerie Leonard's à Honolulu.*

## Horaires d'ouverture des commerces

Les horaires d'ouverture des magasins sont très variables. Il semble cependant que plus l'île est petite, plus ils ferment tôt. Pour les centre commerciaux, la règle est la même pour toutes les îles : ils ouvrent vers 9-10h et ferment entre 20h et 21h. À Waikiki, sur Honolulu, les commerces restent ouverts beaucoup plus tard et ferment généralement à 22h30. Enfin, sur tout l'archipel, les supermarchés ouvrent généralement à 7h et ferment entre 17h et 20h. Certains restent ouverts 24h/24.

## Jours fériés

Toutes les administrations sont fermées les jours fériés mais pas les magasins.
Hawaii a trois jours féries en plus que les autres États américains.

- **Nouvel an :** 1er janvier.
- **Martin Luther King Day :** 3e lundi de janvier.
- **President's Day :** 3e lundi de février.
- **Prince Kuhio Day :** 26 mars.
- **Vendredi saint et Lundi de Pâques :** mi-avril mais les dates sont variables.
- **Lei Day :** 1er mai.
- **Memorial Day :** dernier lundi de mai.
- **Kamehameha Day :** 11 juin.
- **Independence Day :** 4 juillet.
- **Admission Day :** 3e vendredi d'août.
- **Labor Day :** 1er lundi de septembre.
- **Columbus Day :** 2e lundi d'octobre.
- **Election Day :** 1er mardi de novembre, l'année de l'élection présidentielle.
- **Veteran's Day :** 11 novembre.
- **Thanksgiving :** 4e jeudi de novembre.
- **Christmas Day :** 25 décembre.

# INTERNET

Dans les cafés internet, la connexion est en moyenne à 5-6 $ l'heure, 3 $ les 30 minutes, et 1-2 $ les 10 minutes.
Si vous pensez vous connecter régulièrement et que vous vous rendez sur plusieurs îles, procurez-vous la « visitor's card » dans l'une des bibliothèques municipales de l'île que vous visitez. Cette carte à 10 $ et valable 3 mois (il n'en existe pas pour une durée inférieure) permet de se connecter en illimité dans les bibliothèques municipales de toutes les îles (ouvertes de 10h à 17h, du lundi au samedi. Un nocturne jusqu'à 20h un soir par semaine). Pour vous en fournir une, on vous demandera votre passeport et votre adresse à Hawaii.
Si vous avez emmené votre ordinateur portable, sachez qu'on trouve des points d'accès Wifi gratuits dans de nombreux cafés. Dans les hôtels, c'est assez variable : le wifi peut être gratuit ou payant.

# LANGUES PARLÉES

On ne parle généralement pas le français à Hawaii. Les deux langues officielles sont l'anglais et le hawaiien mais c'est l'anglais qui est parlé par tous- seule une vingtaine de mots et expressions en hawaiien sont utilisées au quotidien et personne ne parle couramment cette langue (excepté sur l'île privée de Niihau). Si vous parlez anglais et que vous apprenez le « vocabulaire de survie » en hawaiien (voir « lexique »), vous vous débrouillerez donc comme un chef ! Et si vraiment vous voulez passer pour un local, mettez-vous au pidgin, le créole hawaiien, qui est l'argot local (voir l'encadré dans « lexique »).

## Apprendre la langue

Il existe différents moyens d'apprendre quelques bases de la langue et l'offre pour l'auto-apprentissage peut se faire sur différents supports : CD, cassettes vidéo, cahiers d'exercices ou même directement sur Internet.

### ■ LA MÉTHODE ASSIMIL BOUTIQUE ASSIMIL

11, rue des Pyramides, 75001 Paris
✆ 01 42 60 40 66 – www.assimil.com

Cette méthode se décompose en deux phases. Durant la première, vous écoutez, lisez et répétez à haute voix des phrases simples pendant 20 à 30 minutes chaque jour. Durant la seconde, à partir de la cinquantième leçon, en plus des exercices habituels, vous traduisez la leçon.

### ■ LA MÉTHODE TELL ME MORE ONLINE

www.tellmemore-online.com

Sur ce site Internet, votre niveau est d'abord évalué et des objectifs sont fixés en conséquence. Ensuite, vous vous plongez parmi les 10 000 exercices et 2 000 heures de cours proposés. Enfin, votre niveau final est certifié selon les principaux tests de langues.

### ■ LA MÉTHODE POLYGLOT

www.polyglot-learn-language.com

Ce site propose à des personnes désireuses d'apprendre une langue d'entrer en contact avec d'autres dont c'est la langue maternelle. Une manière conviviale de s'initier à la langue et d'échanger.

# PHOTOS

## Quelques conseils pour prendre de belles photos de voyage

- **Vous prendrez les meilleures photos tôt le matin ou aux dernières heures de la journée.** Un ciel bleu de midi ne correspond pas aux conditions optimales : la lumière est souvent trop verticale et trop blanche. En outre, une météo capricieuse offre souvent des atmosphères singulières, des sujets inhabituels et, par conséquent, des clichés plus intéressants.
- **Prenez votre temps.** Promenez-vous jusqu'à découvrir le point de vue idéal pour prendre votre photo. Multipliez les essais : changez les angles, la composition, l'objectif... Vous avez réussi à cadrer un beau paysage, mais il manque un petit quelque chose ? Attendez que quelqu'un passe dans le champ ! Tous les grands photographes vous le diront : pour obtenir un bon cliché, il faut en prendre plusieurs.
- **Appliquez la règle des tiers.** Divisez mentalement votre image en trois parties horizontales et verticales égales. Les points forts de votre photo doivent se trouver à l'intersection de ces lignes imaginaires. En effet, si on cadre son sujet au centre de l'image, la photo devient plate, car cela provoque une symétrie trop monotone. Pour un portrait, il faut donc placer les yeux sur un point fort et non au centre. Essayez aussi de laisser de l'espace dans le sens du regard.
- **Un coup d'œil** aux cartes postales et livres de photos sur la région vous donnera des idées de prises de vue.
- **À savoir :** les tons jaunes, orange, rouges et les volumes focalisent l'attention ; ils donnent une sensation de proximité à l'observateur. Les tons plus froids, comme le vert ou le bleu, créent de leur côté une impression d'éloignement.

## Photo sous-marine et protection des intempéries

Pluie, sable, poussière : en voyage, votre appareil est mis à rude épreuve. Vous pouvez le protéger en achetant une housse de pluie (*50 € environ*) ou une pochette étanche (*à partir de 10 €*). Dans le cas où vous n'auriez pas pensé à vous munir de ce genre d'accessoire avant le départ, un bon vieux sac plastique assurera une protection minimale.

▶ **À noter :** si votre appareil a été mouillé, n'essayez surtout pas de l'utiliser pour voir s'il fonctionne, c'est le meilleur moyen de l'endommager réellement. Laissez-le sécher 48h à l'air libre, boîtier ouvert.

### Développer/gérer/partager

Plusieurs sites proposent de stocker vos photos et de les partager directement en ligne avec vos proches.

#### FLICKR

www.flickr.com
Sur Flickr, vous pouvez créer des albums photo, retoucher vos clichés et les classer par mots-clés tout en déterminant s'ils seront visibles par tous ou uniquement par vos proches. Petit plus du site : vous avez la possibilité d'effectuer des recherches par lieux et ainsi découvrir votre destination à travers les prises de vue d'autres internautes. D'autant plus intéressant que nombre de photographes professionnels utilisent Flickr.

#### FOTOLIA

http://fr.fotolia.com
Fotolia est une banque d'images. Le principe est simple : vous téléchargez vos photos sur le site pour les vendre à qui voudra. Le prix d'achat de base est fixé à 0,83 € et peut monter jusqu'à 8,30 € par cliché. Pas de quoi payer vos prochaines vacances donc, mais peut-être assez pour réduire la note de vos tirages !

#### PHOTOWEB

www.photoweb.fr
Photoweb est un laboratoire photo en ligne. Vous pouvez y télécharger vos photos pour commander des tirages ou simplement créer un album virtuel. Le site conçoit aussi tout un tas d'objets à partir de vos clichés : tapis de souris, livres, posters, faire-part, agendas, tabliers, cartes postales... Les prix sont très compétitifs et les travaux de qualité.

## POSTE

On trouve des bureaux de poste dans les villes importantes de chaque île (tous sont référencés dans ce guide). Du lundi au vendredi, ils ouvrent vers 8h et ferment à 17h. Le samedi, ils sont ouverts le matin uniquement. À destination de l'Europe : il faut un timbre de 70 cents pour une carte postale et un de 80 cents pour une lettre standard.

## QUAND PARTIR ?

Il fait beau à Hawaii toute l'année, donc il n'y a pas vraiment de période à privilégier de ce côté-là ! Cependant, Hawaii a deux hautes saisons touristiques : l'hiver et l'été.
Ces deux périodes correspondent en fait aux vacances scolaires des États-Unis, d'où les pics de fréquentation. Ce sont les saisons les plus chères à tous les niveaux (vols, hébergement, restaurants, circuits...) donc si on le peut, il vaut mieux partir au printemps ou à l'automne.

▶ **L'hiver** est très prisé par les amateurs de sports nautiques car c'est la période où les vagues sont idéales pour leur pratique. Mais il faut avoir une bonne expérience en la matière car dans certains coins, les rouleaux atteignent 10 m de haut !
C'est d'ailleurs pour cette raison que le championnat du monde de surf, « Triple Crown of Surfing » qui se déroule sur la côte nord d'Oahu, a lieu en hiver.
Ceci dit, rassurez-vous de nombreuses plages sont aussi très bien pour nager ou se baigner en toute sécurité en hiver (voir la rubrique « plages » pour chaque île).

▶ **L'été,** les eaux de l'archipel sont plus calmes et parfaites pour la baignade, le farniente ou le snorkeling.

▶ **Pour connaître le temps qu'il fait sur place,** vous pouvez vous rendre sur le site www.meteo-consult.com – Vous y trouverez les prévisions météorologiques pour le monde entier.

### Les manifestations

Voir la rubrique « Festivités » dans la partie « Découverte ».

# SANTÉ

Hormis peut-être quelques problèmes d'adaptation au climat et à la nourriture, il est peu probable que vous connaissiez de sérieux ennuis de santé propres à la destination au cours de votre voyage à Hawaii. Il est cependant prudent de revoir votre carnet de vaccinations avant de partir, même si aucune n'est obligatoire. Il faut cependant se méfier des moustiques et avoir toujours une bombe répulsive avec soi – surtout dans les zones humides – car une épidémie de dengue a tout de même frappé l'archipel en 2001...

Pour vous informer de l'état sanitaire du pays et recevoir des conseils, n'hésitez pas à consulter votre médecin. Vous pouvez aussi vous adresser à la Société de médecine des voyages du centre médical de l'Institut Pasteur au ✆ 01 40 61 38 46 (www.pasteur.fr/sante/cmed/voy/listpays.html) ou vous rendre sur le site du Cimed (www.cimed.org), du Ministère des Affaires étrangères à la rubrique « Conseils aux voyageurs » (www.diplomatie.gouv.fr/voyageurs) ou de l'Institut national de veille sanitaire (www.invs.sante.fr).

## Conseils

### À la mer

**Soleil.** Même si vous avez l'habitude du soleil, protégez votre peau à la plage car le soleil est traître à Hawaii ; n'oubliez pas que les îles sont proches du Tropique du Cancer ce qui rend les rayons plus forts. Emportez donc votre crème solaire et prévoyez un indice de 30 minimum pour les premiers jours car un coup de soleil a tôt fait d'arriver.

Buvez également beaucoup d'eau pour prévenir tout risque de déshydration ou d'insolation.

#### Dengue

Cette fièvre assez courante dans les pays tropicaux est transmise par les moustiques. La dengue se traduit par un syndrome grippal (fièvre, maux de tête, douleurs articulaires et musculaires). Il n'existe pas de traitement préventif ou de vaccin. Ne prenez jamais d'aspirine. Cette maladie pouvant être mortelle, il est fortement recommandé de consulter un médecin en cas de fièvre.

**Baignade.** Il faut faire vraiment attention aux courants car même dans une eau paradisiaque, on a tôt fait de se noyer ! Si la plage est surveillée, il vaut toujours mieux demander l'avis des sauveteurs pour savoir si vous pouvez vous éloigner du rivage.

Si la plage n'est pas surveillée et que presque personne ne se baigne, c'est en général que les courants sont dangereux. Les locaux connaissent leurs plages sur le bout des doigts, alors n'hésitez pas à leur demander conseil... Ne vous fiez cependant pas aux éventuels surfeurs dans l'eau car ils maîtrisent en général très bien les courants, contrairement à vous !

Au moindre doute et dans tous les cas, il est prudent et sans risques de se baigner au niveau du rivage.

**Plongée.** Que vous fassiez de la plongée sous-marine ou du palmes-masques-tuba, il ne faut jamais toucher le corail : en plus de le détruire, vous risquez de vous faire une plaie profonde ! Attention aussi aux méduses qui sont féroces dans les eaux hawaiiennes et aux oursins très nombreux sur les rochers.

Concernant les requins auxquels tout le monde pense systématiquement sous l'eau, sachez que le risque de vous faire dévorer par l'un d'entre eux comme dans « les Dents de la Mer » est quasiment nul. Seules 8 espèces de requins se rencontrent près des côtes et vous pouvez donc croiser un de ces individus, si vous faîtes du snorkeling mais sachez que ces derniers sont sans danger pour l'homme.

Évitez cependant de plonger à l'aurore ou au crépuscule car c'est l'heure ou les requins se rapprochent des côtes pour se nourrir...

Le seul requin d'Hawaii qui peut attaquer l'homme est le requin tigre : on le reconnaît à sa nageoire caudale pointue et aux rayures verticales de son corps. Mais pas de panique : les attaques de requin sont rares et ne se produisent qu'une à trois fois par an. Enfin ces blessures sont rarement mortelles : le requin mord l'homme mais ne le mange pas ! Ouf.

### En eau douce

Évitez de vous baigner dans une rivière les jours d'orage car des crues subites peuvent subvenir et le courant vous emporter en moins de temps qu'il ne faut pour le dire !

Ne vous baignez pas dans les étangs en raison du risque de leptospirose (infection entraînant de fortes douleurs, de la fièvre et même la méningite dans certains cas).

### En altitude

Lors de l'ascension du Haleakala(3 055 m) à Maui, du Mauna Kea(4 205 m) du Kilauea (1 222 m) à Big Island, il faut impérativement marquer plusieurs arrêts au fur et à mesure qu'on s'élève.

En effet, les sommets de ces volcans étant accessibles par la route assez rapidement le corps n'a pas le temps de s'habituer au changement d'altitude...

Si vous ressentez des maux de tête, un mal de cœur, des vertiges, asseyez-vous et reposez vous ; vous avez très probablement le mal de l'altitude.

Ne faîtes pas d'efforts violents à une altitude élevée car l'oxygène est plus pauvre dans l'air et on a très vite du mal à respirer.

Si jamais vous avez plongé ou pris l'avion dans les dernières 24h, il est dangereux d'aller si haut en raison des changements de pression brutaux et des risques d'embolie qui pourraient en résulter. Enfin, il est déconseillé aux jeunes enfants, femmes enceintes, personnes cardiaques ou asthmatiques d'entreprendre une telle montée.

## En cas de maladie

### Médecins

On peut consulter un médecin dans les cliniques et hôpitaux des différentes îles (référencés dans ce guide), avec ou sans rendez-vous (se renseigner avant). La plupart des hôtels de luxe ont également un médecin sur place et ses consultations sont ouvertes à tous.

Le service médical à Hawaii est, comme sur le reste des États-Unis, de très bonne qualité mais il est aussi cher ! Si votre assurance ne prend pas en charge l'avance des frais médicaux, il vous faudra débourser entre 150 $ et 200 $ pour une consultation chez le généraliste. Il faut bien garder les factures avec vous, y compris celle des médicaments ! Une fois de retour, il vous faudra envoyer les originaux (garder une copie par sécurité) à la sécurité sociale puis à votre mutuelle qui vous rembourseront dans un délai de 3 mois en moyenne. L'assurance prendra en charge le reste.

▶ **Médecins parlant français.** Les Hawaiiens ne parlent pas français et les médecins non plus ! L'anglais est donc de mise pour décrire votre mal. Un conseil : révisez le vocabulaire du corps humain avant de partir ou ayez un mini-dictionnaire sur vous

### Urgences

Pour appeler la police, les pompiers ou une ambulance, il faut composer le même numéro : 911. Vous pouvez aussi vous rendre à l'hôpital le plus proche où les urgences fonctionnent généralement 24h/24 (se reporter à la rubrique « Pratique/santé » de la zone géographique concernée).

Un réflexe aussi à avoir : contacter le consulat français. Il se chargera de vous aider, de vous accompagner et vous fournira la liste des médecins francophones. En cas de problème grave, c'est aussi lui qui prévient la famille et qui décide du rapatriement. Pour connaître les urgences et établissements aux standards internationaux : consulter les sites www.cimed.org, www.diplomatie.gouv.fr et www.pasteur.fr.

## Assurance/ assistance médicale

Sachez tout d'abord qu'il est possible de bénéficier des avantages de la Sécurité sociale, même à l'étranger. À l'international, des garanties de sécurité sociale s'appliquent et sont mises en œuvre par le Centre des liaisons européennes et internationales de Sécurité sociale (www.cleiss.fr) chargé d'aiguiller les ressortissants dans leurs démarches. Mais cette prise en charge a ses limites.

C'est pourquoi souscrire à une assurance maladie peut s'avérer très utile. Les prestations comprennent la plupart du temps le rapatriement, les frais médicaux et d'hospitalisation, le paiement des examens de recherche ou le transport du corps en cas de décès.

**PLUS D'INFORMATIONS :**
Le Centre des Liaisons Européennes
et Internationales de la Sécurité Sociale
11 rue de la tour des Dames
75436 Paris cedex 09
✆ 01 45 26 33 41
Fax : 01 49 95 06 50
www.cleiss.fr ou www.ameli.fr

### Rapatriement sanitaire par les opérateurs de cartes bancaires

Si vous possédez une carte bancaire Visa®, EuroCard® MasterCard®, vous bénéficiez automatiquement d'une assurance médicale et d'une assistance rapatriement sanitaire valables pour tout déplacement à l'étranger de moins de 90 jours (le paiement de votre voyage

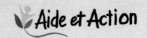

avec la carte n'est pas nécessaire pour être couvert, la simple détention d'une carte valide vous assure une couverture). Renseignez-vous auprès de votre banque et vérifiez attentivement le montant global de la couverture et des franchises ainsi que les conditions de prise en charge et les clauses d'exclusion.

**NUMÉROS D'URGENCE ET D'ASSISTANCE**

- **Carte Bleue Visa®** ✆ 01 41 85 88 81
✆ 33 1 41 85 88 81 depuis l'étranger
ou le numéro indiqué au dos de votre carte
www.europ-cartes.com
- **Eurocard® – Mastercard®**
✆ 01 45 16 65 65
✆ 33 1 45 16 65 65 depuis l'étranger
ou le numéro indiqué au dos de votre carte
www.mastercard.com/fr
- Si vous n'êtes pas couvert par l'une de ces cartes, n'oubliez surtout pas de souscrire une assistance médicale avant de partir.

# SÉCURITÉ ET ACCESSIBILITÉ

## Dangers potentiels

Les problèmes de sécurité à Hawaii sont rares mais il convient de rester sur ses gardes comme dans tous les lieux à haute fréquentation touristique.
Il ne faut rien laisser en vue dans sa voiture, surtout si on est garé près d'une plage, d'un site à visiter ou un sentier de randonnée. Plus l'endroit est désert et plus il faut faire attention. En dehors des risques de vols, on dénombre quelques agressions de touristes tard le soir dans Honolulu et parfois sur Waikiki ; mais c'est plus souvent le fait de gens ivres. Dans l'arrière-pays où les locaux ne voient pas beaucoup de touristes, il se peut que vous ressentiez « un froid » en entrant dans un bar… mieux vaut ne pas rester en général car on vous fera comprendre, plus ou moins gentiment et l'alcool aidant, que vous n'êtes pas le bienvenu… Souriez et partez.
Pour connaître les dernières informations sur la sécurité sur place, consultez la rubrique « Conseils aux voyageurs » du site du ministère des Affaires étrangères : www.diplomatie.gouv.fr/voyageurs. Sachez cependant que le site dresse une liste exhaustive des dangers potentiels et que cela donne parfois une image un peu alarmiste de la situation réelle du pays.

## Voyager avec des enfants

Oui Hawaii est une destination très familiale. Tous les hôtels ou presque ont des animations quotidiennes destinées aux enfants ou encore une garderie. Quant aux attractions pour enfants, les principales sont à Oahu : le Honolulu zoo, l'aquarium de Waikiki, le Sealife Park sur la côte est ( près de Waimanalo), le « Science Adventure Center » dans le Bishop Museum à Honolulu s'adresse surtout aux enfants par sa présentation interactive et ludique des volcans. Le « Hawaiian Adventures Park » situé à Kapolei (Oahu) est un parc aquatique très sympa pour les enfants également (www.hawaiianadventurepark.com)

## Voyageur handicapé

Comme à travers tous les autres États américains, les lieux publics, hôtels et restaurants sont bien équipés pour accueillir les voyageurs handicapés (ascenseurs, rampes d'accès…). Mais pour ce qui est des bus des différentes îles, il n'existe pas de système d'accès aménagé pour les fauteuils roulants (comme on trouve aux États-Unis ou dans certains bus de la Ratp). Donc il vaut mieux qu'ils soient accompagnés par une personne valide qui les conduira en voiture.
Si vous présentez un handicap physique ou mental ou que vous partez en vacances avec une personne dans cette situation, différents organismes et associations s'adressent à vous.

### Pour le conseil et l'accompagnement

**HANDI VOYAGES**
12, rue du Singe, 58000 Nevers
✆ 0 872 32 90 91 ou 06 80 41 45 00
www.handi-voyages.tk
handi.voyages@free.fr
Cette association assure l'aide aux personnes à mobilité réduite dans l'organisation de leurs voyages individuels ou en petits groupes. Elle propose un service d'aide à la recherche d'informations sur l'accessibilité mais aussi la mise en relation avec des volontaires compagnons de voyage. En outre, dans le cadre de l'opération « Des fauteuils en Afrique », Handi Voyages récupère du matériel pour personne à mobilité réduite et le distribue en Afrique.

### Pour des séjours spécifiquement adaptés

- **A.C.T.I.S VOYAGES**
www.actis-voyages.fr

- **AILLEURS ET AUTREMENT**
www.ailleursetautrement.fr

- **ASSOCIATION DES PARALYSÉS DE FRANCE**
www.apf.asso.fr

- **COMPTOIR DES VOYAGES**
www.comptoir.fr

- **ÉVÉNEMENTS ET VOYAGES**
www.evenements-et-voyages.com

- **GLOBE-TROTTER CLUB**
www.globetrotterclub.com

- **NOUVELLES EVASIONS VACANCES**
www.vacances-neva.com

- **OLÉ VACANCES**
www.olevacances.org

### Femme seule

Hawaii est un État dans lequel voyager seule ne présente aucun danger. Les rapports en société entre hommes et femmes et les codes vestimentaires sont similaires à ceux que l'on connaît en France. Grâce à cette similarité, il est assez facile d'analyser les situations et d'interagir avec bon sens.
Se promener seule, manger seule au restaurant n'est pas plus étonnant qu'en France. Évitez cependant de traîner dans les bars seule et tard car la police compte tout de même un nombre non négligeable de viols de touristes sur l'archipel chaque année... Le plus souvent le fait de locaux qui donnent rendez-vous à des jeunes filles seules et tard ; allez y accompagnée ou n'y allez pas.

### Homosexualité

Il n'existe pas de discriminations envers les homosexuels et la société hawaiienne est au contraire très tolérante à ce sujet. C'est à Oahu, l'île de la capitale d'État, que se trouve la plus importante communauté d'Hawaii.
À Honolulu, le « Gay and Lesbian Community Services Diectory » recense tous les sites et associations à connaître à Hawaii en matière de tourisme, culture ou santé www.hawaiiscene.com/gsene/comsvc.htm
Au niveau des bars gays à Honolulu, le plus connu est le « Hula's bar an lei stand »(www.hulas.com). Côté discothèque, c'est le « Fusion Waikiki » qui est le « Queen » local !
On trouvera également des informations sur le site : www.gayhawaii.com

## TÉLÉPHONE

**Indicatif du pays :** +808
Les numéros sont composés de 10 chiffres (indicatif inclus).

**Pour joindre Hawaii depuis la France :** Composer le 001(indicatif des États-Unis) puis le numéro de 10 chiffres.
Avec l'ADSL, les appels sont gratuits et illimités vers les téléphones fixes (Freebox, Neufbox, Livebox...) et même mobiles (abonnés Freebox uniquement)

**Pour joindre la France depuis Hawaii :** Composer le 00 33 puis le numéro sans le premier 0 (ex : 00+33+1+48 87 43 21).
On peut téléphoner des cabines avec des cartes prépayées (qu'on achète dans les supermarchés ou les épiceries) mais aussi avec des pièces (mais il faut en prévoir un paquet et en glisser dans la fente aussi vite que l'éclair !).

**À l'intérieur de l'archipel :** il n'existe pas d'indicatif spécifique par île. Quand on veut appeler dans une même île, il est inutile de composer l'indicatif général d'Hawaii, soit le 808, devant les 7 chiffres du numéro. Mais dès lors qu'on appelle une autre île, il faut mettre l'indicatif 808 systématiquement devant les 7 chiffres du numéro !

### Utiliser son téléphone mobile

Les mobiles français émettent généralement sans problème d'Hawaii mais, même avec un abonnement pour les appels internationaux, la facture peut vite être salée et c'est le cas chez tous les opérateurs... Il faut donc n'utiliser son portable qu'occasionnellement, sous peine de mauvaises surprises au retour.
Pour ceux qui ont vraiment besoin d'un téléphone portable sur place, il existe cependant des solutions de rechange.
L'idéal, si votre téléphone est désimlocké, c'est d'acheter une carte Sim sur place – type mobicarte dit « Pay as you go plan» aux USA – qui est sans abonnement et qui se recharge

régulièrement (avec la CB Visa/Amex ou par les tickets en vente au niveau des caisses des supermarchés). La marque la plus répandue et la plus facile d'utilisation est « Pay as you go» distribuée par AT&T mobile (✆ (800) 331 0500 www.att.com). Mais T-Mobile (✆ (800) 937 8997 www.t-mobile.com) et Virgin Mobile (www.virginmobileusa.com) vendent aussi des cartes Sim « Pay as you go ».

Si jamais votre portable n'est pas désimlocké, il est aussi possible d'acheter un mobile sur place avec carte Sim (à partir de 70 $ le portable premier prix avec Sim chez AT&T).

Pour se procurer ces différents produits de téléphonie mobile, il faut aller dans les grands centres commerciaux des villes principales de l'archipel car on n'en trouve pas partout. Si jamais vous faites un stop sur le continent américain avant de reprendre l'avion pour Hawaii, profitez-en pour acheter carte Sim ou téléphone car il s'en vend partout (magasins d'électronique, épiceries, supermarchés, aéroport...).

Enfin, si vos proches en France sont équipés de la freebox, ils pourront vous appeler en illimité sur votre mobile ! Seule une faible somme (moins de 1 $) est déduite sur votre compte à chaque appel reçu donc ça vaut le coup...

### Qui paie quoi ?

La règle est la même chez tous les opérateurs. Lorsque vous utilisez votre téléphone français à l'étranger, vous payez la communication, que vous émettiez l'appel ou que vous le receviez. Dans le cas d'un appel reçu, votre correspondant paie lui aussi, mais seulement le prix d'une communication locale. Tous les appels passés depuis ou vers l'étranger sont hors forfait, y compris ceux vers la boîte vocale.

## Autres moyens de communiquer

### Cabines et cartes prépayées

On peut téléphoner des cabines avec des cartes prépayées (qu'on achète dans les supermarchés ou les épiceries) mais aussi avec des pièces (mais il faut en prévoir un paquet et en glisser dans la fente aussi vite que l'éclair !)

### Le Ticket France Télécom

Vous pouvez aussi opter pour le Ticket France Télécom, une carte prépayée que vous pourrez acheter en France et emporter avec vous dans vos bagages. Vous n'aurez donc pas besoin de chercher une carte locale sur place.

Renseignements en agence ou au numéro vert ✆ 0 800 10 20 40.

### Fax

On peut envoyer un fax de la plupart des hôtels et cybercafés. Compter de 1 à 3 $ l'envoi.

### Skype et MSN

Pas besoin de combiné mais d'un ordinateur et d'une connexion Internet pour téléphoner avec Skype ou MSN. Les deux personnes cherchant à entrer en contact doivent avoir téléchargé l'un de ces deux logiciels gratuits. L'utilisation est ensuite très simple : un micro, un casque et une webcam si vous en avez une, et vous pouvez discuter pendant des heures sans payer un centime (connexion Internet exceptée).

**TARIFS DES DIFFÉRENTS OPÉRATEURS**

| | Bouygues | Orange (HT) | SFR | SFR Vodafone (option gratuite) |
|---|---|---|---|---|
| Appel émis | 2,30 €/min. | 0,99 €/min. | 1,20 €/min. | 1,20 € + 0,37 €/min. |
| Appel reçu | 1 €/min. | 0,75 €/min. | 0,55 €/min. | 1,20 € par appel (jusqu'à 20 min.). |
| SMS | 0,30 € – réception gratuite | 0,29 € – réception gratuite | 0,50 € pour les forfaits souscrits depuis le 12/03/2008, 0,30 € pour les autres – réception gratuite | 0,30 € – réception gratuite |

## À VOIR, À LIRE

### Films

- ***Waikiki Wedding,*** Frank Tuttle (1937.)
- ***From here to eternity,*** Fred Zinneman (1953).
- ***Blue Hawaii,*** Norman Tauroq (1961).
- ***Waikiki Wedding,*** Frank Tuttle (1937).
- ***Pearl Harbor,*** Michael Bay (2001).
- ***Lilo et Stitch,*** Walt Disney (2002).
- ***Amour et amnésie,*** Peter Segal (2004).

### Séries TV

- ***Magnum, Hawaii, Police d'État, Lost.***

### Livres

- ***À la dure,*** Mark Twain (1872).
- ***Voyages à Hawaii,*** Robert-Louis Stevenson (1890).
- ***Moby Dick,*** Herman Melville (1851).
- ***Blu's Hanging,*** Lois-Ann Yamanaka (1998).
- ***Duke, a great hawaiian,*** Sandra Kimberley Hall (2004).



*Statue de surfeur à Waikiki.*

- ***The Separating Sickness,*** Ted Gugelyk (1989).
- ***Kalaupapa, a portrait,*** Levin & Law(1989).
- ***Les rêves de mon père,*** Barack Obama (2004).
- ***A Concise History of the Hawaiian Islands,*** Phil Barnes (1999).
- ***Hawaiian Mythology,*** Martha Warren Beckwith(1977).
- ***The Legends and Myths of Hawaii : the fables and Folklore of a Strange People,*** D. Kalakaua (1972).
- ***Becoming an ironman,*** Kara Douglass Thom (2002).
- ***North Shore Chronicles : Big Wave Surfing in Hawaii,*** Bruce Jenkins (2005).
- ***Sleeping in the Shorebreak and Other, Hairy Stories,*** Don Wolf (1999).
- ***Bikini,*** James Patterson (2009).

### CDs

Quelques icones hawaiiennes dont il faut se procurer les un cd si on veut s'initier à la musique locale :

- **Israel Kamakawiwio'ole** (voir chapitre « Enfants du Pays ».
- **Jake Shimabukuro** (un vituose du ukulélé : www.jakeshimabukuro.com).
- **Kealii Reichel** (chanteur de hula : www.kealiireichel.com).
- **Genoa Keawe** (une chanteuse octogénaire qui se produit essentiellement à Oahu.
- **Répertoire de musique traditionnelle.** www.genoakeawe.com).

### Cartographie

Des cartes routières gratuites sont à disposition dans tous les offices de tourismes, aéroports et agences touristiques. Il faut donc ne pas hésiter à se servir ! La plupart du temps, votre loueur vous en donne une au moment de la signature de votre contrat de location, mais bizarrement la carte est souvent sommaire par rapport aux cartes gratuites qu'on peut récupérer par ailleurs…

# LIBRAIRIES

Le voyage commence souvent bien calé dans son fauteuil, un récit de voyage ou un guide touristique à la main. Nous vous proposons ici une liste de librairies spécialisées qui devraient satisfaire votre appétit de guides, romans et autres manuels pour partir à la découverte du monde.

## Paris

### ITINERAIRES, LA LIBRAIRIE DU VOYAGE

60, rue Saint-Honoré (1er)
✆ 01 42 36 12 63
Fax : 01 42 33 92 00
www.itineraires.com
*M° Les Halles. Ouvert du lundi au samedi de 10h à 19h.* Cette charmante librairie vous réserve bien des surprises. Logée dans un bâtiment classé des Halles, elle dispose d'un ravissant patio et de caves dans lesquelles sont organisées de multiples rencontres. Le catalogue de 15 000 titres est disponible sur le site Internet. Dédiée à « *la connaissance des pays étrangers et des voyages* », cette librairie offre un choix pluridisciplinaire d'ouvrages classés par pays. Si vous désirez connaître une destination en particulier, quelques titres essentiels de la littérature vous sont proposés, ainsi que les guides de voyage existants, des livres de recettes, des précis de conversation, des études historiques... Dans la mesure du possible, les libraires mettent à votre disposition une sélection exhaustive pour un panorama complet d'un pays, de sa culture et de son histoire. La librairie organise régulièrement des expositions de photos.

### LIBRAIRIE DE VOYAGEURS DU MONDE

55, rue Sainte-Anne (2e)
✆ 01 42 86 17 37
Fax : 01 42 86 17 89
www.vdm.com
*M° Pyramides ou Quatre-Septembre. Ouvert du lundi au samedi de 9h30 à 19h sans interruption.* Située au sous-sol de l'agence de voyages Voyageurs du Monde, cette très belle librairie est logiquement dédiée aux voyages et aux voyageurs. Vous y trouverez tous les guides en langue française existants actuellement sur le marché, y compris les collections relativement confidentielles. Un large choix de cartes routières, de plans de villes, de régions vous est également proposé ainsi que des méthodes de langue, des ouvrages truffés de conseils pratiques pour le camping, trekking et autres réjouissances estivales. Rayon littérature et témoignages, récits d'éminents voyageurs et quelques romans étrangers.

### LIBRAIRIE ULYSSE

26, rue Saint-Louis-en-l'Ile (4e)
✆ 01 43 25 17 35 – www.ulysse.fr
*M° Pont-Marie. Ouvert du mardi au vendredi de 14h à 20h.* Un jour de 1971, Catherine Domain a posé ses valises sur l'île Saint-Louis où elle a ouvert une petite librairie. Depuis, c'est elle qui incite les autres au départ. Ne soyez pas rebuté par l'apparent fouillis des bibliothèques : les bouquins s'y entassent jusqu'au plafond, mais la maîtresse des lieux sait exactement où trouver ce qu'on lui demande. Car ici, il faut demander, le panneau accroché devant la porte de l'entrée vous y encourage franchement : « *Vous êtes dans une librairie spécialisée à l'ancienne, au contraire du self-service, de la grande surface ou du bouquiniste. Ce n'est pas non plus une bibliothèque, vous ne trouverez pas tout seul. Vous pouvez avoir des rapports humains avec la libraire qui, elle aussi, a ses humeurs.* » Vous voilà prévenu ! La boutique propose plus de 20 000 ouvrages (romans, beaux livres, guides, récits de voyages, cartes, revues) neufs et anciens sur tous les pays. Un service de recherche de titres épuisés est à la disposition des clients.

### LIBRAIRIE EYROLLES PRATIQUE

63, boulevard Saint-Germain (5e)
✆ 01 46 34 82 75
*M° Maubert-Mutualité ou Cluny-La Sorbonne et R.E.R. Saint-Michel. Ouvert de 9h30 à 19h30.* La librairie s'est agrandie et le 63 n'est autre que l'extension du 61 ! Consacrée à la vie pratique, cette nouvelle boutique se présente sur deux niveaux : l'un est réservé à l'artisanat, au bien-être, à la santé, au jardinage, à la gastronomie et à Paris ; l'autre est dédié au tourisme. Voyageurs du monde, bienvenue au « paradis eyrollien ». Vous trouverez tout pour préparer votre escapade : cartes, guides, plans... Il ne vous reste plus qu'à prendre vos billets.

### LIBRAIRIE L'HARMATTAN

16 et 21, rue des Ecoles (5e)
✆ 01 40 46 79 10 et 01 46 34 13 71
www.editions-harmattan.fr
*M° Maubert-Mutualité. Ouvert du lundi au samedi de 10h à 12h30 et de 13h30 à 19h.*

…e consacrant essentiellement au continent africain, cette librairie propose toutefois de nombreux ouvrages sur l'Asie, l'Océanie, les pays de l'Est, le monde arabe et l'Amérique latine. Vous y trouverez littérature ou études, dans des domaines de savoir aussi divers que la sociologie, l'anthropologie, l'analyse politique ou encore l'histoire. Vous cherchez des contes vietnamiens ? Vous désirez une étude solide sur la dictature indonésienne ? Vous êtes à bonne enseigne.

**AU VIEUX CAMPEUR**

2, rue de Latran (5e)
✆ 01 53 10 48 48
A Paris, Quartier latin : 26 boutiques autour du 48, rue des Ecoles (5e)
www.au-vieux-campeur.fr
*M° Maubert-Mutualité ou Cardinal-Lemoine. Ouvert du lundi au samedi ; lundi, mardi, mercredi et vendredi de 11h à 19h30, samedi de 10h à 19h30, nocturne le jeudi jusqu'à 21h.* Les magasins du Vieux Campeur disposent d'une librairie dédiée au tourisme sportif en France. Vous y trouverez de nombreux guides mais aussi des cartes, des beaux livres, des revues et un petit choix de vidéos. Quelques pays d'Europe et d'autres contrées plus lointaines (comme l'Himalaya) sont également évoqués, mais ce sont surtout les régions de France qui sont ici représentées. Le premier étage met à l'honneur le sport, les exploits et découvertes. Vous pourrez vous y documenter sur l'escalade, le V.T.T., la plongée sous-marine, la randonnée, la voile, le ski… Commande possible par Internet.

**LIBRAIRIE LA GEOGRAPHIE**

184, boulevard Saint-Germain (6e)
✆ 01 45 48 03 82
www.librairie-la-geographie.com
*M° Saint-Germain ou Rue-du-Bac. Ouvert du lundi au samedi de 10h à 19h.* La librairie La GéoGraphie a récemment ouvert ses portes dans le Quartier latin. Gérée par deux amoureux du voyage, elle offre de quoi contenter amis de la terre et baroudeurs. Il y en a pour tous les goûts : aux ouvrages couvrant les sujets de la Société de géographie s'ajoutent des récits de voyages et d'aventures, des guides touristiques, des écrits géopolitiques, des cartes, etc. Voici un endroit convivial où l'on découvre, discute, comprend… Et ça ne s'arrête pas là : le site Internet et son blog fourmillent d'informations sur le monde (actualités, conférences…).

**ESPACE IGN**

107, rue La Boétie (8e)
✆ 01 43 98 80 00 / 0 820 20 73 74
www.ign.fr
*M° Franklin D.-Roosevelt. Ouvert du mardi au vendredi de 11h à 19h, le samedi de 11h à 18h30 et le lundi de midi à 18h30.* Les bourlingueurs de tout poil seraient bien inspirés de venir faire un petit tour dans cette belle librairie sur deux niveaux avant d'entamer leur périple. Au rez-de-chaussée se trouvent les documents traitant des pays étrangers : cartes en veux-tu, en voilà (on n'est pas à l'Institut géographique national pour rien), guides de toutes éditions, beaux livres, méthodes de langue en version poche, ouvrages sur la météo, mappemondes, conseils pour les voyages… L'espace est divisé en plusieurs rayons consacrés chacun à un continent. Tous les pays, mers et océans du monde y sont représentés. Les enfants ont droit à un coin rien que pour eux avec des ouvrages sur la nature, les animaux, les civilisations… Quant aux amateurs d'ancien, ils pourront se procurer des reproductions de cartes datant pour certaines du XVIIe siècle.

**GITES DE FRANCE**

59, rue Saint-Lazare (9e)
✆ 01 49 70 75 75
Fax : 01 42 81 28 53
www.gites-de-france.fr
*M° Trinité. Ouvert du lundi au vendredi de 10h à 18h30 et le samedi de 10h à 13h et de 14h à 18h30 (sauf en juillet et en août).* Pour vous aider à choisir parmi ses 55 000 adresses de vacances, Gîtes de France a conçu une palette de guides comportant des descriptifs précis des hébergements. Vous trouverez également dans les boutiques d'autres guides pratiques et touristiques, ainsi que des topo-guides de randonnée et des cartes routières et touristiques. Commande en ligne possible.

**LIBRAIRIE MARITIME OUTREMER**

55, avenue de la Grande-Armée (16e)
✆ 01 45 00 17 99 – Fax : 01 45 00 10 02
www.librairie-outremer.com
*M° Argentine. Ouvert du lundi au samedi de 10h à 19h.* La librairie de la rue Jacob a rallié les locaux de la boutique avenue de la Grande-Armée. Des ouvrages sur l'architecture navale, des manuels de navigation, des ouvrages de droit marin, les codes Vagnon, les cartes du Service hydrographique et océanique de la marine, des précis de mécanique pour les bateaux, des récits et romans sur la mer,

des livres d'histoire de la marine... tout est là. Cette librairie constitue la référence dans ce domaine. Son catalogue est disponible sur Internet et en format papier à la boutique.

## Bordeaux

### LA ROSE DES VENTS

40, rue Sainte-Colombe
✆/Fax : 05 56 79 73 27
rdvents@hotmail.com
*Ouvert du lundi au samedi de 10h à 12h30 et de 14h à 19h.* Dans cette librairie, le livre fait voyager au sens propre comme au figuré. Les cinq continents y sont représentés à travers des guides et des cartes qu'il sera possible de déplier sur une table prévue à cet effet et décorée... d'une rose des vents. Des ouvrages littéraires ainsi que des guides de nature garnissent également les étagères. Le futur aventurier pourra consulter gratuitement des revues spécialisées. Lieu convivial, La Rose des Vents propose tous les jeudis soir des rencontres et conférences autour du voyage. Cette librairie fait maintenant partie du groupe Géothèque (également à Tours et Nantes).

### LATITUDE VOYAGE

13, rue du Parlement-Saint-Pierre
✆ 05 56 44 12 48
www.latitudevoyage.fr
On est déjà ailleurs et plus très loin d'un voyage en pénétrant cette librairie du quartier historique de Bordeaux. Latitude Voyage possède de nombreux guides culturels, touristiques, de randonnée mais également des beaux livres. La littérature associée aux voyages est également représentée. Pour ceux qui ont envie de franchir leur imaginaire et de se lancer dans leur propre voyage, il existe un grand choix de cartes avec les principaux éditeurs. Et si vous hésitez encore devant les rayons, sachez que la librairie présente ses coups de cœur sur son site Internet et que ses vendeurs sont à votre disposition pour vous donner des conseils. Vous pouvez même acheter vos livres en ligne (*1 € de frais de port par exemplaire*). Latitude Voyage accueille régulièrement des expositions et organise des soirées littéraires.

### LIBRAIRIE DE VOYAGEURS DU MONDE

28, rue Mably
✆ 05 57 14 01 45 – www.vdm.com
*Ouvert du mardi au samedi de 11h à 19h.* Tout comme ses homologues de Paris, Marseille ou Toulouse, la librairie propose un vaste choix de guides en français et anglais, de cartes géographiques et atlas, de récits de voyages et d'ouvrages thématiques. Également pour les voyageurs en herbe : des atlas, des albums et des romans d'aventures.

## Brest

### MERIDIENNE

31, rue Traverse ✆ 02 98 46 59 15
*Ouvert de 9h30 à 12h30 et de 14h à 19h du mardi au vendredi et le samedi de 9h30 à midi et de 14h à 19h.* Spécialisée dans les domaines maritimes et naturalistes, cette librairie est aussi une boutique d'objets de marins, de décoration et de jeux. Les curieux y trouveront des ouvrages de navigation, d'astronomie, des récits, des témoignages, des livres sur les sports nautiques, les grands voyages, l'ethnologie marine, la plongée, l'océanographie, les régions maritimes...

## Caen

### HEMISPHERES

15, rue des Croisiers
✆ 02 31 86 67 26
Fax : 02 31 38 72 70
www.aligastore.com
hemispherescaen@aol.com
*Ouvert du mardi au samedi de 9h à 19h sans interruption.* Dans cette librairie dédiée au voyage, les livres sont classés par pays : guides, plans de villes, littérature étrangère, ethnologie, cartes et topo-guides pour la randonnée. Les rayons portent aussi un beau choix de livres illustrés et un rayon musique. Le premier étage allie littérature et nourriture et des expositions de photos y sont régulièrement proposées.

## Clermont Ferrand

### LA BOUTIQUE MICHELIN

2 place de la Victoire
✆ 04 73 90 20 50
www.michelin-boutique.com
*Ouvert du mardi au samedi de 10h à 13h et de 14h à 19h, le lundi après-midi l'été.* Vous trouverez dans cette boutique toute la production Michelin, des guides verts (en français, anglais ou allemand) aux guides rouges en passant par les cartes France et étranger. Egalement bagagerie, articles de sport, vaisselles et tout le nécessaire pour vos voyages (du triangle au contrôleur de pression) et de nombreux produits dérivés.

## Grenoble

### LIBRAIRIE DE VOYAGEURS DU MONDE

16, boulevard Gambetta
✆ 04 76 85 95 97 – www.vdm.com
*Ouvert du mardi au samedi de 11h à 19h.* Tout comme ses homologues de Paris, Marseille ou Toulouse, la librairie propose un vaste choix de guides en français et anglais, de cartes géographiques et atlas, de récits de voyages et d'ouvrages thématiques... Également pour les voyageurs en herbe : des atlas, des albums et des romans d'aventures.

## Lille

### AUTOUR DU MONDE

15, rue Saint-Jacques
✆/Fax : 03 20 78 19 33
www.autourdumonde-lille.com
*Ouvert du mardi au samedi de midi à 19h.* Ouverte en 2006, cette librairie située au cœur du vieux Lille est tenue par un ancien professionnel du tourisme qui se fera un plaisir de vous conseiller. Romans, carnets de voyages, guides, cartes IGN, livres jeunesse, jeux, cartes et affiches remplissent les rayons de cette boutique. Pour s'y retrouver, c'est facile : les ouvrages sont rangés par continents, puis selon les quatre points cardinaux. Vous partez en Islande ? Rendez-vous au nord-ouest du magasin. Possibilité de commande sur le site de la librairie.

### LIBRAIRIE DE VOYAGEURS DU MONDE

147, boulevard de la Liberté
✆ 03 20 06 76 30 – Fax : 03 20 06 76 31
www.vdm.com
*Ouvert du lundi au samedi de 10h à 19h.* La Librairie des Voyageurs du Monde lilloise est située dans le centre-ville. Elle compte pas moins de 14 000 références, livres et cartes, uniquement consacrées à la découverte de tous les pays du monde, de l'Albanie au Zimbabwe en passant par la Chine.

## Lyon

### RACONTE-MOI LA TERRE

14, rue du Plat (2e)
✆ 04 78 92 60 20 – Fax : 04 78 92 60 21
www.raconte-moi.com
*Ouvert le lundi de midi à 19h30, du mardi au samedi de 10h à 11h30 et de 14h30 à 19h30, nocturne le mercredi jusqu'à 22h.* Connexion Internet, restaurant « exotique », cette libraire s'ouvre sur le monde des voyages. Les vendeurs vous conseillent et vous emmènent jusqu'à l'ouvrage qui vous convient. Ethnographes, juniors, baroudeurs, Raconte-moi la Terre propose de quoi satisfaire tous les genres de voyageurs.

### AU VIEUX CAMPEUR

Préfecture-université : 7 boutiques autour du 43, cours de la Liberté (3e)
www.au-vieux-campeur.fr
*Ouvert du mardi au vendredi de 11h à 19h30, le samedi de 10h à 19h et le lundi de 11h à 19h.* Les magasins du Vieux Campeur disposent d'une librairie dédiée au tourisme sportif en France. Vous y trouverez de nombreux guides mais aussi des cartes, des beaux livres, des revues et un petit choix de vidéos. Quelques pays d'Europe et d'autres contrées plus lointaines (comme l'Himalaya) sont également évoqués, mais ce sont surtout les régions de France qui sont ici représentées.

## Marseille

### LIBRAIRIE DE LA BOURSE MAISON FREZET

8, rue Paradis (1er) ✆ 04 91 33 63 06
*Ouvert le lundi de 14h à 19h et du mardi au samedi de 8h45 à 12h15 et de 13h45 à 19h.* Cette librairie fondée en 1876 sauve depuis plusieurs générations les explorateurs en tout genre. Sa spécialité ? Les plans, cartes et guides touristiques du monde entier. Terre, mer, montagne ou campagne, tous les sentiers battus se trouvent parmi les centaines d'ouvrages proposés. Si jamais l'idée vous tente de partir à l'aventure, rien ne vous empêche de vérifier votre thème astral ou de vous faire tirer les cartes avec tout le matériel ésotérique et astrologique également disponible.

### LIBRAIRIE MARITIME OUTREMER

26, quai Rive-Neuve (1er)
✆ 04 91 54 79 40 – Fax : 04 91 54 79 49
www.librairie-maritime.com
*Ouvert du mardi au vendredi de 9h à 12h30 et de 14h à 18h30, le samedi de 10h à 12h30 et de 15h à 18h30.* Que vous ayez le pied marin ou non, cette librairie vous ravira tant elle regorge d'ouvrages sur la mer. Ici, les histoires sont envoûtantes, les images incroyables... De quoi se mettre à rêver sans même avoir jeté l'ancre !

### LIBRAIRIE DE VOYAGEURS DU MONDE

25, rue Fort-Notre-Dame (1er)
✆ 04 96 17 89 26 – Fax : 04 96 17 89 18
www.vdm.com

*Ouvert le lundi de midi à 19h et du mardi au samedi de 10h à 19h sans interruption.* Sur le même site sont regroupés les bureaux des conseillers Voyageurs du Monde et ceux de Terres d'Aventure. La librairie détient plus de 5 000 références : romans, ouvrages thématiques sur l'histoire, spiritualité, cuisine, reportages, cartes géographiques, atlas, guides (en français et en anglais). L'espace propose également une sélection d'accessoires incontournables : moustiquaires, bagages…

### AU VIEUX CAMPEUR

255, avenue du Prado
✆ 04 91 16 30 30 – Fax : 04 91 16 30 59
www.au-vieux-campeur.fr
*Ouvert du mardi au vendredi de 10h30 à 19h30, le samedi de 10h à 19h et le lundi de 10h30 à 19h.* Les magasins du Vieux Campeur disposent d'une librairie dédiée au tourisme sportif en France. Vous y trouverez de nombreux guides mais aussi des cartes, des beaux livres, des revues et un petit choix de vidéos. Quelques pays d'Europe et d'autres contrées plus lointaines (comme l'Himalaya) sont également évoqués, mais ce sont surtout les régions de France qui sont ici représentées.

## Montpellier

### LES CINQ CONTINENTS

20, rue Jacques-Cœur
✆ 04 67 66 46 70 – Fax : 04 67 66 46 73
*Ouvert le lundi de 13h à 19h et de 10h à 19h du mardi au samedi.* Les libraires globe-trotters de cette boutique vous aideront à faire le bon choix parmi les nombreux ouvrages des cinq continents. Récits de voyages, guides touristiques, livres d'art, cartes géographiques et autres livres de cuisine ou musicaux vous permettront de mieux connaître divers pays du monde et régions de France. Régulièrement, la librairie organise des rencontres et animations (programme trimestriel disponible sur place). À fréquenter avant de partir ou pour le plaisir du voyage immobile.

## Nantes

### LA GEOTHEQUE

10, place du Pilori
✆ 02 40 47 40 68 – Fax : 02 40 47 66 70
geotheque-nantes@geotheque.com
*Ouvert le lundi de 14h à 19h et du mardi au samedi de 10h à 19h.* Vous trouverez des centaines de magazines, guides spécialisés et plus de 2 000 cartes IGN à la Géothèque. Une bonne adresse pour savoir où l'on va et, en voyageur averti, faire le point avant le départ.

### LIBRAIRIE DE VOYAGEURS DU MONDE

1-3, rue des Bons-Français
✆ 02 40 20 64 39 – www.vdm.com
*Ouvert du mardi au samedi de 11h à 19h.* Tout comme ses homologues de Paris, Marseille ou Toulouse, la librairie propose un vaste choix de guides en français et anglais, de cartes géographiques et atlas, de récits de voyages et d'ouvrages thématiques. Également pour les voyageurs en herbe : des atlas, des albums et des romans d'aventures.

## Nice

### LIBRAIRIE DE VOYAGEURS DU MONDE

4, rue du Maréchal-Joffre
✆ 04 97 03 64 65 – Fax : 04 97 03 64 60
www.vdm.com
*Ouvert de 10h à 19h du lundi au samedi.* Les librairies des Voyageurs du Monde travaillent en partenariat avec plusieurs instituts géographiques à travers le monde et également quelques éditeurs privés. Elles proposent tous les ouvrages utiles pour devenir un voyageur averti !

*Rivière Iao avec l'Iao Needle en arrière-fond - Île de Maui.*

## Rennes

### ARIANE

20, rue du Capitaine-Alfred-Dreyfus
✆ 02 99 79 68 47 – Fax : 02 99 78 27 59
www.librairie-voyage.com
*Ouvert tous les jours de 9h30 à 12h30 et de 14h à 19h. Fermé le lundi matin.* En France, en Europe, à l'autre bout du monde, plutôt montagne ou résolument mer, forêts luxuriantes ou déserts arides... quelle que soit votre envie, chez Ariane, vous trouverez de quoi vous documenter avant de partir. De la boussole aux cartes routières et marines, en passant par les guides de voyage, plans et articles de trekking, vous ne repartirez certainement pas sans avoir trouvé votre bonheur.

## Strasbourg

### GEORAMA

20, rue du Fossé-des-Tanneurs
✆ 03 88 75 01 95
Fax : 03 88 75 01 26
*Ouvert du lundi au samedi de 9h30 à 18h45, fermé le lundi matin.* Le lieu est dédié au voyage et les guides touristiques voisinent avec les cartes routières et les plans de villes. Des accessoires indispensables au voyage (sac à dos, boussole) peuplent aussi les rayons de cette singulière boutique. Notez également la présence (et la vente) de fascinants globes lumineux et de cartes en relief.

### AU VIEUX CAMPEUR

32, rue du 22-Novembre
www.au-vieux-campeur.fr
*Ouvert du mardi au vendredi de 11h à 19h30, le samedi de 10h à 19h et le lundi de 11h à 19h.* Les magasins du Vieux Campeur disposent d'une librairie dédiée au tourisme sportif en France. Vous y trouverez de nombreux guides mais aussi des cartes, des beaux livres, des revues et un petit choix de vidéos. Quelques pays d'Europe et d'autres contrées plus lointaines (comme l'Himalaya) sont également évoqués, mais ce sont surtout les régions de France qui sont ici représentées.

## Toulouse

### LIBRAIRIE PRESSE DE BAYARD LA LIBRAIRIE DU VOYAGE

60, rue Bayard
✆ 05 61 62 82 10 – Fax : 05 61 62 85 54
*Ouvert du lundi au vendredi de 8h à 12h30 et de 14h à 19h, le samedi de 9h à 12h30 et de 14h à 17h.* Pour ne pas gâcher vos vacances en tournant en rond, cette librairie offre toutes sortes de cartes IGN (disponibles aussi en CD-ROM), topo-guides, guides touristiques, cartes du monde entier et plans de villes (France et étranger). Cette surface de vente – la plus importante de Toulouse consacrée au voyage – possède également un rayon consacré à la navigation aérienne, maritime et aux cartes marines et un fonds important de guides Petit Futé !

### OMBRES BLANCHES

48-50, rue Gambetta
et 5-7, rue des Gestes
✆ 05 34 45 53 33 – Fax : 05 61 23 03 08
www.ombres-blanches.com
*Ouvert du lundi au samedi de 10h à 19h.* On entre et on tombe sur une tente de camping. Pas de panique, ceci est bien une librairie, la petite sœur de la grande Ombres Blanches d'à côté, mais une librairie spécialisée dans les voyages et le tourisme. Beaux livres, récits de voyages, cartes de rando et de montagne, livres de photos... On voyage avant même d'avoir quitté sa ville !

### AU VIEUX CAMPEUR

23, rue de Sienne, Labège-Innopole
www.au-vieux-campeur.fr
*Ouvert du mardi au vendredi de 11h à 19h30, le samedi de 10h à 19h et le lundi de 11h à 19h.* Les magasins du Vieux Campeur disposent d'une librairie dédiée au tourisme sportif en France. Vous y trouverez de nombreux guides mais aussi des cartes, des beaux livres, des revues et un petit choix de vidéos. Quelques pays d'Europe et d'autres contrées plus lointaines (comme l'Himalaya) sont également évoqués, mais ce sont surtout les régions de France qui sont ici représentées.

## Tours

### LA GEOTHEQUE, LE MASQUE ET LA PLUME

14, rue Néricault-Destouches
✆ 02 47 05 23 56
Fax : 02 47 20 01 31
geotheque-tours@geotheque.com
*Ouvert du mardi au samedi de 10h à 12h30 et de 14h à 19h.* Totalement destinée aux globe-trotters, cette librairie possède une très large gamme de guides et de cartes pour parcourir le monde. Et que les navigateurs des airs ou des mers sautent sur l'occasion : la librairie leur propose aussi des cartes, manuels, CD-ROM et GPS.

*Fern Grotto, la grotte aux fougères, au Wailua State Park.*

## Belgique

■ **LIBRAIRIE ANTICYCLONE DES AÇORES**
34, rue Fossé-aux-Loups, 1000 Bruxelles
✆ 02 217 52 46
Cette librairie située près de la Bourse offre un grand choix d'ouvrages pour le voyageur. On y va pour ses guides et ses beaux livres mais surtout pour son large choix cartographique. Cartes topographiques, de randonnée, cyclotouristiques, plans de villes, cartes et atlas routiers, globes terrestres : vous ne vous lasserez pas de vous perdre dans les rayons de cette librairie.

■ **LIBRAIRIE PEUPLES ET CONTINENTS**
17-19, galerie Ravenstein, 1000 Bruxelles
✆ 02 511 27 75 – Fax : 02 514 57 20
www.peuplesetcontinents.com
*Ouvert du mardi au vendredi de 9h à 18h et le samedi de 10h à 18h.* Cette librairie indépendante propose guides de voyage et de randonnée, cartes routières, plans de villes, lexiques de conversation, guides d'identification botanique, atlas animaliers. Parmi plus de 5 000 titres, vous trouverez aussi des livres d'art sur les civilisations, des récits de voyages, historique, d'ethnologie, d'anthropologie et des beaux livres sur tous les pays du monde. Le tout en français, néerlandais ou anglais.

## Québec

■ **LIBRAIRIE ULYSSE**
4176, rue Saint-Denis
et 560, rue Président-Kennedy, Montréal
✆ 514 843 9447 et 514 843 7222
La librairie des guides éponymes. Vous y trouverez près de 10 000 cartes et guides Ulysse en français et en anglais.

## Suisse

■ **LIBRAIRIE LE VENT DES ROUTES**
50, rue des Bains, 1205 Genève
✆ (0041) 022 800 338
www.vdr.ch
Le Vent des Routes réunit sous le même toit une librairie, une agence de voyages et un café-restaurant. Vous y trouverez guides, cartes, romans, idées de voyages et des libraires très disponibles qui vous feront part de leurs livres coup de cœur.

## Librairies spécialisées

► **Pour trouver des livres en anglais sur Internet** – www.barnesandnoble.com – www.amazon.co.uk – Ce dernier est fourni en livres ainsi qu'en magazines, en CD, affiches, ou encore en logiciels.

■ **AMERICAN LIBRARY IN PARIS**
10 rue du Général-Camou 75007 Paris
✆ 01 53 59 12 60
www.americanlibraryinparis.org
Créée en 1920, cette bibliothèque – qui avait pour but de regrouper les livres ayant appartenu aux soldats américains – a traversé le siècle et survécu à l'occupation allemande. On y trouve aujourd'hui de nombreux ouvrages de sciences sociales, littérature, histoire, art, religion et philosophie.

### ■ BRENTANO'S

37 avenue de l'Opéra 75002 Paris
✆ 01 42 61 52 50 – Fax 42 61 07 61
www.brentanos.fr
*Ouvert du lundi au samedi de 10h à 19h30.* Brentano's, c'est la référence en la matière, et lorsque vous rêvez d'une lecture qui n'est disponible qu'Outre-Atlantique, ses commandes spéciales vous permettront de l'importer à condition d'être un peu patient (parfois plus de trois semaines d'attente).

### ■ ABBEY BOOKSHOP

29 rue Parcheminerie 75005 Paris
✆ 01 46 33 16 24
Fax 01 46 33 03 33
Librairie canadienne à découvrir en plein Quartier latin. De nombreux livres, neufs ou d'occasion, en provenance du monde anglo-saxon. Accueil sympa.

### ■ GALIGNANI

224 rue de Rivoli 75001 Paris
✆ 01 42 60 76 07 – Fax 01 42 86 09 31
www.galignani.com
Des milliers d'ouvrages anglais, irlandais, américains, australiens et même français disposés sur de longues bibliothèques en bois remplies de haut en bas.

### ■ SHAKESPEARE & CIE

37 rue de la Bûcherie 75005 Paris
✆ 01 43 26 96 50
Un véritable dédale de livres, la caverne d'Ali Baba pour qui aime les livres de langue anglaise et les ambiances intimistes : au détour d'un rayon, fauteuils et littérature vous attendent pour vous faire oublier totalement le monde extérieur.

### ■ VILLAGE VOICE

6 rue Princesse 75006 Paris
✆ 01 46 33 36 47 – Fax 01 46 33 27 48
www.villagevoicebookshop.com
voice.village@wanadoo.fr
*Ouvert le dimanche.* Une très belle vitrine de la production littéraire et des sciences humaines du Nouveau Continent.

### ■ WH SMITH

248 rue de Rivoli 75001 Paris
✆ 01 44 77 88 99 – Fax 01 42 96 83 71
www.whsmith.fr – messages@whsmith.fr
*Ouvert du lundi au samedi de 9h à 19h30 et le dimanche de 13h à 19h30.* La maison des livres de langue anglaise en France : un vrai petit paradis pour qui se veut anglophile jusqu'au bout des ongles. Presse, littérature, beaux livres… se côtoient dans les rayons en bois de cet antre de lecture.

# CARNET D'ADRESSES

Rappel : le rôle principal de l'ambassade est de s'occuper des relations entre les États, tandis que la section consulaire est responsable de sa communauté de ressortissants. Ainsi, pour tout problème concernant les papiers d'identité, la santé, le vote, la justice ou l'emploi, il faut s'adresser à la section consulaire de son pays. En cas de perte ou de vol de papiers d'identité, le consulat délivre un laissez-passer pour permettre uniquement le retour dans le pays d'origine, par le chemin le plus court. Il faut, bien entendu, avoir préalablement déclaré la perte ou le vol auprès des autorités locales.

## Les États-Unis en France

### Représentations officielles

### ■ AMBASSADE DES ÉTATS-UNIS

2 avenue Gabriel 75008 Paris
✆ 01 43 12 22 22 – Fax 01 42 66 97 83
http://france.usembassy.gov

### ■ CONSULAT DES ÉTATS-UNIS

2 rue Saint-Florentin 75382 Paris cedex 08
✆ 01 43 12 22 22 – Fax 01 42 66 97 83
La section consulaire de l'ambassade des États-Unis à Paris délivre les visas américains, contrairement aux consulats généraux américains présents dans d'autres villes ou aux APP (American Presence Posts).
Pour les informations sur les visas séjour temporaire ✆ 0 810 26 46 26 (de 8h à 17h), 14,50 € l'appel) ; serveur vocal (message enregistré) ✆ 0 892 23 84 72 – www.usvisa-France.com
À Fort-de-France :
9 rue des Alpinias ✆ 0 596 71 96 74
À Lille : 107 rue Royale ✆ 03 28 04 25 00
À Marseille : 12 boulevard Paul-Peytral
✆ 04 91 54 92 00
À Nice : 7 avenue Gustave-V
✆ 04 93 88 89 55
À Papeete : BP 10765 ✆ 00 689 42 65 35
À Strasbourg : 15 avenue d'Alsace
✆ 03 88 35 31 04

### AMERICAN PRESENCE POSTS (APP)

Bordeaux ✆ 05 56 48 63 85
Lyon ✆ 04 78 38 36 88
Rennes ✆ 02 23 44 09 60
Toulouse ✆ 05 34 41 36 50

### DÉLÉGATION PERMANENTE DES ÉTATS-UNIS D'AMÉRIQUE AUPRÈS DE L'UNESCO – AMBASSADE DES ÉTATS-UNIS D'AMÉRIQUE

12 avenue Raphaël 75016 Paris
✆ 01 45 24 74 56 – Fax 01 45 24 74 58
http ://unesco.usmission.gov/
ParisUNESCO@state.gov
Pour envoyer un courrier à la délégation : 18 avenue Gabriel, – 75382 Paris cedex 08

## Associations

De nombreuses associations américaines existent en France, dont les coordonnées sont communiquées par l'ambassade des États-Unis à Paris.

### ASSOCIATION FRANCE/ÉTATS-UNIS

39 boulevard Suchet 75015 Paris
✆ 01 45 27 80 86 – Fax 01 45 27 80 58
www.france-etatsunis.com

### AMERICAN CLUB OF PARIS

34 avenue de New-York 75116 Paris
✆ 01 47 23 64 36 – Fax 01 47 23 66 01
www.americanclubparis.org

### FONDATION DES ÉTATS-UNIS

15 boulevard Jourdan 75014 Paris
✆ 01 53 80 68 80 – Fax 01 53 80 68 99
www.feusa.org

## Institut

### THE FRANCO-AMERICAN INSTITUTE

7 quai Chateaubriand BP 90446
35059 Rennes
✆ 02 99 79 20 57 – www.ifa-rennes.org
Rencontres culturelles franco-américaines, expositions, concerts, promotion de la culture américaine en France.

## Universités

### CITE INTERNATIONALE UNIVERSITAIRE DE PARIS

Maison des États-Unis
19 boulevard Jourdan 75014 Paris
✆ 01 44 16 64 00
www.ciup.fr/citeaz/maisons/usa
Pour rencontrer des étudiants américains venus finir leur cycle d'études à Paris. Propose également quelques animations culturelles.

### THE AMERICAN UNIVERSITY OF PARIS

102 rue Saint-Dominique 75007 Paris
✆ 01 40 62 06 00 – www.aup.fr
L'école est destinée à des étudiants anglophones qui désirent étudier à Paris, sans perdre totalement contact avec leur langue maternelle, ou à des étudiants français qui veulent faire leurs études en anglais tout en restant à Paris.

### BOSTON UNIVERSITY PARIS

3 bis rue Jean-Pierre-Bloch 75015 Paris
✆ 01 45 66 59 49
bostonuniversity@wanadoo.fr
Les enseignements dispensés sont destinés à des étudiants sortant d'universités américaines, dans une optique d'échange culturel franco-américain.

## Presse

### FUSAC (FRANCE USA CONTACT)

26 rue Bénard 75014 Paris
✆ 01 56 53 54 54
Fax 01 56 53 54 55
www.fusac.fr
Journal gratuit qui paraît tous les 15 jours, compilation de petites annonces et de publicités, disponible dans « plus de 370 établissements en contact avec les milieux internationaux en général et le monde anglophone en particulier ».

### PARIS VOICE

7 rue Papillon 75007 Paris
✆ 01 47 70 45 05
Fax 01 47 70 47 72
www.parisvoice.com
Revue culturelle en anglais destinée aux anglophones qui résident à Paris.

## Restaurants

### BAGEL PLACE

27 rue Saint-Jacques 75005 Paris
✆ 01 44 07 14 27
Des bagels, des sandwichs baguette ou pain de mie. Salades à composer. Sur place ou à emporter.

### HARD ROCK CAFE

14 boulevard Montmartre 75009 Paris
✆ 01 53 24 60 00
La célèbre enseigne Hard Rock Café est présente dans le monde entier. Qui ne connaît pas sa collection de tee-shirts ? Les murs y sont couverts d'objets culte, la nourriture y est... américaine, bien sûr.

**THE AMERICAN DREAM**
21 rue Daunou 75002 Paris
✆ 01 42 60 99 89
Fax 01 42 61 12 27/60 40 51
www.american-dream.fr
Dans la même rue que le Harry's Bar (moins classieux, plus kitsch), c'est l'un des plus anciens restaurants américains de Paris. Hamburgers, cocktails, milk-shakes, bagels vous y attendent ainsi que… chippendales ou gogodancers.

**THANKSGIVING**
20 rue Saint-Paul 75004 Paris
✆ 01 42 77 68 29
Fax 01 42 77 70 83
Au cœur du quartier Saint-Paul : une cuisine à découvrir. Petits concerts le mercredi soir.

**NATACHA**
17 bis rue Campagne-Première
75014 Paris
✆ 01 43 20 79 27
Un établissement qui traverse les époques et continue à attirer touristes américains et célébrités des deux côtés de l'Atlantique. Cuisine traditionnelle immuable et brunchs renommés le dimanche.

## Bars

**BAR HEMINGWAY – HOTEL LE RITZ**
15 place Vendôme 75001 Paris
✆ 01 43 16 30 30 (hôtel)
✆ 01 43 16 33 65 (bar)
Ici, ambiance 100 % américaine, parfaitement dépaysante. Décoré sur le thème de l'écrivain dont il porte le nom, ce bar chaleureux se prête à des conversations animées.

**HARRY'S NEW YORK BAR**
5 rue Daunou 75002 Paris
✆ 01 42 61 71 14
Un bar unique pour un esprit vraiment à part. Depuis 1911, on y déguste des cocktails uniques, dont le célèbre Roo Doe Noo. Pour l'anecdote, c'est ici que fut créé le Bloody Mary (à base de vodka et jus de tomate). Un cocktail très populaire aux États-Unis et qui fut également le favori de Serge Gainsbourg. Le bar en acajou et les banquettes en skaï rouge ont vu se poser Jean-Paul Sartre, Jacques Prévert, Simone de Beauvoir ou Marlène Dietrich. Ambiance chic urbain. Un des rendez-vous des Américains vivant à Paris, bondé dès qu'un grand événement se passe aux États-Unis (sport, politique).

*Jeunes Keiki dansant le hula.*

## La francophonie à Hawaii

La France et le Canada d'ailleurs ne sont pas représentés à Hawaii, contrairement à la Belgique et la Suisse

**CONSULAT HONORAIRE DE BELGIQUE**
707 Richard Street, Suite 600
Honolulu, HI 96813
✆ (808) 533 3999

**CONSULAT DE SUISSE**
4321 Papu Circle
Honolulu, HI 96816
✆ (808) 737 5297

## Offices du tourisme d'Hawaii

### En Europe

Il n'existe pas d'office de tourisme d'Hawaii en France mais on en trouve un au Royaume-Uni.

**HAWAII TOURISM EUROPE**
C/o BalfourLtd
36 Southwark Bridge Rd
Londres, SE1 9EU
✆ (00 44) 207 202 6384
www.hawaii-tourism.co.uk

### À Hawaii

**HAWAII VISITORS AND CCONVENTION BUREAU**
2270 Kalakaua Avenue, Suite 801
Honolulu, HI 96815
✆ (808) 923 1811 – www.go-hawaii.com

# MÉDIAS

### COURRIER INTERNATIONAL

www.courrierinternational.com
Hebdomadaire regroupant les meilleurs articles de la presse internationale en version française.

### GEO

www.geo.fr
Le mensuel accorde une large place aux reportages photographiques. Il propose aussi des articles et actualités, l'ensemble étant désormais imprimé sur du papier provenant de forêts gérées durablement.

### GRANDS REPORTAGES

www.grands-reportages.com
Le magazine de l'aventure et du voyage propose des dossiers, reportages photo et articles divers sur les peuples, civilisations, paysages et monuments. Chaque sujet est complété par un important volet pratique pour préparer son voyage.

### PETIT FUTÉ MAG

www.petitfute.com/mag
Notre journal bimestriel vous offre une foule de conseils pratiques pour vos voyages, des interviews, un agenda, le courrier des lecteurs... Le complément parfait à votre guide !

### RANDOS-BALADES

www.randosbalades.fr
Magazine mensuel sur les randonnées en France et à l'étranger. L'approche est thématique (sentiers du littoral, itinéraires sauvages, thèmes culturels...) et la publication est riche en actualités, trucs et astuces, tests matériels, fiches topographiques et, bien sûr, en guides de randonnée.

### TERRE SAUVAGE

www.terre-sauvage.com
Au sommaire : des aventures dans le sillage des expéditions scientifiques, la découverte des écosystèmes, des enquêtes sur la protection de l'environnement ou encore des rubriques plus pratiques avec, par exemple, des conseils photo.

### ULYSSE

www.ulyssemag.com
Ce magazine culturel du voyage est édité par *Courrier International*. Huit numéros par an pour découvrir le monde, avec une large place accordée à la photographie.

## Radio

### RADIO FRANCE INTERNATIONALE

www.rfi.fr
*89 FM à Paris.* Pour vous tenir au courant de l'actualité du monde partout sur la planète.

## Télévision

### ESCALES

www.escalestv.fr
Cette chaîne consacrée aux documentaires s'intéresse aux voyages et au tourisme, en France et à l'étranger. Ils se déclinent sous différentes thématiques, comme la nature, les animaux, la culture et la gastronomie.

### FRANCE 24

www.france24.com
Chaîne d'information en continu, France 24 apporte 24h/24 et 7j/7, un regard nouveau à l'actualité internationale. Diffusée en 3 langues (français, anglais, arabe) dans plus de 160 pays, la chaîne est également disponible sur internet et le mobile sur www.france24.com, pour vous accompagner tout au long de vos voyages.

### LIBERTY TV

www.libertytv.com
Cette chaîne non cryptée propose des reportages sur le monde entier et un journal sur le tourisme toutes les heures. La « télé des vacances » met aussi en avant des offres de voyages et promotions touristiques toutes les 15 minutes.

### PLANÈTE

www.planete.tm.fr
Depuis presque 20 ans, Planète propose de découvrir le monde, ses origines, son fonctionnement et son probable devenir avec une grille de programmation documentaire éclectique : civilisation, histoire, société, investigation, reportages animaliers, faits divers, etc.

### TV5 MONDE

www.tv5.org
La chaîne de télévision internationale francophone. Diffuse des émissions de ses partenaires nationaux (France Télévisions, RTBF, TSR et CTQC) et ses propres programmes.

### USHUAÏA TV

www.ushuaiatv.fr
La chaîne découlant du magazine éponyme a un slogan clair : « Mieux comprendre la nature pour mieux la respecter ».

Elle se veut télévision du développement durable et de la protection de la planète et propose nombre de documentaires, reportages et enquêtes.

■ **VOYAGE**
www.voyage.fr
Terres méconnues ou inconnues, grands espaces et mégapoles, lieux incontournables ou insolites, cultures et nouvelles tendances : Voyage TV vous propose d'explorer le monde dans toute sa richesse à l'aide de documentaires ou en compagnie de guides éclairés.

## Hawaii sur Internet

### Sites officiels

■ **www.hawaii.gov**
Site de l'État de Hawaii.

■ **www.gohawaii.com**
Site de l'office du tourisme de Hawaii.

■ **www.hawaiistateparks.org**
Site des parcs nationaux de Hawaii. On y trouve les cartes des randonnées île par île et on peut y télécharger le formulaire de demande de permis de camper dans les parcs.

### Médias

■ **www.hawaiimagazine.com**
Site du magazine mensuel qui présente restaurants, bars, soirées et manifestations sur toutes les îles hawaiiennes.

■ **www.honoluluadvertiser.com**

■ **www.starbulletin.com**
Sites des deux quotidiens de Honolulu.

■ **www.honolulumagazine.com**
Site d'un magazine généraliste sur Honolulu. Des articles sur des figures locales mais aussi des chroniques sur des spectacles, hôtels et restaurants.

■ **www.mauinews.com**
Site du quotidien de Maui.

■ **www.westhawaiitoday.com**
Site du quotidien de Big Island.

■ **www.kauaiworld.com**
Site du quotidien de Kauai.

■ **www.themolokaidispatch.com**
Site du quotidien de Molokai.

### Sites culturels

■ **www.hawaiianhistory.org**
Site sur l'histoire de Hawaii. Recherche par mots-clés.

■ **www.huapala.org**
Site qui recense les chansons les plus connues de hula. Pour chaque chanson, on trouve l'intégralité des paroles en hawaiien et leur traduction en anglais.

■ **www.elvisinhawaii.com**
Site qui revient sur la période hawaiienne d'Elvis et recense tous les lieux qu'il a fréquentés à travers l'archipel à l'occasion de ses films, de ses concerts ou encore de ses vacances.

■ **www.oha.org**
Site de la communauté des Hawaiiens natifs : informations, événements culturels, problèmes de société.

### Site sur Barack Obama et Hawaii

■ **http://obamasneighborhood.com**
Un site très complet qui recense tous les lieux fréquentés par Obama à Oahu, de sa naissance à nos jours.

### Sites pratiques

■ **www.101thingstodo.com**
Site du gratuit du même nom qu'on trouve sur toutes les îles. Recense activités, spectacles, hôtels et restaurants sur chaque île de l'archipel.

■ **www.bestplaceshawaii.com**
Moteur de voyage sur Hawaii. Visite virtuelle des îles et informations sur les activités à faire sur place.

■ **www.hawaiiecotourism.org**
Site associatif qui recense les agences, hôtels et tours opérateurs de l'archipel qui développent l'écotourisme.

■ **www.hawaiiweathertoday.com**
Bulletins météo pour les 4 îles principales, à savoir Oahu, Maui, Big Island et Kauai.

■ **www.surf-news.com**
Site sur les conditions de surf à Hawaii : bulletins météo, horaires de marée, webcam sur les spots de surf.

■ **www.wehewehe.org**
Dictionnaire de traduction hawaiien/anglais.

# Comment partir ?

## PARTIR EN VOYAGE ORGANISÉ

À destination d'Hawaii vous trouverez principalement des agences vous proposant des voyages sur mesure ou en combinant avec un circuit aux États-Unis. À vous donc de construire votre séjour selon vos envies et votre rythme.

### Annuaire des voyagistes

#### Les spécialistes

Vous trouverez ici les tour-opérateurs spécialisés dans votre destination. Ils produisent eux-mêmes leurs voyages et sont généralement de très bon conseil car ils connaissent la région sur le bout des doigts. À noter que leurs tarifs se révèlent souvent un peu plus élevés que ceux des généralistes.

**AMPLITUDES VOYAGES**
20, rue du Rempart Saint-Etienne
31000 Toulouse
✆ 05 67 31 70 00
Fax : 05 67 31 70 18
www.amplitudes.com
Spécialiste des voyages sur mesure, cette agence vous propose Hawaii à la carte avec vols, séjours en hôtellerie, combinés avec plusieurs îles ou en extension avec un autotour qu'Amplitudes Voyages propose dans son catalogue États-Unis.

**AVENTURIA**
Lyon : agence et siège au
42, rue de l'Université – 69002
✆ 04 78 69 35 06
Paris Raspail : 213, bd Raspail – 75014
✆ 01 44 10 50 50
Paris Opéra : 20, rue des Pyramides
75001. ✆ 01 44 50 58 40
Bordeaux : 9, rue Ravez – 33000
✆ 05 56 90 90 22
Lille : 21, rue des Ponts-de-Comines
59800. ✆ 03 20 06 33 77
Marseille : 2, rue Edmond-Rostand
13006 ✆ 04 96 10 24 70
Nantes : 2, allée de l'Erdre,
Cours des 50-Otages – 44000
✆ 02 40 35 10 12
Strasbourg : 13 A, bd du Président-Wilson
67000 ✆ 03 88 22 08 09
www.aventuria.com
Cette agence propose du sur mesure à Hawaii avec excursions, autotours, vols, hébergements, transferts…

**BACK ROADS**
14, place Denfert-Rochereau – 75014 Paris
✆ 0143 22 65 65 – Fax : 01 43 20 04 88
www.backroads.fr
Back Roads propose une sélection d'hôtels et des voyages sur mesure. Cette agence vous permet effectivement de découvrir les îles voisines de l'archipel d'Hawaii avec vols, transferts, location de voiture et excursions.

**COMPTOIR DES ÉTATS-UNIS**
À Lyon : 10, quai Tilsitt – 69002 Lyon
✆ 0892 230 465
À Paris : 2-6-8-10-16-18, rue St Victor (5e)
À Toulouse : 43, rue Peyrolières
31000 Toulouse ✆ 0892 232 236
www.comptoir.fr
Cette agence propose du sur mesure avec combiné d'îles ou découverte de l'archipel en combiné avec un circuit dans l'ouest américain. Vols, transferts, hébergements, location de voiture…

**LA ROUTE DES VOYAGES**
59, rue Franklin – 69002 Lyon
✆ 04 78 42 53 58 – Fax : 04 72 56 02 86
www.route-voyages.com
2 bis, avenue de Brogny – 74000 Annecy
✆ 04 50 45 60 20
9, rue Saint-Antoine-du-T – 31000
Toulouse ✆ 05 62 27 00 68
10, rue du Parlement St Pierre
33000 Bordeaux ✆ 05 56 90 11 20
6, rue Jaubert – 13100 Aix en Provence
✆ 04 42 12 32 94
L'agence La Route des Voyages est spécialisée dans les voyages individuels et personnalisés. Sur Hawaii : des excursions plongée, des hébergements, des vols…

**OBJECTIF USA**
11, quai Jules Courmont – 69002 Lyon
✆ 04 72 77 98 98
www.objectif-ameriques.com
Cette agence propose du sur mesure à Hawaii avec excursions, autotours, vols, hébergements, transferts…

■ **UNIKTOUR**
1720 Fleury Est Montréal
Québec H2C 1T2 ✆ 514 722 0909
(ou sans frais : 1 866 722 0909)
Fax : 514 722 2064 – www.uniktour.com
En plus du fait que cette agence prépare vos voyages sur mesure, elle propose également deux offres pour découvrir Hawaii. La première est une rando en liberté de 11 jours « Le meilleur de Hawaii ». La seconde, un autotour en 19 jours intitulé « Découverte des plus belles îles » avec notamment des excursions à Big Island, Maui, Kauai et Oahu.

## Les revendeurs généralistes

Vous trouverez ici les tour-opérateurs dits « généralistes ». Ils couvrent un large panel de destinations et revendent le plus souvent des produits packagés par d'autres. S'ils délivrent des conseils moins pointus que les spécialistes, ils proposent des tarifs généralement plus attractifs.

■ **CARLSON WAGONLIT VOYAGES**
✆ 0 826 828 824 – www.cwtvoyages.fr
C'est l'agence de voyages virtuelle de la société Carlson Wagonlit. Le site propose plus d'un million de tarifs négociés au départ de l'Europe. La recherche est bien guidée et plutôt efficace. À noter, une catégorie exclusivement réservée aux départs de province et une rubrique de location de voitures reliée, au choix, au site d'Avis, d'Europcar ou de Holiday Autos.

■ **EXPEDIA FRANCE**
✆ 0 892 301 300 – www.expedia.fr
Expedia est le site français n° 1 mondial du voyage en ligne. Un large choix de 500 compagnies aériennes, 14 000 hôtels, plus de 3 000 stations de prise en charge pour la location de voitures et la possibilité de réserver toute une série d'activités sur votre lieu de vacances. Cette approche sur mesure du voyage est enrichie par une offre très complète comprenant prix réduits, séjours tout compris, départs à la dernière minute...

■ **GO VOYAGES**
14, rue de Cléry, 75002 Paris
www.govoyages.com
✆ 0 899 651 951 (billets)
✆ 0 899 651 851 (hôtels, week-ends et location de voitures)
✆ 0 899 650 242 (séjours/forfaits)
✆ 0 899 650 246 (séjours Best Go)
✆ 0 899 650 243 (locations/ski)
✆ 0 899 650 244 (croisières)
✆ 0 899 650 245 (thalasso)
✆ 0 899 654 657 (circuits)
Go Voyages offre un comparateur qui vous permettra de trouver les meilleurs prix des vols secs (charters et réguliers) au départ et à destination des plus grandes villes. Possibilité également d'acheter des packages sur mesure « vol + hôtel » permettant de réserver simultanément et en temps réel un billet d'avion et une chambre d'hôtel. Grand choix de promotions sur tous les produits, y compris la location de voitures. La réservation est simple et rapide.

■ **LAST MINUTE DEGRIFTOUR – TRAVELPRICE**
✆ 04 66 92 30 29 – ✆ 0 899 78 5000
www.lastminute.fr
Des vols secs à prix négociés, dégriffés ou publics sont disponibles sur Last Minute. On y trouve également des week-ends, des séjours, de la location de voitures... Mais Last Minute est surtout le spécialiste des offres de dernière minute pour voyager à petits prix. Que ce soit pour un week-end ou une semaine, une croisière ou simplement un vol, des promos sont proposées et renouvelées très régulièrement.

■ **OPODO**
✆ 0 899 653 656 – www.opodo.fr
Opodo vous permet de réserver au meilleur prix en comparant les vols de plus de 500 compagnies aériennes, les chambres d'hôtel parmi plus de 45 000 établissements et les locations de voitures partout dans le monde. Vous pouvez également y trouver des locations saisonnières ou des milliers de séjours tout prêts ou sur mesure. Opodo a été classé meilleur site de voyages par le banc d'essai Challenge Qualité – l'Echo touristique en 2004. Des conseillers voyage vous répondent 7j/7 au ✆ 0 899 653 656 (0,34 €/min., de 8h à 23h du lundi au vendredi, de 9h à 19h le samedi et de 11h à 19h le dimanche).

■ **PROMOVACANCES**
✆ 0 892 232 626
✆ 0 892 230 430 (thalasso, plongée ou lune de miel) – www.promovacances.com
Promovacances propose de nombreux séjours touristiques, des week-ends, locations, hôtels à prix réduits ainsi qu'un très large choix de billets d'avion à tarifs négociés sur vols charters et réguliers. Vous y trouverez également des promotions de dernière minute, les bons plans du jour et des informations pratiques pour préparer votre voyage (pays,

santé, formalités, aéroports, voyagistes, compagnies aériennes.)

■ **THOMAS COOK**
✆ 0 826 826 777 (0,15 €/min.)
www.thomascook.fr
Tout un éventail de produits pour composer son voyage : billets d'avion, location de voitures, chambres d'hôtel... Thomas Cook propose aussi des séjours dans ses villages-vacances et les « 24h de folies » : une journée de promos exceptionnelles tous les vendredis. Leurs conseillers vous donneront des conseils utiles sur les diverses prestations des voyagistes.

■ **VIVACANCES**
✆ 0 899 653 654 (1,35 €/appel et 0,34 €/min.) – www.vivacances.fr
Vivacances est une agence de voyages en ligne créée en 2002 et rachetée en 2005 par Opodo, leader du voyage en ligne. Vous trouverez un catalogue de destinations soleil, farniente, sport ou aventure extrêmement riche : vols secs, séjours, week-ends, circuits, locations… Les prix sont négociés sur des milliers de destinations et des centaines de compagnies aériennes. Vous pourrez aussi effectuer vos réservations d'hôtels et vos locations de voitures à des tarifs avantageux. Le site propose des offres exclusives sans cesse renouvelées : à visiter régulièrement.

## Les sites comparateurs

Plusieurs sites permettent de comparer les offres de voyages (packages, vols secs, etc.) et d'avoir ainsi un panel des possibilités et donc des prix. Ils renvoient ensuite l'internaute directement sur le site où est proposée l'offre sélectionnée.

■ **EASYVOYAGE**
www.easyvoyage.com
Le concept de Easyvoyage.com peut se résumer en trois mots : s'informer, comparer et réserver. Des infos pratiques sur quelque 255 destinations en ligne (saisonnalité, visa, agenda...) vous permettent de penser plus efficacement votre voyage. Après avoir choisi votre destination de départ selon votre profil (famille, budget...), Easyvoyage.com vous offre la possibilité d'interroger plusieurs sites à la fois concernant les vols, les séjours ou les circuits. Enfin grâce à ce méta-moteur performant, vous pouvez réserver directement sur plusieurs bases de réservation (Lastminute, Go Voyages, Directours, Anyway... et bien d'autres).

■ **ILLICOTRAVEL**
www.illicotravel.com
Illicotravel permet de trouver le meilleur prix pour organiser vos voyages autour du monde. Vous y comparerez les billets d'avion, hôtels, locations de voitures et séjours. Ce site très simple offre des fonctionnalités très utiles comme le baromètre des prix pour connaître les meilleurs prix sur les vols à plus ou moins 8 jours. Le site propose également des filtres permettant de trouver facilement le produit qui répond à tous vos souhaits (escales, aéroport de départ, circuit, voyagiste…).

■ **KELKOO**
www.kelkoo.com
Ce site vous offre la possibilité de comparer les tarifs de vos vacances. Vols secs, hôtels, séjours, campings, circuits, croisières, ferries, locations, thalassos : vous trouverez les prix des nombreux voyagistes et pourrez y accéder en ligne grâce à Kelkoo.

■ **LILIGO**
www.liligo.com
Liligo interroge agences de voyage, compagnies aériennes (régulières et low cost), trains (TGV, Eurostar …), loueurs de voiture mais aussi 250 000 hôtels à travers le monde pour vous proposer les offres les plus intéressantes du moment. Les prix sont donnés TTC et incluent donc les frais de dossier, d'agence … Le site comprend aussi deux thématiques : « week-end » et « ski ».

■ **MYZENCLUB**
www.myzenclub.com
Le site recense les meilleures offres des voyagistes en ligne les plus importants. Myzenclub vous informe des bons plans et des promotions trouvées parmi toutes les agences pour vos vacances en France et à l'étranger, hôtels, croisières, thalasso, vols... L'inscription est gratuite.

■ **PRIX DES VOYAGES**
www.prixdesvoyages.com
Ce site est un comparateur de prix de voyages, permettant aux internautes d'avoir une vue d'ensemble sur les diverses offres de séjours proposées par des partenaires selon plusieurs critères (nombre de nuits, catégories d'hôtel, prix, etc.). Les internautes souhaitant avoir plus d'informations ou réserver un produit sont ensuite mis en relation avec le site du partenaire commercialisant la prestation. Sur Prix des Voyages, vous trouverez des billets d'avion, des hôtels et des séjours.

■ **SPRICE**
www.sprice.com
Un jeune site qui gagne à être connu. Vous pourrez y comparer vols secs, séjours, hôtels, locations de voitures ou biens immobiliers, thalassos et croisières. Le site débusque aussi les meilleures promos du Web parmi une cinquantaine de sites de voyages. Un site très ergonomique qui vous évitera bien des heures de recherches fastidieuses.

■ **VOYAGER MOINS CHER**
www.voyagermoinscher.com
Ce site référence les offres de près de 100 agences de voyages et tour-opérateurs parmi les plus réputés et donne ainsi accès à un large choix de voyages, de vols, de forfaits « vol + hôtel », de locations, etc. Il est également possible d'affiner sa recherche grâce au classement par thèmes : thalasso, randonnée, plongée, All Inclusive, voyages en famille, voyages de rêve, golf ou encore départs de province.

# PARTIR SEUL

## En avion

Les vols vers Honolulu s'opèrent avec escale aux États-Unis. Comptez environ 20h de vol. Veillez à ne pas multiplier les stops pour ne pas perdre trop de temps et passer la moitié de votre trajet dans les aéroports en attendant votre prochain avion. Attention, puisque vous entrez sur le territoire américain, il faudra vous soumettre aux mêmes conditions d'accès draconiennes que si vous arriviez à New-York ou San Francisco et donc obtenir une « pré-autorisation » au plus tard 72h avant votre départ en remplissant un dossier, systématiquement, sur le site officiel : https://esta.cbp.dhs.gov (informations au ✆ 0 899 70 24 70 et info@office-tourisme-usa.com). Il vous faut également être en possession d'un passeport à lecture optique. N'hésitez pas à demander conseils et informations supplémentaires à votre compagnie aérienne.

▶ **Prix moyen d'un vol Paris-Honolulu :** à partir de 900 €.

À noter que la variation de prix dépend de la compagnie empruntée mais, surtout, du délai de réservation. Pour obtenir des tarifs intéressants, il est indispensable de vous y prendre très en avance. Pensez à acheter vos billets six mois avant le départ !

### Principales compagnies desservant Hawaii

■ **AIR FRANCE**
✆ 36 54 (0,34 €/mn d'un poste fixe)
www.airfrance.fr
Air France assure des vols quotidiens vers Honolulu (sauf le dimanche) en code-share avec Delta Airlines.

■ **ALASKA AIRLINES**
✆ 0 825 827 097 – Fax : 01 53 77 13 05
www.alaskaair.com
La compagnie assure des liaisons intérieures aux États-Unis entre Lihu'e et Seattle, entre Honolulu et Seattle mais aussi avec Anchorage, liaisons vers Kahului depuis Oakland, Portland, Seattle et Anchorage et liaisons vers Kona des aéroports d'Oakland et Seattle.

■ **BRITISH AIRWAYS**
✆ 0 825 825 400 – www.ba.com
La compagnie britannique propose des vols quotidiens avec escale à Londres et Los Angeles vers Honolulu. Également Kauai et Kahului desservis depuis Los Angeles.

■ **DELTA AIRLINES**
✆ 0 811 640 005 – http://fr.delta.com
Depuis Paris, Delta Airlines propose plusieurs vols vers Kauai, Honolulu, Kahului et Kona.

■ **LUFTHANSA**
✆ 0 892 231 690 – www.lufthansa.com
Des vols quotidiens vers Honolulu avec escales à Francfort et Los Angeles.

■ **UNITED AIRLINES**
✆ 0 810 72 72 72 – www.united.fr
United Airlines dessert Kapalua, Lanai, Kahului, Honolulu, Kona et Hilo.

### Vous rendre à Roissy CDG ou Orly en transports en commun

■ **ROISSYBUS – ORLYBUS**
Renseignements :
✆ 0 892 68 77 14 ou sur www.ratp.fr
La R.A.T.P. permet de rejoindre facilement les deux grands aéroports parisiens grâce à des navettes ou des lignes régulières.

▶ **Pour Roissy-CDG,** départs de la place de l'Opéra (à l'angle de la rue Scribe et la rue Auber) entre 5h45 et 23h toutes les 15 à 20 minutes. Comptez 8,90 € l'aller simple et entre 45 et 60 minutes de trajet. Possibilité également de prendre le R.E.R. B : comptez

45 minutes au départ de Denfert-Rochereau pour rejoindre Roissy-CDG (toutes les 10 à 15 minutes). Vous pourrez rejoindre l'aérogare 1 et 2 – terminal 4 et le Roissypôle Gare – R.E.R. au départ de Paris-Gare de l'Est avec le bus 350 et au départ de Paris-Nation avec le bus 351. La fréquence des bus est de 10 à 15 minutes en semaine, 20 à 35 minutes le week-end et les jours fériés.

▶ **Pour Orly,** départs de la place Denfert-Rochereau de 5h30 à 23h toutes les 15 à 20 minutes. Comptez 6,30 € l'aller simple et 30 minutes de trajet. Possibilité également de prendre le RER C (25 minutes de trajet entre Austerlitz et Orly, départ toutes les 15 minutes) ou l'Orlyval (connexion avec Antony sur la ligne du RER B) : comptez 8 minutes de trajet entre Antony et Orly, toutes les 4 à 7 minutes. Orly-Antony : 7,40 €. Orly-Paris : 9,60 €.

## Vous rendre à Roissy-CDG ou Orly avec les cars Air France

■ **RENSEIGNEMENTS**
© 0 892 350 820 – www.cars-airfrance.com
Pour vous rendre aux aéroports de Roissy-Charles-de-Gaulle et d'Orly, vous pouvez utiliser les services des cars Air France.
Cinq lignes sont à votre disposition :

▶ **Ligne 1 :** Orly-Montparnasse-Invalides : 10 € l'aller simple et 16 € l'aller-retour.

▶ **Ligne 1 Bis :** Orly-Montparnasse-Arc de triomphe : 10 € l'aller simple, 16 € l'aller-retour.

▶ **Ligne 2 :** CDG-Porte Maillot-Etoile : 14 € l'aller simple et 22 € l'aller-retour.

▶ **Ligne 3 :** Orly-CDG : 18 € l'aller simple.

▶ **Ligne 4 :** CDG-Gare de Lyon-Montparnasse : 15 € l'aller simple et 24 € l'aller-retour.
Tarif réduit pour les moins de 12 ans et les groupes de plus de 4 personnes.

## Aéroports en France

■ **PARIS**
www.aeroportsdeparis.fr
Roissy-Charles-de-Gaulle
© 01 48 62 12 12
Orly © 01 49 75 52 52

■ **BORDEAUX**
www.bordeaux.aeroport.fr
© 05 56 34 50 00

■ **LILLE LESQUIN**
www.lille.aeroport.fr
© 0 891 67 32 10 (0,23 € T.T.C./min.)

■ **LYON SAINT-EXUPÉRY**
www.lyon.aeroport.fr © 0 826 800 826

■ **MARSEILLE PROVENCE**
www.marseille.aeroport.fr
© 04 42 14 14 14

■ **MONTPELLIER MÉDITERRANÉE**
www.montpellier.aeroport.fr
© 04 67 20 85 00

■ **NANTES ATLANTIQUE**
www.nantes.aeroport.fr © 02 40 84 80 00

■ **NICE CÔTE D'AZUR**
www.nice.aeroport.fr © 0 820 423 333

■ **STRASBOURG**
www.strasbourg.aeroport.fr
© 03 88 64 67 67

■ **TOULOUSE BLAGNAC**
www.toulouse.aeroport.fr
© 0 825 380 000

## Aéroport en Belgique

■ **BRUXELLES**
www.brusselsairport.be
© 02 753 77 53 ou 0900 700 00 (uniquement de Belgique)

## Aéroport en Suisse

■ **GENÈVE**
www.gva.ch/fr © +41(0)900 57 15 00 (1,19 CHF/min. depuis la Suisse)

## Aéroports au Canada

■ **QUÉBEC – JEAN-LESAGE**
www.aeroportdequebec.com
© 418 640 2600

■ **MONTRÉAL TRUDEAU**
www.admtl.com © 1 800 465 1213

## Les sites comparateurs

Ces sites vous aideront à trouver des billets d'avion au meilleur prix. Certains d'entre eux comparent les prix des compagnies régulières et low-cost. Vous trouverez des vols secs (transport aérien vendu seul, sans autres prestations) au meilleur prix.

■ **www.easyvols.fr**

■ **www.jetcost.com**

■ **http://voyages.kelkoo.fr**

■ **www.sprice.com**

■ **www.voyagermoinscher.com**

# Séjourner

## SE LOGER

Le secret pour avoir les meilleurs prix sur toutes les îles c'est de réserver tôt, surtout en période de haute saison, à savoir l'hiver et l'été.
Pour les petits budgets, il faut s'orienter vers les auberges de jeunesse et les Bed & Breakfast qui sont entre 25 $ et 50 $ la nuit. Pour les budgets les plus serrés, le camping est une très bonne option : gratuits ou payants (10 $), la plupart nécessitent au préalable l'obtention d'un permis qu'on récupère au bureau local du Comté en général (voir la rubrique « Hébergement » des différentes îles). Pour ceux qui ont un peu plus de souplesse au niveau financier, il est possible de dormir dans des hôtels de charme ou même des grands complexes de luxe américains à partir de 100 $ la chambre. En fonction du nombre de nuitées, les tarifs sont souvent dégressifs et il peut être judicieux de rester au même hôtel tout au long de séjour ; dans la mesure où on est sur des îles, les distances entre les différents sites à visiter ne sont pas insurmontables.

## SE DÉPLACER

### Vols inter-îles

Si on envisage de visiter plusieurs îles, il est conseillé de réserver son vol long courrier en même temps que ses vols inter-îles afin d'avoir les meilleurs prix et d'être sûr d'avoir de la place aux jours et horaires voulus et, ce, encore plus pendant les périodes de pic touristique. La durée d'un aller-simple entre deux îles s'échelonne de 30 à 50 minutes maximum (vol entre Big Island et Kauai : les deux îles qui sont à l'extrême opposé l'une de l'autre dans l'archipel). On perd donc relativement peu de temps dans les avions. Pour ce qui est de la réservation des billets eux-mêmes, il faut privilégier les compagnies hawaiiennes qui sont beaucoup moins chères que les compagnies américaines (voir encadré). Le hic c'est que Hawaiian Airlines, la principale compagnie hawaiienne et celle qui dessert le mieux les îles, n'accepte que certaines CB (en provenance des USA, du Canada, des Philippines et de l'Australie) et refuse les paiements en cartes Visa/Mastercard/Amex émises en Europe (impossible d'avoir une réponse tangible à ce sujet !). Donc au moment du paiement en ligne ou au téléphone, c'est l'impasse... Et le même problème se pose avec Island Air... Heureusement, il existe un moteur de voyage qui les accepte et qui ne surtaxe pas les vols de ces compagnies pour autant (voir encadré). Pour ceux qui ne veulent pas effectuer de paiement en ligne, il est également possible de ne réserver ses vols inter-îles qu'une fois sur l'archipel, en se rendant dans une agence de voyage où ils prennent toutes les CB internationales mais le risque c'est de ne pas trouver de places aux dates souhaitées et de payer les billets beaucoup plus cher, vu que c'est à la dernière minute ; le faire dès son arrivée donc pour limiter les déconvenues.

### Compagnies aériennes hawaiiennes

**HAWAIIAN AIRLINES**
✆ (800) 367 5320 – www.hawaiianair.com
La compagnie régulière qui dessert le mieux toutes les îles. Également des vols A/R entre plusieurs grandes villes du continent américain et Hawaii. Si on réserve directement son vol auprès de la compagnie (site internet ou téléphone), il est impossible de régler en CB internationale émise en Europe. Passer par un moteur internet de voyage (voir ci-dessous) ou par une agence de voyage une fois sur l'archipel.

**GO!**
✆ (888) 435 9462 – www.iflygo.com
Desserte de toutes les îles mais une fréquence de vols moins importante qu'avec Hawaiian Airlines. La compagnie accepte les paiements en CB internationale émises en Europe et dans le reste du monde.

**ISLAND AIR**
✆ (808) 484 222 – www.islandair.com
Desserte de toutes les îles mais une fréquence de vols moins importante que celle d' Hawaiian Airlines. Si on réserve directement son vol auprès de la compagnie (site internet ou

téléphone), il est impossible de régler en CB internationale émise en Europe. Passer par un moteur internet de voyage (voir ci-dessous) ou par une agence de voyage une fois sur l'archipel

**MOKULELE AIRLINES**
✆ (808) 426 7070
www.mokuleleairlines.com
Desserte de toutes les îles mais une fréquence de vols moins importante qu'avec Hawaiian Airlines. La compagnie accepte les paiements en CB internationale émises en Europe et dans le reste du monde.

### Moteur de voyage (réservation des vols inter-îles)

**ORBITZ**
www.orbitz.com
C'est le seul moteur de voyage qui permet de réserver un vol sur toutes les compagnies hawaiiennes avec une CB internationale émise en Europe et dans le reste du monde.

## Bus

Pour circuler au sein des îles, la solution la moins coûteuse reste celle des transports en communs, quand ils existent... Pas de tramway ou de train, mais des lignes de bus dans la majorité des îles. On en trouve à Oahu (2,25 $ le billet avec une correspondance), à Maui (1 $ le billet sans correspondance), à Kauai (1,50 $ le billet sans correspondance) et à Big Island (gratuit). Aucun réseau de bus à Molokai et Lanai. Cependant – à l'exception d'Oahu – le bus n'est pas très pratique pour visiter toute une île : les passages sont peu fréquents avec une quasi-inexistence le week-end et les lignes ne couvrent que certaines zones de l'île. On risque donc de perdre du temps et de rester sur sa faim, si on ne compte que sur moyen de transports là.

### La combinaison bus/vélo

À Big Island et Oahu, il est possible d'accrocher son vélo au bus (pour 1 $ de plus à Big Island) et donc de parcourir la distance restante – de l'arrêt jusqu'à destination – en deux roues ; la combinaison bus/vélo est donc un bon moyen de gagner du temps et de l'argent sur ces deux îles.

## Ferries

Deux compagnies de ferry à Hawaii. « Expedition Ferry » qui fait la liaison Lahaina( Maui) / Manele Harbor( Lanai) et « Molokai Princess » qui fait la liaison Lahaina(Maui)/ Kaunakakai(Molokai). Le ferry est le moyen le plus pratique et le moins coûteux pour se rendre sur les îles de Lanai et Molokai.
Jusque début 2009, un ferry baptisé « Superferry » faisait la liaison Maui/Oahu mais sous la pression des écologistes – il était très polluant – la compagnie a été contrainte de fermer.

## Taxis

À Honolulu et dans tous les aéroports, on trouve des taxis assez facilement et il est inutile de les réserver. Cependant sur le reste de l'île d'Oahu – en dehors d'Honolulu – et sur toutes les autres îles, il faut presque systématiquement réserver son taxi à l'avance, sachant que tous n'ont pas un service 24h/24. Le taxi à Hawaii n'est pas ruineux et pas plus cher qu'aux États-Unis(à condition de ne pas l'utiliser tous les quatre matins !). Le prix de la course ne varie guère d'une compagnie à l'autre mais pensez tout de même à demander le tarif du trajet avant pour être à l'abri des mauvaises surprises. On trouvera les coordonnées des différentes compagnies de taxi classées par région, tout au long de ce guide.

## Vélo

Le réseau routier des différentes îles est assez mal adapté aux vélos en général. Il est donc préférable de ne l'utiliser que de manière occasionnelle ou de faire la combinaison bus/vélo (voir ci-dessus), sachant qu'elle n'est possible que sur Big Island et Oahu.

## Voiture

De façon générale, la voiture de location est incontestablement le meilleur moyen de visiter chacune des îles. La voiture compacte de base est entre 30 $ et 40 $ par jour. La CB (Visa, Amex, Mastercard) est obligatoire pour toute réservation. Budget et Thrifty sont les loueurs les moins chers mais on trouve parfois des agences locales hawaiiennes beaucoup moins chères encore. Les conducteurs âgés de 21 à 24 ans doivent en général s'acquitter de 25 $ supplémentaires par jour car ils auraient plus de risques d'accidents... Quelques enseignes de location ne font pas payer cette taxe, mais ils sont rares (se renseigner avant sur le site internet du loueur). Quant aux conducteurs de 18 à 21 ans, il leur est souvent interdit de louer une voiture pour les mêmes raisons... Heureusement, certaines agences locales (hors grandes enseignes) acceptent tout de même de leur louer un véhicule mais on les compte sur les doigts de la main.

Si cependant les refus pleuvent, ils peuvent toujours louer une moto, un vélo ou encore utiliser le bus. Dans tous les cas, il est impératif de réserver son véhicule à l'avance, non seulement pour bénéficier du tarif le plus intéressant mais aussi pour s'assurer de ne pas se retrouver sans voiture du tout ! Eh oui, ça arrive plus souvent qu'on ne le croit, si on s'y prend à la dernière minute, surtout en haute-saison (hiver et été).

Il est également fortement recommandé de demander à récupérer sa voiture au niveau de l'agence de l'aéroport ou, quand le loueur n'y est pas implanté (souvent le cas des agences locales), de penser à réserver la navette gratuite qui mène jusqu'au parc automobile où on peut récupérer sa voiture.

Au niveau des assurances, pour éviter de se faire plumer, l'idéal c'est de payer en carte gold car elle a déjà toutes les assurances principales et on peut dès lors refuser de prendre celles hors contrat du loueur, en toute sérénité

### Loueurs nationaux

La plupart des grandes enseignes de location de voiture américaines ont des bureaux à Hawaii et on les retrouve dans la partie « Transports » tout au long de ce guide.

## S'orienter

### Makai/Mauka

Pour indiquer les directions, les hawaiiens utilisent très souvent les termes « makai » qui signifie en direction de la mer et « mauka » qui veut dire « vers la montagne » (le volcan éteint de l'île en général, sauf sur Big Island où il est actif).

### Balises indiquant les miles

Des balises indiquant des distances en miles permettent de s'orienter sur les routes de toutes les îles de l'archipel. Très souvent, elles remplacent même les panneaux, et de nombreux sites sont indiqués au moyen de ces repères seuls. Un hôtel peut par exemple se trouver entre les balises 19 et 20 miles sur l'autoroute. Ce sont des indications précieuses qu'on retrouve tout au long de ce guide pour toutes les adresses concernées.

■ **AUTO ESCAPE**
✆ 0 800 920 940 ou 04 90 09 28 28
www.autoescape.com
En ville, à la gare ou dès votre descente davion Cette compagnie qui réserve de gros volumes auprès des grandes compagnies de location de voitures vous fait bénéficier de ses tarifs négociés. Grande flexibilité. Pas de frais de dossier, pas de frais dannulation, même à la dernière minute. Des informations et des conseils précieux, en particulier sur les assurances. Auto Escape est présent sur Oahu, Maui, Kauai et Big Island.

■ **ALAMO**
**RENT A CAR – NATIONAL CITER**
✆ 0 825 16 22 10 et ✆ (800) 462 5266
www.alamo.fr
✆ 0 891 700 200 – www.rentacar.fr
✆ 0 825 16 12 12 – www.citer.fr
*Location possible aux moins de 25 ans avec une taxe de 25 $ par jour. Sur Oahu, Maui, Kauai et Big Island.* Depuis près de 30 ans, Alamo Rent a Car est l'un des acteurs les plus importants de la location de véhicules. Actuellement, Alamo possède plus de 180 000 véhicules au service de 15 millions de voyageurs chaque année, répartis dans 1 248 agences implantées dans 43 pays. Des tarifs spécifiques sont proposés, comme Alamo Gold, le forfait de location de voiture tout compris incluant les assurances, les taxes, les frais d'aéroport, le plein d'essence et les conducteurs supplémentaires. Rent a Car et National Citer font partie du même groupe qu'Alamo.

■ **BUDGET**
✆ 0 825 00 35 64 – Fax : 01 70 99 35 95
www.budget.fr
✆ (800) 527 0700 – www.budget.com
*Location possible aux moins de 25 ans avec une taxe de 25 $ par jour. Sur Oahu, Maui, Kauai, Big Island et Molokai.* Budget France est le troisième loueur mondial, avec 3 200 points de vente dans 120 pays. Le site www.budget.fr propose également des promotions temporaires.

■ **DOLLAR**
✆ (800) 800 4000 – www.dollar.com
*location possible aux moins de 25 ans avec une taxe de 25 $ par jour. Sur Oahu, Maui, Kauai, Big Island et Molokai*

■ **HERTZ**
✆ 0 810 347 347 – www.hertz.com
✆ (800) 800 4000 – www.dollar.com

*Tout dépend des villes pour la location aux moins de 25 ans. Sur Oahu, Maui, Kauai et Big Island.* Vous pouvez obtenir différentes réductions si vous possédez la carte Hertz ou celle d'un partenaire Hertz. Le prix de la location comprend un kilométrage illimité, des assurances en option, ainsi que des frais si vous êtes jeune conducteur. Toutes les gammes de voitures sont représentées.

■ **RENT-A-WRECK**
✆ (800) 944 7501
www.rentawreck.com
À Lihue sur Kauai uniquement. Loue des véhicules d'occasion donc les tarifs sont plus bas que la moyenne (entre 25 $ et 30 $ par jour). Et plus les voitures sont anciennes et moins c'est cher !

■ **THRIFTY**
✆ (800) 847 4389
www.thrifty.com
*Location aux moins de 25 ans avec une taxe variable en fonction des îles. Sur Oahu, Maui, Kauai et Big Island.*

## Loueurs locaux

Toutes les îles ont des loueurs locaux. Leurs tarifs sont souvent plus bas mais leur parc automobile est plus réduit. Réserver à l'avance est encore plus important que pour les loueurs nationaux.

■ **AA ALOHA CARS-R-US**
✆ (800) 655 7989
www.hawaiicarrental.com
Centrale de réservation discount qui trouve la voiture la moins chère chez les loueurs nationaux en fonction de la catégorie de véhicule exigée et des dates de séjour. On n'est pas obligés d'enregistrer sa carte de crédit lors de la réservation en ligne et on n'a aucune pénalité si jamais on annule sa réservation à la dernière minute.

■ **ADVANCED AUTO**
✆ (808) 969 9998
www.autorentalshawaii.com
Sur Big Island. Les bureaux sont à Hilo mais une navette gratuite (à réserver) achemine les clients de l'aéroport à l'agence, où on peut récupérer son véhicule.

■ **CAR RENTALS IN HAWAII**
✆ (888) 292 3307
www.carrentalsinhawaii.com
Autre centrale de réservation discount avec les mêmes avantages que AA Aloha Cars-R-Us (voir ci-dessus).

*La fameuse route bordée d'arbres dite Tree tunnel.*

■ **HARPER CAR AND TRUCK RENTAL**
✆ (800) 852 9993
www.harpershawaii.com
Agence basée à Big Island. 2 bureaux : un à Kailua-Kona et l'autre à Hilo.
Location de voitures, 4x4 et pick-ups.

## Le code de la route à Hawaii

Les règles de conduite à Hawaii sont dans l'ensemble identiques à celles des États-Unis. Les limites de vitesse dépassent rarement 55 miles/h (90 km/h) et sont plutôt de 45 miles/h (70 km/h), même sur les autoroutes ! On n'est donc très tentés de faire des excès de vitesse quand on a l'habitude de conduire en France. Certes, les radars n'existent pas à Hawaii mais attention des policiers se cachent sur le bord de la route et ils ont des radars mobiles… et gare à celui qui se fait pincer car les amendes sont très salées et non négociables (de 200 $ à 500 $). Pour le taux d'alcoolémie maximum autorisé, il faut prendre ses précautions aussi car c'est l'un des plus bas de tout le territoire américain : 0,08% si on a plus de 21 ans (0,05% à Oahu) et 0,02% pour les moins de 21 ans. Un verre de vin suffit à atteindre ce dernier chiffre, donc les Mai Tai (cocktail hawaiien à base de rhum) il faut définitivement les oublier avant de prendre le volant !

Au niveau de la signalisation, elle est assez identique à celle en France, si ce n'est que comme aux États-Unis, leurs lignes blanches sont en faite jaunes et souvent doublées. Autre élément important, il faut vraiment présélectionner sa voie à l'avance en fonction de sa destination et s'y tenir… Il est souvent impossible de changer de voie à la dernière minute (comme on le fait souvent en France), ce n'est vraiment pas une coutume locale et comme les conducteurs ne s'y attendent pas, cela peut être dangereux ou pour le moins mal pris (malgré tout le aloha spirit dont sont emplis les hawaiiens !). Pour plus d'infos, acheter le livret du code de la route hawaiien, le « Hawaii Driver's Manual » (4,65 $), en vente en librairie et en supermarché.

### Stationnement

Il existe de nombreux endroits où on peut se garer gratuitement dans toutes les îles.

Mais à moins d'arriver à la première heure, autant vous le dire tout de suite, vous n'êtes pas le seul touriste et les places seront souvent prises…

Il faudra donc vous résoudre à payer le stationnement… Deux solutions : le parking « au forfait » qui fonctionne par tranche horaire non compressible (1h, 3h, 5h, etc.) ou le stationnement dans la rue avec le bon vieux parcmètre pour lequel il faut prévoir beaucoup de petite monnaie ( pas de système de paiement par carte).

## RESTER

Tout le monde a envie de rester à Hawaii après y avoir séjourné, mais il faut bien garder à l'esprit qu'Hawaii est un État américain et qu'obtenir un visa long séjour ou de travail est très, très difficile. Si jamais, vous avez cette chance sachez tout de même que les secteurs les plus porteurs au niveau emploi sont ceux de l'hôtellerie et de la restauration. Les autres services, notamment financiers et immobiliers, sont relativement sinistrés depuis la crise économique qui a déferlé sur les États-Unis et le monde.

### Étudier à Hawaii

Si vous arrivez à décrocher un visa américain long séjour pour faire des études à Hawaii, gardez tout de même à l'esprit que l'année universitaire est très chère comme partout ailleurs aux États-Unis. Voici la liste des universités d'Hawaii que vous pouvez contacter directement.

**HAWAII PACIFIC UNIVERSITY**
1164 Bishop Street – Honolulu, HI 96813
✆ (800) 544 0200 – www.hpu.edu

**MAUI COMMUNITY COLLEGE**
310 Kaahumanu Avenue
Kahului, HI 96732 ✆ (800) 544 0200
http://maui.hawaii.edu

**UNIVERSITY OF HAWAII AT MANOA**
2500 Campus Road – Honolulu, HI 96822
✆ (800) 956 8111
http://manoa.hawaii.edu

**UNIVERSITY OF HAWAII AT HILO**
200 W.Kawili Street – Hilo, HI 96720
✆ (800) 974 7414 – http://hilo.hawaii.edu

*Coucher de soleil à Kauai.*

# Index


**A**

Accessibilité .303
Agences de voyage .321
Ahihi-Kinau .213
Ahuena Heiau .143
Ala Moana Boulevard .91
Alanuihaha Park (Pahoa) .165
Alekoko (Menehune) Fishpond (Lihue) .264
Alexander& Baldwin Sugar Museum (Puunene) 206
Alii Kula Lavender .224
Alii Tours .121
Aliiolani Hale (Honolulu) .104
Aloha Tower (Honolulu) .103
Ambassades .314
Amy B. H. Greenwellethno Botanical Garden .148
Anaehoomalu Beach .180
Anahola Beach .270
Anini Beach Park (Kilauea) .272
Architecture .49
Argent .9, 286
Arizona Memorial (Pearl Harbor) .110
Arts .49
Assurances .289

**B**

Baby Beach (Poipu) .280
Bagages .291
Bailey House Museum (Wailuku) .206
Baldwin Beach (Paia) .215
Baldwin Home Museum (Lahaina) .192
Banyan Drive (Hilo) .168
Banyan Tree (Lahaina) .192
Battleship Uss Missouri Memorial (Pearl Harbor) 111
Bibliographie .306
Big Island .132
Big Wind Kite Factory and Plantation Gallery (Maunaloa) .253
Bishop Museum (Honolulu) .105
Black Rock Beach (Kaanapali) .198
Brennecke's Beach (Poipu) .280
Byodo In .120

**C**

Canoe Beach (Kaanapali) .198
Cape Kumukahi Lighthouse (Pahoa) .164
Charley Young Beach (Kihei) .210
Chinatown (Honolulu) .92
Church Of Saint Joseph .255
Cinéma .49
Climat .10, 30, 298
Coffees of Hawaii .248
Compagnies aériennes .325
Contemporary Museum (Honolulu) .107
Côte au vent .116
Côte de Kohala .177
Côte de Kona .139
Côte Hamakua .172
Côte sous le vent .129
Cuisine hawaiienne .53

**D / E**

D.T. Fleming Beach Park (Kapalua) .200
Damien Museum (Honolulu) .103
Danse .50
Décalage horaire .10, 292
Devastation Trail .160
Diamond Head Crater (Honolulu) .102
Dig Me Beach (Kaanapali) .198
Dole Plantation .113
Donkey Beach .270
Écologie .30
Économie .10, 42
Ehukai Beach Park .123
Électricité .292
Enfants du pays .57
Environnement .30

**F / G**

Falaises de Kalaupapa .252
Faune .32
Fern Grotto (Wailua State Park) .267
Festivités et jours fériés .52
Flore .32
Forêt de Kamakou .254
Formalités .292
Fruit Park – 12 Trees Project .149
Garden of the Gods (Keahikawelo) .235
Gay and Robinson Sugar Plantation .281
Géographie .27
Géologie .29
Grave of Charles Lindbergh .219
Greenwell Store .148
Grove Farm Homestead Museum (Lihue) .264

**H**

Haena .275
Haena Beach Park (Haena) .276
Haiku .215
Halawa Beach Park .254
Halawa Valley .254
Hale Pa'ahao (Lahaina) .192
Hale Pa'i (LAhaina) .193
Haleakala National Park .219
Haleiwa .124
Haleiwa Alii Beach Park .127
Haleiwa Beach Park .127
Halona Blowhole .114
Hamakua, côte .172
Hamoa Beach .219
Hana .217
Hana Beach Park .218
Hana Cultural Center Museum .218
Hanalei .273
Hanalei Beach Park (Hanalei) .274
Hanalei Valley Lookout (Hanalei) .274
Hanamaulu Beach Park (Lihue) .265
Hanapepe .281
Hanauma Bay .113

Hapuna Beach . . . . . . . . . . . . . . . . . . . . . . . .180
Hawaii Maritime Center (Honolulu) . . . . . . . .103
Hawaii State Art Museum (Honolulu) . . . . . . .104
Hawaii State Capitol (Honolulu) . . . . . . . . . . .104
Hawaii Tropical Botanical Garden. . . . . . . . . .173
Hawaii Volcanoes National Park. . . . . . . . . . .154
Hawaii's Plantation Village . . . . . . . . . . . . . .112
Hawaiian Electric Beach Park . . . . . . . . . . . .131
Hawaiian Islands Humpback Whale National Marine Sanctuary (Kihei) . . . . . . . . .210
Hawaiian Railway . . . . . . . . . . . . . . . . . . . . .112
Hébergement . . . . . . . . . . . . . . . . . . . . . . .328
Hideaways Beach (Princeville). . . . . . . . . . . .273
Hikiau Heiau . . . . . . . . . . . . . . . . . . . . . . . .149
Hikina A Ka La Heiau (Wailua State Park). . . .267
Hilina Pali Road. . . . . . . . . . . . . . . . . . . . . .160
Hilo. . . . . . . . . . . . . . . . . . . . . . . . . . . . . .165
Hilo Coffee Mill (Hilo). . . . . . . . . . . . . . . . . .170
Histoire. . . . . . . . . . . . . . . . . . . . . . . . . . . .34
Holei Sea Arch . . . . . . . . . . . . . . . . . . . . . .161
Holy Innocents Episcopal Church (Lahaina) . .193
Honokowai . . . . . . . . . . . . . . . . . . . . . . . . .198
Honokowai Beach Park . . . . . . . . . . . . . . . .199
Honolii Beach Park (Hilo). . . . . . . . . . . . . . .170
Honolua Bay (Kapalua) . . . . . . . . . . . . . . . .201
Honolulu . . . . . . . . . . . . . . . . . . . . . . . . . . .85
*Hébergement. . . . . . . . . . . . . . . . . . . . . . .93*
*Points d'intérêt . . . . . . . . . . . . . . . . . . . .102*
*Pratique. . . . . . . . . . . . . . . . . . . . . . . . . .85*
*Quartiers – Orientation. . . . . . . . . . . . . . . .89*
*Restaurants . . . . . . . . . . . . . . . . . . . . . . . .98*
*Shopping. . . . . . . . . . . . . . . . . . . . . . . . .107*
*Sortir. . . . . . . . . . . . . . . . . . . . . . . . . . .101*
*Sports et loisirs . . . . . . . . . . . . . . . . . . . .108*
Honolulu Academy of Arts (Honolulu). . . . . . .103
Hookipa Beach (Paia) . . . . . . . . . . . . . . . . .215
Hoomaluhia Botanical Garden . . . . . . . . . . . .121
Horaires d'ouverture . . . . . . . . . . . . . . . . . .296
Huelo . . . . . . . . . . . . . . . . . . . . . . . . . . . .216
Hui Noeau Visual Art Center (Makawao). . . . .224
Hulihee Palace . . . . . . . . . . . . . . . . . . . . . .143
Hulopoe Beach . . . . . . . . . . . . . . . . . . . . . .238

## I / J

Iao Valley Road . . . . . . . . . . . . . . . . . . . . . .207
Iao Valley State Park (Iao Valley Road) . . . . . .207
Imiloa Astronomy Center (Hilo) . . . . . . . . . . .168
Internet. . . . . . . . . . . . . . . . . . . . . . . . . . .296
Iolani Palace (Honolulu). . . . . . . . . . . . . . . .104
Isaac Hale Beach Park (Pahoa) . . . . . . . . . . .165
Jeux . . . . . . . . . . . . . . . . . . . . . . . . . . . . . .55
Jodo Mission (Lahaina) . . . . . . . . . . . . . . . .193
Jours fériés. . . . . . . . . . . . . . . . . . . . . . . .296

## K

Ka Lae – South Point. . . . . . . . . . . . . . . . . . .153
Kaanapali . . . . . . . . . . . . . . . . . . . . . . . . . .197
Kaeleku Caverns. . . . . . . . . . . . . . . . . . . . .217
Kaena Point. . . . . . . . . . . . . . . . . . . . . . . . .128
Kahakuloa. . . . . . . . . . . . . . . . . . . . . . . . . .202
Kahaluu Beach Park . . . . . . . . . . . . . . . . . .145
Kahana . . . . . . . . . . . . . . . . . . . . . . . . . . .198
Kahana Beach. . . . . . . . . . . . . . . . . . . . . . .199
Kahe Point Beach Park . . . . . . . . . . . . . . . .130
Kahekili Beach Park (Kaanapali) . . . . . . . . . .198
Kahili Quarry Beach (Kilauea) . . . . . . . . . . . .272
Kahuku . . . . . . . . . . . . . . . . . . . . . . . . . . .118
Kahului . . . . . . . . . . . . . . . . . . . . . . . . . . .202
Kaiaka Beach Park . . . . . . . . . . . . . . . . . . .128
Kailua . . . . . . . . . . . . . . . . . . . . . . . . .116, 216
Kailua Beach Park (Kailua). . . . . . . . . . . . . . .118
Kailua Pier . . . . . . . . . . . . . . . . . . . . . . . . .143
Kailua Sailboards and Kayaks . . . . . . . . . . . .118
Kailua-Kona . . . . . . . . . . . . . . . . . . . . . . . .139
Kalaheo . . . . . . . . . . . . . . . . . . . . . . . . . . .281
Kalama Beach Park (Kihei) . . . . . . . . . . . . . .210
Kalapaki Beach (Lihue) . . . . . . . . . . . . . . . .265
Kalapana (Pahoa) . . . . . . . . . . . . . . . . . . . .164
Kalaupapa. . . . . . . . . . . . . . . . . . . . . . . . . .249
Kalepolepo Beach Park (Kihei). . . . . . . . . . . .210
Kalihiwai Beach (Kilauea) . . . . . . . . . . . . . . .272
Kalokoeli Fishpond . . . . . . . . . . . . . . . . . . .255
Kaluaaha Church. . . . . . . . . . . . . . . . . . . . .255
Kamakahonu Beach . . . . . . . . . . . . . . . . . . .145
Kamakou Preserve . . . . . . . . . . . . . . . . . . .254
Kamakou, forêt de. . . . . . . . . . . . . . . . . . . .254
Kamalo . . . . . . . . . . . . . . . . . . . . . . . . . . .255
Kamaole Beach Park I, II et III (Kihei) . . . . . . .210
Kamokila Hawaiian Village (Wailua State Park) .268
Kamuela Museum (Waimea) . . . . . . . . . . . . .177
Kanaha Beach Park (Kahului). . . . . . . . . . . . .204
Kanaha Pond Bird Sanctuary (Kahului). . . . . .204
Kaneaki Heiau. . . . . . . . . . . . . . . . . . . . . . .130
Kaneana Cave. . . . . . . . . . . . . . . . . . . . . . .130
Kaneohe . . . . . . . . . . . . . . . . . . . . . . . . . .118
Kanepuu Preserve. . . . . . . . . . . . . . . . . . . .236
Kapaa. . . . . . . . . . . . . . . . . . . . . . . . . . . . .269
Kapaa Beach Park. . . . . . . . . . . . . . . . . . . .270
Kapalua . . . . . . . . . . . . . . . . . . . . . . . . . . .200
Kapalua Beach (Kapalua). . . . . . . . . . . . . . . .200
Kapuaiwa Coconut Grove (Kaunakakai) . . . . .246
Kapukahehu Bay. . . . . . . . . . . . . . . . . . . . .254
Kauai . . . . . . . . . . . . . . . . . . . . . . . . . . . . .256
Kauai Coffee Museum . . . . . . . . . . . . . . . . .281
Kauai Heritage Center of Hawaiian Culture & the Arts (Kaapa). . . . . . . . . . . . . . .270
Kauai Museum (Lihue). . . . . . . . . . . . . . . . . .264
Kauai Plantation Railway (Lihue) . . . . . . . . . .264
Kaumahina State Wayside Park. . . . . . . . . . .217
Kaumalapau Harbor . . . . . . . . . . . . . . . . . .237
Kaumana Caves (Hilo) . . . . . . . . . . . . . . . . .169
Kaunakakai. . . . . . . . . . . . . . . . . . . . . . . . .243
Kaunakakai Wharf (Kaunakakai) . . . . . . . . . .246
Kaunolu . . . . . . . . . . . . . . . . . . . . . . . . . . .238
Kawaiahao Church (Honolulu) . . . . . . . . . . . .105
Kawailoa Beach . . . . . . . . . . . . . . . . . . . . .128
Kawakiu Beach. . . . . . . . . . . . . . . . . . . . . .253
Kealakekua Bay . . . . . . . . . . . . . . . . . .147, 150
Kealia Beach. . . . . . . . . . . . . . . . . . . . . . . .270
Keanae Arboretum . . . . . . . . . . . . . . . . . . .217
Keanae Overlook. . . . . . . . . . . . . . . . . . . . .217
Keawakapu Beach (Kihei) . . . . . . . . . . . . . . .210
Keawaula Bay. . . . . . . . . . . . . . . . . . . . . . .131
Kee Beach (Haena) . . . . . . . . . . . . . . . . . . .276
Kehena Beach (Pahoa) . . . . . . . . . . . . . . . .165
Keomuku . . . . . . . . . . . . . . . . . . . . . . . . . .236
Kepaniwai Park & Hawaii Nature Center (Iao Valley Road) . . . . . . . . . . . . . . . . . . . . .206
Kepuhi Beach . . . . . . . . . . . . . . . . . . . . . . .253

Kiahuna Beach (Poipu) . . . . . . . . . . . . . . . . .280
Kihei . . . . . . . . . . . . . . . . . . . . . . . . . . . . .208
Kiholo Bay. . . . . . . . . . . . . . . . . . . . . . . . . .180
Kilauea . . . . . . . . . . . . . . . . . . . . . . . . . . . .271
Kilauea Caldera. . . . . . . . . . . . . . . . . . . . . .160
Kilauea National Wildlife Refuge (Kilauea) . . .272
Kilohana (Lihue) . . . . . . . . . . . . . . . . . . . . .265
King Kamehameha Statue. . . . . . . . . . . . . . .179
Kitesurf. . . . . . . . . . . . . . . . . . . . . . . . . . . .204
Kohala, côte de . . . . . . . . . . . . . . . . . . . . . .177
Kokee Natural History Museum (Kokee). . . . .283
Kokee State Park. . . . . . . . . . . . . . . . . . . . .283
Koki Beach . . . . . . . . . . . . . . . . . . . . . . . . .219
Koko Crater. . . . . . . . . . . . . . . . . . . . . . . . .114
Koko Crater Botanical Gardens . . . . . . . . . . .114
Koloa . . . . . . . . . . . . . . . . . . . . . . . . . . . . .280
Koloa History Center (Koloa) . . . . . . . . . . . .280
Koloa Sugar Monument (Koloa) . . . . . . . . . . .280
Kona Coffee Living History Farm . . . . . . . . . .149
Kona Historical Society . . . . . . . . . . . . . . . .142
Kona Pacific Farmers Cooperative . . . . . . . . .149
Kona, côte de . . . . . . . . . . . . . . . . . . . . . . .139
Kua Bay . . . . . . . . . . . . . . . . . . . . . . . . . . .144
Kula . . . . . . . . . . . . . . . . . . . . . . . . . . . . . .224
Kula Botanical Gardens . . . . . . . . . . . . . . . .224
Kula Kai Caverns. . . . . . . . . . . . . . . . . . . . .153

## L

La Perouse Bay. . . . . . . . . . . . . . . . . . . . . .213
Lady of Sorrows Church . . . . . . . . . . . . . . .255
Lahaina. . . . . . . . . . . . . . . . . . . . . . . . . . . .187
Lahaina Courthouse . . . . . . . . . . . . . . . . . .193
Lahaina-Ka'anapali & Pacific Railroad . . . . . .193
Lanai . . . . . . . . . . . . . . . . . . . . . . . . . . . . .226
Lanai City . . . . . . . . . . . . . . . . . . . . . . . . .230
Lanai Culture and Heritage Center (Lanai City). .233
Langue . . . . . . . . . . . . . . . . . . . 45, 59, 61, 297
Lanikai Beach Park . . . . . . . . . . . . . . . . . . .118
Launiupoko Wayside Park . . . . . . . . . . . . . .197
Lava Pools (Pahoa) . . . . . . . . . . . . . . . . . . .164
Lava Tree State Park (Pahoa). . . . . . . . . . . .164
Lawai Beach (Poipu) . . . . . . . . . . . . . . . . . .280
Leleiwi Beach Park (Hilo). . . . . . . . . . . . . . .170
Lexique. . . . . . . . . . . . . . . . . . . . . . . . . . . . .59
Librairies . . . . . . . . . . . . . . . . . . . . . . . . . .307
Lihue . . . . . . . . . . . . . . . . . . . . . . . . . . . . .261
Liliuokalani Gardens (Hilo). . . . . . . . . . . . . .169
Liliuokalani Protestant Church (Haleiwa) . . . .126
Limahuli Garden (Haena). . . . . . . . . . . . . . .276
Littérature. . . . . . . . . . . . . . . . . . . . . . . . . . .50
Little Beach (Makena) . . . . . . . . . . . . . . . . .212
Loisirs. . . . . . . . . . . . . . . . . . . . . . . . . . . . . .55
Lopa Beach. . . . . . . . . . . . . . . . . . . . . . . . .236
Luahiwa Petroglyphs. . . . . . . . . . . . . . . . . .238
Lumahai Beach (Haena) . . . . . . . . . . . . . . .276
Lydgate State Park (Wailua State Park) . . . . .267
Lyman Museum & Mission House (Hilo). . . . .169
Lyon Arboretum (Honolulu) . . . . . . . . . . . . .107

## M

Ma Poina Oeiau Beach Park (Kihei) . . . . . . . .210
Maalaea . . . . . . . . . . . . . . . . . . . . . . . . . . .207
Mahaulepu Beach (Poipu) . . . . . . . . . . . . . .280
Maili Beach Park. . . . . . . . . . . . . . . . . . . . .131
Makaha Beach Park . . . . . . . . . . . . . . . . . .131
Makalawena Beach. . . . . . . . . . . . . . . . . . .144
Makapuu Beach . . . . . . . . . . . . . . . . . . . . .113
Makapuu Beach Park . . . . . . . . . . . . . . . . .115
Makapuu Point State Wayside . . . . . . . . . . .115
Makawao . . . . . . . . . . . . . . . . . . . . . . . . . .223
Makena . . . . . . . . . . . . . . . . . . . . . . . . . . .212
Makena Landing (Makena) . . . . . . . . . . . . . .212
Manele Bay. . . . . . . . . . . . . . . . . . . . . . . . .238
Maniniholo Dry Cave (Haena) . . . . . . . . . . . .276
Maniniowali . . . . . . . . . . . . . . . . . . . . . . . .144
Manoa Falls (Honolulu) . . . . . . . . . . . . . . . .107
Manuka State Wayside . . . . . . . . . . . . . . . .154
Maui. . . . . . . . . . . . . . . . . . . . . . . . . . . . . .181
Maui Ocean Center (Maalaea) . . . . . . . . . . . .207
Maui Pineapple Company (Kapalua). . . . . . . .200
Mauka Meadows. . . . . . . . . . . . . . . . . . . . .144
Mauna Kea . . . . . . . . . . . . . . . . . . . . . . . . .170
Mauna Kea Beach . . . . . . . . . . . . . . . . . . . .180
Mauna Loa Macadamia Factory (Hilo) . . . . . .169
Maunaloa . . . . . . . . . . . . . . . . . . . . . . . . . .253
Mc Bryde and Allerton Gardens (Poipu) . . . . .279
Médias . . . . . . . . . . . . . . . . . . . . . . . . .50, 318
Milolii Beach Park . . . . . . . . . . . . . . . . . . . .150
Mission Houses Museum (Honolulu) . . . . . . .105
Mode de vie . . . . . . . . . . . . . . . . . . . . . . . . .46
Mokapu & Ulua Beach (WAilea) . . . . . . . . . . .211
Mokuaikaua Church . . . . . . . . . . . . . . . . . . .143
Mokuleia Bay (Kapalua). . . . . . . . . . . . . . . . .201
Molokai. . . . . . . . . . . . . . . . . . . . . . . . . . . .239
Monument du père Damien (Kalaupapa) . . . .252
Mookini Heiau. . . . . . . . . . . . . . . . . . . . . . .179
Musique . . . . . . . . . . . . . . . . . . . . . . . . . . . .51

## N / O

Na Pali Coast . . . . . . . . . . . . . . . . . . . . . . .276
Naha. . . . . . . . . . . . . . . . . . . . . . . . . . . . . .236
Naha and Pinao Stones (Hilo) . . . . . . . . . . . .169
Nakalele Blowhole . . . . . . . . . . . . . . . . . . . .201
Nanakuli Beach Park. . . . . . . . . . . . . . . . . . .131
Napili . . . . . . . . . . . . . . . . . . . . . . . . . . . . .198
Napili Bay . . . . . . . . . . . . . . . . . . . . . . . . . .199
North Shore Surf and cultural Museum
(Haleiwa) . . . . . . . . . . . . . . . . . . . . . . . . . .126
Nuuanu Pali Lookout . . . . . . . . . . . . . . . . . .121
Oahu. . . . . . . . . . . . . . . . . . . . . . . . . . . . . . .80
Oheo Gulch. . . . . . . . . . . . . . . . . . . . . . . . .218
Old Kona Airport Park Beach . . . . . . . . . . . .144
Olivine Pools. . . . . . . . . . . . . . . . . . . . . . . .202
Onekahakaha Beach Park (Hilo). . . . . . . . . . .170
Oneloa Beach (Kapalua) . . . . . . . . . . . . . . .200
Oneloa Beach (Makena) . . . . . . . . . . . . . . . .212
Oneuli Beach (Makena) . . . . . . . . . . . . . . . .212
Opaekaa Falls (Wailua State Park) . . . . . . . . .268

## P

Pacific Tsunami Museum (Hilo) . . . . . . . . . . .169
Pahoa . . . . . . . . . . . . . . . . . . . . . . . . . . . .163
Paia . . . . . . . . . . . . . . . . . . . . . . . . . . . . . .213
Pakala Beach . . . . . . . . . . . . . . . . . . . . . . .281
Palaau State Park . . . . . . . . . . . . . . . . . . . .248
Papakolea Green Sand Beach . . . . . . . . . . . .154
Papohaku Beach. . . . . . . . . . . . . . . . . . . . .253
Parcs nationaux . . . . . . . . . . . . . . . . . . . . . .32

Parker Ranch Historic Homes (Waimea) . . . . . 176
Pearl Harbor . . . . . 110
Peepee Falls – Boiling Pots (Hilo) . . . . . 169
Peinture . . . . . 52
Pepeekeo Drive . . . . . 172
Photos . . . . . 297
Piilani Heiau . . . . . 217
Pohaku Kani . . . . . 201
Poipu . . . . . 278
Poipu Beach Park (Poipu) . . . . . 280
Pokai Bay Beach Park . . . . . 131
Poliahu Heiau (Wailua State Park) . . . . . 267
Polihua Beach . . . . . 236
Polipoli Spring State Recreation Area . . . . . 225
Politique . . . . . 41
Polo Beach (Wailea) . . . . . 211
Pololu Valley . . . . . 179
Polynesian Cultural Center . . . . . 121
Population . . . . . 9, 44
Poste . . . . . 298
Princeville . . . . . 272
Puamana Beach Park . . . . . 197
Puhokamoa Falls . . . . . 217
Pukalani . . . . . 223
Puna, région . . . . . 162
Punahou School (Honolulu) . . . . . 106
Punalau Beach . . . . . 201
Punaluu Black Sand Beach . . . . . 154
Punchbowl National Memorial Cemetery (Honolulu) . . . . . 106
Purdy's Macadamia Nut Farm . . . . . 248
Puu Hina Hina Lookout (Waimea Canyon State Park) . . . . . 282
Puu Loa Petroglyps . . . . . 160
Puu O Mahuka Heiau . . . . . 122
Puu Poa Beach (Princeville) . . . . . 273
Pu'uhonua O Honaunau National Historical Park . . . . . 150
Puukohola National Historic Site . . . . . 180
Puunene . . . . . 206

## Q / R

Queen Emma's Summer Palace (Honolulu) . . . . . 106
Queen's Bath (Princeville) . . . . . 273
R.W. Meyer Sugar Milland Molokai Museum . 248
Rainbow Falls (Hilo) . . . . . 169
Red Sand Beach (Hana) . . . . . 218
Reeds Bay Beach Park (Hilo) . . . . . 170
Russian Fort Elizabeth State Historical Park . . 281

## S

Saint Andrew's Cathedral (Honolulu) . . . . . 104
Saint Benedict's Painted Church . . . . . 150
Saint Francis Church (Kalaupapa) . . . . . 252
Saint Philomena Church (Kalaupapa) . . . . . 252
Saisons . . . . . 10, 298
Salt Pond Beach Park . . . . . 281
Sandy Beach Park . . . . . 114
Santé . . . . . 299
Seamen's Hospital (Lahaina) . . . . . 193
Secret Beach (Kilauea) . . . . . 272
Sécurité . . . . . 303
Shark's Cove . . . . . 123
Shipwreck Beach . . . . . 236
Shipwreck Beach (Poipu) . . . . . 280
Smith Bronte Landing . . . . . 255
Smith Tropical Paradise (Wailua State Park) . . 267
Sports . . . . . 55
Spouting Horn (Poipu) . . . . . 279
Sprecklesville Town Beach (Paia) . . . . . 215
Star of the Sea Painted Church (Pahoa) . . . . . 165
Statue de Kamehameha (Honolulu) . . . . . 105
Sunset Beach . . . . . 122
Sunset Beach Park . . . . . 124
Swinging Bridge . . . . . 281

## T / U

Tedeschi Vineyards . . . . . 224
Téléphone . . . . . 10, 304
Temple Izumo Taisha (Honolulu) . . . . . 107
Temple Kuan Yin (Honolulu) . . . . . 107
Temple Mormon . . . . . 121
Thomas A. Jaggar Museum . . . . . 160
Thurston Lava Tube . . . . . 160
Tombe de mère Marianne (Kalaupapa) . . . . . 252
Transports . . . . . 328
Tree Tunnels (Koloa) . . . . . 280
Tropical Gardens Of Maui (Iao Valley Road) . . 207
Tunnels Beach (Haena) . . . . . 276
Twin Falls . . . . . 216
Ukumehame Beach Park . . . . . 197
Ulupakua Ranch . . . . . 224
Ulupo Heiau (Kailua) . . . . . 118
USS Bowfin Submarine Museum and Park (Pearl Harbor) . . . . . 111

## V / W

Volcano . . . . . 162
Wahiawa Botanical Garden . . . . . 112
Waialea Beach . . . . . 180
Waialua . . . . . 128
Waialua Beach Park . . . . . 254
Waianapanapa State Park . . . . . 217
Waihee Ridge Trail . . . . . 202
Waihee Valley . . . . . 202
Waikamoi Nature Trail . . . . . 217
Waikani Falls . . . . . 217
Waikiki (Honolulu) . . . . . 89
Waikiki Aquarium (Honolulu) . . . . . 103
Waikoko Beach (Hanalei) . . . . . 274
Wailea . . . . . 210
Wailua Falls (Lihue) . . . . . 265
Wailua State Park . . . . . 266
Wailuku . . . . . 201, 204
Waimanalo . . . . . 115
Waimea . . . . . 122, 174
Waimea Bay Beach Park . . . . . 123
Waimea Canyon State Park . . . . . 282
Waimea Valley's Gardens . . . . . 123
Waiola Church (Lahaina) . . . . . 194
Waioli Beach Park (Hanalei) . . . . . 274
Waioli Mission House Museum (Hanalei) . . . . 274
Waipio Valley . . . . . 172
Waipio Valley Lookout . . . . . 173
Waipouli Beach Park (Kaapa) . . . . . 270
Wet Caves (Haena) . . . . . 276
Whalers Village Museum (Kaanapali) . . . . . 198
White Sands Beach . . . . . 145
Wo Hing Museum (Lahaina) . . . . . 194
Wood Valley Temple . . . . . 154